FILOSOFIA ESPIRITUALISTA

O LIVRO DOS ESPÍRITOS

Contém os princípios da Doutrina Espírita sobre a imortalidade da alma, a natureza dos espíritos e suas relações com os homens, as leis morais, a vida presente, a vida futura e o porvir da Humanidade segundo o ensinamento dado pelos Espíritos Superiores com o auxílio de diversos médiuns

Recebidos e coordenados por:

ALLAN KARDEC

POR
CLAUDIO DAMASCENO FERREIRA JUNIOR

BESOUROLUX
EDIÇÕES

3ª edição / Porto Alegre-RS / 2015

Capa: Marco Cena sobre tela de William Adolphe Bouguereau - A Caridade
Consultoria editorial: Ivan Selbach
Revisão: Glênio Guimarães
Produção: BesouroBox
Editoração eletrônica: Bruna Dali e Maitê Cena
Assessoramento de edição: André Luis Alt

D155l   Kardec, Allan.
            Livro dos Espíritos / Allan Kardec ; [coordenação] Claudio
         Damasceno Ferreira Junior. 3.ed – Porto Alegre: BesouroBox , 2015.
         480 p.

            ISBN 978-85-99275-63-4

            1.Espiritismo. I. Título.

                                                          CDU 130.122

                    Cip – Catalogação na Publicação
                    Vanessa I. de Souza CRB10/1468

Todos os direitos desta edição reservados à
Edições BesouroBox Ltda.
Rua Brito Peixoto, 224 - Cep: 91.030-400
Passo D'areia - Porto Alegre - RS
Fone: (51) 3337.5620
www.besourobox.com.br
Impresso no Brasil
Outubro de 2015

Os direitos autorais provenientes desta obra serão doados pelo organizador ao Centro
Espírita Dr. Ramiro D'Ávila (Sopa do Pobre) - Porto Alegre/RS.

*Agradeço aos colegas Espíritas
que contribuíram com incentivo,
conhecimento e dedicação para
que esta obra se realizasse.
Aos irmãos: Ivan Selbach e
Soenia Feijó, o meu muito
obrigado, de coração.*

ÍNDICE

APRESENTAÇÃO

Após realizar o trabalho com a obra *O Evangelho Segundo o Espiritismo*, de Allan Kardec, trazendo o seu texto para uma leitura mais fácil e acessível, recebemos inúmeras solicitações, por e-mail e pessoalmente, para que estendêssemos o mesmo conceito – leitura fácil e acessível – ao *O Livro dos Espíritos*.

Tomada a decisão de trabalhar neste empreendimento, renovamos nossa surpresa com a maravilha que esta obra representa, com a sequência das perguntas e com a clareza das respostas.

Consideramos *O Livro dos Espíritos* uma das maiores obras já recebidas pela Humanidade, pelas informações que trouxe sobre assuntos tão importantes e decisivos.

Seus ensinamentos obrigam o homem a pensar no que ele representa para si, para seus semelhantes, para o planeta em que vive e, principalmente, para o Universo, do qual é parte integrante.

Todo aquele que ler este livro, com a atenção que o assunto merece, ficará sensibilizado, pois ele toca, até mesmo, os mais incrédulos.

O Livro dos Espíritos foi publicado em 1857, em Paris, na França, com toda a dificuldade que seu conteúdo representava para a época.

Pedimos que leiam atentamente a Introdução que, apesar de longa, é muito esclarecedora, porque nos dá uma ideia de como a Doutrina Espírita começou e como sofreu com a oposição dos que não a aceitavam. Também prepara o leitor para um melhor entendimento sobre os assuntos que serão abordados.

Para tornar a leitura mais suave, precisamos dividir os textos mais longos em vários parágrafos, sem prejuízo do conteúdo. Utilizamos esse recurso nos comentários de Kardec e em algumas respostas dos Espíritos.

Obras deste porte certamente possuem o respaldo de Espíritos Superiores, que se dignam a vir esclarecer-nos sobre questões tão importantes e que perturbam as gerações desde o início dos tempos.

Allan Kardec sacrificou seu repouso, sua saúde e até mesmo sua vida ao ideal que abraçou, ou seja, codificar a Doutrina Espírita. Seus adversários não lhe deram tréguas, e ele precisou perseverar muito para que recebêssemos, dos Espíritos, esse verdadeiro presente Divino. Tributemos, então, ao grande Codificador nosso profundo respeito e admiração!

A leitura deste livro mudou, para melhor, nossos conceitos e a maneira de como encarar a vida. Esperamos que também possa mudar a sua!

Desejamos a todos uma boa leitura.
Claudio Damasceno Ferreira Junior

Pelo Espiritismo, o homem sabe de onde vem e para onde vai, porque sofre temporariamente e vê por toda a parte a justiça de Deus. Sabe que a alma progride sem cessar, através de uma série de existências sucessivas, até atingir o grau de perfeição que pode aproximá-la de Deus.

(Allan Kardec - A Gênese, cap. I, item 30)

INTRODUÇÃO AO ESTUDO DA DOUTRINA ESPÍRITA

1
ESPÍRITA E ESPIRITISMO

Para designar coisas novas, são necessárias palavras novas. A clareza de uma língua assim exige, a fim de evitar que uma mesma palavra tenha vários significados. As palavras **Espiritualismo**, **Espiritualista** e **Espiritual** possuem significados bem definidos, e acrescentar a essas palavras um novo significado, para aplicá-las a Doutrina dos Espíritos, seria multiplicar ainda mais os casos, já tão numerosos, de palavras que possuem vários significados.

De fato, o Espiritualismo é o oposto do Materialismo, e qualquer um que acredite ter em si mesmo algo além da matéria é Espiritualista. Entretanto, isso não significa que tenha que acreditar na existência dos Espíritos ou em suas comunicações com o Mundo Material.

Para designar a nova crença, utilizaremos as palavras ESPÍRITA e ESPIRITISMO. Assim, a Doutrina Espírita – ou o Espiritismo – tem por princípio as relações do Mundo Material com os **Espíritos**, que são os seres do Mundo Espiritual. Os seguidores do ESPIRITISMO serão os ESPÍRITAS.

De uma maneira específica, "O Livro dos Espíritos" contém a Doutrina Espírita; de uma maneira geral, menos específica, ele se reporta à Doutrina

Espiritualista, porque esta doutrina também admite a existência dos Espíritos. Esta é a razão pela qual "O Livro dos Espíritos" traz, em seu início, antes do título, a referência "Filosofia Espiritualista".

Observações

Espiritualismo: É a doutrina filosófica que admite a existência do Espírito como realidade fundamental. Entende que o Espírito encontra-se num grau superior à matéria, e que sua origem antecede a própria matéria.

Espiritualista: É todo aquele que acredita possuir em si, algo mais do que o corpo físico, ao qual dá o nome de alma, espírito, essência etc. Mas isso não significa que ele seja espírita. Em contrapartida, todo o espírita é espiritualista.

Espiritual: É tudo o que é relativo ao Espírito, ou seja, não possui corpo físico, não é material.

Espíritos: O termo **Espírito** tem sua origem no latim *spiritus*, significando "respiração" ou "sopro"; também pode se referir a "alma", "coragem", "vigor".

2
ALMA – PRINCÍPIO VITAL – FLUIDO VITAL

A palavra ALMA, sobre a qual é necessário que todos se entendam, tem sido objeto de muita controvérsia por falta de um significado que a defina com precisão. A alma é a base, é o ponto de partida de toda doutrina moral. As divergências de opiniões sobre a natureza da alma provêm do significado particular que cada um dá a essa palavra. Um idioma perfeito, em que cada ideia fosse expressa por um termo próprio, evitaria muitas discussões.

Os três significados para a palavra alma podem ser assim apresentados:

PRIMEIRO: A alma é o princípio da vida material orgânica, não tem existência própria e extingue-se com a vida: é o materialismo puro. Utilizando-se esse significado para a palavra alma, é que se diz que um instrumento rachado, que não produz mais som, não possui alma. De acordo com essa opinião, a alma seria uma consequência e não uma causa.

SEGUNDO: A alma é o princípio da inteligência, agente universal do qual cada ser absorve uma determinada parcela. De acordo com esse significado, haveria no Universo apenas uma "única alma", que distribuiria suas centelhas entre os diversos seres inteligentes, durante suas vidas.

Após a morte, cada centelha retornaria à fonte comum, onde se misturaria com o todo. Este significado é diferente do anterior, pois nessa hipótese existe em nós algo além da matéria e resta alguma coisa após a morte.

Mas é quase como se nada restasse, pois a alma, ao retornar para o todo de onde veio, perderia a sua individualidade e, assim, não teríamos mais a consciência de nós mesmos.

De acordo com esse significado, a *alma universal* seria Deus, e cada ser uma pequena parcela da Divindade: é uma variante da **Doutrina Panteísta**.

TERCEIRO: A alma é um ser moral que não se confunde com outro. É independente da matéria e conserva a sua individualidade após a morte do corpo físico. Este conceito é o mais aceito, pois a ideia de um "ser" que sobrevive ao corpo é uma crença instintiva e não é fruto de nenhum ensinamento. Essa ideia está no íntimo de todos os povos, qualquer que seja o grau de sua civilização. Esse ensinamento, segundo o qual a alma é a causa e não a consequência, é a Doutrina dos Espiritualistas.

Sem entrar no mérito dos três significados, e considerando apenas o aspecto linguístico da questão, pode-se dizer que a palavra alma corresponde a três ideias distintas; assim, para um melhor entendimento, cada ideia precisaria de uma palavra específica.

Portanto, a palavra alma possui três significados, e cada pessoa, olhando do seu ponto de vista, pode defini-la como quiser. A dificuldade está no idioma que dispõe de apenas uma palavra para exprimir três ideias distintas. A fim de evitar qualquer equívoco, o correto seria atribuir o significado da palavra alma a uma dessas três ideias. A escolha é indiferente, desde que todos se entendam, pois tudo não passa de uma questão de convenção.

Preferimos usar o terceiro significado por ser o mais comum e por nos parecer o mais lógico, ou seja: a "alma é o ser imaterial e individual que reside em nós e continua existindo após a morte do corpo físico". Mesmo que esse "ser imaterial e individual" não existisse, fosse apenas um produto da imaginação, ainda assim, seria preciso uma palavra para designá-lo.

Na ausência de uma palavra específica para cada uma das outras duas ideias, ao que corresponde à palavra alma, chamaremos de:

PRINCÍPIO VITAL é o princípio da vida material e orgânica, seja qual for a sua origem, e que é comum a todos os seres vivos, desde as plantas até o homem. O princípio vital é um elemento distinto e independente, uma vez que pode existir vida sem a faculdade de pensar. A palavra "vitalidade" não daria a mesma ideia que nos dá o Princípio Vital.

Para uns, o Princípio Vital é uma propriedade da matéria, um efeito que se produz quando a matéria se encontra em determinadas circunstâncias. Para outros, e esta é a ideia mais comum, o Princípio Vital se encontra num "fluido especial", espalhado por todo o Universo, e do qual cada ser absorve e assimila uma parcela durante a vida, assim como vemos os corpos opacos absorverem a luz.

Este seria, então, o "fluido vital" que, na opinião de alguns, é o mesmo "fluido elétrico animalizado", também conhecido por "fluido magnético", "fluido nervoso", etc.

Seja como for, existem fatos que ninguém pode contestar, uma vez que eles resultam da observação:

PRIMEIRO: Os seres orgânicos possuem em si uma força interior que produz o fenômeno da vida e, enquanto essa força existir, a vida também continuará existindo.

SEGUNDO: A vida material é comum a todos os seres orgânicos e não depende da inteligência e nem do pensamento.

TERCEIRO: A inteligência e o pensamento são faculdades próprias de algumas espécies orgânicas.

QUARTO: Entre as espécies orgânicas dotadas de inteligência e de pensamento, existe uma dotada, também, de um senso moral especial, que lhe dá incontestável superioridade sobre as demais: é a Espécie Humana.

Observem que a ideia de que existe uma alma não é excluída da Teoria Materialista e nem da Teoria Panteísta, mesmo ela possuindo vários significados. O próprio "Espiritualista" pode entender muito bem a alma segundo um dos dois primeiros significados, sem prejudicar o entendimento que possui do ser imaterial e individual, ao qual ela, a Doutrina Espiritualista, dará um nome qualquer.

Assim, a palavra alma não representa uma ideia única, ela é um "ente" que cada um compreende como quiser. Essa é a razão de tantas disputas intermináveis.

Mesmo usando a palavra alma para designar três ideias diferentes, a confusão também seria evitada se acrescentássemos a essa palavra um qualificativo que especificasse o ponto de vista sob o qual ela está sendo utilizada.

Desse modo, o termo alma teria um caráter genérico que representaria, ao mesmo tempo, o princípio da vida material, o princípio da inteligência e o princípio do senso moral. Esses três princípios seriam identificados mediante um atributo, assim como se faz com os gases, por exemplo. O termo genérico "gás" é diferenciado acrescentando-se a ele as palavras hidrogênio, oxigênio ou **azoto**.

Então, poderíamos dizer:

ALMA VITAL: Indicando o princípio da vida material; seria comum a todos os seres orgânicos: plantas, animais e homens.

ALMA INTELECTUAL: Indicando o princípio da inteligência, que se expressa enquanto existe vida; seria própria dos animais e dos homens.

ALMA ESPÍRITA: Indicando a nossa individualidade após a morte do corpo físico e pertenceria somente aos homens.

Como se vê, tudo isto é uma questão de palavras, mas é uma questão muito importante quando se trata de nos entendermos.

Julgamos que é um dever insistir nestas explicações porque a Doutrina Espírita está alicerçada sobre a existência, em nós, de um ser independente da matéria e que sobrevive à morte do corpo físico. Como a palavra alma aparecerá frequentemente no decorrer desta obra, foi necessário definir bem o significado que lhe atribuímos, a fim de evitar qualquer engano.

Vamos, agora, ao objeto principal desta instrução preliminar.

Observações

Doutrina Panteísta: Acredita ser Deus o próprio Universo, pelo qual o indivíduo, após a sua morte, seria absorvido por esse mesmo Universo. (do grego "pan" que significa "tudo", e "theus" que significa "Deus").

Azoto: Na época de Kardec o gás Nitrogênio era mais conhecido por Azoto. O nitrogênio é um gás tão inerte, que Lavoisier se referia a ele como azote (ázoe), que é uma palavra francesa que significa: "impróprio para manter a vida".

3
AS MESAS GIRANTES E OS OPOSITORES DA DOUTRINA ESPÍRITA

A Doutrina Espírita, como tudo que constitui novidade, possui seus adeptos e seus opositores. Vamos tentar responder a algumas das objeções que os opositores da nova Doutrina lhe fazem, examinando se existe algum fundamento nessas objeções.

Não temos a pretensão de convencer a todos, porque existem muitos que acreditam que a luz foi feita exclusivamente para eles. Nosso alvo são as criaturas de boa-fé que desejam se instruir, e não aqueles que já possuem ideias pré-concebidas ou definitivamente firmadas contra tudo e contra todos.

Demonstraremos que a maior parte das objeções que fazem à Doutrina tem sua origem na observação incompleta dos fatos e num julgamento feito com muita leviandade e precipitação.

Recordemos, inicialmente, em ordem cronológica, a série dos fenômenos que deram origem à Doutrina Espírita.

O primeiro fato observado foi o da movimentação de diversos objetos. Esses objetos ficaram popularmente conhecidos com o nome de "mesas girantes" ou "dança das mesas". Este fenômeno, que parece ter sido observado primeiramente nos Estados Unidos, ou melhor, que se repetiu nesse país, já era conhecido na mais remota Antiguidade, conforme a História nos mostra. A manifestação se reproduziu acompanhada de circunstâncias estranhas, tais como ruídos esquisitos e pancadas sem causa aparente ou conhecida.

Da América, ele se propagou rapidamente pela Europa e por outras partes do mundo. A princípio, muitos não acreditaram, mas depois, com a repetição das experiências, não se pôde mais duvidar da sua realidade.

Se tal fenômeno tivesse ficado limitado apenas ao movimento dos objetos materiais, poderia ser explicado por uma causa puramente Física. Estamos longe de conhecer todos os agentes ocultos da Natureza, ou todas as propriedades daqueles agentes que já conhecemos. Aliás, a eletricidade oferece, diariamente, novos recursos que facilitam a vida do homem, e parece destinada a dar à Ciência novas possibilidades no campo do conhecimento.

Portanto, não seria impossível que a eletricidade, modificada por algum fator, ou por qualquer outro agente desconhecido, pudesse ser a causa dos movimentos observados. A reunião de muitas pessoas em volta das mesas, aumentando o poder de ação, parecia apoiar essa teoria. Assim, era possível considerar o conjunto dos assistentes como sendo uma pilha múltipla, cuja maior ou menor potência estava na razão direta do número de participantes.

O movimento circular da mesa não apresentava nada de extraordinário, pois ele faz parte da própria Natureza. Todos os astros se movem de forma circular; desse modo, poderíamos ter, ali, em escala menor, um reflexo do movimento geral do Universo, ou melhor, uma causa até então desconhecida, produzindo, acidentalmente, com pequenos objetos e em determinadas circunstâncias, uma força semelhante a que faz girar os mundos.

Mas o movimento nem sempre era circular; muitas vezes era brusco, desordenado; outras vezes, a mesa era violentamente sacudida, derrubada, levada numa direção qualquer.

Contrariando todas as **Leis da Estática**, às vezes, a mesa era levantada e mantida em suspensão no espaço, sem nenhum ponto de apoio. Nada havia, ainda, nesses fatos que não pudesse ser explicado pela ação de um agente Físico invisível. Não se vê a eletricidade, através dos raios, derrubar edifícios, arrancar árvores pela raiz, atirar longe os objetos mais pesados, atrair ou repelir corpos?

Supondo que os ruídos incomuns e as pancadas não fossem devidos à dilatação normal da madeira, poderiam muito bem ser produzidos pela acumulação de um fluido oculto: a eletricidade, através dos trovões, não produz os ruídos mais violentos?

Até aqui, como se observa, tudo poderia estar contido no domínio dos fatos puramente físicos e fisiológicos. As mesas girantes, por si só, já seriam motivo para um estudo digno e sério por parte dos Cientistas.

Mas, por que isto não aconteceu? É lamentável dizer, mas, nesse caso, como em tantos outros semelhantes, isso se deveu à leviandade do espírito humano. A indiferença dos intelectuais foi motivada, sobretudo, porque o objeto principal das experiências era uma simples mesa. Muitas vezes, uma palavra não dita por alguém de reconhecida autoridade intelectual e moral, deixa de ter uma influência muito grande sobre situações sérias e graves!

O movimento poderia ser transmitido a um objeto qualquer, mas a ideia das mesas prevaleceu; primeiro, por sua comodidade; segundo, porque, além de serem mais cômodas, ao redor delas, as pessoas sentam-se com maior naturalidade.

Às vezes, aqueles que se julgam superiores são tão fúteis, que não seria impossível que tenham considerado deprimente ocuparem-se com o que se convencionou chamar de "A dança das mesas".

É bem provável que se o fenômeno observado por **Galvani** – a geração de eletricidade em coxas de rãs dissecadas – fosse observado por pessoas comuns, talvez tivesse sido relegado ao terreno da brincadeira da varinha mágica. De fato, qual o Cientista que não teria julgado uma indignidade ocupar-se com o que ficou conhecido como "A dança das rãs"?

Os Cientistas que se dispuseram a observar as "mesas girantes" concluíram por negar o fenômeno. Isso ocorreu porque a manifestação nem sempre lhes correspondeu às expectativas e, também, pelo fato de não se reproduzir, constantemente, conforme suas vontades e de acordo com o seu modo de experimentação.

Apesar da negativa, as mesas continuaram a girar, e, assim como **Galileu**, também podemos dizer: "E, contudo, elas se movem!". Os fatos se multiplicaram de tal maneira que hoje pertencem ao domínio público, e é preciso apenas encontrar para eles uma explicação racional.

Seria possível negar a realidade de um fenômeno pelo fato dele não se reproduzir de um modo sempre idêntico, de acordo com a vontade e as exigências do observador? Os Fenômenos da Eletricidade e da Química também não estão subordinados a certas condições? É correto negá-los porque não se reproduzem fora dessas condições?

Portanto, o que haverá de estranho no fato de que o fenômeno do movimento dos objetos, pelo fluido humano, também precise de determinadas condições para se realizar? O observador não pode querer que o fenômeno se realize segundo a sua vontade ou que obedeça tão somente a Leis já conhecidas.

Será que ele não deve considerar que para fatos novos pode e deve haver novas Leis? Para conhecer essas novas Leis, é preciso estudar as circunstâncias em que os fatos se produzem, e esse estudo só pode ser resultado de uma observação perseverante, atenta e, às vezes, muito longa.

Algumas pessoas alegam que existem fraudes evidentes. Em primeiro lugar, precisamos estar certos de que essas pessoas não tomaram por fraudes os efeitos que não conseguiram explicar – mais ou menos como o camponês que confundiu um eminente professor de Física, que fazia experiências, com um mágico habilidoso.

Admitindo-se que a fraude tenha ocorrido algumas vezes, seria isso motivo para negar o fato? Deveríamos negar a Física porque existem Ilusionistas e Mágicos que dão a si mesmos o título de Físicos? Aliás, é preciso levar em conta o caráter das pessoas e o interesse que possam ter em enganar. Seria tudo isso uma simples brincadeira?

Até pode-se aceitar que uma pessoa se divirta por um tempo, mas uma brincadeira prolongada indefinidamente seria cansativa tanto para quem a faz, quanto para quem a assiste.

As "mesas girantes" não parecem estar enquadradas na categoria de uma brincadeira e muito menos de uma mistificação, uma vez que elas se propagaram pelo mundo inteiro, sempre entre as pessoas mais sérias, mais honradas e mais esclarecidas. Deveria haver, então, alguma coisa tão extraordinária quanto o próprio fenômeno.

Observações

Estática: É o ramo da Física que estuda o equilíbrio dos corpos quando submetidos à ação de forças.

Luigi Galvani: Médico e Físico italiano (1737 a 1798). A partir de estudos realizados em coxas de rãs dissecadas, descobriu que músculos e células nervosas eram capazes de produzir eletricidade; essa eletricidade ficou conhecida como "eletricidade galvânica".

Mais tarde, Galvani demonstrou que essa eletricidade era originada por reações Químicas. Seus estudos contribuíram para o conhecimento do "fluido nervoso" e, posteriormente, para a descoberta da "pilha elétrica".

Galileu Galilei: Físico, Matemático e Astrônomo italiano (1564 a 1642). Foi o primeiro a contestar as afirmações de Aristóteles, ao afirmar que a Terra não era o centro do Universo, mas sim o Sol. Por essa afirmação, foi acusado de herege.

Em 1633 foi obrigado a retratar-se diante dos tribunais da inquisição e negar que a Terra se movia ao redor do Sol. Foi nessa ocasião que teria murmurado a célebre frase: *E pur si muove* – "E, no entanto, ela se move".

4
AS MESAS GIRANTES E AS MANIFESTAÇÕES INTELIGENTES

Se os fenômenos que observamos tivessem ficado restritos ao movimento dos objetos, teriam permanecido no domínio das Ciências Físicas. Mas não foi isso o que ocorreu: as manifestações nos colocaram no caminho de fatos incomuns e especiais.

Foi descoberto, não sabemos ao certo por iniciativa de quem, que a impulsão dada aos objetos não era apenas o resultado de uma "força mecânica cega", mas que havia, nesse movimento, a intervenção de uma "causa inteligente". Essa descoberta abriu um campo totalmente novo para observações. Era o véu que se levantava sobre muitos mistérios.

A questão era a seguinte: será que existe mesmo nessas manifestações uma força inteligente? Se essa força existe, o que ela realmente é? Qual a sua natureza? Qual a sua origem? Está acima da Humanidade? Todas essas questões decorrem da primeira: "será que existe uma força inteligente"?

As primeiras manifestações inteligentes que se produziram foram por meio de mesas que se levantavam e, com um dos pés, davam certo número de batidas, respondendo, desse modo, sim ou não a uma pergunta feita; por convenção usava-se uma batida para "sim" e duas para "não".

Até esse ponto, os descrentes podiam dizer que se tratava de uma simples coincidência. Posteriormente, foram conseguidas respostas com frases mais desenvolvidas com o auxílio das letras do alfabeto.

Para cada letra do alfabeto foi atribuído um número determinado de batidas. Assim, eram formuladas frases que respondiam as perguntas propostas. A precisão das respostas e sua correlação com as perguntas causaram espanto. "O ser misterioso que dava as respostas, interrogado sobre a sua natureza, declarou ser um ESPÍRITO, deu o seu nome e forneceu diversas informações a seu respeito".

Existe aqui um fato muito importante que convém ressaltar: ninguém havia pensado em "Espíritos" como um meio de explicar o fenômeno. Foi o próprio fenômeno que revelou a palavra "Espírito". Muitas vezes, nas Ciências Exatas, se formulam hipóteses para se ter uma base de raciocínio, mas isso não ocorreu nesse caso.

O meio de comunicação através das mesas era demorado e incômodo. "Foi o próprio Espírito que indicou um meio mais fácil". Solicitou que se adaptasse um lápis na extremidade de um pequeno cesto e colocasse o mesmo sobre uma folha de papel.

O cesto foi posto em movimento pela mesma força oculta que fazia girar as mesas; mas, ao invés de um simples movimento regular, o lápis traçou, "por si mesmo", letras que formavam palavras, frases e textos contendo várias páginas, abordando as mais altas questões de Filosofia, de Moral, de **Metafísica,** de Psicologia, etc., e com tanta rapidez como se estivesse escrevendo com a mão.

Esse conselho foi dado, simultaneamente, nos Estados Unidos da América, na França e em diversos países. Eis os termos que foram utilizados em Paris, no dia 10 de junho de 1853, a um dos mais fervorosos adeptos da Doutrina Espírita e que, há muitos anos, desde 1849, se ocupava com a evocação dos Espíritos: "Vai buscar, no quarto ao lado, a cestinha; prende nela um lápis; coloca-a sobre uma folha de papel e põe teus dedos sobre a borda da cesta". Alguns instantes após, a cesta começou a se mover e o lápis escreveu, de forma bem legível, esta frase: "proíbo-o expressamente de transmitir a quem quer que seja o que acabo de dizer. Da próxima vez que escrever, escreverei melhor".

A natureza e a forma do objeto ao qual o lápis era amarrado não tinham a menor importância; por isso, muitas pessoas se utilizaram de uma prancheta pequena, por ser esta muito mais cômoda.

A cesta ou a prancheta só podem ser postas em movimento sob a influência de um médium. Os médiuns são pessoas dotadas de uma força especial e que conseguem fazer a intermediação entre os Espíritos e os homens.

As condições que originam esta força especial são resultantes de causas, ao mesmo tempo, físicas e morais ainda desconhecidas, pois encontramos médiuns de todas as idades, de ambos os sexos e em todos os graus de desenvolvimento intelectual. A mediunidade é uma **faculdade** que pode ser aprimorada, ou melhor, pode ser desenvolvida pelo exercício.

Observações

Metafísica: Parte da filosofia que estuda a "essência" das coisas e dos seres; suas causas primárias; é um conhecimento geral e abstrato.

Faculdade: Esta palavra aparecerá várias vezes nesta obra e pode também ser entendida como: uma capacidade, uma aptidão, um dom natural.

5
O SURGIMENTO DA PSICOGRAFIA

Mais tarde, o médium percebeu que, para escrever, podia pegar o lápis diretamente com a própria mão, sem a necessidade da cesta ou da prancheta. Assim, as comunicações se tornaram mais rápidas, mais fáceis e mais completas.

Hoje, este é o meio mais empregado, visto que o número de pessoas dotadas dessa aptidão é muito grande e cresce todos os dias. Com o tempo, a experiência nos mostrou muitas outras variedades da faculdade mediúnica; constatou-se que as comunicações podiam ser transmitidas pela fala, pela audição, pela visão, pelo tato e até mesmo pela escrita direta dos Espíritos, sem a interferência da mão do médium nem do lápis.

Obtida a comunicação, havia um ponto essencial a ser considerado: a participação do médium nas respostas, através de sua influência mecânica e moral. Graças a uma observação atenta, dois aspectos importantes tornaram possível resolver essa questão.

O PRIMEIRO aspecto foi observar de que modo a cesta se movia sob a influência do médium, que colocava apenas a ponta dos dedos sobre a borda da cesta, demonstrando ser impossível impor a ela qualquer direção.

Essa impossibilidade torna-se mais evidente quando duas ou três pessoas colocam, ao mesmo tempo, a ponta dos dedos nas bordas de uma mesma cesta. Para que houvesse a influência das três pessoas sobre o movimento da cesta, seria preciso uma concordância verdadeiramente fenomenal entre elas.

Além disso, seria preciso também uma concordância de pensamentos muito grande para que pudessem se entender quanto à resposta a ser dada à questão formulada.

Outro fato que comprova a não influência do médium sobre o que está sendo escrito é a mudança radical de caligrafia, de acordo com o Espírito que se manifesta.

Como cada Espírito possui uma caligrafia própria, o médium precisaria lembrar qual Espírito está escrevendo para mudar sua escrita e lhe imitar a caligrafia, o que, obviamente, é inviável.

O SEGUNDO aspecto resulta da própria "natureza das respostas" que, quando tratam de questões científicas ou de difícil compreensão, coloca-se além do alcance intelectual do médium que, muitas vezes, não tem consciência daquilo que escreve sob a influência do Espírito.

Com frequência, o médium não ouve ou não compreende a questão proposta, uma vez que a pergunta pode ser feita mentalmente ou num idioma que o médium não conhece, e a resposta pode ser dada por escrito ou no idioma em que a pergunta foi formulada.

Muitas vezes, a cesta escreve espontaneamente, sem que ninguém tenha perguntado nada, sobre um assunto qualquer e inteiramente inesperado.

Em alguns casos, as respostas revelam muita sabedoria, profundidade e um alto senso de oportunidade; contêm pensamentos tão elevados e sublimes que só podem vir de uma Inteligência Superior, impregnada da mais pura moralidade.

Outras vezes, as respostas são tão levianas e vulgares que o bom senso recusa acreditar que procedam da mesma fonte. Somente a diversidade das inteligências que se manifestam pode explicar respostas tão diferentes. Esta obra explicará, de maneira bem clara, se essas inteligências encontram-se na Humanidade ou fora dela. E serão os próprios Espíritos que virão nos esclarecer.

Portanto, temos aqui fenômenos evidentes e incontestáveis, que ocorrem fora do círculo habitual de nossas observações. Porém, não ocorrem de modo misterioso, ao contrário, produzem-se à luz do dia e todos podem ver e constatar.

Esses fenômenos não são privilégio de apenas um indivíduo, visto que milhares de pessoas os repetem à vontade, todos os dias. Assim, eles saem do domínio puramente Físico, pois revelam a ação de uma inteligência e de uma vontade.

Muitas teorias foram formuladas a respeito dessas manifestações. Vamos examiná-las em breve e veremos se explicam todos os fatos que foram observados. Por enquanto, vamos apenas admitir a existência de seres diferentes dos humanos, pois que esta é a explicação dada pelas inteligências que se manifestam, e vejamos o que eles nos dizem.

6
RESUMO DOS PRINCIPAIS PONTOS DA DOUTRINA ESPÍRITA

Os seres que se comunicam chamam a si mesmos de Espíritos e, pelo menos alguns, declaram que já viveram na Terra. Eles constituem o Mundo Espiritual assim como nós constituímos o Mundo Corporal, enquanto estivermos encarnados.

Resumimos aqui, em poucas palavras, os pontos mais importantes da Doutrina que os Espíritos nos transmitiram, para que possamos responder mais facilmente a certas objeções.

"Deus é eterno, imutável, imaterial, único, todo-poderoso, soberanamente justo e bom."

"Criou o Universo que abrange todos os seres animados e inanimados, materiais e imateriais."

"Os seres materiais constituem o Mundo Visível ou Material e possuem corpo físico; os seres imateriais constituem o Mundo Invisível ou Espiritual e possuem corpo espiritual, ou seja, são os Espíritos."

"O Mundo Espiritual é o mundo verdadeiro, primitivo, eterno, que já existia e que sobrevive a tudo."

"O Mundo físico é apenas secundário, poderia deixar de existir ou nunca ter existido, sem alterar a essência do Mundo Espiritual."

"Os Espíritos vestem temporariamente um envoltório material perecível, conhecido por corpo físico, cuja destruição, pela morte, lhes devolve a liberdade."

"Entre as diferentes espécies de seres que possuem corpo físico, Deus escolheu a espécie humana para encarnação dos Espíritos que já atingiram certo grau de desenvolvimento, o que lhe dá superioridade moral e intelectual sobre as demais espécies."

"A alma é um Espírito encarnado, sendo o corpo físico somente seu envoltório."

O HOMEM POSSUI TRÊS ESSÊNCIAS:

1ª: O corpo físico, semelhante ao dos animais e animado pelo mesmo "princípio vital".

2ª: A alma ou ser imaterial, Espírito encarnado num corpo físico.

3ª: A ligação ou o fio que une a alma ao corpo físico, princípio intermediário entre a matéria e o Espírito.

"Sendo assim, o homem possui duas naturezas: a do corpo físico, que é igual a dos animais e de onde provêm seus instintos, e a da alma, através da qual participa da natureza dos Espíritos".

"O perispírito, que une o Espírito ao corpo físico, é uma espécie de envoltório semimaterial. A morte é a destruição do envoltório mais grosseiro, ou seja, do corpo físico. Após a morte, o Espírito conserva o perispírito, que constitui para ele um corpo etéreo, invisível para os homens no estado normal, mas que pode tornar-se visível em determinadas circunstâncias e até mesmo ser tocado, como acontece no fenômeno das aparições".

"Assim, o Espírito não é um ser abstrato, indefinido, que somente o pensamento pode conceber; é um ser real, definido e que, em alguns casos, pode ser percebido pelos sentidos da visão, da audição e do tato".

"Os Espíritos pertencem a diferentes classes e são diferentes também em poder, inteligência, sabedoria e moralidade". Dessa forma, podemos separá-los em:

ESPÍRITOS SUPERIORES: distinguem-se dos demais pela sua perfeição, seus conhecimentos, pela proximidade com Deus, pela pureza de seus sentimentos e pelo seu amor ao bem: são os Anjos ou os Espíritos puros. Os outros Espíritos se distanciam muito dessa perfeição.

ESPÍRITOS INFERIORES: possuem a maioria das nossas paixões inferiores e se satisfazem no mal através do ódio, da inveja, do ciúme, do orgulho, etc. Entre os inferiores, existem aqueles que não são nem muito bons, nem muito maus; são mais trapaceiros e inconvenientes do que perversos; a malícia e a irresponsabilidade parecem ser a sua diversão. "São os Espíritos levianos".

"Os Espíritos não permanecem para sempre no mesmo estágio evolutivo. Ao longo do tempo, todos progridem e passam pelos diferentes graus da hierarquia espírita. Esse progresso ocorre por meio da encarnação que, para uns, é imposta como **expiação** e, para outros, é oferecida como **missão**".

"A vida material é uma prova a qual os Espíritos precisam se submeter várias vezes, até que tenham atingido a perfeição moral absoluta. Assim, a reencarnação constitui, para eles, uma espécie de depuração, pois ao término de cada uma, eles saem mais ou menos purificados".

"Ao deixar o corpo físico, o Espírito retorna ao Mundo Espiritual de onde havia saído. Após permanecer um período mais ou menos longo na **erraticidade,** ele retorna à vida material, através de uma nova encarnação".

"O Espírito precisa passar por muitas encarnações para evoluir; donde se conclui que todos nós já tivemos várias existências e que ainda teremos muitas outras. A cada existência em corpo físico, o Espírito vai se aperfeiçoando, seja na Terra, seja em outros mundos".

"A encarnação dos Espíritos se dá sempre na espécie humana; seria um erro acreditar que o Espírito pudesse encarnar no corpo de um animal".

"A cada encarnação, o Espírito sempre progride um pouco; ele nunca retrocede. A rapidez do progresso depende sempre dos esforços que cada um faz para alcançar a perfeição".

"As qualidades de uma pessoa são as mesmas do Espírito que está encarnado nela. Assim, o homem de bem é a encarnação de um Espírito bom; o homem perverso é a encarnação de um Espírito inferior".

"A alma, antes de encarnar, possui a sua individualidade e a conserva após separar-se do corpo físico".

"Ao retornar ao Mundo Espiritual, o Espírito reencontra todos aqueles a quem conheceu na Terra, e tem **acesso a todas as existências anteriores**; portanto, pode lembrar-se de todo o bem e de todo o mal que praticou".

"O Espírito encarnado está sob a influência da matéria. O homem que supera essa influência, pela elevação e pela depuração de sua alma, aproxima-se dos bons Espíritos com os quais estará um dia. Aquele que se deixa dominar pelas más paixões e coloca toda sua alegria na satisfação dos apetites grosseiros, se aproxima dos Espíritos inferiores, deixando sobressair sua natureza animal".

"Os Espíritos encarnados habitam os diferentes planetas do Universo".

"Os Espíritos desencarnados não ocupam uma região determinada nem definida no Mundo Espiritual. Eles estão em todos os lugares no espaço e ao nosso lado. Alguns convivem conosco e fazem parte do nosso dia a dia. É toda uma população invisível que se movimenta ao nosso redor".

"Os Espíritos estão permanentemente agindo sobre o Mundo Moral e sobre o Mundo físico. Atuam sobre a matéria, sobre o pensamento, e constituem uma das forças da Natureza. São os responsáveis por uma série de fenômenos, até então inexplicados ou mal explicados, e que apenas encontram solução racional no Espiritismo".

"As relações dos Espíritos com os homens são constantes. Os bons Espíritos nos estimulam para o bem, nos auxiliam nas provas da vida e nos ajudam a suportá-las com coragem e resignação. Os maus procuram nos atrair para o mal; ficam felizes quando fracassamos e nos identificamos com eles".

"As comunicações dos Espíritos com os homens são ocultas ou ostensivas. As comunicações ocultas ocorrem pela influência boa ou má que exercem sobre nós, sem que tenhamos conhecimento. Cabe ao nosso julgamento distinguir as boas das más inspirações. As comunicações ostensivas ocorrem por meio da escrita, da fala ou por meio de outras manifestações materiais, quase sempre através dos médiuns, que lhes servem de instrumento."

"Os Espíritos se manifestam espontaneamente ou por evocação. Todos os Espíritos podem ser evocados, desde aqueles que animaram homens simples, até os que animaram personagens mais ilustres, seja qual for a época em que tenham vivido. Podemos evocar o Espírito de nossos parentes, amigos ou inimigos e, por meio de comunicações escritas ou verbais, obter conselhos, informações sobre a situação em que se encontram no Mundo Espiritual, sobre o que pensam a nosso respeito, assim como as revelações que lhes sejam permitidas fazer-nos".

"Os Espíritos são atraídos pela afinidade com a natureza moral do meio que os evoca. Os Espíritos Superiores sentem-se felizes com reuniões sérias, onde predominam o amor ao bem e o desejo sincero dos participantes de se instruírem e de se melhorarem. A presença desses Espíritos afasta os Espíritos inferiores".

"Quando os Espíritos Superiores se afastam, os Inferiores encontram livre acesso e podem agir com toda liberdade entre as pessoas fúteis ou guiadas apenas pela curiosidade, e em qualquer lugar onde predominem os maus instintos".

"Não podemos esperar bons conselhos e informações úteis de Espíritos inferiores; deles, só é possível esperar futilidades, mentiras, brincadeiras de mau gosto e toda sorte de mistificações, visto que, com frequência, utilizam nomes respeitados e conhecidos, com a finalidade de melhor nos induzir ao erro".

"É extremamente fácil distinguir os Espíritos bons dos maus. A linguagem dos Espíritos Superiores é sempre digna, nobre, impregnada da mais alta moralidade e isenta de qualquer paixão inferior; seus conselhos revelam a mais pura sabedoria e sempre têm por objetivo o nosso aperfeiçoamento e o bem da Humanidade".

"A linguagem dos Espíritos inferiores é vulgar, inconsequente e até mesmo grosseira; se, às vezes, dizem coisas boas e verdadeiras, com maior frequência dizem coisas falsas e absurdas, por malícia ou por ignorância. Zombam da credulidade dos homens e divertem-se a custa daqueles que lhes dirigem perguntas, incentivando-lhes a vaidade e alimentando seus desejos com falsas esperanças".

"As comunicações verdadeiramente sérias apenas ocorrem nos Centros sérios, naqueles em que todos os membros reúnem-se com pensamentos voltados para o bem".

"A moral dos Espíritos Superiores, assim como a do Cristo, se resume neste ensinamento evangélico: 'Fazer aos outros o que gostaríamos que os outros nos fizessem', ou seja, fazer o bem e não o mal. O homem encontra,neste princípio, uma Regra Universal de Conduta, mesmo para as suas menores ações".

Os Espíritos Superiores nos ensinam que:

1. O egoísmo, o orgulho, a sensualidade, são paixões que nos aproximam da natureza animal e prendem-nos à matéria.

2. O homem que, já nesta existência, se desliga da matéria, desprezando as futilidades mundanas e amando o próximo, se aproxima da natureza espiritual.

3. Cada um de nós deve tornar-se útil segundo as faculdades e os meios que Deus nos concedeu para nos experimentar.

4. O Forte e o Poderoso devem apoio e proteção ao Fraco, pois aquele que abusa de sua força e de seu poder para oprimir seu semelhante transgride a Lei de Deus.

5. No Mundo Espiritual nada fica oculto; o hipócrita será desmascarado e todas as suas ações vergonhosas serão descobertas.

6. A presença inevitável e constante daqueles a quem prejudicamos é um dos constrangimentos que nos estão reservados.

7. Aos estados de inferioridade e de superioridade dos Espíritos, correspondem, respectivamente, tristezas e alegrias que desconhecemos na Terra.

8. Não existem faltas imperdoáveis que a expiação não possa apagar.

9. O homem encontra, nas sucessivas existências, através da reencarnação, o meio que lhe permite avançar no caminho do progresso, de acordo com os seus desejos e esforços, rumo à perfeição, que é o seu objetivo final.

Este é o resumo da Doutrina Espírita, resultante do ensinamento dado pelos Espíritos Superiores. Vejamos agora as contestações que são feitas à nova Doutrina.

Observações

Expiação: São reencarnações sofridas, onde o Espírito sente as consequências do mal que praticou. Através da expiação, ele recebe a oportunidade de resgatar os erros que cometeu em existências anteriores. É uma situação que lhe é imposta, até que proceda de acordo com a Lei de Deus; a expiação visa o aperfeiçoamento do Espírito. Essas reencarnações sempre provocam queixas, desespero e revolta.

Missão ou Prova: É uma tarefa marcada pelo sofrimento e solicitada pelo Espírito antes de reencarnar. A missão sempre tem por objetivo acelerar o aperfeiçoamento daquele que a solicita.

Erraticidade: É o período que o Espírito permanece no Mundo Espiritual; é o intervalo entre uma encarnação e outra.

Recordação das existências anteriores: É importante lembrar que a recordação das existências anteriores se dá aos poucos, e está diretamente ligada ao grau evolutivo em que o Espírito já se encontra. Entretanto, mesmo estando desencarnado, existem passagens que o Espírito ainda não está pronto para relembrar, e a misericórdia Divina o impede de fazê-lo.

7
A DOUTRINA ESPÍRITA E A CIÊNCIA

Para muitos, a posição dos Cientistas em relação à Doutrina Espírita não constitui uma sentença definitiva, mas é, sem dúvida, uma forte opinião contrária. Não somos daqueles que vão contra os Cientistas, pois não queremos que digam que nós os insultamos.

Ao contrário, temos por eles muito apreço e nos sentiríamos honrados de estar entre eles. Mas as suas opiniões não podem representar, em todas as circunstâncias, uma sentença definitiva.

Sempre que a Ciência sai da observação material dos fatos e se propõe a apreciá-los e explicá-los, o campo se abre para as hipóteses e para as suposições. Assim, cada um quer que prevaleça o seu ponto de vista e o sustenta com firmeza.

Não vemos, todos os dias, as opiniões mais contraditórias serem ora aceitas, ora rejeitadas? Não vemos essas opiniões serem repelidas como erros absurdos para logo depois serem proclamadas como verdades indiscutíveis?

"Os fatos", eis o verdadeiro critério que utilizamos para fazer os nossos julgamentos, pois eles constituem o argumento incontestável. Na ausência de fatos, ficar na dúvida deve ser o procedimento do homem prudente e ponderado.

A opinião dos Cientistas em relação às coisas que já são do conhecimento de todos é digna de muita fé, porque eles sabem mais e melhor do que o homem comum. Mas quando se trata de princípios novos, de coisas desconhecidas, as suas observações não passam de hipóteses, porque eles não estão, mais do que os outros, livres de preconceitos.

Podemos dizer que os Cientistas talvez tenham mais preconceitos que a maioria dos homens; isso se deve a tendência natural que possuem de subordinar tudo ao ponto de vista em que se especializaram; por exemplo: o Matemático apenas comprova suas teorias através de demonstrações algébricas; o Químico relaciona tudo à ação dos elementos, e assim por diante.

Todo homem que se dedica a uma especialização subordina a ela todas as suas ideias. Fora do seu campo de conhecimento, muitas vezes, argumentará sem razão, por querer submeter tudo ao conhecimento da sua especialidade; é uma consequência da fraqueza humana.

Consultarei, com muito prazer e confiança, um Químico sobre uma questão em que seja preciso analisar uma substância; um Físico sobre a energia elétrica; um Mecânico sobre a força motriz. Entretanto, eles me permitirão, sem que isso desmereça o respeito que suas especializações merecem, considerar suas opiniões negativas sobre o Espiritismo iguais ao parecer de um Arquiteto sobre questões de música.

As ciências comuns se apoiam nas propriedades da matéria, que pode ser experimentada e manipulada a vontade; os fenômenos espíritas se apoiam na ação de inteligências que possuem vontade própria e que, a cada instante, nos provam que não aceitam ser manipuladas, nem ficar à disposição dos nossos caprichos.

Assim, no Espiritismo, as observações não podem ser feitas da mesma maneira; requerem condições especiais e outro ponto de partida. Submeter as manifestações inteligentes aos processos comuns de investigação é pretender estabelecer semelhanças que não existem.

Portanto, a ciência propriamente dita é incompetente para se pronunciar sobre a questão do Espiritismo; ela não tem que se ocupar desse assunto. Sua opinião, favorável ou não, não tem nenhuma importância e não poderá ser levada em consideração.

O Espiritismo é uma convicção pessoal que os Cientistas podem ter, como indivíduos, independente da sua condição de Cientistas; entretanto, entregar a Doutrina Espírita para que a Ciência se ocupe dela é o mesmo que decidir a existência da alma numa convenção de Físicos e Astrônomos.

De fato, o Espiritismo está todo fundamentado na existência da alma e na sua situação após a morte. De igual modo, é totalmente ilógico imaginar que um homem deva ser um grande Psicólogo, porque é um eminente Matemático ou um notável Anatomista.

Ao dissecar o corpo humano, o **Anatomista** procura a alma, mas seu bisturi não a encontra, assim como encontra os nervos e os músculos; também não a vê sair volátil como um gás; logo, conclui que ela não existe, pois analisou a questão sob um ponto de vista exclusivamente material.

Será que é possível concluir que, pelo fato de o Anatomista não ter encontrado a alma, ele tenha razão contra a opinião universal que aceita a existência da mesma? Não. Portanto, vê-se que o Espiritismo não é da competência da Ciência.

Pela rapidez com que as crenças espíritas se propagam, em breve elas estarão bastante difundidas e serão aceitas pela maioria. Então, acontecerá com o Espiritismo o que ocorre com todas as ideias novas que encontram oposição: os Cientistas se renderão às evidências e a elas chegarão individualmente, pela força dos fatos.

Até lá, não é oportuno desviá-los de seus trabalhos especiais para constrangê-los a se dedicarem a um assunto estranho às suas realidades, e que foge às suas atribuições e aos seus programas.

Enquanto isso não ocorre, aqueles que, sem estudo prévio e aprofundado da matéria, negam e ridicularizam os que não pensam como eles, esquecem que o mesmo ocorreu com a maior parte das grandes descobertas que honram a Humanidade.

Eles se expõem a ver seus nomes aumentando a lista dos ilustres negadores das ideias novas, ao lado dos membros da seleta assembleia que, em 1752, acolheu com imensa gargalhada o relatório de **Franklin** sobre os para-raios, julgando-o indigno de figurar entre os trabalhos que eram apreciados. E, também, daquela outra assembleia que fez a França perder as vantagens da iniciativa da navegação a vapor, declarando que o sistema de **Fulton** era um sonho impraticável. Entretanto, essas questões eram da competência da Ciência.

Se essas assembleias, que reuniam a elite dos Cientistas do mundo, apenas tiveram a zombaria e o sarcasmo para ideias que não compreendiam e que, alguns anos mais tarde, deveriam revolucionar a Ciência, os Costumes e a Indústria, como esperar que o Espiritismo, uma questão completamente estranha aos seus trabalhos habituais, obtenha melhor acolhimento?

Estes erros, que alguns Cientistas cometeram, embora deploráveis para a sua memória, não poderiam tirar-lhes os títulos que, em outros campos de atuação, conquistaram o nosso respeito. Mas será preciso possuir um diploma oficial para se ter bom senso? Será que só existem tolos e ignorantes fora das cadeiras acadêmicas?

Olhem para os adeptos da Doutrina Espírita e digam se entre eles existem apenas ignorantes; o grande número de homens de valor que a seguem não permite que ela seja colocada na categoria das crendices populares. O caráter e o saber desses homens dão peso a essa afirmação: "É forçoso reconhecer que existe algo mais!".

Repetimos, ainda, que, se as manifestações tivessem se limitado ao movimento Mecânico dos objetos, a responsabilidade de pesquisar a causa Física desse fenômeno teria ficado com a Ciência. Mas, como se trata de uma manifestação que está fora das Leis até então conhecidas pela Humanidade, ela sai da competência da Ciência Material, porque não pode ser explicada por números, nem por forças mecânicas.

Quando surge um fato novo, que não possui relação com nenhuma Ciência até então conhecida, o Cientista, para estudá-lo, deve deixar de lado sua ciência e ter a humildade de considerá-lo como um estudo novo, que não pode ser realizado com ideias preconcebidas.

O homem que considera seu saber infalível está bem próximo do erro. Mesmo aqueles que defendem as ideias mais falsas, se apoiam na própria razão, e é por isso que rejeitam tudo o que lhes parece impossível.

Aqueles que no passado rejeitaram as grandes descobertas de que hoje a Humanidade se honra, faziam apelo à razão para rejeitá-las. Muitas vezes, o que chamamos de razão é apenas orgulho disfarçado, e todo aquele que se acredita infalível, se coloca como igual a Deus.

Assim, dirigimo-nos àqueles que são bastante ponderados para duvidar de algo, apenas porque não viram. Dirigimo-nos, também, àqueles que não acreditam que o homem tenha chegado ao seu apogeu e, muito menos, que a Natureza tenha lhes revelado tudo.

Observações

Anatomia / Anatomista: É o ramo da Biologia que estuda a estrutura e a organização dos seres vivos, tanto externa quanto internamente. O Anatomista é aquele que disseca as partes dos corpos de um ser vivo com a finalidade de estudar a estrutura dos órgãos e suas relações.

Benjamin Franklin (1706 a 1790): Realizou inúmeras experiências com a eletricidade e foi o inventor do para-raios.

Robert Fulton (1765 a 1815): Foi o primeiro a utilizar o vapor como meio de propulsão em navios.

Fonte: Dicionário Priberam da língua portuguesa.

8
A SERIEDADE DA DOUTRINA E A PERSEVERANÇA NECESSÁRIA

O estudo de uma doutrina, como a Doutrina Espírita, que nos traz tantas coisas novas e grandiosas, só pode ser feito, com utilidade, por homens sérios, perseverantes, livres de qualquer prevenção, e animados de uma vontade firme e sincera de chegar a um resultado esclarecedor.

Não poderiam ter essa qualificação aqueles que julgam as coisas de forma antecipada, leviana e sem ter visto tudo; que não dão a seus estudos a continuidade, a regularidade e a concentração necessárias.

Também não poderiam ser qualificados assim aqueles que, por medo de perderem a reputação de homens inteligentes, se empenham em ridicularizar as coisas mais verdadeiras, ou assim consideradas por pessoas cujo saber, caráter e convicções merecem o respeito e a consideração de quem se julgue bem-educado.

Aqueles que entendem que os fatos não são dignos da sua atenção, que se abstenham de qualquer julgamento. Ninguém pensa em lhes violentar a crença, mas saibam respeitar a dos outros.

O que caracteriza um estudo sério é a continuidade que se dá a esse estudo. Será que deve causar estranheza não se obter nenhuma resposta sensata para questões sérias, quando são feitas, ao acaso e à queima-roupa, em meio a uma quantidade enorme de outras perguntas absurdas?

Além disso, para responder com clareza a uma "questão complexa", muitas vezes, é preciso responder questões que venham antes dela, e até mesmo questões que venham depois, para lhe complementar o entendimento.

Quem quer aprender uma ciência, deve estudá-la de maneira metódica, começar pelo princípio e acompanhar o encadeamento e o desenvolvimento das ideias. O que adiantaria para alguém formular, ao acaso, perguntas a um Cientista a respeito de um tema sobre o qual não possui nenhum conhecimento? Poderá o próprio Cientista, por mais boa vontade que tenha, dar-lhe uma resposta satisfatória? A resposta isolada que o Cientista der será forçosamente incompleta e, por isso mesmo, quase sempre incompreensível, ou parecerá absurda e contraditória.

O mesmo acontece com as relações que estabelecemos com os Espíritos. Quem quiser aprender com eles, deverá se dedicar como se estivesse fazendo um curso; mas, como acontece entre nós, é preciso escolher os professores e estudar com assiduidade.

Já dissemos que os Espíritos Superiores apenas comparecem às reuniões sérias, especialmente àquelas em que reina uma perfeita comunhão de pensamentos e de sentimentos voltados para o bem.

As perguntas levianas e inúteis os afastam, assim como afastam os homens ponderados. O campo, então, fica livre para a multidão de Espíritos mentirosos e fúteis, sempre à espera de ocasiões propícias para zombarem de nós e se divertirem à nossa custa.

O que acontecerá a uma questão séria se for formulada numa reunião com Espíritos dessa natureza? Será respondida; mas por quem? Isso é o mesmo que fazer, a um grupo de zombadores que se divertem, questões desse tipo: o que é a alma? O que é a morte? E outras similares.

Se quiserem respostas sérias, precisam agir com seriedade e preencher todas as condições que isto exige. Apenas assim obterão grandes ensinamentos. Sejam laboriosos e perseverantes em seus estudos, a fim de que os Espíritos Superiores não os abandonem, como faz um professor com os alunos negligentes.

9
OS CONTESTADORES DA DOUTRINA ESPÍRITA

O movimento dos objetos é um fato comprovado. A questão é saber se, nesse movimento, existe ou não uma manifestação inteligente e, em caso afirmativo, qual é a origem dessa manifestação.

Não falamos do movimento inteligente de alguns objetos, nem de comunicações verbais, nem mesmo daquelas em que o médium escreve diretamente. Este gênero de manifestação, clara e evidente para aqueles que viram e se aprofundaram no assunto, não é, à primeira vista, muito convincente para um observador novato.

Portanto, trataremos somente da escrita obtida com o auxílio de um objeto qualquer, onde é possível colocar um lápis, como a cesta, a prancheta, etc. Pela maneira como o médium coloca seus dedos sobre o objeto, é impossível que ele tenha alguma condição de interferir no traçado das letras.

Admitamos, ainda, que o médium, dotado de uma "habilidade extraordinária", consiga enganar o olhar do observador mais atento; como explicar a natureza das respostas, quando estas estão muito além da capacidade e do conhecimento do médium? E notem que não se trata de respostas monossilábicas, tipo: sim, não, etc., mas, na maioria das vezes, são várias páginas escritas com admirável rapidez, quer espontaneamente, quer sobre determinado assunto.

Muitas vezes, pela mão de um médium que não tem qualquer contato com a Literatura, surgem poesias de impecável sublimidade e pureza. Poesias que os melhores Poetas do mundo não hesitariam em assinar. E o que tornam esses fatos ainda mais estranhos é que eles ocorrem por toda parte, com os médiuns se multiplicando ao infinito.

Esses fatos são reais ou não? Para esta pergunta, temos apenas uma resposta: vejam e observem, pois não faltarão oportunidades; mas observem repetidamente, por longo tempo, e obedecendo às condições exigidas.

Diante da evidência, o que respondem aqueles que se opõem à Doutrina Espírita? Dizem que somos vítimas do "charlatanismo" ou que somos joguete de uma ilusão. Em primeiro lugar, diremos que a palavra "charlatanismo" não pode ser utilizada onde não existe lucro; os charlatães não trabalham de graça. Então, isso seria, quando muito, uma mistificação.

Mas que singular coincidência levaria esses mistificadores a agir da mesma forma, de um lado ao outro do mundo? Produzir os mesmos efeitos e dar respostas idênticas sobre os mesmos assuntos e em diversos idiomas, se não quanto às palavras, pelo menos quanto ao conteúdo?

Como compreender que pessoas sérias, honradas e instruídas se prestassem a semelhantes manipulações? E com que objetivo? Como encontrar entre as **crianças** a paciência e a habilidade necessárias para tais resultados?

Se esses médiuns não são instrumentos passivos, permitindo que os Espíritos se manifestem através deles, seria indispensável que eles tivessem habilidade e conhecimentos que são incompatíveis com a idade infantil de alguns e com a posição social de outros.

Então, os contestadores da Nova Doutrina dizem que, se não há fraude, os dois lados podem ser vítimas de uma ilusão. Pela lógica, a qualidade das testemunhas tem que possuir algum valor. Portanto, é o caso de perguntar se a Doutrina Espírita, que hoje já possui milhões de seguidores, só os recruta entre os ignorantes?

Os fenômenos em que ela se apoia são tão extraordinários que compreendemos a dificuldade e a dúvida de alguns em aceitá-los de pronto. Entretanto, o que não se pode admitir é a pretensão de certos incrédulos em possuir o monopólio do bom senso. Eles, além de não respeitarem o valor moral de seus adversários, ainda chamam de tolos os que não estão de acordo com suas opiniões.

Para qualquer pessoa sensata, a opinião de pessoas esclarecidas, que durante muito tempo estudaram um determinado assunto, será sempre, além de uma prova, pelo menos um argumento a favor desse assunto, pois ele pôde prender a atenção de homens sérios que não têm interesse em propagar erros, nem tempo a perder com futilidades.

Observação

Crianças: Kardec contou com a colaboração especial de 4 jovens sensitivas na confecção da primeira edição de "O Livro dos Espíritos". As senhoritas Caroline (16 anos) e Julie Baudin (14 anos) que receberam por psicografia a quase totalidade das questões de "O Livro dos Espíritos", nas reuniões familiares dirigidas por seus pais e assistidas pelo Codificador. Ruth Japhet (20 anos) foi a médium que ficou responsável pela revisão completa do texto, e Aline Carlotti (20 anos) fez parte do grupo de médiuns através do qual Kardec confiou as questões mais espinhosas do livro, fazendo uso da Concordância Universal do Ensino dos Espíritos.

Fonte: Portal do Espírito. Artigo: Mediunidade e Juventude/Mauro Quintella.

10
OBJEÇÕES SEM UMA BASE SÓLIDA

Entre os argumentos contrários à Doutrina Espírita, existem alguns que parecem ser verdadeiros, porque são feitos por pessoas sérias e respeitáveis.

Um desses argumentos refere-se à linguagem utilizada por certos Espíritos, que não parece ser digna da elevação que se atribui a seres sobrenaturais. Quem se reportar ao resumo da Doutrina, apresentado no item seis, verá que os próprios Espíritos nos ensinam que eles não são iguais em conhecimento, nem em qualidades morais, e que não se deve tomar ao pé da letra tudo o que afirmam. Cabe às pessoas sensatas separar o bom do mau Espírito.

Aqueles que acham que só mantemos contato com Espíritos maus, cuja única ocupação é a de tentar nos enganar, desconhecem as reuniões onde somente se manifestam Espíritos Superiores; caso contrário, não pensariam assim.

É lamentável que esses opositores da Doutrina tenham entrado em contato apenas com o lado mau do Mundo Espiritual. Não gostaríamos de imaginar que eles, ao invés de atrair Espíritos bons, somente tivessem conseguido atrair Espíritos maus, Espíritos mentirosos, ou aqueles cuja linguagem é revoltante de tão grosseira.

No máximo, poderíamos concluir que a solidez de seus princípios éticos e morais não é suficiente para impedir que os Espíritos inferiores se introduzam entre eles e satisfaçam a sua curiosidade, enquanto os bons se afastam.

Julgar os Espíritos por esses fatos seria o mesmo que julgar o caráter de um povo pelo que acontece numa reunião de desequilibrados ou de gente de má reputação, da qual não participam as pessoas esclarecidas, nem as sensatas.

Aqueles que julgam dessa maneira, colocam-se na situação de um estrangeiro que julga a população inteira de uma grande capital pelos costumes e linguagem de seu bairro mais pobre e feio.

No Mundo dos Espíritos também existe uma sociedade boa e uma sociedade má. Portanto, que os opositores da Doutrina estudem, também, o que se passa entre os Espíritos Superiores e ficarão convencidos de que na cidade celeste não se encontram apenas as pessoas pobres e incultas, que formam as classes mais baixas de uma sociedade.

Os opositores perguntam: os Espíritos Superiores vêm até nós? A esta pergunta responderemos: não fiquem somente na periferia; vejam, observem e julguem; os fatos estão aí para todos, a menos que se apliquem aos opositores, estas palavras de Jesus: "Têm olhos e não veem; têm ouvidos e não ouvem".

Outra corrente de opinião consiste em ver, nas comunicações espíritas e nos fatos materiais a elas ligados, apenas a interferência de um poder diabólico, que tomaria todas as formas para melhor nos enganar.

Não julgamos essa opinião digna de um exame sério, por isso não perderemos tempo em considerá-la. Aliás, ela já foi rejeitada por tudo aquilo que já dissemos. Apenas acrescentamos que, se fosse assim, teríamos que aceitar que o diabo é, algumas vezes, muito criterioso, ponderado, e que ainda age com moralidade; ou, então, que existem, também, bons diabos.

De fato, como acreditar que Deus permita apenas a manifestação de Espíritos do mal para nos tentar e nos desencaminhar, sem nos dar a oportunidade de receber o conselho dos bons Espíritos? Se Deus não pode impedir que isso aconteça, não é onipotente; se Ele pode e não o faz, é incompatível com a Sua bondade. As duas suposições seriam uma **blasfêmia**.

Notem que os opositores da Doutrina, ao admitir a comunicação dos maus Espíritos, estão reconhecendo o princípio das manifestações. Portanto, se elas acontecem, só pode ser com a permissão de Deus. Então, como acreditar, sem cometer injustiça, que Deus apenas permitiria a manifestação do mal, com a exclusão do bem? Semelhante Doutrina contraria as mais simples noções do Bom Senso e da Religião.

Observação

Blasfêmia: Palavra ofensiva contra Deus ou contra a religião; insultar aquilo que se considera sagrado; incoerência, praga, maldição.

11
ESPÍRITOS ILUSTRES E ESPÍRITOS DESCONHECIDOS

Os opositores da Doutrina estranham o fato de só se manifestarem Espíritos de personalidades conhecidas, e perguntam por que só eles se manifestam.

Essa afirmação é um erro que, como tantos outros, provêm de uma avaliação superficial.

Dentre os Espíritos que se comunicam espontaneamente conosco, existem muito mais desconhecidos do que ilustres. Os desconhecidos se designam por um nome qualquer. Quanto aos Espíritos que são evocados, desde que não se trate de um parente ou de um amigo, é muito mais natural e lógico evocar aqueles que conhecemos, ao invés de evocar aqueles que não conhecemos. O nome dos personagens ilustres impressiona mais e é por isso que são mais notados.

Os opositores também consideram estranho que os Espíritos de homens ilustres atendam familiarmente ao nosso chamado e se ocupem, por vezes, de coisas insignificantes, em comparação às de que se ocupavam durante a vida.

Para os seguidores da Doutrina Espírita, não existe nada de estranho, porque eles sabem que a autoridade ou o prestígio que esses homens desfrutaram na Terra não lhes garante nenhuma supremacia no Mundo Espiritual. Assim, os Espíritos confirmam as palavras do Evangelho: "Os grandes serão rebaixados e os pequenos serão elevados".

Essa afirmação deve ser entendida como a posição que cada um de nós ocupará entre os Espíritos, após o desencarne. É dessa maneira que aquele que foi o primeiro na Terra poderá ser um dos últimos no Mundo Espiritual.

Aquele diante do qual, aqui na Terra, curvávamos a cabeça, poderá vir até nós como o mais humilde dos operários, porque, ao desencarnar, deixou toda a sua grandeza material; assim, também, o mais poderoso monarca poderá estar, no Mundo dos Espíritos, abaixo do último dos seus soldados.

12
CRITÉRIOS UTILIZADOS PARA IDENTIFICAR OS ESPÍRITOS

Um fato que se observou, e que os próprios Espíritos confirmaram, é que, muitas vezes, os Espíritos inferiores utilizam, indevidamente, nomes conhecidos e respeitados. Quem pode nos assegurar que aqueles que dizem ter sido, por exemplo, Sócrates, Julio César, Carlos Magno, Fénelon, Napoleão, Washington, etc., tenham realmente animado esses personagens?

Essa dúvida existe até mesmo entre alguns adeptos fervorosos da Doutrina Espírita. Eles admitem a intervenção e a manifestação dos Espíritos, mas perguntam: como comprovar a identidade do Espírito manifestante?

De fato, essa prova é muito difícil de ser obtida; ela não pode ser conseguida de modo tão concreto como se consegue uma certidão de registro civil, por exemplo; entretanto, ela pode ser obtida quando utilizamos alguns critérios.

Quando se manifesta um Espírito que conhecemos pessoalmente, de um parente ou de um amigo que morreu há pouco tempo, geralmente, sua linguagem tem as mesmas características que possuía quando ainda estava vivo; isso já é uma evidência de sua identidade.

Entretanto, a dúvida se desfaz quando esse Espírito fala de coisas particulares, relembra acontecimentos familiares que apenas o interlocutor conhece.

Certamente, um filho não se enganará com a linguagem de seu pai ou de sua mãe, nem os pais com a de seu filho. Algumas vezes, nessas comunicações íntimas, acontecem coisas surpreendentes, a ponto de convencer até mesmo o mais endurecido dos incrédulos, que fica extremamente admirado com as revelações inesperadas que lhe são feitas.

Existe outro critério que pode auxiliar na identificação de um Espírito. Dissemos que a caligrafia do médium muda de acordo com o Espírito evocado, e que a caligrafia é sempre a mesma, quando se trata do mesmo Espírito.

Constatou-se, inúmeras vezes, principalmente em casos de pessoas falecidas recentemente, que a escrita guarda uma semelhança muito grande com aquela que a pessoa possuía em vida; têm-se visto, também, assinaturas idênticas. Entretanto, estamos longe de utilizar esse fato como regra, e menos ainda como regra constante; nós apenas o mencionamos como algo digno de nota.

Apenas os Espíritos que atingiram certo grau evolutivo estão livres de qualquer influência corporal. Os Espíritos que ainda estão muito presos à matéria conservam a maior parte das ideias, das tendências e até mesmo das "manias" que tinham na Terra, o que também é um meio de reconhecê-los. Existe uma grande quantidade de fatos e detalhes que, se forem observados com cuidado e atenção, podem auxiliar na identificação de um Espírito.

Alguns Escritores desencarnados são vistos a discutir suas obras ou doutrinas, aprovando ou rejeitando certas partes delas; outros Espíritos, a recordar fatos ignorados ou pouco conhecidos de suas vidas ou de suas mortes; enfim, detalhes que são, pelo menos, provas morais de identidade, as únicas a que podemos recorrer, quando se trata de **coisas abstratas**.

Se a identidade de um Espírito evocado pode ser estabelecida em alguns casos, não existe razão para que não a seja em outros. Mesmo em relação às pessoas que morreram há mais tempo, se não dispomos dos mesmos meios para identificá-las, resta sempre o da linguagem e o do caráter, porque o Espírito de um homem de bem jamais se manifestará como um perverso ou um devasso. Os Espíritos mistificadores, que se apresentam utilizando nomes respeitáveis, logo se traem pela linguagem e pelos ensinamentos que ministram.

Aquele que dissesse ser **Fénelon**, por exemplo, e que mesmo acidentalmente ofendesse o bom senso e a moral, revelaria, por esse simples fato, a fraude. Se, ao contrário, os pensamentos que exprimisse fossem sempre puros, sem contradições e constantemente à altura do caráter de Fénelon, não haveria motivos para que se duvidasse da sua identidade. Se não fosse assim, seria preciso admitir que um Espírito que só prega o bem seria capaz de mentir conscientemente e, o que é pior, sem nenhuma utilidade.

A experiência nos ensina que os Espíritos do mesmo grau evolutivo, do mesmo caráter e possuidores dos mesmos sentimentos se reúnem em grupos e famílias; nos ensina, também, que o número de Espíritos é incalculável, e que estamos longe de conhecer a todos, pois a maioria deles sequer tem nome para nós.

Assim, nada impede que um Espírito, do mesmo grau evolutivo que Fénelon, se apresente em seu lugar, muitas vezes a seu próprio pedido. Apresenta-se com o seu nome porque lhe é idêntico e pode substituí-lo, e também porque precisamos de um nome para fixar nossas ideias.

Mas, afinal, que importância tem se o Espírito é ou não o de Fénelon? Desde que diga apenas coisas boas e que fale como o próprio Fénelon falaria, trata-se de um Espírito bom. Nesse caso, o nome com o qual se apresenta é indiferente e, muitas vezes, é apenas um meio de fixar nossas ideias, conforme já dissemos.

A troca de Espíritos não é admissível nas evocações familiares; nesse caso, a identidade do Espírito comunicante é estabelecida por provas evidentes, normalmente, fornecidas por ele mesmo.

É inegável que a substituição de um Espírito por outro pode dar lugar a muitos equívocos, provocar erros e mistificações. "Essa é uma das dificuldades do Espiritismo prático". Aliás, nunca dissemos que a Ciência Espírita fosse algo fácil, nem que se pudesse aprendê-la brincando. Nunca será demais repetir que o Espiritismo requer estudo assíduo e, por vezes, muito prolongado, como acontece com qualquer outra ciência.

É preciso aguardar que os fatos se apresentem por si mesmos, pois não nos é permitido produzi-los; muitas vezes, esses fatos ocorrem em circunstâncias com as quais nem ao menos se imagina. Para o observador atento e paciente, os fatos são abundantes e ele descobre milhares de detalhes bem característicos, extremamente esclarecedores.

O mesmo ocorre com as outras Ciências, pois enquanto o homem comum vê numa flor apenas uma forma elegante, o Cientista descobre nela verdadeiras maravilhas para o pensamento.

Observações

Coisas abstratas: Aquelas que existem somente no domínio das ideias; que não possuem base material.

François Fénelon (1651 a 1715): Teólogo Católico Apostólico Romano, poeta e escritor Francês. Entre tantos ensinamentos, escreveu: "Muitas vezes, nossos erros nos beneficiam mais do que nossos acertos. As façanhas enchem o coração de presunção perigosa; os erros obrigam o homem a recolher-se em si mesmo e devolvem-lhe aquela prudência de que os sucessos o privam".

13
DIVERGÊNCIAS ENTRE OS ESPÍRITOS

As observações anteriores nos levam a fazer um comentário sobre outra dificuldade: a da divergência que se observa na linguagem dos Espíritos.

Pelo fato dos Espíritos serem diferentes uns dos outros, tanto no aspecto do conhecimento quanto no aspecto da moralidade, a mesma questão pode ter interpretações contraditórias, de acordo com grau de evolução de cada um; exatamente como aconteceria entre homens se essa mesma questão fosse proposta, ora a um Cientista, ora a um ignorante, ora a um zombador de mau gosto. O ponto essencial, já o dissemos, é saber a quem nos dirigimos.

Mas, perguntam os críticos, como explicar que os Espíritos de ordem Superior nem sempre estejam de acordo? Além da diferença de conhecimento e de moralidade que acabamos de assinalar, há outras causas que podem exercer uma influência muito grande sobre a natureza das respostas, e isso independe da qualidade moral dos Espíritos.

É por isso que dizemos que esses estudos requerem uma atenção demorada, observação profunda, continuidade e perseverança, como de resto também requerem todas as Ciências Humanas.

São necessários alguns anos para formar-se um Médico medíocre e três quartas partes da vida para formar-se um Cientista. Como pretender adquirir, em algumas horas, o "Conhecimento do Infinito"?

Portanto, que ninguém se iluda, porque o estudo do Espiritismo é imenso, diz respeito a todas as questões da Metafísica e da ordem social, é todo um mundo que se abre diante de nós. Sendo assim, deverá causar admiração o fato de o estudo da Doutrina Espírita demandar tempo, muito tempo?

Aliás, a contradição na resposta das questões nem sempre é tão real quanto possa parecer. Não vemos todos os dias homens que estudam a mesma ciência divergirem quanto à definição que dão a um determinado assunto, seja por empregarem termos diferentes, seja por utilizarem pontos de vista diversos, ainda que a ideia fundamental seja sempre a mesma?

Quem puder que conte quantas definições a Gramática já recebeu! Acrescentamos que, muitas vezes, a forma da resposta depende da forma como se faz a pergunta. Portanto, seria ingênuo apontar uma contradição onde, frequentemente, existe apenas uma diferença de palavras. Os Espíritos Superiores não se preocupam com a forma; para eles, a essência do pensamento é tudo.

Tomemos por exemplo o conceito de ALMA. Pelo fato de essa palavra não possuir um significado único, compreende-se que os Espíritos, assim como nós, possam divergir quanto ao seu significado: um dirá que ela é o princípio da vida; um segundo pode chamá-la de **centelha anímica**; um terceiro dizer que ela é interna, outros ainda, que ela é externa, e assim por diante. O certo é que todos terão razão segundo o seu ponto de vista.

Poderíamos até mesmo acreditar que alguns deles, em virtude do significado que atribuem à alma, sigam doutrinas materialistas e, todavia, não ser bem assim.

O mesmo ocorre com a palavra DEUS. O significado será: o Princípio de todas as coisas, o Criador do Universo, a Inteligência Suprema, o Infinito, o Grande Espírito, etc., etc. Entretanto, definitivamente, será sempre Deus.

Por fim, citemos a classificação dos Espíritos. Eles formam uma escala contínua, que vai desde a sua criação – simples e ignorantes – até o mais alto grau de perfeição que nos é permitido perceber.

Portanto, a classificação deles não é rígida. Um poderá agrupá-los em três classes, outro em cinco, dez ou vinte, à vontade, sem que nenhum esteja errado! Todas as Ciências Humanas nos oferecem o mesmo exemplo.

Cada Cientista possui o seu sistema; os sistemas mudam, mas a ciência não. Podemos aprender a Botânica pelos sistemas de **Lineu**, **Jussieu** ou **Tournefort**, e nem por isso se saberá menos Botânica.

Assim, deixemos de dar às coisas puramente convencionais, mais importância do que elas merecem, para nos dedicarmos apenas ao que é verdadeiramente sério. Muitas vezes, a reflexão nos fará descobrir, nas coisas que parecem ser as mais contraditórias, uma semelhança que à primeira vista nos havia escapado.

Observações

Centelha anímica: Pode ser entendida como o princípio da vida; como o Espírito propriamente dito.

Charles Lineu (1707 a 1778): Professor, Médico, Botânico e Biólogo Naturalista Sueco; criador da classificação binária (dois nomes em latim) para designar plantas e animais; esse método de classificação é utilizado até hoje.

Antoine Laurent de Jussieu (1748 a 1836): Médico e Botânico Francês. Classificou os vegetais de acordo com um sistema baseado na morfologia das plantas (estudo da aparência externa).

Joseph Pitton de Tournefort (1656 a 1708): Botânico Francês; o primeiro a fazer uma definição clara do conceito de gênero para as plantas. Sua principal obra foi publicada em 1694: Elementos de Botânica ou Método para o reconhecimento das Plantas.

14
ORTOGRAFIA DOS ESPÍRITOS

Não perderíamos tempo com a objeção que alguns incrédulos fazem quanto às falhas ortográficas cometidas por alguns Espíritos, se elas não nos permitissem fazer sobre o fato uma observação essencial.

Concordamos que a ortografia deles nem sempre é impecável; mas, é preciso ter uma mente muito estreita para fazer desse fato uma crítica séria, afirmando que, uma vez que os Espíritos sabem tudo, deveriam também saber ortografia. Poderíamos opor aos incrédulos inúmeros erros desse gênero, cometidos por mais de um Cientista da Terra, o que em nada lhes diminuiria o mérito.

Entretanto, existe, neste fato, uma questão mais importante. Para os Espíritos – e principalmente para os Espíritos Superiores – "A ideia é tudo, a forma não é nada". Livres do corpo físico, a comunicação deles é rápida como o pensamento, porque é o próprio pensamento que se comunica, sem intermediários.

Assim, sentem-se pouco à vontade quando, para se comunicar conosco, precisam utilizar a linguagem humana, que é imperfeita e insuficiente para que possam exprimir suas ideias. É o que eles próprios nos declaram. Por isso, é curioso observar **os meios que muitas vezes os Espíritos utilizam** para atenuar a pobreza da nossa linguagem.

Ocorreria o mesmo conosco se tivéssemos que nos exprimir em uma linguagem mais pobre que a nossa. É a dificuldade que sente o gênio, que se impacienta com a lentidão de sua caneta, sempre atrasada em relação ao seu pensamento.

Sendo assim, fica fácil compreender porque os Espíritos dão pouca importância à pobreza das regras ortográficas, principalmente quando se trata de um ensinamento importante e sério. Já não é maravilhoso o fato de eles se manifestarem em diferentes idiomas e os compreenderem todos?

Entretanto, não devemos concluir daí que eles desconheçam a correção convencional da linguagem. Eles a observam quando necessário. É assim, por exemplo, que a poesia ditada por eles, muitas vezes, desafia a crítica do mais meticuloso purista, e isso "apesar da ignorância do médium".

Observações

Entre os meios que os Espíritos utilizam para atenuar a pobreza da nossa linguagem, podemos citar:

Com a participação do médium:

Psicografia mecânica: É quando o Espírito, utilizando a mão do médium, escreve diretamente, sem que o médium tenha consciência do que está escrevendo. Esta faculdade é preciosa, por não permitir dúvida alguma sobre a independência do pensamento daquele que se manifesta.

Psicofonia mecânica: É quando o Espírito fala através do médium, que fica como um instrumento passivo, ou seja, não tem consciência do que está falando.

Sem a participação do médium:

Pneumatografia ou **escrita direta:** É a escrita produzida diretamente pelo Espírito, sem intermediário algum.

Pneumatofonia: Tendo em vista que os Espíritos podem produzir ruídos e pancadas, podem igualmente fazer com que se ouçam gritos de toda espécie e sons vocais que imitam a voz humana. Essas vozes podem ser percebidas de duas maneiras distintas: uma voz interior que repercute em nosso foro íntimo ou uma voz exterior, como se viesse de uma pessoa que está ao nosso lado.

Fonte da pesquisa: O Livro dos Médiuns.

15
A LOUCURA E O ESPIRITISMO

Existem pessoas que veem perigo por toda parte e em tudo o que não conhecem. Assim, de forma precipitada, concluem desfavoravelmente em relação ao Espiritismo, e isto porque algumas pessoas, ao estudarem a Doutrina Espírita, perderam a razão.

Como é que homens sensatos podem ver nesse fato uma objeção séria? O esforço intelectual não faz com que as pessoas com cérebro fraco percam a razão?

Quem poderia contar o número de loucos e maníacos produzidos pelos estudos da Matemática, da Medicina, da Música, da Filosofia e outros? Devemos por isso terminar com tais estudos? Que conclusão se pode tirar sobre as pessoas que perdem a razão estudando esses assuntos?

Nos trabalhos corporais, os braços e as pernas, que são os instrumentos da ação material, se ferem; nos trabalhos da inteligência danifica-se o cérebro, que é o instrumento pelo qual o pensamento se expressa.

Mas, se o instrumento do trabalho físico e intelectual está danificado, não significa que o Espírito também esteja. Ao contrário, ele continua intacto, e quando se libertar do corpo físico, estará de posse e na plenitude de suas faculdades. O Espírito é como o homem, um escravo do trabalho.

Todas as grandes preocupações do Espírito podem ocasionar a loucura: as Ciências, as Artes e até a própria Religião. A principal causa da loucura é uma predisposição orgânica do cérebro, que o torna mais ou menos acessível a certas impressões que agem sobre o organismo.

A predisposição para a loucura faz com que o objeto da nossa preocupação assuma o caráter de preocupação principal, transformando-se, assim, em ideia fixa. Essa ideia fixa tanto pode ser nos Espíritos, para aqueles que se ocupam desse assunto, como pode ser em Deus, nos Anjos, no Diabo, na Fortuna, no Poder, numa Arte qualquer, numa Ciência, na Maternidade, num Sistema Político ou Social, e assim por diante.

É provável que o louco religioso se tornasse um louco espírita, se o Espiritismo tivesse sido sua preocupação dominante, como é provável que o louco espírita se tornasse um louco por qualquer outro assunto que fosse o centro da sua atenção.

Portanto, digo que o Espiritismo não tem privilégio algum quanto a tornar as pessoas loucas. Vou mais longe: se bem compreendido, o Espiritismo é uma defesa contra a loucura.

Entre as causas mais comuns do desequilíbrio mental estão as decepções, as mágoas, as afeições contrariadas, que são, também, as causas mais frequentes de suicídio.

Ora, o verdadeiro Espírita vê as coisas deste mundo de um ponto de vista mais elevado; elas lhe parecem muito pequenas, muito mesquinhas, em vista do futuro que o aguarda; a vida é para ele tão curta e passageira, que as dificuldades são vistas apenas como incidentes desagradáveis de uma viagem.

O Espírita pouco se afeta com coisas que causariam grandes emoções em outras pessoas. Além disso, ele sabe que as provas que suporta são para o seu próprio adiantamento, se as suportar sem reclamar; sabe, também, que será recompensado de acordo com a coragem com que as tiver suportado.

Suas convicções lhe dão uma resignação que o preserva do desespero, que é, sem dúvida, uma das causas mais frequentes da loucura e do suicídio.

O espírita, pelas informações que recebe dos Espíritos, através das comunicações, sabe qual a sorte daqueles que abreviam voluntariamente a sua vida, e esse conhecimento é suficiente para fazê-lo refletir; sabe, também, que o número de pessoas que, por causa do Espiritismo, não cometeram suicídio é considerável.

Este é um dos resultados práticos do Espiritismo. Os incrédulos podem rir à vontade; eu apenas desejo a eles as consolações que a Doutrina Espírita proporciona a todos aqueles que têm se dado ao trabalho de estudá-la e de pesquisar seus conceitos com profundidade.

Entre as causas da loucura, podemos incluir o pavor, sendo que o "medo do diabo" já desequilibrou mais de um cérebro. Quantas vítimas a figura do diabo tem feito ao abalar pessoas com imaginação fraca? Sem contar os que se esforçam para tornar esse quadro cada vez mais pavoroso, acrescentando a ele detalhes terríveis.

Dizem que o diabo só amedronta as criancinhas, e que serve de freio para torná-las ajuizadas, assim como o bicho-papão e o lobisomem. Entretanto, quando deixam de temê-los, estão piores do que antes.

Para conseguir o belo resultado de manter as criancinhas ajuizadas, não se leva em conta as inúmeras epilepsias causadas pelo abalo que este medo provoca em cérebros delicados.

"Pouco convincente e frágil seria a religião que precisasse impor sua força difundindo o medo e o terror."

Felizmente, não é assim; a religião dispõe de outros meios para atuar sobre as almas. Os meios que o Espiritismo lhe oferece são os mais eficazes e os mais sérios, desde que a religião saiba utilizá-los com proveito.

Ao mostrar a realidade das coisas, a Doutrina Espírita neutraliza os efeitos desastrosos que um temor exagerado pode causar.

16
DUAS TEORIAS EQUIVOCADAS – A TEORIA MAGNÉTICA E A DO MEIO AMBIENTE

Resta-nos, ainda, examinar duas objeções; as únicas que realmente merecem esse nome, porque se baseiam em teorias racionais. Ambas admitem a realidade de todos os fenômenos materiais e morais, mas excluem a intervenção dos Espíritos.

PRIMEIRA TEORIA: Todas as manifestações atribuídas aos Espíritos, não passariam de efeitos magnéticos. Os médiuns entrariam num estado que se poderia chamar de sonambulismo desperto, fenômeno conhecido por todos aqueles que estudaram o Magnetismo.

Nesse estado, as faculdades intelectuais adquirem um desenvolvimento anormal; as percepções intuitivas se ampliam para além dos limites da nossa compreensão comum. Assim, o médium retiraria de si mesmo, e por efeito da sua lucidez, tudo o que diz e todas as noções do que transmite, mesmo sobre assuntos que não conhece quando está em seu estado normal.

Não seremos nós a contestar o poder do "sonambulismo desperto", do qual já vimos extraordinários fenômenos e os estudamos em todas as suas fases, durante mais de trinta e cinco anos. Concordamos que muitas manifestações espíritas podem ser explicadas por esse meio.

Entretanto, uma observação cuidadosa e prolongada mostra que em várias manifestações a intervenção direta do médium é materialmente impossível, a não ser como instrumento passivo.

Para aqueles que concordam que as manifestações espíritas não passam de efeitos magnéticos, diremos: vejam e observem, porque, certamente, ainda não viram tudo. A seguir, usaremos duas considerações tiradas do próprio ensinamento daqueles que defendem a "teoria do efeito magnético".

De onde veio à teoria Espírita? É um sistema imaginado por alguns homens para explicar os fatos? De modo algum. Quem, então, a revelou? Quem revelou a Doutrina Espírita foram os próprios médiuns, cuja lucidez está sendo exaltada pela própria teoria do efeito magnético.

Ora, se a lucidez dos médiuns é tal como se supõe, por que eles teriam atribuído aos Espíritos aquilo que retiravam deles próprios? Como poderiam ter dado informações tão precisas, tão lógicas e tão sublimes sobre a natureza dessas inteligências extra-humanas?

Das duas, uma: ou os médiuns são lúcidos ou não são. Se forem lúcidos e se aquilo que dizem for confiável, em nome da coerência e para não entrarmos em contradição, precisamos aceitar que eles estão com a verdade.

Depois, se todos os fenômenos tivessem a sua origem no médium, seriam sempre idênticos no mesmo indivíduo. Não se veria a mesma pessoa usar uma linguagem diferente e nem expressar, de forma alternada, as ideias mais contraditórias.

Esta falta de uniformidade nas manifestações de um mesmo médium prova a diversidade das fontes. Assim, se as diversas fontes não podem ser encontradas no médium, é preciso procurá-las fora dele.

SEGUNDA TEORIA: O médium é a única fonte que produz todas as manifestações. Mas, em vez de tirá-las de si mesmo, como pretendem aqueles que defendem a teoria do efeito magnético, ele as tira do ambiente onde se encontra.

O médium seria então uma espécie de espelho a refletir todas as ideias, todos os pensamentos e todos os conhecimentos das pessoas que o cercam; não diria nada que não fosse do conhecimento de pelo menos alguns dos presentes.

A influência exercida pelos assistentes sobre a natureza das manifestações constitui, de fato, um dos princípios da Doutrina Espírita. Contudo, essa influência é diferente da que os opositores supõem existir, e daí pensar que o médium seja apenas um eco do pensamento daqueles que o rodeiam, vai uma distância muito grande, visto que milhares de fatos comprovam o contrário.

Esse modo de pensar, além de ser uma precipitação, é um grave erro que os opositores cometem. Como essas pessoas não podem negar a existência de um fenômeno que a Ciência comum não consegue explicar, e não querendo admitir a presença dos Espíritos, explicam-no a seu modo. Essa teoria, embora enganosa, seria sedutora se pudesse abranger todos os fatos, mas não é isso o que acontece.

Quando demonstramos a eles, com clareza e com lógica, que algumas comunicações dos médiuns são completamente estranhas ao pensamento e ao conhecimento de todos os presentes; quando demonstramos que essas comunicações são espontâneas e contradizem todas as ideias preconcebidas, os opositores da Doutrina Espírita não recuam e não se dão por vencidos.

Chegam a dizer que a irradiação propaga-se muito além do círculo imediato que nos rodeia; que o médium é o reflexo de toda Humanidade, de tal sorte que, se as inspirações não vêm dos que estão ao seu redor, ele as vai buscar fora, em outras cidades, em outros países, na Terra inteira e mesmo em outras esferas.

Nada pode chocar mais a razão do que supor que a irradiação universal, vinda de todos os pontos do Universo, possa se concentrar no cérebro de um indivíduo. A explicação que traz o Espiritismo, além de ser mais simples e mais provável, é bem mais completa. Ele nos ensina que os seres inteligentes, que povoam os espaços, por estarem em contato permanente conosco, nos transmitem os seus pensamentos.

Esse é um ponto importante e nunca é demais insistir: tanto a teoria sonambúlica, quanto a que diz que o médium reflete o pensamento dos assistentes, são frutos da imaginação de alguns homens; são opiniões individuais criadas para explicar um fato, ao passo que a Doutrina dos Espíritos não é de concepção humana. Foi ditada pelas próprias inteligências que se manifestaram quando ninguém delas cogitava, e a própria opinião geral as repelia.

Assim, podemos perguntar: de onde os médiuns foram tirar uma doutrina que não estava no pensamento de ninguém aqui na Terra? Perguntamos mais: por que milhares de médiuns espalhados por todo o globo, que nunca se viram antes, combinaram em dizer a mesma coisa? Que estranha "coincidência"!

Se o primeiro médium que apareceu na França sofreu a influência de opiniões já aceitas na América, por que ele foi buscá-las tão longe, a 2.000 léguas além-mar, entre um povo desconhecido que possui costumes e linguagem diferentes, em vez de procurá-las ao seu redor?

Existe, também, outra situação à qual não se tem dado a devida atenção. As primeiras manifestações, tanto na França quanto nos Estados Unidos, não se deram por meio da escrita nem da fala, mas por pancadas que correspondiam às letras do alfabeto, formando palavras e frases. Esse foi o meio que as inteligências que se manifestavam utilizaram para dizer que eram Espíritos.

Ora, se pudéssemos imaginar a intervenção do pensamento do médium nas comunicações verbais ou escritas, o mesmo não ocorreria com as pancadas, cujo significado não podia ser previamente conhecido.

Poderíamos citar inúmeros fatos que demonstram, na inteligência que se manifesta, uma individualidade evidente e uma absoluta independência da vontade. Assim, recomendamos para aqueles que se opõem: observem de forma mais cuidadosa e, se quiserem estudar bem, sem prevenções e sem conclusões precipitadas, reconhecerão que essas teorias são incapazes de explicar todos os fatos.

Analisemos as seguintes questões: por que a inteligência que se manifesta, seja ela qual for, se recusa a responder certas perguntas sobre assuntos perfeitamente conhecidos, como, por exemplo, o nome ou a idade de quem está perguntando; o que o interlocutor tem na mão; o que fez na véspera; o que fará no dia seguinte, e assim por diante? Se o médium fosse, de fato, o espelho do pensamento dos assistentes, lhe seria muito fácil responder. Por que, então, não o faz?

Por sua vez, os adversários contestam o argumento, perguntando: por que os Espíritos, que devem saber tudo, não conseguem responder perguntas tão simples, de acordo com o ditado: "**Quem pode o mais, pode o menos**"? E, então, concluem que não são os Espíritos que respondem.

Se um ignorante ou um zombador se apresentasse diante de uma assembleia de doutores e perguntasse: por que é dia em pleno meio dia? Será que algum doutor se daria ao trabalho de responder seriamente? Pelo silêncio da assembleia ou pela zombaria com que respondesse, seria lógico concluir que todos os seus membros são tolos?

Os Espíritos, por serem Superiores, não respondem a perguntas inúteis ou ridículas, e também não se colocam em evidência; é por isso que se calam ou dizem que apenas se ocupam com coisas mais sérias.

Finalmente, perguntaremos: por que os Espíritos comparecem num dado momento, participam das reuniões e depois se retiram? E por que, após o seu afastamento, não existem pedidos ou súplicas que os tragam de volta? Se o médium fosse o reflexo do pensamento dos assistentes, é claro que, numa circunstância assim, o concurso de todas as vontades reunidas deveria estimular a sua clarividência.

Portanto, se ele não consegue dar continuidade à sua tarefa, cedendo ao desejo da assembleia e, também, da sua própria vontade, é porque não estava sob o efeito da influência dos assistentes, e sim dos Espíritos que se retiraram. Esse simples fato demonstra a individualidade e a independência dos Espíritos que se manifestam.

Observação

"**Quem pode o mais, pode o menos**": Pode também ser entendido como: aquele que pode fazer o mais difícil, pode também fazer o mais fácil.

17
A DOUTRINA E OS ESPAÇOS VAZIOS

A descrença em relação à Doutrina Espírita, quando não resulta de uma oposição sistemática e interesseira, tem, quase sempre, sua origem no conhecimento incompleto dos fatos, o que não impede que alguns falem sobre Espiritismo como se o conhecessem a fundo.

As pessoas podem ser inteligentes, cultas e não possuírem bom senso. De fato, o primeiro indício da falta de bom senso é alguém acreditar que o seu juízo é infalível. Para muitos, as manifestações Espíritas são apenas um objeto de curiosidade. Esperamos que as pessoas que lerem este Livro encontrem, nesses fenômenos extraordinários, algo mais que um simples passatempo.

A Ciência Espírita divide-se em duas partes:

PRIMEIRA PARTE: É a experimental, e diz respeito às manifestações em geral.

SEGUNDA PARTE: É a filosófica, e diz respeito às manifestações inteligentes.

Quem observou apenas a parte experimental, está na posição daquele que só conhece Física pelas experiências recreativas, sem haver penetrado no coração dessa ciência.

A verdadeira Doutrina Espírita reside nos ensinamentos dados pelos Espíritos; os conhecimentos que esses ensinamentos trazem são por demais profundos e extensos para serem adquiridos de qualquer maneira; é necessário um estudo sério e perseverante, feito no silêncio e no recolhimento. Somente assim é possível observar um número infinito de fatos e de particularidades que escapam ao observador superficial e permitem firmar uma opinião a respeito da Doutrina Espírita.

Se este Livro tivesse somente a finalidade de mostrar o lado sério da questão e provocar estudos sobre o assunto, já nos sentiríamos felizes e honrados por ter realizado uma obra sobre a qual não pretendemos ter qualquer mérito pessoal, pois seu conteúdo não é de nossa autoria. O mérito pertence inteiramente aos Espíritos que a ditaram.

Esperamos que "O Livro dos Espíritos" tenha, ainda, outra utilidade: a de guiar homens que desejam se esclarecer, mostrando-lhes, através desses estudos, um objetivo grande e sublime, que é o do progresso individual e social. Esperamos, ainda, que ele indique o caminho a ser seguido para que esse objetivo seja alcançado.

Vamos concluir fazendo uma última consideração. Alguns Astrônomos, sondando o espaço, encontraram, na distribuição dos corpos celestes, lacunas não explicadas e em desacordo com o Universo que conhecemos. Suspeitaram que essas lacunas deveriam estar preenchidas por planetas que tinham escapado à sua observação.

Por outro lado, também observaram alguns efeitos cuja causa desconheciam e concluíram: "ali deve haver um planeta, porque esta lacuna não pode existir e esses efeitos devem ter uma causa". Partindo da causa para chegar ao efeito, puderam calcular os seus elementos, e mais tarde os fatos vieram confirmar as suas previsões.

Vamos aplicar esse mesmo raciocínio a uma outra ordem de ideias. Se observarmos as criaturas, verificaremos que elas formam uma cadeia sem interrupção, desde a matéria bruta até o homem mais inteligente. Mas, entre o homem e Deus, o princípio e o fim de todas as coisas, que imensa lacuna!

Será que é racional pensar que o homem seja o fim dessa cadeia? Ou que ele transponha, sem transição, a distância que o separa do infinito? A razão nos diz que entre o homem e Deus deve haver outros seres, com diferentes níveis de consciência, assim como disseram os Astrônomos: "entre os planetas conhecidos deve haver outros planetas desconhecidos". Qual a Filosofia que já preencheu essa lacuna?

O Espiritismo vem preencher esse vazio, ao mostrar que ele é habitado por seres de todas as categorias do Mundo Invisível. Explica que esses seres são os Espíritos dos homens nos diversos graus que levam à perfeição. Assim, tudo se liga e se encadeia, desde o princípio das coisas, até o fim delas.

Aqueles que negam a existência dos Espíritos, que preencham o vazio que eles ocupam; os que riem deles, ousem rir das obras de Deus e de Sua onipotência!

Allan Kardec

NOÇÕES PRELIMINARES SOBRE A DOUTRINA ESPÍRITA

Os fenômenos que não se enquadram nas "Leis da Ciência comum" estão por toda parte. Na causa que produz esses fenômenos apresenta-se a ação de uma vontade livre e inteligente.

A razão diz que um efeito inteligente deve ter como causa uma força inteligente, e os fatos provam que esta força pode comunicar-se com os homens através de sinais materiais.

Essa força, interrogada sobre sua natureza, declarou pertencer ao mundo dos seres espirituais, isto é, homens que já se despojaram do corpo físico. Foi assim que a Doutrina dos Espíritos foi revelada.

As comunicações entre o Mundo Espiritual e o Mundo Material ocorrem de forma natural e não constituem nenhum fato sobrenatural, razão pela qual seus vestígios são encontrados entre todos os povos e em todas as épocas. Hoje, essas comunicações se generalizaram e se tornaram visíveis a todos.

Os Espíritos anunciam que chegaram os tempos marcados pela **Providência** para uma manifestação universal. Como mensageiros de Deus e agentes de Sua vontade, sua missão é instruir e esclarecer os homens, abrindo uma Nova Era para a regeneração da Humanidade.

Este Livro contém o ensinamento dos Espíritos. Foi escrito por ordem e sob o ditado de Espíritos Superiores. Estabelece os fundamentos de uma filosofia racional e livre dos preconceitos do "**Espírito de Corpo**".

Não contém nada que não seja expressão do pensamento desses Espíritos e que não tenha sido por eles examinado. Apenas a ordem e a distribuição metódica das matérias, assim como algumas notas e a forma da redação, são da responsabilidade daquele que recebeu a missão de publicá-lo.

Dentre os Espíritos que participaram desta obra, muitos viveram na Terra, em diferentes épocas, onde pregaram e praticaram a virtude e a sabedoria. Outros, embora não figurem entre os personagens importantes da História, atestam sua elevação pela pureza de seus ensinamentos e pela sintonia em que se encontram com os Espíritos conhecidos e que trazem nomes venerados.

A MISSÃO DE ESCREVER ESTE LIVRO NOS FOI DADA POR ESCRITO, ATRAVÉS DE MUITOS MÉDIUNS E NOS SEGUINTES TERMOS:

"Entrega-te com zelo e perseverança à tarefa que iniciaste com a nossa ajuda, pois esse trabalho é nosso".

"Esta obra será o alicerce de um novo edifício que se eleva e que um dia reunirá todos os homens num mesmo sentimento de amor e caridade; mas, antes de ser publicado, faremos uma revisão minuciosa, em conjunto, com o objetivo de examinar todos os detalhes".

"Estaremos contigo sempre que solicitares, para te ajudarmos nos outros trabalhos, pois esta é apenas uma parte da missão que te foi confiada e a qual um dos nossos já te revelou".

"Entre os ensinamentos que recebes, existem alguns que devem ser guardados contigo, até nova ordem. Nós te avisaremos quando chegar o momento de publicá-los. Até lá, examina-os e medita sobre eles, para que, quando te chamarmos, estejas pronto".

"Coloca no início do livro o **ramo de parreira** que te desenhamos, pois ele é o símbolo do trabalho do Criador. Neste ramo de parreira, se acham reunidos os princípios materiais que melhor representam o corpo e o Espírito: o corpo é o ramo da videira; o Espírito é a seiva; a alma ou o Espírito encarnado é o grão da uva. O homem purifica o Espírito pelo trabalho, e tu sabes que é somente pelo trabalho do corpo que o Espírito adquire conhecimentos".

"Não te deixes desanimar pelas críticas. Encontrarás opositores ferozes, especialmente, entre os que da vida só têm interesse nos abusos de ordem material e moral. Encontrarás oposição, também, entre os Espíritos, principalmente entre aqueles que ainda estão muito materializados e procuram semear a dúvida, seja por malícia ou por ignorância".

"Persiste sempre; acredita em Deus e marcha com confiança: aqui estaremos para te amparar, e está próximo o tempo em que a "Verdade" brilhará por toda a parte".

"A vaidade de alguns homens que acreditam saber tudo e querem explicar tudo a sua maneira, dará lugar a opiniões divergentes. Mas, todos os que tiverem em vista o grande princípio de Jesus, se irmanarão no mesmo sentimento de amor ao bem e se unirão por um laço fraterno, que envolverá o mundo inteiro. Deixarão de lado as simples questões de palavras, ocupando-se apenas com o que é essencial, porque a Doutrina será sempre a mesma, em sua essência, para todos os que receberem as comunicações dos Espíritos Superiores".

"Somente pela perseverança conhecerás os frutos do teu trabalho. A alegria que experimentarás ao ver a propagação e a compreensão da Doutrina, será, para ti, uma recompensa cujo valor integral reconhecerás, talvez, mais no futuro do que no presente. Portanto, não te inquietes com os espinhos e as pedras que os incrédulos e os maus colocarão no teu caminho.

"Mantém a confiança, pois somente com ela chegarás ao objetivo e merecerás sempre ser ajudado".

"Lembra-te que os bons Espíritos apenas assistem os que servem a Deus com humildade e desinteresse, repudiando os que buscam, no caminho do Céu, um degrau para conquistar as coisas da Terra".

"Os orgulhosos e ambiciosos também são abandonados pelos bons Espíritos, pois o orgulho e a ambição podem ser comparados a um véu que encobre as claridades celestes. Para tornar a luz compreensível, Deus jamais se utilizará de um cego como exemplo".

São João Evangelista, Santo Agostinho, São Vicente de Paulo, São Luís, O Espírito da Verdade, Sócrates, Platão, Fénelon, Franklin, Swedenborg e outros.

Observações

Providência: Neste caso, significa o próprio Deus.

Espírito de Corpo: Comportamento de um grupo de pessoas na defesa dos seus interesses e dos seus integrantes.

O **Ramo de parreira** que está desenhado na página 53 é a reprodução fiel da que foi desenhada pelos Espíritos (nota de Allan Kardec).

Primeira Parte
As Causas Primeiras

Algumas explicações para tornar mais fácil a leitura de O Livro dos Espíritos:

- As perguntas formuladas por Kardec aos Espíritos estão em negrito, imediatamente após o número de cada questão.

- A resposta dada pelos Espíritos está logo abaixo.

- Os comentários feitos por Kardec estão em *itálico* e assim identificados: **Comentário de Kardec:**.

- As Notas do Organizador iniciam por *Observação.*

CAPÍTULO 1

DEUS

- **Deus e o Infinito**
- **Provas da Existência de Deus**
- **Atributos da Divindade**
- **Panteísmo**

DEUS E O INFINITO

1. Que é Deus?

Deus é a inteligência suprema, causa primeira de todas as coisas.

2. O que devemos entender por infinito?

Aquilo que não tem começo nem fim; o desconhecido. Tudo o que é desconhecido é infinito.

3. Poderíamos dizer que Deus é o infinito?

A definição é incompleta e decorre da pobreza da linguagem dos homens, que é insuficiente para definir as coisas que estão acima da sua inteligência.

Comentário de Kardec: Deus é infinito em Suas perfeições, mas o infinito é algo que a razão humana não pode alcançar, pois existe somente no domínio das ideias. Dizer que Deus é o infinito é tentar defini-Lo utilizando apenas uma de suas qualidades dentre todas as outras. É definir uma coisa que não é conhecida por outra igualmente desconhecida.

PROVAS DA EXISTÊNCIA DE DEUS

4. Onde podemos encontrar a prova da existência de Deus?

Num princípio utilizado pela Ciência: toda causa produz um efeito. Procura a causa de tudo o que não é obra do homem e a sua razão lhe responderá.

Comentário de Kardec: Para acreditar em Deus, basta ao homem observar as obras da Criação. O Universo existe, logo tem uma causa. Duvidar da existência de Deus seria negar que todo efeito é consequência de uma causa. É admitir que o "nada" possa ter feito alguma coisa.

5. Todos os homens trazem consigo o sentimento intuitivo da existência de Deus. Que conclusão podemos tirar desse sentimento?

A conclusão que podemos tirar é a de que Deus existe; senão, de onde os homens tirariam esse sentimento se ele não tivesse uma base? É, ainda, uma decorrência do princípio de que "não há consequência sem que exista uma causa".

6. O sentimento íntimo que temos da existência de Deus não seria fruto da educação e o resultado de ideias adquiridas?

Se fosse assim, por que os selvagens também teriam esse sentimento?

Comentário de Kardec: Se o sentimento íntimo da existência de um Ser Supremo fosse o produto de um ensinamento, não seria Universal. Somente existiria naqueles que tivessem recebido o ensinamento, assim como acontece com os conhecimentos científicos.

7. A causa primeira da formação das coisas pode ser encontrada nas propriedades íntimas da matéria?

Mas, então, qual seria a origem das propriedades íntimas da matéria? Sempre é preciso uma inteligência eficaz que dê origem ao que ainda não existe; uma causa primeira.

Comentário de Kardec: Atribuir a origem das coisas às propriedades íntimas da matéria seria o mesmo que dizer que a consequência vem antes da causa que a gera. Essas propriedades íntimas também são uma consequência que deve ter uma causa.

8. O que pensar da opinião daqueles que atribuem a formação primeira das coisas a uma combinação acidental e inesperada da matéria, ou seja, ao acaso?

Outro absurdo! Que homem de bom senso pode considerar o acaso como um ser inteligente? Aliás, o que é o acaso? Nada!

Comentário de Kardec: A harmonia que regula as forças do Universo baseia-se em combinações e objetivos definidos, revelando, assim, um poder inteligente. Atribuir a formação primeira das coisas ao acaso é uma insensatez, pois o acaso é cego e não pode produzir efeitos inteligentes. Um "acaso" inteligente já não seria mais um "acaso".

9. Onde é possível ver, na causa primeira, uma Inteligência Suprema e superior a todas as outras?

Existe um provérbio que diz: "Pela obra, se reconhece o autor". Olhem a obra e procurem o autor. É o orgulho que produz a incredulidade. O homem orgulhoso não admite nada acima de si mesmo, e é por isso que ele se considera um Espírito forte. Pobre ser, que um sopro de Deus pode abater!

Comentário de Kardec: Julga-se a capacidade de uma inteligência pelas obras que ela realiza. Como nenhum ser humano pode criar o que a Natureza produz, a causa primeira, por consequência, só pode estar numa Inteligência Superior à do homem.

Sejam quais forem os prodígios realizados pela inteligência humana, essa inteligência também tem uma causa primeira. Deus é essa Inteligência Superior e também é a causa primeira de todas as coisas, seja qual for o nome que o homem queira lhe dar.

ATRIBUTOS DA DIVINDADE

10. O homem pode compreender a natureza íntima de Deus?

Não, ele ainda não tem capacidade para compreender isso. Falta-lhe um sentido.

11. Quando será possível ao homem compreender o mistério da Divindade?

Ele compreenderá quando atingir a perfeição, através de sua evolução. Quando isso ocorrer, seu espírito não estará mais obscurecido pela matéria, e ele poderá ficar mais próximo de Deus. Então, ele O verá e O compreenderá.

Comentário de Kardec: A inferioridade das faculdades do homem não lhe permite compreender a natureza íntima de Deus. Devido ao pequeno entendimento que possui de si mesmo e das coisas que o cercam, o homem confunde o Criador com a criatura, e atribui a Deus as imperfeições da criatura. Porém, à medida que o seu senso moral se desenvolve, seu pensamento compreende melhor a essência das coisas. Então, a respeito de Deus, ele faz uma ideia mais justa e mais de acordo com a razão, embora sempre incompleta.

12. Já que o homem não consegue compreender a natureza íntima de Deus, ele pode ter a ideia de algumas de Suas perfeições?

Sim, de algumas; ele as entrevê pelo pensamento. À medida que o homem desenvolve a sua inteligência e a sua moral, ele compreende melhor as perfeições do Criador.

13. Quando dizemos que Deus é eterno, infinito, imutável, imaterial, único, todo-poderoso, soberanamente justo e bom, não temos uma ideia completa de Seus atributos?

Do ponto de vista do homem, sim, porque ele acredita abranger tudo. Existem coisas que estão acima da inteligência do homem mais inteligente e para as quais a linguagem humana, limitada em suas ideias e sensações, não possui termos adequados para expressar.

A razão diz que Deus deve possuir todas essas perfeições em grau supremo, porque se uma Lhe faltasse ou não fosse infinita, Ele já não seria superior a tudo e, por consequência, não seria Deus. Por estar acima de todas as coisas, Deus não pode estar sujeito às instabilidades e nem às imperfeições que a imaginação possa conceber.

Comentário de Kardec: DEUS É ETERNO, pois se Ele tivesse tido um começo teria saído do nada, ou teria sido criado por um ser anterior. É assim que, pouco a pouco, remontamos à ideia de infinito e eternidade.

É IMUTÁVEL, pois se Ele estivesse sujeito a mudanças, as Leis que regem o Universo não teriam nenhuma estabilidade.

É IMATERIAL, ou seja, Sua natureza difere de tudo o que chamamos matéria. Se não fosse assim, Ele não seria imutável, porque estaria sujeito as transformações da matéria.

É ÚNICO, pois se houvesse outros deuses, não haveria uniformidade de objetivos nem uniformidade de poder na ordenação do Universo.

É TODO-PODEROSO, porque é único. Se não tivesse o poder soberano, haveria algo mais poderoso ou tão poderoso quanto Ele. Assim, não teria feito todas as coisas e, as que não tivesse feito, seriam obras de um outro deus.

É SOBERANAMENTE JUSTO E BOM. A sabedoria providencial das Leis Divinas se revela tanto nas maiores como nas menores coisas, e essa sabedoria não nos permite duvidar da Sua justiça, nem da Sua bondade.

PANTEÍSMO

Observação

Doutrina Panteísta: Acredita ser Deus o próprio Universo, pelo qual o indivíduo, após sua morte, seria absorvido por esse mesmo Universo. (do grego "pan" que significa "tudo", e "theus" que significa "Deus").

14. Deus é um ser distinto, à parte, ou seria, segundo a opinião de alguns, o resultado da reunião de todas as forças e de todas as inteligências do Universo?

Se Deus fosse o resultado de alguma coisa, Ele não existiria, porque seria a consequência e não a causa; Ele não pode ser, ao mesmo tempo, a causa e a consequência. O essencial é que Deus existe; disso, os homens não devem duvidar e nem ir além para não se perderem num labirinto do qual não poderão sair.

Essa procura não tornaria os homens melhores, mas, talvez, um pouco mais orgulhosos, porque eles acreditariam saber, quando, na realidade, nada sabem. Os encarnados deveriam deixar de lado essas buscas inúteis; existem outras coisas muito mais importantes para que eles possam evoluir; deveriam estudar as suas próprias imperfeições, a fim de livrarem-se delas; isso lhes será muito mais útil do que quererem penetrar o que é impenetrável.

15. O que pensar da opinião segundo a qual todos os corpos da natureza, todos os seres, todos os orbes do Universo seriam partes da Divindade e constituiriam, em conjunto, a própria Divindade, ou seja, o que pensar da Doutrina Panteísta?

O homem, não podendo tornar-se Deus, quer, pelo menos, ser uma parte Dele.

16. Os que acreditam na Doutrina Panteísta pretendem encontrar, nela, alguns dos atributos de Deus. Sendo infinitos os mundos, Deus também o é; não existindo o vazio ou o nada em parte alguma, Deus está em toda parte; estando Deus em toda parte, já que tudo é parte integrante de Deus, Ele dá a todos os fenômenos da Natureza uma razão de ser inteligente. O que pode se opor a esse raciocínio?

A razão. Basta fazer uma reflexão madura e não será difícil reconhecer o absurdo dessa doutrina.

Comentário de Kardec: A Doutrina Panteísta faz de Deus um ser material que, embora dotado da suprema inteligência, seria numa escala maior, o que somos numa escala menor.

Como a matéria se transforma sem parar, se essa doutrina fosse verdadeira, Deus não teria nenhuma estabilidade. Estaria sujeito a todas as mudanças e variações e a todas as necessidades próprias da Humanidade; ainda assim, faltaria a Ele um dos atributos essenciais da Divindade: a imutabilidade.

Não podemos juntar as propriedades da matéria com a essência de Deus, sem, com isso, rebaixá-Lo em nossa compreensão. Todos os argumentos utilizados não conseguirão explicar a natureza íntima de Deus.

Não sabemos tudo o que Deus é, mas sabemos o que Ele não pode deixar de ser, e a Doutrina Panteísta está em contradição com as propriedades mais essenciais de Deus. Ela confunde o Criador com a criatura, exatamente como se quiséssemos que uma máquina engenhosa fosse parte integrante do mecânico que a criou.

A inteligência de Deus se revela em Suas obras, assim como a de um pintor em seus quadros; mas, as obras de Deus não são o próprio Deus, assim como os quadros não são o próprio pintor que os concebeu.

CAPÍTULO 2

ELEMENTOS GERAIS DO UNIVERSO

- Conhecimento do Princípio das Coisas
- Espírito e Matéria
- Propriedades da Matéria
- Espaço Universal

CONHECIMENTO DO PRINCÍPIO DAS COISAS

17. É permitido ao homem conhecer o princípio das coisas?

Não. Deus não permite que tudo seja revelado ao homem aqui na Terra.

18. No futuro, o homem terá acesso ao mistério das coisas que lhe são ocultas?

Terá acesso, à medida que se depura, ou melhor, à medida que se aperfeiçoa moralmente; contudo, para compreender certas coisas, precisará de faculdades que ainda não possui.

19. Através das investigações científicas, pode o homem desvendar alguns segredos da Natureza?

A Ciência foi dada ao homem para que ele se desenvolva em todos os campos, mas ele não pode ultrapassar os limites fixados por Deus.

Comentário de Kardec: Quanto mais o homem penetra, pelo seu conhecimento, nesses mistérios, maior é a sua admiração pelo poder e pela sabedoria do Criador. Mas, seja por orgulho ou por fraqueza, sua própria inteligência faz com que ele se iluda.

Acumula muito conhecimento, mas, a cada dia que passa, verifica quantos erros tomou por verdades e quantas verdades rejeitou como erros. Assim, a cada dia, acrescenta mais decepções ao seu orgulho.

20. Além das investigações científicas, é permitido ao homem receber comunicações de ordem mais elevada sobre aquilo que não está ao alcance dos seus sentidos?

Sim, se Deus julgar útil, pode revelar ao homem o que a Ciência não consegue captar em suas pesquisas.

Comentário de Kardec: *É através dessas comunicações de ordem superior que o homem obtém, dentro de certos limites, o conhecimento do seu passado e da sua destinação futura.*

ESPÍRITO E MATÉRIA

21. Assim como Deus, a matéria existe desde toda a eternidade, ou foi criada por Ele em um determinado instante?

Somente Deus o sabe. Entretanto, existe uma coisa que o homem deve compreender: é que Deus, modelo de amor e caridade, jamais esteve inativo. Por mais distante que se consiga imaginar o início de Sua ação, será que é possível imaginá-Lo, um segundo sequer, na ociosidade?

22. Geralmente, define-se a matéria como sendo aquilo que tem extensão, que impressiona os nossos sentidos, e que é impenetrável. Essas definições estão exatas?

Do ponto de vista dos homens, essas definições estão exatas, porque eles falam apenas do que conhecem. Entretanto, a matéria existe em estados que ainda são desconhecidos para eles. Por exemplo, ela pode ser tão etérea e sutil que não cause nenhuma impressão aos sentidos. Contudo, é sempre matéria, embora para os encarnados não o seja.

22a. Sendo assim, que definição os Espíritos dão para a matéria?

A matéria é o elemento que prende o espírito ao mundo físico. É o instrumento que ele utiliza para se manifestar e exercer a sua ação no Mundo Material.

Comentário de Kardec: *De acordo com essa ideia, pode-se dizer que a matéria é o elemento intermediário, com a ajuda da qual o espírito se manifesta no Mundo Físico.*

Observação

Hoje sabemos que existem inúmeros planos para a manifestação dos espíritos; desde o Mundo Material, até planos muito etéreos, que escapam à nossa compreensão. Cada plano possui um tipo de matéria que é compatível com as condições de vida naquele plano.

23. O que é o espírito?

O espírito é o Princípio Inteligente do Universo.

Observação

Compare essa resposta com a pergunta n° 76. Aqui, trata-se do espírito, Princípio Inteligente do Universo, e não da individualidade a que cada um de nós corresponde. Ver pergunta n° 25a.

23a. Qual é a natureza íntima do espírito?

Não é fácil explicar a natureza íntima do espírito utilizando a linguagem humana. O espírito não existe para os homens, visto que não é uma coisa palpável; mas, para nós, ele é alguma coisa. Os encarnados deveriam saber que o nada não existe; o nada é coisa nenhuma.

24. O espírito é sinônimo de inteligência?

A inteligência é um atributo essencial do espírito, mas tanto a inteligência quanto o espírito se confundem num princípio comum. Assim, para os homens, inteligência e espírito são a mesma coisa.

25. O espírito é independente da matéria ou é apenas uma de suas propriedades, assim como as cores são propriedades da luz e o som é propriedade do ar?

O espírito e a matéria são distintos um do outro; mas, a união do espírito com a matéria é necessária para que a inteligência se manifeste na matéria.

25a. Para que o espírito se manifeste é necessária sua união com a matéria? (Aqui, o espírito deve ser entendido como sendo o "princípio inteligente do Universo", e não como as individualidades que denominamos Espíritos)

A união do espírito com a matéria é necessária para o homem, porque ele **não está organizado** para perceber o espírito sem a matéria; seus sentidos não foram feitos para isso.

Observação

Não está organizado: Significa dizer que o homem não possui órgãos sensoriais no corpo físico, apropriados a perceber o espírito sem a matéria, ou melhor, sem o corpo físico.

26. Podemos imaginar o espírito sem a matéria e a matéria sem o espírito?

Podem, sem dúvida, pelo pensamento.

Observação

O espírito, não depende da matéria e não deve ser confundido com ela. Entretanto, através do pensamento, podemos imaginar o espírito sem a matéria e a matéria sem o espírito.

27. Então, podemos dizer que existem dois elementos gerais do Universo: a matéria e o espírito?

Sim, e, acima de tudo, Deus, o Criador, o Responsável por todas as coisas. Deus, espírito e matéria constituem o princípio de tudo o que existe; é a tríade universal. Porém, ao elemento material é necessário acrescentar o fluido cósmico universal, que desempenha o papel de intermediário entre o espírito e a matéria propriamente dita. A matéria é demasiado densa para que o espírito possa exercer a sua ação sobre ela.

Embora, sob certo aspecto, se possa classificar o fluido cósmico universal como elemento material, ele se distingue da matéria por possuir propriedades especiais. Se o fluido cósmico universal fosse matéria, não haveria razão para que o espírito também não o fosse.

O fluido cósmico universal situa-se entre o espírito e a matéria; ele é fluido, assim como a matéria é matéria. Pelas inúmeras combinações com a matéria, e sob a ação do espírito, o fluido cósmico universal é capaz de produzir uma infinita variedade de coisas das quais a Humanidade conhece apenas uma mínima parte.

O espírito se utiliza desse fluido cósmico universal, ou *primitivo*, ou *elementar* porque ele é o princípio, sem o qual, a matéria estaria em contínuo estado de divisão e jamais adquiriria as propriedades que a força da gravidade lhe dá, como, por exemplo, a de poder ser pesada.

Observação

A matéria e o fluido cósmico universal constituem uma só grandeza: o Princípio Material. Além da matéria, existe o princípio inteligente: o espírito, que se constitui na segunda grandeza da Criação. Acima deles está a causa de ambos: Deus.

Apesar de a matéria e do fluido cósmico universal serem a mesma coisa, eles estão em frequências vibratórias diferentes. Assim, a matéria é densa e ponderável, ou seja, pode ser pesada e medida, enquanto o fluido cósmico universal é etéreo e imponderável, isto é, não pode ser pesado, nem medido, mas ambos podem ser considerados matéria em suas vibrações específicas.

A consequência disso é que a gravidade, nessa faixa de vibração em que nos encontramos, torna-se relativa, ou melhor, pode atrair a matéria, mas não exerce atração sobre o fluido cósmico universal.

27a. Seria o fluido cósmico universal aquilo que designamos pelo nome de Eletricidade?

Dissemos que o fluido cósmico universal pode sofrer inúmeras combinações. O que o homem chama de fluido elétrico, fluido magnético, são modificações do fluido cósmico universal, que é, por assim dizer, matéria mais perfeita, mais sutil e que possui existência própria, ou seja, é independente.

28. Uma vez que o espírito existe, não seria melhor designar esses dois componentes do Universo, a matéria e o espírito, pelas expressões "matéria inerte" e "matéria inteligente", evitando, assim, mais confusões?

As palavras pouco nos importam. Cabe ao homem formular uma linguagem adequada ao seu próprio entendimento. As controvérsias surgem, quase sempre, pela diversidade de expressões. A linguagem terrena é incompleta para exprimir as coisas que os sentidos humanos não percebem.

Comentário de Kardec: *Um fato notório domina todas as teorias: vemos matéria sem inteligência e vemos um princípio inteligente, independente da matéria. Desconhecemos a origem e a conexão dessas duas coisas, se elas provêm ou não de uma fonte comum, e se existem pontos de contato entre elas.*

Desconhecemos, também, se a inteligência tem existência própria, se ela é uma propriedade ou uma consequência ou, ainda, segundo a opinião de alguns, se ela é uma emanação da Divindade.

A "matéria sem inteligência" e o "princípio inteligente" se apresentam como coisas distintas, e é por isso que as admitimos como sendo as formadoras dos dois princípios que constituem o Universo.

Vemos, acima de tudo isso, uma Inteligência que domina e governa todas as outras, e que delas se distingue por atributos essenciais. É a essa Inteligência Suprema que chamamos DEUS.

PROPRIEDADES DA MATÉRIA

29. A ponderabilidade é um atributo essencial da matéria?

Da matéria que está no mesmo plano onde os homens se encontram, sim; mas, da matéria considerada como fluido cósmico universal, não. A matéria etérea e sutil que forma o fluido cósmico universal é imponderável para os homens, mas nem por isso deixa de ser o princípio da matéria pesada.

Observação

Ponderabilidade: É a possibilidade que se tem de pesar, medir ou quantificar um objeto material qualquer.

Amada,

Eis a perfeitz
leitura parz
a inauguracão
dos teus olhos
novinhos em
folha!

Comentário de Kardec: A força da gravidade é uma propriedade relativa. Fora das esferas de atração dos planetas, não há peso, assim como não existe o "acima" e o "abaixo".

Observação

Quanto maior for o tamanho do Astro, maior será a sua força de atração sobre a matéria. Assim, o mesmo homem teria um peso na Terra e outro, menor, na Lua.

30. A matéria é formada de um só elemento ou de vários?

A matéria é formada de um único elemento primitivo. Os corpos tidos como simples, pelos homens, não são verdadeiros elementos, mas transformações da matéria primitiva.

31. De onde se originam as diferentes propriedades da matéria?

Originam-se das modificações que as **moléculas** elementares sofrem por efeito da sua união e das circunstâncias em que essa união acontece.

Observações

Molécula: É um grupo de átomos, de elementos iguais ou diferentes, ligados entre si. É a menor partícula de uma substância que pode existir, normalmente de maneira independente.

Exemplos de moléculas

Com elementos iguais: Dois átomos de oxigênio se combinam para formar uma molécula de oxigênio O_2.

Com elementos diferentes: Um átomo de carbono se combina com dois átomos de oxigênio para formar uma molécula de dióxido de carbono CO_2.

32. Diante dessa resposta, os sabores, os odores, as cores, o som, as qualidades venenosas ou saudáveis dos corpos não passariam de modificações de uma única e mesma substância primitiva?

Sim, sem dúvida, e que só existem porque há órgãos destinados e com capacidade para percebê-las.

Comentário de Kardec: Este princípio é demonstrado pelo fato de que nem todos percebem as qualidades dos corpos do mesmo modo; enquanto um acha uma coisa agradável ao gosto, o outro a acha ruim; enquanto uns veem azul, outros veem vermelho; o que para uns é veneno, para outros é inofensivo ou até saudável.

33. A mesma matéria, formada por um único elemento, é capaz de passar por todas as modificações e de adquirir todas as propriedades?

Sim, é o que se deve entender quando dizemos que "**tudo está em tudo**".

Nota de Allan Kardec: "Tudo está em tudo" – Esse princípio explica o fenômeno conhecido por todos os magnetizadores e que consiste em dar a uma substância qualquer, pela ação da vontade, propriedades muito diversas. Assim, pode-se dar à água, por exemplo, um gosto determinado e até mesmo as qualidades ativas de outras substâncias.

Tendo em vista que existe apenas um elemento primitivo e que as propriedades dos diferentes corpos não passam de modificações desse elemento, resulta que a substância mais inofensiva tem o mesmo princípio que a mais prejudicial.

Desse modo, a água que é formada de uma parte de oxigênio e duas de hidrogênio, torna-se corrosiva quando duplicamos a proporção de oxigênio. A ação magnética dirigida pela vontade, pode produzir semelhante transformação.

Comentário de Kardec: O oxigênio, o hidrogênio, o azoto (nitrogênio), o carbono e todas essas substâncias que consideramos simples, são apenas modificações de uma substância primitiva.

No atual estágio em que nos encontramos, só conseguimos conhecer essa matéria primitiva através do pensamento. Assim, esses **corpos simples** são, para nós, verdadeiros elementos, e podemos, sem maiores consequências, considerá-los como tais, até nova ordem.

Observações

Os Químicos antigos diziam **corpos simples** em vez de **substâncias simples**. Estendiam as propriedades das substâncias aos corpos que elas formavam. Por isso, **utilizavam a mesma designação para corpo e substância**, pois o corpo, qualquer que seja a sua forma e dimensão, reflete evidentemente as propriedades inerentes à substância que o forma.

Elemento Químico: É qualquer substância que não pode ser decomposta em outras substâncias mais simples através de reações químicas. No elemento químico, todos os átomos têm o mesmo número de prótons em seu núcleo, ou seja, ele é formado por átomos iguais.

Substância simples: São formadas por apenas um elemento químico e não podem ser decompostas em outras substâncias mais simples.

Substâncias compostas: São formadas por dois ou mais átomos de mais de um elemento químico e podem ser decompostas em substâncias simples.

33a. Não parece que a teoria da existência de um único elemento primitivo dá razão para aqueles que só admitem, na matéria, duas propriedades essenciais: a força e o movimento, e que todas as demais propriedades não passam de efeitos secundários, variando de acordo com a intensidade da força e a direção do movimento?

Essa afirmação está correta, mas é preciso acrescentar: conforme a disposição das moléculas. Como ocorre, por exemplo, num corpo opaco, que pode tornar-se transparente e vice-versa.

34. As moléculas possuem uma forma determinada?

Sem dúvida, as moléculas possuem uma forma; entretanto, essa forma não pode ser percebida pelos homens.

34a. Essa forma é constante ou variável?

É constante para as **moléculas elementares primitivas**; mas variável para as **moléculas secundárias**, que são somente aglomerações das moléculas primitivas. O que os homens chamam de molécula ainda está longe da **molécula elementar**.

Observação

A expressão **molécula elementar** pode ser entendida aqui como sendo o **átomo**. A palavra átomo, na época de Kardec, não era tão difundida como é hoje. A expressão **moléculas secundárias** pode ser entendida como sendo uma **aglomeração de partículas**.

Em 1857, quando "O Livro dos Espíritos" foi publicado, prevalecia a tese de que o átomo era indivisível, ou seja, a partícula última da matéria. Em 1897, 40 anos após a sua publicação, descobriu-se o elétron, que é uma partícula elementar do átomo.

Assim, a resposta dada pelos Espíritos: "o que os homens chamam de molécula ainda está longe da molécula elementar", já deixava antever que o átomo não era uno, mas um complexo de partículas subatômicas que se estruturam em número e modos diferentes, conforme cada elemento químico, os quais se combinam para dar origem às inúmeras substâncias existentes no Universo.

ESPAÇO UNIVERSAL

35. O espaço universal é infinito ou limitado?

É infinito. Se fosse limitado, o que haveria além dos seus limites? Eu bem sei que isso confunde a razão, mas a própria razão diz que não pode ser de outro modo. O espaço universal infinito dá uma ideia do que seja o infinito quando aplicado a todas as coisas. Entretanto, não será na Terra que os homens poderão compreendê-lo.

Comentário de Kardec: *Supondo-se um limite ao espaço, qualquer que seja a distância que o pensamento possa atingir, a razão diz que além desse limite existe alguma coisa, e assim, sucessivamente, até o infinito. Mesmo que essa 'alguma coisa' fosse o vazio absoluto, ainda assim, seria o espaço.*

36. O vazio absoluto existe em alguma parte do espaço universal?

Não, nada é vazio. O que parece vazio está ocupado por matéria que não pode ser detectada pelos sentidos humanos e nem pelos instrumentos de observação e medição disponíveis.

CAPÍTULO 3

SOBRE A CRIAÇÃO

- **Formação dos Mundos**
- **Formação dos Seres Vivos**
- **Povoamento da Terra - Adão**
- **Diversidade das Raças Humanas**
- **Os Vários Mundos Habitados**
- **Considerações e Concordâncias Bíblicas a Respeito da Criação**

FORMAÇÃO DOS MUNDOS

Comentário de Kardec: O Universo é formado pela infinidade dos mundos que vemos e dos que não vemos; por todos os seres animados e inanimados; por todos os Astros que se movem no espaço, assim como por todos os fluidos que os preenchem.

37. O Universo foi criado ou sempre existiu, assim como Deus?

O Universo não poderia ter se formado por si mesmo; se ele existisse desde toda a eternidade, assim como Deus, não poderia ser obra de Deus.

Comentário de Kardec: A razão nos diz que o Universo não se formou por si mesmo e que, não podendo ser obra do acaso, só pode ser obra de Deus.

38. Como Deus criou o Universo?

Vou me servir de uma expressão comum: por Sua vontade. Nada representa melhor essa vontade Toda-Poderosa do que estas belas palavras da **Gênese:** "Deus disse: Faça-se a luz! E a luz foi feita".

Observação

Gênese: Primeiro livro do Antigo Testamento, escrito por Moisés, no qual ele descreve a Criação e os primeiros tempos do mundo.

39. Poderemos conhecer como os mundos se formaram?

Tudo o que podemos dizer a esse respeito, e que os homens têm condições de compreender, é que os mundos se formam pela condensação da matéria disseminada no espaço.

40. Atualmente, pensa-se que os cometas seriam um começo de condensação da matéria, ou seja, mundos em processo de formação: isto é correto?

Sim, é correto; mas o absurdo é acreditar-se na influência deles. Refiro-me à **influência que vulgarmente lhes é atribuída**. Todos os corpos celestes influem de algum modo em certos fenômenos físicos.

Observação

Nesta resposta, o Espírito se refere à influência que vulgarmente é atribuída aos cometas, ou seja, a da superstição!

41. Um mundo já completamente formado pode desaparecer e sua matéria ser espalhada de novo no espaço?

Sim; Deus renova os mundos assim como renova os seres vivos.

42. Podemos conhecer o tempo necessário para formação de um mundo: da Terra, por exemplo?

Nada posso dizer a esse respeito, pois o tempo para isso somente o Criador sabe. Seria pouco inteligente aquele que pretendesse conhecer o número de séculos necessários para esta formação.

FORMAÇÃO DOS SERES VIVOS

43. Quando a Terra começou a ser povoada?

No começo, tudo era o caos. Os elementos estavam desordenados. Pouco a pouco as coisas foram tomando os seus lugares. Apareceram, então, os primeiros seres vivos, adequados à condição do planeta.

44. Qual a origem dos seres vivos que estão na Terra?

A Terra continha as formas embrionárias dos seres que aguardavam o momento favorável para se desenvolverem. Os elementos orgânicos se agruparam e se desenvolveram desde que cessou a força que os mantinha afastados. Formaram-se, assim, os embriões de todos os seres vivos.

Estes embriões permaneceram em **estado latente e de inércia**, assim como a **crisálida** e as sementes das plantas, aguardando o momento propício ao aparecimento de cada espécie. Quando esse momento chegou, os seres de cada espécie se reuniram e se multiplicaram.

Observações

Estado latente e de inércia: Estado em que existe falta de atividade; estado de repouso; aquilo que não se manifesta exteriormente enquanto aguarda o momento propício; período entre um estímulo e a reação por ele provocada; espécie de dormência dos elementos.

Crisálida: É o terceiro estado de vida da borboleta. É o local onde o inseto permanece aguardando que se processe sua metamorfose (mudança) de lagarta para borboleta.

45. Onde estavam os elementos orgânicos, antes da formação da Terra?

Eles se encontravam em estado fluídico, no espaço, em meio aos Espíritos, ou em outros planetas, aguardando a formação da Terra para começarem uma nova existência num novo planeta.

Comentário de Kardec: A Química nos mostra as moléculas dos corpos inorgânicos unindo-se para formar cristais de simetria constante, de acordo com cada espécie, desde que estejam nas condições adequadas.

A menor perturbação dessas condições é suficiente para impedir a reunião dos elementos que formam o cristal. Por que não ocorreria o mesmo com os elementos orgânicos?

Animais e sementes de plantas se conservam durante anos e apenas se desenvolvem quando encontram uma temperatura adequada e um ambiente propício; **grãos de trigo** *podem germinar depois de muitos séculos.*

Portanto, existe, nesses embriões, um princípio latente de vitalidade que apenas espera uma circunstância favorável para se desenvolver. O que vemos diariamente não pode também ter existido desde a origem da Terra?

A formação dos seres vivos, saindo do caos pela própria força da Natureza, diminui em algo a grandeza de Deus? Pelo contrário, corresponde melhor à ideia que fazemos do Seu poder, que se exerce sobre mundos infinitos através de Leis Eternas.

É verdade que esta teoria não resolve a questão da origem dos elementos com vitalidade; mas Deus tem Seus mistérios e colocou limites às nossas investigações.

Observação

Allan Kardec se refere aos **grãos de trigo** encontrados no interior das Pirâmides do Egito, que foram submetidos a experiências de germinação, com sucesso.

46. Ainda existem seres que nasçam espontaneamente?

Sim, mas o embrião primitivo já existia em estado latente. O homem testemunha esse fenômeno todos os dias.

Não se encontram em estado latente, no corpo do homem e dos animais, uma multidão de vermes que, para despertar, só aguarda a fermentação que resulta da decomposição da matéria orgânica necessária à sua existência? Esses embriões são um mundo microscópico adormecido e que aguarda o seu despertar.

47. A espécie humana encontrava-se entre os elementos orgânicos contidos no globo terrestre?

Sim, e surgiu quando chegou o seu tempo. Foi daí que veio a expressão "O homem foi feito do limo da Terra".

48. Podemos conhecer a época do aparecimento do homem e dos outros seres vivos sobre a Terra?

Não, todos os cálculos feitos pelo homem são hipóteses, suposições.

49. Se o embrião da espécie humana se encontrava entre os elementos orgânicos da Terra, por que razão os homens não se formam mais espontaneamente, como ocorreu na origem dos tempos?

O princípio das coisas permanece entre os segredos de Deus. Entretanto, podemos dizer que os homens, uma vez dispersos pela Terra, absorveram em si mesmos os elementos necessários à sua própria formação, para transmiti-los segundo as Leis da Reprodução. O mesmo ocorreu com as diferentes espécies de seres vivos.

POVOAMENTO DA TERRA – ADÃO

50. A espécie humana começou por um único homem?

Não; aquele a quem a Humanidade chama de Adão não foi o primeiro nem o único a povoar a Terra.

51. Podemos saber em que época viveu Adão?

Conforme os homens já identificaram: aproximadamente há 4.000 anos antes de Cristo.

Comentário de Kardec: *O homem que a tradição conhece por Adão foi um dos que sobreviveram, em certa região, a um dos grandes cataclismos que, em diversas* *épocas, sacudiram a superfície do planeta. Adão tornou-se o tronco de uma das raças que hoje povoam a Terra.*

Se o homem tivesse aparecido na Terra durante o período de Adão, os progressos da Humanidade, verificados muito tempo antes de Cristo, teriam que ser realizados em apenas alguns séculos. As próprias Leis da Natureza se opõe a essa opinião. É com razão que alguns consideram Adão como sendo um mito, uma alegoria que personifica as primeiras idades do mundo.

DIVERSIDADE DAS RAÇAS HUMANAS ⎯⎯⎯⎯⎯⎯⎯

52. De onde provêm as diferenças físicas e morais que distinguem as raças humanas na Terra?

Do clima, da vida e dos costumes. O mesmo ocorre com dois filhos de uma mesma mãe, que são educados longe um do outro e de maneira diferente. Eles em nada se assemelham quanto aos princípios morais.

53. O homem surgiu em vários pontos da Terra?

Sim, e em diversas épocas. Esta é uma das causas da diversidade das raças. Mais tarde, dispersando-se pelos diversos climas, os homens de uma raça se mesclaram com os de outras, e novos tipos se formaram.

53a. Essas diferenças têm como resultado espécies distintas?

Certamente que não; todos são da mesma família. Por acaso, as múltiplas variedades de um mesmo fruto impedem que ele pertença à mesma espécie?

54. Uma vez que a espécie humana não procede de um único indivíduo, os homens devem deixar de se considerar irmãos?

Todos os homens são irmãos perante Deus, porque são animados pelo espírito e se destinam ao mesmo **objetivo**. Os homens sempre querem tomar as palavras ao pé da letra.

Observação

A palavra **objetivo**, na resposta dada pelo Espírito, refere-se à evolução rumo ao infinito; caminho longo a ser percorrido por toda a Humanidade.

OS VÁRIOS MUNDOS HABITADOS _____

55. Todos os globos que circulam no espaço são habitados?

Sim, e o homem da Terra está longe de ser, como acredita, o primeiro em inteligência, em bondade e em perfeição. Entretanto, existem homens que se julgam muito superiores e pretendem que apenas este pequeno globo tenha o privilégio de abrigar seres com a capacidade de raciocinar. Orgulho e vaidade! Esses homens acreditam que Deus criou o Universo só para eles.

Comentário de Kardec: Deus povoou os mundos com seres vivos, e todos concorrem para o objetivo final da Providência, que é a evolução contínua das espécies. Acreditar que só a Terra possui vida seria duvidar da sabedoria de Deus, que nada faz de inútil. Ele deve ter destinado, a cada um desses mundos, uma finalidade mais séria do que a de apenas alegrarem nossas vistas.

Aliás, se utilizarmos a razão, nada pode nos levar a concluir que a Terra seja o único planeta a ter o privilégio de ser habitado, com a exclusão de tantos milhares de milhões de mundos semelhantes. Nem a posição que ocupa, nem seu volume e nem sua constituição física, nada pode lhe dar a condição de único mundo habitado.

56. A constituição física dos diferentes mundos é a mesma?

Não; eles não se assemelham em nada.

57. Se a constituição física dos mundos não é a mesma, podemos concluir que os seres que os habitam tenham corpos físicos diferentes?

Sem dúvida, da mesma maneira que na Terra os peixes foram feitos para viver na água e os pássaros no ar.

Observação

Num planeta onde a alimentação de seus habitantes é rarefeita, a razão nos diz que a organização fisiológica tem que ser diferente por não precisarem mais de certos órgãos, como o estômago e o intestino, por exemplo.

Se num mundo seus habitantes já enxergam sem precisar os olhos, é desnecessário este instrumento da visão, que se atrofiará com o tempo, dando lugar a outro sentido que suprirá esta necessidade.

Assim, cada mundo tem o conjunto de formas apropriadas à sua evolução, e isso não altera em nada as Leis Naturais, pelo contrário, as embeleza ainda mais.

58. Os mundos mais afastados do Sol estarão privados de luz e calor, já que o Sol se apresenta para eles apenas com a aparência de uma estrela?

Será que o homem pensa que não existem outras fontes de luz e de calor além do Sol? Será que ele não leva em conta que a eletricidade, em outros mundos, desempenha um papel que, além de desconhecido é bem mais importante do que na Terra?

Além disso, já dissemos que os seres desses mundos não são feitos da mesma matéria e nem possuem órgãos com a mesma conformação que os habitantes da Terra.

Comentário de Kardec: *As condições de existência dos seres que habitam os diferentes mundos têm que ser apropriadas ao meio em que vivem. Se nunca tivéssemos visto peixes, não compreenderíamos como eles podem viver na água.*

*O mesmo acontece com outros mundos, que contém, sem dúvida, elementos que desconhecemos. Não vemos, na Terra, as longas noites polares iluminadas pela eletricidade das **auroras boreais**? O que há de impossível no fato de que, em certos mundos, a eletricidade seja mais abundante do que na Terra e tenha aplicações e funções, cujos efeitos não podemos compreender? Portanto, esses mundos podem conter, em si mesmos, as fontes de luz e de calor necessárias aos seus habitantes.*

Observação

Aurora boreal: É um fenômeno observado no Polo Norte. Ocorre quando partículas eletrizadas, provenientes do Sol, passam pela Terra numa velocidade muito grande (vento solar) e se chocam com os átomos e moléculas da atmosfera terrestre. Esses choques provocam a excitação desses átomos e moléculas, que emitem um fantástico espectro luminoso. É uma luz fortíssima e de grande beleza.

CONSIDERAÇÕES E CONCORDÂNCIAS BÍBLICAS A RESPEITO DA CRIAÇÃO ⸻

59. A CRIAÇÃO E OS TEXTOS BÍBLICOS

Os povos formaram ideias muito divergentes sobre a Criação, de acordo com o conhecimento que possuíam. A razão, apoiada na Ciência, reconheceu a impossibilidade e a contradição de algumas teorias. O ensinamento dos Espíritos a respeito da Criação confirma a opinião há muito tempo admitida pelos homens mais esclarecidos.

A objeção que se pode fazer à teoria da Criação trazida pelos Espíritos é a de que ela está em contradição com os textos bíblicos. Entretanto, um exame sério nos leva a concluir que essa contradição é mais aparente do que real, e resulta da interpretação dada a certas passagens do texto que, em geral, só possuíam sentido figurado.

AS MODIFICAÇÓES DAS CRENÇAS RELIGIOSAS

A questão do primeiro homem, na pessoa de Adão, como única fonte a dar origem a Humanidade, não é o único ponto sobre o qual as crenças religiosas tiveram que se modificar.

A teoria do movimento da Terra foi pretexto para muitas perseguições, por estar em desacordo com o texto bíblico. Entretanto, a Terra gira, apesar das maldições e aquele que, hoje em dia, contestasse o movimento da Terra, além de depreciar a sua própria razão, ainda se submeteria ao ridículo.

A Bíblia também diz que o mundo foi criado em seis dias, e fixa a época da Criação por volta de 4.000 anos antes da Era Cristã. Antes disso, a Terra não existia; ela foi tirada do nada; o texto é explicito, é claro. Mas eis que surge a Ciência Positiva, aquela que se apoia em fatos, a Ciência que não se deixa enganar, e vem provar o contrário.

A formação da Terra está registrada em marcas nítidas e indiscutíveis no mundo **fóssil**, e está provado que os seis dias da Criação representam períodos que podem constituir-se, cada um deles, de centenas de milhares de anos.

Essa conclusão não é uma opinião isolada, é um fato tão concreto quanto o movimento da Terra, e que a **Teologia** não pode negar-se a admitir.

Isto constitui uma prova evidente do erro que comentem aqueles que interpretam, ao pé da letra, as expressões de uma linguagem quase sempre figurada. Devemos, por isso, concluir que a Bíblia é um erro? Não; mas podemos concluir que, em muitos pontos, os homens se equivocaram ao interpretá-la.

A CIÊNCIA E A CRIAÇÃO

Escavando os arquivos da Terra, a Ciência descobriu a ordem em que os diferentes seres vivos apareceram em sua superfície. Essa ordem está de acordo com o que diz a Gênese, com a diferença de que toda a Criação, ao invés de sair "milagrosamente" das mãos de Deus em apenas algumas horas, realizou-se em alguns milhões de anos, sempre pela ação da Sua vontade e de acordo com as Leis da Natureza.

Deus ficou menor e menos poderoso por isso? Sua obra ficou menos sublime por não ter sido executada instantaneamente? É evidente que não. Seria preciso fazer uma ideia bem mesquinha da Divindade para não se reconhecer Sua condição de Todo-Poderoso nas Leis Eternas que estabeleceu para reger os mundos.

A Ciência, longe de diminuir a Obra Divina, mostra-a sob um aspecto mais grandioso e mais de acordo com as noções que temos do poder e da majestade de Deus, pelo fato de Ele tê-la realizado sem revogar as Leis da Natureza.

Neste ponto, concordando com Moisés, a Ciência coloca o homem em último lugar na ordem da Criação dos seres vivos. Mas, enquanto Moisés, no livro da Gênese, coloca o dilúvio universal no ano de 1.654 após a Criação, a Geologia nos indica que o grande dilúvio ocorreu antes do aparecimento do homem sobre a Terra, visto não se ter encontrado, nas camadas primitivas do Globo, nenhum indício da existência do homem ou de animais com o porte físico semelhante ao dos mamíferos.

Contudo, nada prova que a existência do homem não possa ter ocorrido antes do grande dilúvio, pois muitas descobertas já fizeram surgir dúvidas a esse respeito. Pode acontecer que, de um momento para o outro, se obtenha a certeza material de que o homem já existia antes do grande dilúvio, e então se reconhecerá que, nesse ponto, como em tantos outros, o texto bíblico está escrito em sentido figurado.

O GRANDE DILÚVIO

A questão está em saber se o grande dilúvio é o mesmo que atingiu Noé.

O tempo necessário para a formação das camadas fósseis não permite confusões, e a partir do momento em que se encontrem vestígios da existência do homem antes do grande dilúvio, ficará provado que: ou Adão não foi o primeiro homem, ou sua criação se perde na eternidade dos tempos.

Contra a evidência, não existem argumentos possíveis, e será preciso aceitar esse fato, assim como se aceitou o movimento da Terra e os seis períodos da Criação.

A existência do homem antes do dilúvio geológico, na verdade, ainda é uma hipótese. Mas, através de uma dedução lógica, verifica-se que essa hipótese não é tão impossível assim. Admitindo-se que o primeiro homem tenha aparecido sobre a Terra por volta de 4.000 anos antes de Cristo, e que 1.650 anos mais tarde toda a raça humana tenha sido destruída pelo grande dilúvio, com exceção apenas de uma única família, conclui-se que o povoamento da Terra iniciou-se a partir de Noé, ou seja, 2.350 anos antes da nossa Era.

Entretanto, quando os Hebreus migraram para o Egito, no século 18 a.C., já encontraram esse país muito povoado e com uma civilização bem adiantada. A História registra que, nessa época, também a Índia e outros países eram igualmente florescentes. Note-se que, não estamos aqui, levando em conta a existência de outros povos que remontam a uma época bem mais afastada.

Assim, seria preciso que em 600 anos, ou seja, do século 24 ao século 18 a.C., os descendentes de um único homem pudesse povoar todas as imensas regiões então conhecidas, supondo-se que outras não o fossem.

Seria preciso, também, que, nesse curto período, a espécie humana pudesse se elevar da ignorância absoluta que possuía no estado primitivo, ao mais alto grau do desenvolvimento intelectual. Essa evolução, em tão pouco tempo, contraria todas as Leis da **Antropologia**.

A DIVERSIDADE DAS RAÇAS

A diversidade das raças humanas reforça ainda mais a hipótese de que o homem já vivia na Terra antes do grande dilúvio. Não existe dúvida de que o clima e os costumes produzem modificações nas características físicas dos povos. Porém, essa influência tem limites, e o exame fisiológico mostra que, entre algumas raças, existem diferenças mais profundas na constituição física do homem do que aquelas que o clima pode produzir.

O cruzamento das raças produz os tipos intermediários. Esse cruzamento tende a apagar as características mais marcantes, mas não as produz; apenas cria variedades. Ora, para que houvesse o cruzamento entre as raças, seria preciso que houvesse raças distintas. Entretanto, como explicar a existência de raças tão distintas se elas tiveram uma origem comum e um tempo de apenas 600 anos?

Como explicar que, em poucos séculos, alguns descendentes de Noé se transformaram tanto, a ponto de formar a raça etíope, por exemplo?

Uma transformação desse porte é tão pouco provável quanto a hipótese de terem a mesma origem, o lobo e o cordeiro, o elefante e a pulga, o pássaro e o peixe. Mais uma vez: nada pode prevalecer contra a evidência dos fatos.

CONCLUSÃO

Tudo se explica se admitirmos que a existência do homem é anterior à época que lhe é vulgarmente assinalada; que diversas são as origens das raças; que Adão, que viveu há 6.000 anos, tenha povoado uma região ainda desabitada; que o dilúvio de Noé foi apenas uma catástrofe parcial, e que foi confundida com um cataclismo geológico. Por fim, devemos, ainda, levar em consideração a linguagem alegórica, própria do estilo oriental, e que é encontrada nos livros sagrados de todos os povos.

Por isso, é prudente não contestar com tanta leviandade as doutrinas que podem, cedo ou tarde, como tantas outras, desmentir aqueles que as combatem.

As ideias religiosas, longe de perderem alguma coisa, se engrandecem quando caminham ao lado da Ciência. Esse é o único meio que as ideias religiosas possuem de não mostrarem um lado vulnerável para aqueles que não acreditam em nada.

Observações

Fóssil: Nome dado aos vestígios petrificados de plantas ou animais que habitaram a Terra em épocas geológicas anteriores a atual, e que conservam suas características principais.

Teologia: Ciência que se ocupa de Deus, Seus atributos, Suas perfeições e Suas relações com os homens; estudo dos dogmas e dos textos sagrados.

Antropologia: Ciência que estuda o homem como um ser biológico, social e cultural.

CAPÍTULO 4

PRINCÍPIO VITAL

- **Seres Orgânicos e Inorgânicos**
- **A Vida e a Morte**
- **Inteligência e Instinto**

SERES ORGÂNICOS E INORGÂNICOS

Considerações de Kardec: Os Seres Orgânicos são aqueles que possuem uma fonte de atividade íntima própria que lhes dá a vida. Eles nascem, crescem, reproduzem-se por si mesmos e morrem.

Possuem órgãos especiais para realizar as diferentes atividades da vida e que são apropriados às suas necessidades de conservação. Os homens, os animais e as plantas são exemplos de seres orgânicos.

Os Seres Inorgânicos são todos aqueles que não possuem vitalidade nem movimentos próprios, e que são formados apenas pela agregação da matéria. Os minerais, a água e o ar são alguns exemplos de seres inorgânicos.

60. A força que une os elementos da matéria nos corpos orgânicos e inorgânicos é a mesma?

Sim, a Lei de Atração é a mesma para todos.

61. Existe alguma diferença entre a matéria dos corpos orgânicos e a dos inorgânicos?

A matéria é sempre a mesma, mas nos corpos orgânicos ela está animalizada.

62. Qual é a causa da animalização da matéria?

A sua união com o princípio vital.

63. O "princípio vital" reside em algum agente particular ou é apenas uma propriedade da matéria organizada? Melhor perguntando, é uma causa ou uma consequência?

Ambas as coisas. A vida é uma consequência produzida pela ação do princípio vital sobre a matéria. O princípio vital, sem a matéria, não é vida; assim como a matéria não pode viver sem o princípio vital. O princípio vital dá a vida a todos os seres que o absorvem e o assimilam.

64. O espírito e a matéria são dois elementos que constituem o Universo. O "princípio vital" seria um terceiro?

O princípio vital é, sem dúvida, um dos elementos necessários à constituição do Universo, mas ele também tem a sua origem na matéria universal modificada. É um elemento como o oxigênio e o hidrogênio que, no entanto, não são elementos primitivos, embora todos procedam do mesmo fluido cósmico universal.

64a. Então, a vitalidade não tem a sua origem num agente primitivo distinto, mas numa propriedade especial da matéria universal, devido a certas modificações?

Isso é consequência do que já dissemos; tudo procede de uma mesma origem, ou seja, do *fluido cósmico universal*.

65. O "princípio vital" reside em algum dos corpos que conhecemos?

Não. Ele reside no fluido cósmico universal, também conhecido como fluido magnético ou fluido elétrico animalizado. O princípio vital é o intermediário, é o elo entre o espírito e a matéria.

66. O "princípio vital" é o mesmo para todos os seres orgânicos?

Sim, mas sofre modificações de acordo com as espécies. O princípio vital dá aos seres orgânicos o movimento e a atividade, distinguindo-os, assim, da matéria inerte, pois o movimento da matéria não é a vida. A matéria recebe esse movimento, mas não o produz.

67. A vitalidade é um atributo permanente do "princípio vital" ou se desenvolve apenas em razão do funcionamento dos órgãos?

A vitalidade apenas se desenvolve com o corpo. Já dissemos que o princípio vital sem a matéria não é a vida. É necessário a união do princípio vital com a matéria para produzir a vida.

67a. Podemos dizer que a vitalidade se encontra em estado latente quando o "princípio vital" não está unido ao corpo?

Sim, é isso mesmo.

Comentário de Kardec: *O conjunto dos órgãos constitui uma espécie de mecanismo que é estimulado pela atividade íntima ou princípio vital que existe nesses próprios órgãos.*

O princípio vital é a força que move os corpos orgânicos. Ao mesmo tempo que o princípio vital estimula os órgãos, a ação destes, por sua vez, estimula e desenvolve a atividade do princípio vital, assim como o atrito produz o calor.

Observações

Fluido cósmico universal: É o elemento primário na formação de toda matéria. É desse fluido que procedem todos os elementos conhecidos. É o princípio material do Universo, e de onde saem todas as coisas materiais mediante alterações e combinações infinitas. Apresenta-se no estado sólido, líquido, gasoso e no estado fluídico propriamente dito.

Princípio vital: Tem a sua origem no fluido cósmico universal, de onde é extraído e do qual se constitui uma variação. É o agente que dá atividade e movimento aos seres vivos, distinguindo-os da matéria inerte.

Também é conhecido como fluido vital, fluido magnético ou fluido elétrico animalizado. É um dos elementos necessários à constituição do Universo. É o elemento de ligação entre o princípio inteligente e a matéria, que se torna animalizada pela ação do fluido vital.

Fluido vital: É uma forma modificada do fluido cósmico universal, com a propriedade de animar todos os seres vivos. Ele é o elemento básico da vida. O fluido vital retorna para a natureza após o processo da morte biológica. A diferença entre uma árvore viva e um ramo dela retirado é, justamente, a presença do fluido vital na árvore e sua ausência, após algum tempo, no ramo.

O fluido vital pode ser transmitido de um indivíduo a outro; essa propriedade do fluido vital é um dos fundamentos em que se baseia o passe espírita.

A VIDA E A MORTE

68. Qual a causa da morte nos seres orgânicos?

O esgotamento dos órgãos.

68a. Pode se comparar a morte de uma pessoa a uma máquina que parou de funcionar?

Certamente; se a máquina não tem conserto, ela deixa de funcionar; se o corpo está enfermo, a vida se extingue.

69. Por que uma lesão no coração provoca a morte mais facilmente do que em qualquer outro órgão?

O coração é a maquina da vida, mas não é o único órgão cuja lesão ocasiona a morte. Ele é apenas um dos órgãos essenciais.

70. O que acontece com a "matéria" e o "princípio vital" dos seres orgânicos quando eles morrem?

A matéria inerte se decompõe e vai formar novos organismos; o princípio vital retorna à sua origem, ou seja, ao fluido cósmico universal.

Comentário de Kardec: Os elementos que compõem o ser orgânico decompõem-se após a morte e sofrem novas combinações, transformando-se em novos seres. Esses novos seres absorvem e assimilam, da fonte universal, o princípio da vida e da atividade, para novamente o devolverem a essa mesma fonte quando deixarem de existir.

Os órgãos estão impregnados pelo fluido vital. Esse fluido transmite a todas as partes do organismo uma atividade que permite que os órgãos se comuniquem entre si, produzindo a cicatrização de certas lesões e restabelecendo as funções que estavam momentaneamente paralisadas.

Se os elementos essenciais ao funcionamento dos órgãos estão destruídos ou muito comprometidos, o fluido vital é incapaz de transmitir a eles o movimento da vida e o ser morre.

Os órgãos reagem uns sobre os outros visando à harmonia do conjunto. Quando, por qualquer motivo, essa harmonia se desfaz, os órgãos deixam de funcionar, assim como o movimento de uma máquina para, quando suas peças principais se danificam.

O mesmo ocorre com um relógio que se desgasta com o tempo ou quebra por acidente: a força que o move é incapaz de colocá-lo em movimento novamente.

A vida e a morte podem ser comparadas a um aparelho elétrico. Quando conectado à rede elétrica o aparelho recebe a eletricidade conservando-a em estado latente, assim como todos os corpos da natureza também possuem eletricidade em estado latente. Mas, o fenômeno elétrico só acontece quando o aparelho é ligado. Então, poderíamos dizer que o aparelho está "vivo". Ao desligarmos, o fenômeno cessa e o aparelho volta ao estado de inércia.

Assim, os corpos orgânicos seriam como uma espécie de pilhas ou aparelhos elétricos nos quais a atividade do fluido vital produz o fenômeno da vida. Quando a atividade desse fluido cessa, ocorre a morte.

A quantidade de fluido vital não é a mesma em todos os seres orgânicos. Ela varia de acordo com as espécies e não é constante no mesmo indivíduo, nem nos vários indivíduos da mesma espécie.

Enquanto uns possuem o fluido vital em quantidade suficiente para sua manutenção, outros o possuem em grande quantidade. É por isso que uns são mais ativos e possuem mais energia que outros.

A quantidade de fluido vital pode se esgotar e tornar-se insuficiente para a conservação da vida, se não for renovado pela absorção e assimilação das substâncias que o contêm.

O fluido vital se transmite de um indivíduo para o outro. Assim, aquele que o possui em maior quantidade pode doá-lo ao que tem menos e, em certos casos, prolongar uma vida que está prestes a se extinguir.

INTELIGÊNCIA E INSTINTO

71. A inteligência é uma das propriedades do princípio vital?

Não, pois as plantas vivem e não pensam, apenas possuem vida orgânica. A inteligência e a matéria são independentes. Um corpo pode viver sem a inteligência, mas a inteligência somente pode manifestar-se por meio dos órgãos materiais. Para que a matéria animalizada tenha inteligência, ela precisa unir-se com o espírito.

Comentário de Kardec: A inteligência é uma faculdade especial, própria de algumas classes de seres orgânicos e que lhes dá, com o pensamento, a vontade de agir, a consciência de sua existência e de sua individualidade, assim como a possibilidade de se relacionar com o meio exterior e de prover às suas necessidades.

Podemos identificar os seres assim:

1: Seres inanimados – constituídos apenas de matéria, sem vitalidade nem inteligência: são os corpos brutos.

2: Seres animados que não pensam – constituídos de matéria e dotados de vitalidade, mas desprovidos de inteligência.

3: Seres animados que pensam – constituídos de matéria, dotados de vitalidade e tendo, a mais, um princípio inteligente que lhes dá a faculdade de pensar.

72. Qual é a fonte da inteligência?

Já o dissemos: a inteligência universal.

72a. Pode-se dizer que cada ser extrai e assimila uma porção de inteligência da fonte universal, assim como extrai e assimila o princípio da vida material?

Essa comparação não é exata, visto que a inteligência é uma faculdade própria de cada ser e constitui a sua individualidade moral. Além disso, existem coisas que não se permite ao homem conhecer, e esta, por enquanto, é uma delas.

73. O instinto é independente da inteligência?

Não exatamente, pois o instinto é uma espécie de inteligência. É uma inteligência sem raciocínio, através da qual os seres satisfazem as suas necessidades.

74. É possível estabelecer uma linha de separação entre o instinto e a inteligência, ou seja, saber onde termina um e começa o outro?

Não, porque muitas vezes eles se confundem. Entretanto, podemos distinguir muito bem os atos que pertencem ao instinto, dos atos que pertencem à inteligência.

75. É correto dizer que as faculdades instintivas diminuem à medida que aumentam as intelectuais?

Não. O instinto existe sempre, mas o homem o despreza. O instinto também pode conduzir ao bem. Ele quase sempre nos guia e, algumas vezes, com mais segurança do que a razão. O instinto nunca se engana.

75a. Por que motivo a razão nem sempre é um guia infalível?

Ela seria infalível se não fosse conduzida pela má educação, pelo orgulho e pelo egoísmo. O instinto não raciocina; já a razão permite a escolha e dá ao homem o **livre-arbítrio.**

Observação

Livre-arbítrio: Condição que o homem possui de decidir por si mesmo, por vontade própria, se quer ou não tomar determinada atitude.

Comentário de Kardec: O instinto é uma inteligência rudimentar, que difere da inteligência propriamente dita, porque suas manifestações são quase sempre espontâneas. As manifestações da inteligência são produto de uma avaliação e de uma decisão.

O instinto varia em suas manifestações de acordo com as espécies e suas necessidades. Nos seres que têm a consciência e a percepção das coisas exteriores, o instinto se alia com a inteligência, ou seja, com a vontade e a liberdade.

Segunda Parte
Mundo Espírita ou Mundo dos Espíritos

CAPÍTULO 1

SOBRE OS ESPÍRITOS

- ORIGEM E NATUREZA DOS ESPÍRITOS
- MUNDO NORMAL PRIMITIVO
- FORMA E ONIPRESENÇA DOS ESPÍRITOS
- PERISPÍRITO
- HIERARQUIA NO MUNDO ESPIRITUAL
- ESCALA ESPÍRITA
- EVOLUÇÃO DOS ESPÍRITOS
- ANJOS E DEMÔNIOS

ORIGEM E NATUREZA DOS ESPÍRITOS

76. Como podemos definir os Espíritos?

Podemos dizer que os Espíritos são os seres inteligentes da Criação. Eles povoam o Universo fora do Mundo Material.

Nota: A palavra Espírito é empregada, aqui, para designar a individualidade dos seres extracorpóreos e não mais o elemento inteligente do Universo (Allan Kardec).

77. Os Espíritos são seres que se diferem dos outros perante a Divindade, ou são apenas emanações ou porções dessa Divindade e chamados, por isso, filhos de Deus?

Os Espíritos são obra de Deus. O mesmo ocorre com o homem que faz uma máquina; essa máquina é obra do homem, mas não é o próprio homem. Quando o homem faz uma coisa bela e útil, por ele ser responsável por essa criação, ele a chama de sua filha. O mesmo ocorre com Deus: somos seus filhos, porque somos Sua obra.

78. Os Espíritos tiveram um princípio ou existem, assim como Deus, desde toda a eternidade?

Se os Espíritos não tivessem tido um princípio, seriam iguais a Deus; eles são Sua criação e estão submetidos à Sua vontade. É incontestável que

Deus existe desde toda a eternidade, mas não sabemos quando e como Ele nos criou.

Considerando que Deus é eterno e está sempre criando, podemos deduzir que também tivemos um princípio, mas quando e como cada um de nós foi criado ninguém sabe, pois isso é um mistério.

79. O Universo possui dois elementos gerais: o elemento inteligente e o elemento material. Podemos dizer que os Espíritos são formados pelo elemento inteligente e os corpos inertes pelo elemento material?

Certamente. Os Espíritos são a individualização do princípio inteligente, assim como os corpos são a individualização do princípio material. A época e a maneira com que essa formação ocorreu é que são desconhecidos.

80. A criação dos Espíritos é permanente, ou só ocorreu no início dos tempos?

É permanente, Deus jamais deixou de criar.

81. Os Espíritos se formam espontaneamente ou procedem uns dos outros?

Deus cria os Espíritos, assim como cria todas as outras criaturas, pela Sua vontade. Mas, repetimos, a origem deles é um mistério.

82. É correto dizer que os Espíritos são imateriais, ou seja, não possuem matéria?

Como podemos definir uma coisa quando faltam termos de comparação e, ainda, utilizando uma linguagem insuficiente? Um cego de nascença pode definir a luz? Imaterial não é o termo mais apropriado; incorpóreo seria mais exato, pois sendo uma criação, o Espírito deve ser alguma coisa.

É a **matéria quintessenciada**, mas sem comparação ou semelhança com alguma coisa na Terra. É tão etérea que não pode ser percebida pelos sentidos humanos.

Observação

Matéria Quintessenciada: Sustância etérea e sutil. O Espírito utiliza o termo "matéria quintessenciada", mesmo sabendo que ainda não temos condições de entender o que seja essa matéria, por ser ela muito diversa de tudo o que conhecemos. Seria uma espécie de matéria levada ao seu grau de pureza máximo. O perispírito é constituído dessa matéria.

Comentário de Kardec: *Dizemos que os Espíritos são imateriais, porque a sua essência difere de tudo o que conhecemos com o nome de matéria. Uma comunidade* *de cegos não teria termos para definir a luz e seus efeitos. O cego de nascença acredita possuir todas as percepções pela audição, pelo olfato, pelo paladar e pelo tato. Ele não compreende as ideias que lhe seriam dadas pelo sentido que lhe falta.*

Da mesma maneira, nós também somos verdadeiros cegos com relação ao entendimento sobre a essência dos seres sobre-humanos. Somente conseguimos definir os Espíritos por meio de comparações imperfeitas ou por um esforço da nossa imaginação.

83. Os Espíritos têm um fim? Compreendemos que o princípio de onde eles emanam é eterno. Porém, essa individualidade terá um fim? Os elementos que formam o Espírito não se desagregarão após certo tempo, para retornar à origem, como ocorre com os corpos materiais? É difícil compreender que algo que teve começo não possa ter fim.

Existem coisas que o homem não compreende porque possui uma inteligência limitada; mas isso não é motivo para que ele as rejeite. O filho não compreende tudo o que seu pai compreende, nem o ignorante tudo o que o sábio compreende com facilidade. A existência dos Espíritos não tem fim. É tudo o que podemos dizer por enquanto.

MUNDO NORMAL PRIMITIVO

84. Os Espíritos constituem um mundo à parte daquele que vemos?

Sim, o mundo dos Espíritos ou das inteligências incorpóreas.

85. Qual dos dois mundos é o mais importante na ordem das coisas: o Mundo Espiritual ou o Mundo Material?

O Mundo Espiritual, que preexiste e sobrevive a tudo.

86. O Mundo Material poderia deixar de existir, ou nunca ter existido, sem alterar a essência do Mundo Espiritual?

Sim, eles são independentes. Entretanto, o relacionamento entre os dois mundos é permanente, ou seja, eles interagem entre si de maneira incessante.

87. Os Espíritos ocupam uma região determinada e circunscrita no Espaço?

Os Espíritos estão por toda a parte e povoam os espaços infinitos. Muitos estão ao lado dos homens, observando-os e atuando sobre os seus pensamentos, sem que eles percebam.

Os Espíritos são uma das forças da Natureza; são os instrumentos de que Deus se serve para execução das Suas vontades. Porém, nem todos têm a liberdade de ir a toda parte, porque existem regiões interditadas aos menos adiantados.

FORMA E ONIPRESENÇA DOS ESPÍRITOS

Observação

Onipresença ou umbiquidade: Faculdade de estar presente em todos os lugares ao mesmo tempo.

88. Os Espíritos possuem uma forma determinada, limitada e constante?

Para a visão dos homens, não; para a nossa visão, sim. Se quiserem, o Espírito é uma chama, um clarão ou uma centelha etérea.

Observação

A resposta "para a visão dos homens, não; para nossa visão, sim", refere-se à diferença que existe entre o que os Espíritos desencarnados podem perceber utilizando os seus sentidos sutis e aquilo que os homens podem perceber através dos cinco sentidos do seu corpo físico.

Observem a resposta: "uma chama, um clarão ou uma centelha etérea"; nenhum dos três exemplos fornecidos possuem uma forma precisa. Assim, os Espíritos confirmam o que já haviam dito, ou seja, que eles não são percebidos pelos homens com uma forma definida.

88a. Essa chama ou centelha etérea tem cor?

Para a visão dos homens ela varia do escuro ao brilho do rubi, de acordo com o maior ou menor grau de pureza do Espírito.

Comentário de Kardec: *Os homens e mulheres tidos como "santos" são representados com uma chama, um halo ou uma estrela na fronte. É um símbolo que lembra a essência da natureza dos Espíritos e a sua evolução. Colocam-na no alto da cabeça, porque aí está a sede da inteligência.*

Observação

Notem que os Espíritos nada falaram sobre a cor, e sim sobre o brilho, dando a entender que os Espíritos mais atrasados são vistos com uma cor escura e os mais adiantados com o brilho que deles emana.

89. Os Espíritos gastam algum tempo para percorrer o espaço?

Sim, mas deslocam-se com a rapidez do pensamento.

Observação

O deslocamento dos Espíritos depende da rapidez de seus pensamentos. Sendo assim, esta resposta contempla apenas os Espíritos mais adiantados.

89a. O pensamento não é a própria alma que se transporta?

Quando o pensamento está em algum lugar, a alma também está junto, visto que é a alma quem pensa. O pensamento é um atributo da alma.

90. Quando um Espírito se desloca de um lugar para outro, ele tem consciência da distância que percorre e dos espaços que atravessa, ou é subitamente transportado para onde deseja ir?

Ocorrem ambas as coisas. Se o Espírito quiser, ele pode ter consciência da distância que percorre, mas essa distância também pode ser completamente despercebida. Tudo depende da sua vontade, e também da sua natureza mais ou menos depurada.

91. A matéria constitui obstáculo para os Espíritos?

Não, eles passam através de tudo. O ar, a terra, as águas e até mesmo o fogo, não lhes oferecem qualquer obstáculo.

92. Os Espíritos têm a faculdade da onipresença? Ou, em outras palavras: o mesmo Espírito pode se dividir ou estar em vários lugares ao mesmo tempo?

Não pode haver divisão de um mesmo Espírito. Entretanto, cada um é um foco que se irradia para diversas direções e é isso que faz parecer que o Espírito esteja em diferentes lugares ao mesmo tempo. O Sol é apenas um, mas irradia-se em todos os sentidos e leva os seus raios para muito longe, mas não se divide.

92a. Todos os Espíritos irradiam com a mesma intensidade?

Não, a intensidade de irradiação dependerá do grau de pureza de cada Espírito.

Comentário de Kardec: *Cada Espírito é uma unidade indivisível, mas cada um pode irradiar seu pensamento em diversas direções sem precisar se dividir. É apenas nesse sentido que se deve entender a faculdade da onipresença atribuída aos Espíritos, tal qual uma chama que projeta ao longe a sua claridade e pode ser percebida de todos os pontos do horizonte; ou, ainda, como um homem que, sem sair do lugar em que se encontra e sem se dividir, pode transmitir ordens, sinais e movimentos para diferentes lugares.*

Observação

Sobre a questão da **onipresença dos Espíritos**, nada melhor que nos lembrarmos das palavras de Jesus: "Onde estiverem duas ou mais pessoas reunidas em Meu nome, Eu estarei entre elas".

PERISPÍRITO

93. O Espírito propriamente dito tem alguma cobertura, ou, como querem alguns, está sempre envolto por uma substância qualquer?

O Espírito está envolvido por uma substância que é vaporosa para os homens, mas ainda bastante grosseira para nós. Entretanto, é vaporosa o suficiente para que ele possa se **elevar na atmosfera** e transportar-se para onde quiser.

Observação

Com relação à resposta dada pelo Espírito: "É vaporosa o suficiente para que ele possa se elevar na atmosfera e transportar-se para onde quiser", refere-se à faculdade conhecida pelo nome de **Volitação**, que é a capacidade que o Espírito possui de se deslocar pelo espaço pela simples ação da vontade.

Comentário de Kardec: *Assim como a semente de um fruto é envolvida por uma membrana fina chamada perisperma, o Espírito propriamente dito é revestido por um envoltório que, por comparação, podemos chamar de perispírito.*

94. De onde o Espírito tira o seu envoltório semimaterial?

Do fluido cósmico universal de cada globo, razão pela qual o perispírito não é o mesmo em todos os mundos. Ao passar de um mundo para outro, o Espírito muda de envoltório assim como os homens mudam de roupa.

94a. Quando os Espíritos que habitam mundos superiores vêm até nós, eles se revestem com um perispírito mais grosseiro?

É necessário que se revistam com a matéria do mundo no qual são chamados a atuar, conforme já dissemos.

Observação

À medida que os mundos evoluem, eles se tornam menos densos e o perispírito também acompanha essa evolução.

95. O envoltório semimaterial do Espírito (perispírito) possui forma definida e pode ser perceptível?

Pode adquirir a forma que o Espírito desejar. É por isso que ele se apresenta de forma visível e até mesmo palpável, seja em sonho ou mesmo quando o homem está acordado.

HIERARQUIA NO MUNDO ESPIRITUAL

96. Os Espíritos são todos iguais ou existe entre eles alguma hierarquia?

Eles pertencem a diferentes grupos, conforme o grau de perfeição que já alcançaram.

97. Existe um número determinado de graus de perfeição entre os Espíritos?

O número é ilimitado, porque não há entre esses grupos uma linha traçada com demarcação rígida. Assim, as divisões podem ser multiplicadas ou restringidas à vontade. Entretanto, considerando-se as características gerais dos Espíritos, podemos reduzi-las a três grupos principais:

Primeiro grupo: Espíritos puros: são aqueles que já atingiram a perfeição.

Segundo grupo: Espíritos bons: são aqueles que estão no meio da escala; o desejo de fazer o bem é a sua preocupação.

Terceiro grupo: Espíritos imperfeitos: são aqueles que estão na parte inferior da escala; caracterizam-se pela ignorância, pelo desejo de fazer o mal e por todas as más paixões que retardam o seu progresso.

98. Os Espíritos do segundo grupo têm apenas o desejo de fazer o bem ou também podem praticá-lo?

Podem praticá-lo segundo o grau de perfeição a que cada um chegou. Uns possuem o conhecimento, outros a sabedoria e a bondade, mas todos ainda têm provas a suportar.

99. Os Espíritos do terceiro grupo são todos essencialmente maus?

Não; existem aqueles que não fazem nem o bem, nem o mal; outros, ao contrário, se satisfazem no mal e se alegram quando encontram ocasião de praticá-lo. Existem, ainda, os Espíritos levianos ou irresponsáveis, mais brincalhões do que maus, que se satisfazem mais na malícia do que na maldade e que encontram mais prazer em mistificar e causar pequenos contratempos, com os quais se divertem.

ESCALA ESPÍRITA

Observação

Para uma melhor visualização, apresentaremos a Escala Espírita dividida em três grandes grupos com os seus respectivos subgrupos:

TERCEIRO GRUPO – ESPÍRITOS IMPERFEITOS
Características gerais – item nº 101
Décimo subgrupo – Espíritos impuros – item nº 102
Nono subgrupo – Espíritos Levianos – item nº 103
Oitavo subgrupo – Espíritos Pseudo-sábios – item nº 104
Sétimo subgrupo – Espíritos Neutros – item nº 105
Sexto subgrupo – Espíritos Batedores e Perturbadores – item nº 106
SEGUNDO GRUPO – ESPÍRITOS BONS
Características Gerais – item nº 107
Quinto subgrupo – Espíritos de Boa Vontade – item nº 108
Quarto subgrupo – Espíritos Científicos – item nº 109
Terceiro subgrupo – Espíritos de Sabedoria – item nº 110
Segundo subgrupo – Espíritos Superiores – item nº 111
PRIMEIRO GRUPO – ESPÍRITOS PUROS
Características Gerais – item nº 112
Primeiro grupo – Classe única – item nº 113

100. OBSERVAÇÕES PRELIMINARES

A classificação dos Espíritos se baseia no grau de adiantamento moral, nas qualidades que já adquiriram e nas imperfeições das quais ainda terão que se livrar. Esta classificação nada tem de absoluta. Apenas em conjunto os grupos de Espíritos apresentam um caráter definido.

A transição de um grupo a outro quase não é percebida, e nos limites de cada grupo as diferenças praticamente desaparecem, como ocorre nos reinos da Natureza, nas cores do arco-íris ou, ainda, nos diversos períodos da vida de um homem.

Desse modo, podemos formar um maior ou menor número de grupos, dependendo do ponto de vista sob o qual se considere a questão. Dá-se aqui o mesmo que ocorre com todos os sistemas de classificação científica. Esses sistemas podem ser mais ou menos completos, mais ou menos racionais, mais ou menos cômodos para a inteligência, sem que isso tenha qualquer interferência nas bases da Ciência.

Assim, é natural que os Espíritos, interrogados quanto ao número de grupos, tenham divergido, mas essa divergência não traz consequências. Alguns opositores da Doutrina se aproveitaram dessa contradição aparente, sem se aperceber que os Espíritos não dão qualquer importância ao que é puramente convencional. Para eles, o pensamento é tudo. Deixam para nós a escolha dos termos, das classificações, dos grupos, etc.

Acrescentemos, ainda, uma observação pertinente, que sempre deverá ser lembrada: a de que, entre os Espíritos, assim como entre os homens, existem também aqueles que são muito ignorantes; por isso, devemos nos prevenir contra a tendência em acreditar que todos devem saber tudo só porque são Espíritos.

Qualquer classificação exige método, análise e conhecimento profundo do assunto. No Mundo dos Espíritos, como no Mundo Material, os ignorantes são aqueles que possuem conhecimento limitado e não têm a capacidade para compreender as coisas como um todo ou formular um princípio. Apenas imperfeitamente conhecem ou compreendem uma classificação qualquer.

Para esses Espíritos ignorantes, todos aqueles que estão acima, em conhecimento, eles consideram Espíritos Superiores. Eles não têm condições para distinguir as diferenças de saber, de capacidade e de moralidade, que existem entre os Espíritos mais adiantados. O mesmo acontece entre nós: um homem rude não tem condições de distinguir as diferenças que existem entre os homens civilizados.

Aqueles que forem capazes de fazer essa divisão também poderão divergir no detalhe, conforme seus pontos de vista, sobretudo quando se trata de uma divisão que nada tem de absoluta.

Lineu, Jussieu e Tournefort tiveram, cada um, o seu método, e a Botânica em nada se alterou por conta disso, pois nenhum deles inventou as plantas nem suas características. Apenas observaram as semelhanças para formarem os grupos ou classes.

Nós também procedemos da mesma maneira; não inventamos os Espíritos nem suas características. Utilizamos as palavras e os atos dos Espíritos para julgá-los e classificá-los, levando em conta suas semelhanças. Para esse trabalho, nos baseamos em dados que eles mesmos nos forneceram.

Geralmente, os Espíritos admitem três grupos principais ou três grandes divisões. No último grupo, aquele que fica na parte inferior da escala, estão os Espíritos imperfeitos. Sua principal característica é a predominância da matéria sobre o espírito e a inclinação em praticar o mal.

Os Espíritos do segundo grupo caracterizam-se pela predominância do espírito sobre a matéria e pelo desejo de fazer o bem: são os Espíritos bons.

Finalmente, no primeiro grupo estão os Espíritos puros, aqueles que já atingiram o grau supremo da perfeição.

Essa divisão nos pareceu perfeitamente racional e com características bem definidas. Só nos restava destacar as principais peculiaridades que existem entre os grupos de Espíritos, através de um número suficiente de subdivisões, que atendessem a esse objetivo. Foi o que fizemos com a ajuda dos Espíritos, cujas boas instruções nunca nos faltaram.

Com o auxílio dessa classificação, ficará mais fácil determinar o grau de superioridade ou de inferioridade dos Espíritos que porventura entrem em contado conosco e, consequentemente, o grau de confiança e de estima que merecem.

De certo modo, é uma solução dada pela Ciência Espírita, visto que apenas o Espiritismo pode explicar as anormalidades e as diferenças que as comunicações apresentam, esclarecendo-nos sobre as desigualdades intelectuais e morais dos Espíritos.

Entretanto, cumpre observar que os Espíritos não ficam pertencendo para sempre a este ou àquele grupo. Como seu progresso se realiza gradualmente e, muitas vezes, mais num sentido do que no outro, eles podem reunir características de mais de um grupo, o que é fácil notar observando sua linguagem e seus atos.

TERCEIRO GRUPO – ESPÍRITOS IMPERFEITOS

101. Características Gerais – Predominância da matéria sobre o espírito. Propensão ao mal. Ignorância, orgulho, egoísmo e todas as más paixões que resultam desse modo de ser.

Eles possuem a intuição de Deus, mas não O compreendem.

Nem todos são essencialmente maus. Em alguns, há mais leviandade, inconsequência e malícia do que verdadeira maldade. Alguns não fazem nem o bem, nem o mal; mas, pelo simples fato de não fazerem o bem, já evidenciam a sua inferioridade. Outros, ao contrário, se comprazem no mal e sentem prazer quando conseguem praticá-lo.

Alguns aliam a inteligência com a maldade ou a malícia; mas, seja qual for o seu grau de desenvolvimento intelectual, suas ideias são pouco elevadas e os seus sentimentos mais ou menos desprezíveis.

Os conhecimentos que possuem sobre o Mundo Espiritual são limitados, e o pouco que sabem se confunde com as ideias e os preconceitos que possuíam quando estavam encarnados. Assim, sobre o Mundo Espiritual, eles podem nos dar apenas informações falsas e incompletas; entretanto, mesmo nas suas comunicações imperfeitas, o observador atento encontra, muitas vezes, a confirmação das grandes verdades ensinadas pelos Espíritos Superiores.

A linguagem que esses Espíritos utilizam revela o seu caráter. Todo Espírito que em suas comunicações manifestar um mau pensamento, pode ser classificado no terceiro grupo. Por consequência, todo mau pensamento que nos é sugerido provém de um Espírito que pertence a esse grupo.

A felicidade dos bons constitui, para eles, um tormento incessante, porque sentem todas as angústias que a inveja e o ciúme podem causar.

Conservam a lembrança e as dores dos sofrimentos pelos quais passaram quando estavam encarnados, e essa impressão é muitas vezes mais dolorosa que a realidade. Sofrem tanto pelos males que suportaram em vida quanto pelos males que causaram aos outros. E, como esse sofrimento é longo, eles acreditam que seja eterno. Como uma forma de punição, Deus permite que eles assim pensem.

Os Espíritos Imperfeitos são divididos nos seguintes subgrupos:

102. Décimo subgrupo – Espíritos Impuros: São inclinados ao mal e fazem disso o foco de suas preocupações. Como Espíritos, dão conselhos falsos, estimulam a discórdia e a desconfiança e utilizam de todos os disfarces para melhor enganar. Apegam-se a homens de caráter fraco somente para prejudicá-los, pois estes cedem mais facilmente às suas sugestões. Ficam satisfeitos em retardar o progresso de alguém, fazendo com que não tenham sucesso nas provas por que passam.

Nas manifestações, esses Espíritos são reconhecidos pela linguagem que utilizam. A vulgaridade e a grosseria das expressões, tanto nos Espíritos quanto nos homens, é sempre um indício de inferioridade moral ou intelectual. Suas comunicações revelam a inferioridade das suas emoções, sentimentos e pensamentos; e se tentam enganar falando de modo sensato, não conseguem sustentar por muito tempo esse papel. Assim, acabam sempre por revelar a sua origem.

Alguns povos transformaram esses Espíritos em divindades malignas, outros os chamaram de demônios, maus gênios, Espíritos do mal.

Quando estão encarnados, são inclinados a todos os vícios que geram as paixões vergonhosas e degradantes, tais como: a sensualidade, a crueldade, a mentira, a hipocrisia, a cobiça, a mesquinhez sórdida.

Fazem o mal pelo simples prazer de fazê-lo e, na maioria das vezes, sem motivos e por ódio ao bem. Quase sempre escolhem suas vítimas entre as pessoas honestas. São flagelos para a Humanidade, seja qual for a classe social a que pertençam, e nem uma boa educação social e intelectual os livra da desonra e do descrédito.

103. Nono subgrupo – Espíritos Levianos: São ignorantes, maliciosos, inconsequentes e zombeteiros. Intrometem-se em tudo e a tudo respondem sem se preocuparem com a verdade. Gostam de causar pequenos desgostos, de aborrecer, de induzir maliciosamente ao erro, por mistificações e travessuras. A essa classe pertencem os Espíritos vulgarmente conhecidos pelos nomes de "duendes", "gnomos", "trasgos", "diabretes". Estão sob a dependência dos Espíritos Superiores, que frequentemente se utilizam deles, assim como fazemos com os nossos servidores.

Em suas comunicações com o homem, utilizam uma linguagem espirituosa e engraçada, mas quase sempre sem profundidade de ideias. Exploram as falhas e o lado ridículo dos homens, através de comentários irônicos e cômicos. Quando se apresentam com nomes falsos, fazem isso mais para se divertir às nossas custas do que por maldade.

104. Oitavo subgrupo – Espíritos Pseudossábios: Seus conhecimentos são bastante extensos, mas acreditam saber mais do que realmente sabem. Tendo realizado algum progresso em vários ramos do conhecimento, a linguagem deles tem um caráter sério, que pode induzir ao erro quanto à sua elevação moral e seus conhecimentos.

Entretanto, esse comportamento não passa de um reflexo dos preconceitos e do modo de conhecer e julgar que conservam da vida terrena. Sua linguagem é a mistura de algumas verdades com erros absurdos, em meio aos quais se sobressai a presunção, o orgulho, a inveja e a obstinação de que ainda não puderam se libertar.

105. Sétimo subgrupo – Espíritos Neutros: Não são bastante bons para fazer o bem, nem bastante maus para fazer o mal. Inclinam-se tanto para um quanto para outro lado, e não se elevam acima da condição comum da Humanidade, tanto pela moral quanto pela inteligência. Apegam-se às coisas desse mundo e sentem saudades das alegrias grosseiras que deixaram ao desencarnar.

106. Sexto subgrupo – Espíritos Batedores e Perturbadores: Esses Espíritos não formam uma classe distinta pelas suas qualidades pessoais; podem pertencer a todos os grupos dos Espíritos imperfeitos.

Muitas vezes manifestam sua presença por meio de efeitos sensíveis e físicos, tais como pancadas, movimento e deslocamento anormal de corpos sólidos, agitação do ar, etc. Parecem estar mais apegados à matéria do que os outros Espíritos, e por isso acabam sendo os agentes principais das perturbações dos elementos do globo, quer atuando sobre o ar, a água, o fogo, os corpos duros, ou nas entranhas da Terra.

Reconhecemos que quando esses fenômenos mostram um caráter intencional e inteligente, eles não se originam de uma causa física ou de uma ocorrência casual.

Todos os Espíritos podem produzir esses fenômenos, mas os Espíritos Superiores deixam essas manifestações para os subalternos, mais aptos para as coisas materiais do que para as coisas da inteligência. Assim, quando julgam que manifestações desse gênero são úteis, servem-se desses Espíritos como seus auxiliares.

SEGUNDO GRUPO – ESPÍRITOS BONS

107. Características Gerais - Predominância do espírito sobre a matéria; desejo de praticar o bem. Suas capacidades para fazer o bem estão relacionadas ao grau de adiantamento que já alcançaram: uns têm o conhecimento, outros a sabedoria e bondade.

Os mais avançados aliam o saber às qualidades morais. Por não estarem ainda completamente desmaterializados, conservam mais ou menos os traços da existência física, tanto na linguagem quanto nos hábitos, entre os quais se encontram algumas de suas manias. Não fosse por isso, seriam Espíritos perfeitos.

Compreendem Deus e o infinito e já desfrutam da felicidade dos bons. São felizes pelo bem que praticam e pelo mal que impedem. O amor que os une constitui, para eles, uma felicidade extrema, que não é alterada nem pela inveja, nem pelo remorso, nem por nenhuma das más paixões que fazem o tormento dos Espíritos imperfeitos. Entretanto, todos ainda precisam passar por provas, até que atinjam a perfeição absoluta.

Como Espíritos, sugerem bons pensamentos, desviam os homens do caminho do mal, protegem na vida aqueles que se mostram dignos de receber essa proteção e neutralizam a influência dos Espíritos imperfeitos, protegendo aqueles que não precisam sofrer com estas presenças.

Quando estão encarnados, são bons e têm boa vontade para com seus semelhantes. Não são movidos pelo sentimento de orgulho, nem de egoísmo, e nem de ambição. Não sentem ódio, rancor, inveja ou ciúme e fazem o bem pelo bem.

Pertencem a esse grupo, os Espíritos popularmente conhecidos por "bons gênios", "gênios protetores"; "Espíritos do bem". Em épocas de superstição e ignorância, foram considerados como divindades benfeitoras.

Os Espíritos Bons são divididos nos subgrupos abaixo:

108. Quinto subgrupo – Espíritos de Boa Vontade: Possuem a bondade como qualidade principal. Alegram-se em prestar serviço aos homens e em protegê-los, mas seus conhecimentos são limitados. Progridem mais no sentido moral do que no sentido intelectual.

109. Quarto subgrupo – Espíritos Científicos: Distinguem-se pela abrangência de seus conhecimentos; preocupam-se mais com as questões científicas, para as quais possuem maior aptidão, do que para com as questões morais. Utilizam a Ciência apenas naquilo em que ela pode ser útil, e não se deixam dominar pelas paixões próprias dos Espíritos imperfeitos.

110. Terceiro subgrupo – Espíritos de Sabedoria: Caracterizam-se pelas qualidades morais no mais elevado grau. Não possuem conhecimentos ilimitados, mas são dotados de uma capacidade intelectual que lhes permite fazer um julgamento preciso sobre os homens e as coisas.

111. Segundo subgrupo – Espíritos Superiores: Reúnem em si o conhecimento, a sabedoria e a bondade. A linguagem que empregam é sempre digna, por vezes, sublime e demonstra boa vontade. Devido à sua superioridade, estão mais aptos, que os outros Espíritos, a nos dar noções exatas sobre as coisas do Mundo Espiritual, dentro dos limites do que é permitido ao homem conhecer.

Comunicam-se com prazer com aqueles que procuram de boa fé a verdade, e cuja alma já está bastante liberta dos laços terrenos para compreender essa verdade. Afastam-se dos que são movidos apenas pela curiosidade ou que são desviados da prática do bem pela influência da matéria.

Quando excepcionalmente reencarnam na Terra, é para realizar aqui uma missão de progresso, oferecendo-nos, então, o exemplo da perfeição que a Humanidade pode aspirar neste mundo.

PRIMEIRO GRUPO – ESPÍRITOS PUROS

112. Características Gerais – Não sofrem nenhuma influência da matéria. Possuem superioridade intelectual e moral absoluta em relação aos Espíritos dos outros grupos.

113. Primeiro grupo – Grupo Único: Os Espíritos desse nível já percorreram todos os graus da escala e se libertaram de toda influência da matéria; não precisam mais sofrer provas nem expiações, por terem alcançado o mais alto grau de perfeição que é possível para a criatura. Não estando mais sujeitos à reencarnação em corpos perecíveis, vivem a vida eterna junto a Deus.

Por não estarem mais sujeitos às necessidades e às dificuldades da vida material, desfrutam de uma felicidade constante. Contudo, essa felicidade não é a de uma "ociosidade monótona a transcorrer numa contemplação eterna". Eles são os mensageiros e os ministros de Deus, cujas ordens executam para manutenção da harmonia universal.

Comandam os Espíritos que são inferiores a eles, designando suas missões e ajudando-os a se aperfeiçoarem. Para esses Espíritos, é uma ocupação agradável prestar assistência aos homens nas suas angústias e aflições, estimulá-los ao bem ou à expiação das faltas que ainda os mantêm distanciados da felicidade suprema. Às vezes, são chamados de anjos, arcanjos ou serafins.

Os homens podem comunicar-se com eles, mas seria muita pretensão achar que eles estão à nossa disposição.

EVOLUÇÃO DOS ESPÍRITOS

114. Os Espíritos são bons ou maus por natureza ou são eles mesmos que se melhoram?

São os próprios Espíritos que se melhoram e, melhorando-se, passam de um grau inferior a um grau superior.

Observação

É importante lembrar que a "melhora", a que o Espírito se refere, é a "melhora moral".

115. Os Espíritos foram criados uns bons e outros maus?

Deus criou os Espíritos simples e ignorantes, ou seja, sem conhecimento. Para cada um, Deus deu uma missão, visando seu esclarecimento, para que pudessem, progressivamente, chegar à perfeição pelo conhecimento da verdade e, assim, se aproximarem Dele. Para os Espíritos, a felicidade eterna e pura consiste nessa perfeição. Eles adquirem esses conhecimentos passando pelas provas que Deus lhes confia.

Uns aceitam essas provas com naturalidade e atingem mais rápido o objetivo que lhes é destinado. Outros somente as suportam com muita revolta e lamentação. Assim, por sua atitude, permanecem mais tempo afastados da perfeição e da felicidade prometida.

115a. Sendo assim, os Espíritos, em sua origem, seriam como as crianças, ignorantes e sem experiência, só adquirindo pouco a pouco os conhecimentos que lhes faltam, ao percorrerem as diversas etapas da vida?

Sim, a comparação é boa. A criança rebelde permanece ignorante e imperfeita; o seu aproveitamento dependerá da sua docilidade em aceitar os ensinamentos. Porém, a vida do homem tem um fim, enquanto que a dos Espíritos prolonga-se ao infinito.

116. Existem Espíritos que permanecerão para sempre nos grupos inferiores?

Não, todos se tornarão perfeitos. O progresso, apesar de demorado, sempre ocorre. Como já dissemos anteriormente, um Pai justo e misericordioso não pode abandonar eternamente seus filhos. Por acaso o homem pretende que Deus, tão grande, tão bom, tão justo, seja pior que o próprio homem?

117. Depende somente dos Espíritos apressarem o seu progresso rumo à perfeição?

Certamente. Eles alcançam essa perfeição mais ou menos rápido, conforme seu desejo e submissão à vontade de Deus. Uma criança dócil não se instrui mais rapidamente do que uma criança rebelde?

118. Os Espíritos podem perder as qualidades que já adquiriram?

Não; à medida que avançam, compreendem o que os distanciava da perfeição. Quando o Espírito conclui uma prova, fica com o conhecimento que adquiriu e não o esquece mais. Pode até permanecer estacionário, mas não retrocede.

119. Deus não poderia isentar os Espíritos das provas que devem suportar para atingirem mais rápido o grupo dos Espíritos puros?

Se eles tivessem sido criados perfeitos, não teriam méritos para desfrutar dos benefícios dessa perfeição. Aliás, onde estaria o mérito sem o trabalho, sem a luta? A desigualdade que existe entre os Espíritos é necessária para o desenvolvimento de suas personalidades. Além do mais, a missão que eles realizam nesses diferentes grupos evolutivos está nos desígnios de Deus, para que haja harmonia no Universo.

Comentário de Kardec: Tendo em vista que na vida social todos os homens podem alcançar os primeiros lugares, poderíamos perguntar: por que o soberano de um país não promove cada um de seus soldados a general? Por que todos os empregados subalternos não são empregados superiores? Porque todos os estudantes não são professores?

Entre a vida social e a vida espiritual existe uma diferença: enquanto a vida social é limitada e não permite que todos alcancem os primeiros graus, a vida espiritual é infinita e permite que todos atinjam o grau supremo.

120. Todos os Espíritos precisam passar pela experiência do mal para chegar ao bem?

Eles não precisam passar pelo mal, precisam passar pela experiência da ignorância.

121. Por que alguns Espíritos seguiram o caminho do bem e outros o do mal?

Eles não têm o livre-arbítrio? Deus não criou Espíritos maus; criou-os simples e ignorantes, ou seja, com as mesmas aptidões para fazer o bem ou o mal. Aqueles que são maus, assim se tornaram por vontade própria.

122. Em sua origem, quando os Espíritos ainda não têm consciência de si mesmos, como podem ter a liberdade de escolher entre o bem e o mal? Existe neles algum princípio, alguma tendência qualquer que os leve a escolher mais um caminho do que o outro?

O livre-arbítrio se desenvolve à medida que o Espírito adquire a consciência de si mesmo. Se a escolha fosse determinada por uma causa alheia à vontade do Espírito, já não haveria mais livre-arbítrio.

A causa não está no Espírito e sim fora dele, nas influências a que cede em virtude da sua livre vontade. Essa é a grande figura da queda do homem e do **pecado original**: uns cederam à tentação, outros resistiram.

Observação

Pecado Original: O Pecado Original é um dos dogmas da Doutrina da Igreja Católica Apostólica Romana e pretende explicar a origem da imperfeição humana, do sofrimento e da existência do mal. Segundo esse dogma, que se fundamenta no relato bíblico do livro Gênesis, os primeiros seres humanos, Adão e Eva, foram advertidos por Deus de que, se comessem o fruto da árvore do conhecimento do bem e do mal, no mesmo dia morreriam.

Instigada pela serpente, Eva cedeu primeiro à tentação e, posteriormente, ofereceu o fruto proibido a Adão, que o aceitou. Apesar de continuarem vivos, foram expulsos do Paraíso para sempre.

Segundo esse dogma, o "pecado de origem" foi herdado por toda Humanidade – que seria descendente desse casal – e se transfere de uma geração para outra.

Fonte: Dogmas da Igreja Católica – Wikipédia, com adaptações.

122a. De onde vêm as influências que atuam sobre o Espírito?

Dos Espíritos imperfeitos, que procuram apoderar-se dele para dominá-lo, e que se alegram em fazê-lo fracassar. Foi essa influência que se quis simbolizar com a figura de Satanás.

122b. Essa influência atua sobre o Espírito somente em sua origem?

Essa influência acompanha o Espírito até que ele alcance um domínio completo sobre si mesmo; nesse momento, os Espíritos maus desistem de **obsediá-lo**.

Observação

Obsessão: Influência persistente de um Espírito encarnado ou desencarnado sobre outro Espírito encarnado ou desencarnado. O Espírito obsessor não precisa ser necessariamente mau, ele pode ser apenas ignorante.

Normalmente o termo "obsessão" é usado para designar a influência de um Espírito desencarnado sobre um encarnado.

123. Por que Deus permite que os Espíritos sigam o caminho do mal?

Não seria muita ousadia pedir a Deus que preste conta de Seus atos? Por acaso pretenderiam penetrar nas intenções de Deus? A sabedoria do Senhor está na liberdade de escolha que Ele concede a cada um. Assim, a cada um caberá o mérito de suas obras e de suas escolhas.

124. Se existem Espíritos que, desde o princípio, seguem apenas o caminho do bem e outros apenas o caminho do mal, certamente deve haver degraus entre esses dois extremos, não é assim?

Sim, certamente; e os que se encontram nos degraus intermediários constituem a maioria.

125. Os Espíritos que seguiram o caminho do mal poderão alcançar o mesmo grau de superioridade que os outros?

Sim, mas "as eternidades", para eles, serão mais longas.

Comentário de Kardec: A expressão "as eternidades" pode ser explicada assim: os Espíritos inferiores têm a ideia de que seus sofrimentos são eternos. Como não lhes é dado ver o fim desse sofrimento, essa ideia se renova em todas as provas nas quais fracassam.

126. Os Espíritos que chegaram ao grau supremo de perfeição, depois de terem trilhado o caminho do mal, têm menos mérito do que os outros, aos olhos de Deus?

Deus considera os que trilharam os caminhos do mal do mesmo modo que os outros, e ama a todos com o mesmo coração. Eles são chamados maus porque faliram; no princípio, eram apenas simples Espíritos.

127. Os Espíritos são criados iguais quanto às faculdades intelectuais?

Eles são criados iguais, mas, como não sabem de onde vêm, é necessário que o livre-arbítrio seja utilizado. Assim, uns desenvolvem a inteligência e a moral de maneira mais rápida, enquanto outros demoram mais tempo.

Comentário de Kardec: Os Espíritos que desde o princípio seguem o caminho do bem, nem por isso são Espíritos perfeitos. Apesar de não terem tendência para o mal, ainda precisam adquirir a experiência e os conhecimentos indispensáveis para atingir a perfeição.

Podemos compará-los a uma criança que, mesmo possuindo bondade em seus instintos naturais, precisa se desenvolver e se esclarecer, necessitando de um período de transição para passar da infância à fase adulta.

Assim como existem homens bons e maus desde a infância, também existem Espíritos bons e maus desde a sua origem. A diferença fundamental é que a criança traz seus instintos todos formados, enquanto o Espírito, na sua origem, não é bom nem mau. Portanto, o Espírito possui as duas tendências e caberá a ele, fazendo uso do seu livre-arbítrio, escolher o caminho que deseja seguir.

ANJOS E DEMÔNIOS

128. Os seres que chamamos de anjos, arcanjos, serafins, possuem uma natureza diferente dos outros Espíritos, formando, assim, uma categoria especial?

Não. Pelo fato de serem Espíritos puros, eles se encontram no topo da escala e reúnem todas as qualidades.

Comentário de Kardec: Geralmente, a palavra "anjo" dá a ideia de perfeição moral. Entretanto, ela aplica-se também a todos os seres bons ou maus que estão fora da Humanidade. Diz-se: o anjo bom e o anjo mau; o anjo de luz e o anjo das trevas. Neste caso, o termo "anjo" é sinônimo de "Espírito" ou "gênio". Nós escolhemos aqui a sua melhor significação, ou seja, Espíritos puros.

129. Os anjos também percorreram todos os graus da escala evolutiva?

Sim, eles percorreram todos os graus, mas, como já dissemos, uns aceitaram a sua missão sem reclamar e chegaram mais rápido à perfeição, enquanto outros demoram um tempo mais ou menos longo para atingir a mesma perfeição.

130. Se a crença de que existem seres criados perfeitos e superiores a todas as outras criaturas é errada, como explicar que ela esteja na tradição de quase todos os povos?

A Terra não existe desde toda a eternidade, e muito antes de ela existir já haviam Espíritos que tinham atingido o nível supremo de evolução. Os homens, então, acreditaram que eles sempre foram Espíritos perfeitos.

131. Existem demônios, no sentido que se atribui a essa palavra?

Se existissem demônios, eles seriam obra de Deus. E Deus seria bom e justo, se tivesse criado seres infelizes e eternamente voltados ao mal? Se há demônios, eles habitam o mundo inferior que os homens habitam e outros mundos semelhantes a esse. Demônios são esses homens hipócritas, que fazem de um Deus justo um Deus mau e vingativo, e que julgam agradá-Lo com as atrocidades que cometem em Seu nome.

Comentário de Kardec: A palavra "demônio", nos dias atuais, traz consigo a ideia de Espírito mau. Entretanto, a palavra grega "daimon", de onde se origina o termo demônio, significa gênio, inteligência, e era utilizada para designar seres desencarnados, bons ou maus, sem distinção.

Os demônios, de acordo com o significado comum da palavra, seriam seres essencialmente malvados, mas criados por Deus como todas as coisas e todos os seres. Entretanto, Deus, que é soberanamente bom e justo, não pode ter criado seres naturalmente predispostos ao mal e condenados por toda a Eternidade. Se não fossem obra de Deus, seriam eternos como Ele e, nesse caso, haveria muitos poderes soberanos.

A primeira condição de toda doutrina é ser lógica. A doutrina dos demônios, cuidadosamente analisada, não é lógica. É compreensível que os povos atrasados, por não conhecerem os atributos de Deus, acreditem em entidades malvadas e em demônios, mas, para todo aquele que faz da bondade de Deus um atributo por excelência, não é lógico admitir que Ele tenha criado seres voltados para o mal e destinados a praticá-lo perpetuamente, porque isso seria negar a Sua bondade.

Os partidários da ideia do demônio se apoiam nas palavras do Cristo, e não seremos nós a contestar a autoridade dos ensinamentos do Mestre, que gostaríamos de ver mais no coração do que na boca dos homens. Mas os partidários dessa ideia estariam bem certos do sentido que Jesus atribuía à palavra demônio? Sabe-se que a forma alegórica era uma característica marcante na linguagem do Cristo, e nem tudo o que está no Evangelho deve ser tomado ao pé da letra. Não precisamos de outra prova além desta passagem:

"Logo após esses dias de aflição, o Sol se escurecerá e a Lua não mais iluminará; as estrelas cairão do Céu e as potências celestes serão abaladas. Em verdade, Eu digo que esta geração não passará sem que todas essas coisas sejam cumpridas".

Não temos visto a Ciência contestar a interpretação do texto bíblico, no que se refere à Criação e ao movimento da Terra? Não pode ter ocorrido o mesmo com algumas figuras empregadas pelo Cristo, que precisava falar de acordo com o tempo e com o lugar onde se encontrava? Jesus não poderia ter dito conscientemente uma falsidade. Assim, se existe algo nas palavras do Cristo que parece chocar a razão, é porque elas não foram bem compreendidas ou foram mal interpretadas.

Os homens fizeram com os demônios o que fizeram com os anjos. Da mesma forma que acreditaram na existência de seres perfeitos desde toda a eternidade, consideraram também os Espíritos inferiores como seres perpetuamente maus.

Assim, pela palavra "demônio", devemos entender os "Espíritos impuros" que, muitas vezes, não valem mais do que as entidades designadas por esse nome. A diferença é que aos Espíritos impuros atribuímos o estado transitório, e aos demônios não.

Os Espíritos imperfeitos se revoltam contra as provas que devem suportar e, por isso, as sofrem por um tempo mais longo; entretanto, eles também chegarão à perfeição, quando se dispuserem a isso.

Então, podemos aceitar a palavra "demônio" com a restrição de que, apesar de ela representar Espíritos imperfeitos, eles também chegarão, um dia, ao nível dos Espíritos puros. Entretanto, seremos induzidos ao erro, se entendermos que os "demônios" são seres criados essencialmente para o mal.

Com relação a Satanás, é evidente que se trata da personificação do mal sob uma forma alegórica, porque não se poderia admitir um ser maligno lutando em pé de igualdade com a Divindade, e cuja única preocupação seria a de contrariar Seus desígnios.

Como o homem precisa de figuras e imagens para impressionar a sua imaginação, pintou os seres sem corpo físico com uma forma material, com os atributos que lembram as qualidades e os defeitos humanos.

Foi assim que os Antigos, querendo personificar o tempo, o pintaram com a figura de um velho, segurando uma foice e uma ampulheta. Representá-lo pela figura de um jovem teria sido um contra-senso. Ocorre o mesmo com as alegorias da fortuna, da verdade, etc.

Modernamente os anjos ou os Espíritos puros são representados por uma figura radiosa, com asas brancas, que são o símbolo da pureza; já a figura de Satanás é representada com chifres, garras e os atributos da bestialidade, símbolo das paixões inferiores. O povo, que toma as coisas ao pé da letra, viu nessas representações um indivíduo real, assim como antigamente viu Saturno representando a alegoria do Tempo.

CAPÍTULO 2

ENCARNAÇÃO DOS ESPÍRITOS

- **OBJETIVOS DA ENCARNAÇÃO**
- **A ALMA**
- **MATERIALISMO**

OBJETIVOS DA ENCARNAÇÃO

132. Qual é o objetivo da encarnação dos Espíritos?

A Lei de Deus impõe a encarnação aos Espíritos com o objetivo de fazê--los chegar à perfeição. Para uns, a encarnação é uma expiação, para outros, é uma missão. Mas, para chegar a essa perfeição, devem passar por todas as dificuldades da existência no corpo físico: é nisto que consiste a expiação.

A encarnação tem, ainda, outra finalidade: dar ao Espírito as condições de cumprir sua parte na obra da Criação. Para executá-la é que, em cada mundo, ele adquire um corpo, feito da matéria essencial desse mundo, para que ali possa cumprir as ordens de Deus. É assim que, participando da obra geral, ele próprio se adianta.

Comentário de Kardec: A ação dos seres no corpo físico é necessária para a marcha do Universo. Deus, em Sua imensa sabedoria, quis que, através da reencarnação, os Espíritos encontrassem um meio de progredir e de se aproximar Dele.

É assim que, por essa Lei admirável da Providência Divina, chamada Lei da Reencarnação, tudo se encadeia e tudo é solidário na Natureza.

133. Os Espíritos que, desde o princípio, seguiram o caminho do bem, precisam reencarnar?

Todos são criados simples e ignorantes, e se instruem nas lutas e nas dificuldades que a vida no corpo físico apresenta. Deus, que é justo, não podia dar a felicidade somente a alguns, isentando-os de dificuldades e trabalhos e, por conseguinte, sem mérito.

133a. Sendo assim, de que adianta aos Espíritos seguirem o caminho do bem, se isso não os livra dos sofrimentos da vida no corpo físico?

Eles alcançam mais rápido o seu objetivo. Aliás, as aflições da vida são, muitas vezes, a consequência da imperfeição do próprio Espírito. Quanto menos imperfeições, menos tormentos ele tem. Aquele que não é invejoso, nem ciumento, nem avarento, nem ambicioso, não sofrerá com os tormentos que se originam desses defeitos.

A ALMA

134. O que é a alma?

É um Espírito encarnado.

134a. O que era a alma antes de se unir ao corpo físico?

Era um Espírito desencarnado.

134b. Então, as almas e os Espíritos são a mesma coisa?

Sim, as almas são os Espíritos. Antes de se unir ao corpo, a alma é um dos seres inteligentes que povoam o Mundo Espiritual e que se revestem temporariamente de um corpo de carne para se purificar e se esclarecer.

135. Existe no homem alguma coisa a mais, além da alma e do corpo físico?

Existe a ligação, o fio que une a alma ao corpo físico.

Observação

Este fio, essa ligação, ficou conhecido, mais tarde, como o "cordão de prata". Esse cordão liga o perispírito ao corpo físico e situa-se na região da cabeça. O cordão de prata é constituído por alguma forma de energia, e pode afinar-se até espessuras mínimas, permitindo que o Espírito, ainda encarnado, se distancie do corpo por milhares de quilômetros sem se romper, mantendo o Espírito como dono e diretor do corpo. O autor espiritual André Luiz, na obra "Nosso Lar", capítulo 33, psicografada por Chico Xavier, refere-se a esse fio, de singulares proporções, preso à cabeça dos Espíritos ainda encarnados.

135a. Qual a natureza desse fio, dessa ligação?

Semimaterial. Isto é, de natureza intermediária entre o Espírito e o corpo físico. É preciso que essa ligação seja de natureza semimaterial para que haja a comunicação entre o corpo físico e o Espírito. É por meio desse fio que o Espírito age sobre a matéria e vice-versa.

Comentário de Kardec: Portanto, o homem é formado de três partes essenciais:

1ª: O corpo físico, semelhante ao dos animais e animado pelo mesmo princípio vital.

2ª: A alma, Espírito encarnado, que tem no corpo físico a sua habitação.

3ª: O princípio intermediário, ou perispírito, substância semimaterial que serve como primeiro envoltório do Espírito, e une a alma ao corpo físico. Tal como é num fruto: a semente, o perisperma e a casca.

136. A alma é independente do princípio vital?

O corpo físico é apenas o envoltório, já o dissemos.

136a. O corpo físico pode existir sem a alma?

Sim, pode; mas assim que cessa a vida no corpo físico, a alma o abandona. Antes do nascimento, ainda não existe a "união definitiva" entre a alma e o corpo físico. Depois que esta união se estabelece, somente com a morte do corpo físico é que as ligações são rompidas, e a alma pode se libertar novamente. A vida orgânica pode animar um corpo sem alma, mas a alma não pode habitar um corpo sem vida orgânica.

136b. O que seria o nosso corpo físico se não tivesse a alma?

Uma massa de carne sem inteligência, tudo o que se puder imaginar, menos um homem.

137. Um mesmo Espírito pode encarnar em dois corpos físicos diferentes ao mesmo tempo?

Não, o Espírito é indivisível e não pode animar, ao mesmo tempo, dois corpos físicos diferentes (ver em O Livro dos Médiuns, 2ª parte, capítulo 7: Bicorporeidade e Transfiguração).

138. O que pensar da opinião dos que consideram a alma como o princípio da vida material?

É uma simples questão de palavras que não nos diz respeito. Seria melhor que os homens se entendessem entre eles.

139. Alguns Filósofos e, posteriormente, alguns Espíritos, definiram a alma como sendo "uma centelha anímica emanada do Grande Todo". Por que essa contradição?

Não há contradição. Tudo depende do significado das palavras. Porque os homens não têm uma palavra para cada coisa?

Observação

Anímico: É tudo aquilo que pertence à alma ou a ela se refere.

Comentário de Kardec: A palavra alma é empregada para exprimir coisas muito diferentes. Alguns entendem a alma como sendo o princípio da vida e, nesse entendimento, é correto dizer, em sentido figurado, que: "a alma é uma centelha anímica emanada do Grande Todo".

O Grande Todo é a Fonte Universal do Princípio Vital, do qual cada ser absorve uma porção que é devolvida a esse Grande Todo, após a morte. Essa ideia não exclui a de um ser moral, distinto, independente da matéria e que conserva a sua individualidade. É a esse "ser" que se chama igualmente de "alma", e é com esse significado que se pode dizer que a alma é um Espírito encarnado.

Ao dar a alma definições diferentes, os Espíritos falaram conforme as ideias que tinham da palavra "alma" quando ainda estavam encarnados. Isso resulta da insuficiência da linguagem humana, que não possui uma palavra para cada ideia, gerando uma infinidade de enganos e discussões.

É por isso que os Espíritos Superiores pedem para que nos entendamos primeiro acerca do significado das palavras (ver, na Introdução, a explicação sobre a palavra alma).

140. O que pensar da teoria segundo a qual a alma se subdivide em tantas partes quanto são os músculos, responsabilizando-se, assim, por cada uma das funções do corpo?

Isso ainda depende do sentido que se dá à palavra *alma*. Se a alma for entendida como o fluido vital, essa teoria está correta; se ela for entendida como o Espírito encarnado, a teoria está errada. Já dissemos que o Espírito é indivisível; ele transmite o movimento aos órgãos através do fluido intermediário ou perispírito, sem que para isso precise se dividir.

140a. Mesmo assim, alguns Espíritos deram essa definição de que a alma se subdivide em tantas partes quanto são os músculos.

Os Espíritos ignorantes colocam a consequência antes da causa.

Comentário de Kardec: A alma atua por intermédio dos órgãos e os órgãos são animados pelo fluido vital que se reparte entre eles; o fluido vital se deposita em maior quantidade nos órgãos que são os centros ou os focos do movimento.

Assim, não procede a ideia de igualar a alma ao fluido vital, se por alma entendermos o Espírito encarnado que abandona o corpo físico após a sua morte.

141. É correta a opinião dos que pensam que a alma é externa e envolve o corpo físico?

A alma não está aprisionada ao corpo físico como um pássaro na gaiola. Ela se irradia e pode se manifestar fora do corpo, como a luz através de um globo de vidro ou como o som em torno de uma fonte sonora.

É nesse sentido que se pode dizer que a alma é externa, mas nem por isso é o envoltório do corpo. A alma possui dois veículos para a sua manifestação: o primeiro é o perispírito, composto por matéria sutil e leve; o segundo é o corpo físico, composto por matéria grosseira e pesada. A alma é o centro desses dois corpos, como o embrião o é numa semente, conforme já dissemos.

142. Que dizer da teoria segundo a qual a alma, numa criança, vai se completando a cada período de vida?

O Espírito é um só e está completo tanto na criança quanto no adulto. Os órgãos, que são os instrumentos para a manifestação da alma é que se desenvolvem e se completam até a fase adulta. Ainda neste caso, é colocar a consequência antes da causa.

143. Por que nem todos os Espíritos definem a alma da mesma maneira?

Os Espíritos não são igualmente esclarecidos sobre essa questão. Existem muitos com pouca inteligência e que não compreendem as coisas abstratas, assim como acontece com as crianças. Existem ainda os Espíritos pseudossábios, que se manifestam de modo pomposo apenas para se impor; aliás, como também acontece entre os homens.

Os próprios Espíritos esclarecidos podem se exprimir usando termos diferentes, mas que no fundo têm o mesmo significado, principalmente quando o assunto é difícil de ser explicado utilizando uma linguagem que é incapaz de traduzir as coisas com clareza. Recorrem, então, a figuras, a comparações que os homens tomam por realidade.

144. O que devemos entender por "alma do mundo"?

"Alma do mundo" é o princípio universal da vida e da inteligência, de onde se originam as individualidades. Mas aqueles que utilizam essa expressão, muitas vezes não se entendem entre si.

A palavra *alma* é tão ampla que cada um a interpreta como deseja. Algumas vezes, têm-se atribuído uma alma à Terra. Por "alma da Terra" deve se entender o conjunto dos Espíritos abnegados que dirigem para o bem as ações dos homens, quando estes os escutam. Esses Espíritos são, de certo modo, os representantes de Deus na Terra.

145. Como é possível que tantos Filósofos, antigos e modernos, tenham discutido durante tanto tempo sobre a Ciência Psicológica sem terem chegado à verdade?

Esses Filósofos foram os precursores da eterna Doutrina Espírita. Eles lhe prepararam os caminhos. Eram homens, e como tais, também se enganaram ao considerar suas próprias ideias como sendo o conhecimento máximo sobre o assunto.

Ainda assim, seus erros contribuem para evidenciar a verdade, ao mostrar o que é certo e o que é errado. Aliás, entre esses erros se encontram "grandes verdades", e um estudo comparativo fará com que os homens as compreendam. (compare esta resposta com a da pergunta nº 628)

146. A alma ocupa um lugar determinado no corpo físico?

Não, mas entre os grandes gênios e as pessoas que pensam muito, ela encontra-se mais particularmente na cabeça. Entre aqueles que trabalham pela Humanidade e a ela dedicam todas as suas ações com abnegação, a alma encontra-se principalmente no coração.

146a. Que pensar da opinião daqueles que colocam a alma num centro vital?

Para os que pensam assim, o Espírito se encontra, de preferência, nessa parte do organismo, pois é para essa região que convergem todas as sensações. Os que situam a alma naquilo que consideram o "centro da vitalidade" confundem-na com o fluido ou o princípio vital. Contudo, pode-se dizer que a sede da alma reside particularmente nos órgãos que servem para as manifestações intelectuais e morais.

MATERIALISMO

147. Por que os Anatomistas, os Fisiologistas e aqueles que se aprofundam nas Ciências da Natureza são geralmente levados ao materialismo?

O Anatomista e o Fisiologista descrevem tudo o que veem à sua maneira. É o orgulho que faz os homens acreditarem saber tudo e não admitirem a existência de nada que esteja acima dos seus conhecimentos. A própria Ciência que desenvolvem os torna presunçosos. Pensam que a Natureza não pode lhes ocultar nada.

Observações

Anatomista: Aquele que estuda a disposição, a forma e a estrutura dos órgãos dos seres vivos.

Fisiologista: Aquele que estuda o funcionamento das atividades vitais do corpo humano, tais como o crescimento, a respiração, o sistema cardiovascular, o funcionamento do cérebro, etc.

148. Não é de lamentar que o materialismo, sendo a consequência de estudos, não consiga mostrar ao homem que existe uma Inteligência Superior a governar o mundo? Sendo assim, é válido concluir que esses estudos são perigosos?

O materialismo não é consequência desses estudos. O homem é que tira deles uma conclusão falsa, porque tem a liberdade de abusar de tudo, mesmo das melhores coisas. O nada o amedronta mais do que ele demonstra, e aquele que se faz parecer forte e corajoso, frequentemente é mais fanfarrão do que valente.

A maior parte deles só é materialista porque não possui nada para preencher o vazio do abismo que se abre diante de seus olhos. Mostrem aos materialistas uma tábua de salvação e eles se agarrarão a ela o mais rápido que puderem.

Comentário de Kardec: Por uma distorção da inteligência, existem pessoas que apenas veem nos seres orgânicos a ação da matéria e a ela atribuem todos os nossos atos. Veem o corpo humano apenas como uma máquina elétrica; estudaram o mecanismo da vida apenas pelo funcionamento dos órgãos; observaram várias vezes a vida se extinguir pela ruptura de um fio, e nada mais enxergaram além desse fio.

Procuraram saber se restava alguma coisa após a morte e apenas encontraram um corpo físico inerte; como não viram a alma se desprender, como não puderam tocá-la, concluíram que tudo estava nas propriedades da matéria e que, após a morte do corpo, o pensamento se aniquilava.

Como seria triste se realmente fosse assim; o bem e o mal não teriam sentido algum; nesse caso, o homem teria razão em ser egoísta e colocar acima de tudo a satisfação de seus prazeres materiais; os laços sociais e as mais santas afeições se romperiam para sempre.

Felizmente, essas ideias não são as da maioria, e constituem opiniões individuais, pois em nenhum lugar elas foram aceitas como princípios fundamentais.

Uma sociedade baseada no princípio de que tudo acaba com a morte, traria em si o gérmen da discórdia, e os seus membros se entredevorariam como animais ferozes.

O homem tem instintivamente a convicção de que nem tudo se acaba com a morte; o nada lhe causa horror. Ainda que não aceite a ideia da vida futura, quando chega o momento supremo, poucos são os que não se perguntam: o que será de mim? A ideia de deixar a vida para sempre é simplesmente terrível.

De fato, quem poderia encarar com indiferença uma separação absoluta e eterna de tudo aquilo que amou? Quem poderia, sem ficar com medo, ver diante de si o imenso abismo do nada, onde todas as suas capacidades e esperanças seriam sepultadas para sempre? Será que conseguiria dizer para si mesmo: tudo bem! Depois de mim, nada, nada além do vazio; tudo definitivamente acabado; mais alguns dias e a minha lembrança terá se apagado da memória dos que conviveram comigo e dos que vierem depois de mim.

Nenhum vestígio restará de minha passagem pela Terra; até mesmo o bem que eu fiz será esquecido pelos ingratos a quem socorri. E nada para compensar tudo isto, nenhuma outra perspectiva além do meu corpo roído pelos vermes!

Será que esse quadro não tem nada de apavorante, de aterrador? A religião nos ensina que não pode ser assim e a razão nos confirma. Contudo, essa vida futura, vaga e indefinida, nada tem que possa nos dar alguma esperança, sendo, para muitos, a origem da dúvida.

Temos uma alma, é verdade; mas, o que é a nossa alma? Ela tem uma forma, uma aparência qualquer? É um ser limitado ou indefinido? Alguns dizem que nossa alma é um sopro de Deus; outros, que é uma centelha; outros, ainda, que é uma parte do Grande Todo, o princípio da vida e da inteligência. Mas o que todas essas definições nos oferecem? O que nos importa ter uma alma, se depois da morte ela desaparece na imensidade, como gotas d'água no oceano?

A perda de nossa individualidade não é para nós o mesmo que o nada? Diz-se, também, que a alma é imaterial. Ora, uma coisa imaterial não pode ter proporções definidas, e para nós isso equivale ao nada.

A religião nos ensina que seremos felizes ou infelizes conforme o bem ou o mal que tivermos praticado, mas em que consiste essa felicidade que nos aguarda no seio de Deus? Será uma bem-aventurança, uma contemplação eterna sem outra finalidade senão a de cantar louvores ao Criador?

As chamas do inferno são uma realidade ou apenas um símbolo? A própria Igreja as entende como um símbolo; mas, então, o que são realmente esses sofrimentos? Onde fica esse lugar de suplício? Em resumo, o que se faz e o que se vê no Mundo Espiritual que a todos espera?

Dizem que ninguém voltou de lá para nos dar informações, mas isso não é verdade. A missão do Espiritismo é justamente a de nos esclarecer sobre "esse futuro", de nos fazer, até certo ponto, tocá-lo e vê-lo, não apenas pelo raciocínio, mas pelos fatos.

Graças às comunicações espíritas, o Mundo Espiritual, assim como a continuação da vida, não são mais simples probabilidades, que cada um avalia como deseja. É a realidade que se manifesta, pois são os próprios Espíritos que vêm nos descrever a situação em que se encontram, relatar o que fazem, para que possamos ajudá-los.

Assim, eles nos mostram a realidade inevitável que nos espera, de acordo com os nossos méritos e deméritos. Haverá nisso algo de antirreligioso? Muito ao contrário, porque nesses esclarecimentos, trazidos pelos Espíritos, os incrédulos encontram a fé, e os indecisos a renovação do fervor e da confiança.

O Espiritismo é o mais poderoso auxiliar da religião. Se a Doutrina Espírita aí está, é porque Deus assim o permite, e Ele permite para reanimar nossas esperanças vacilantes e nos reconduzir ao caminho do bem pela perspectiva do futuro.

CAPÍTULO 3

RETORNO DOS ESPÍRITOS AO MUNDO ESPIRITUAL

• A Alma Após a Morte – Sua Individualidade – Vida Eterna
• Separação da Alma Pela Morte do Corpo Físico
• Perturbação dos Espíritos

A ALMA APÓS A MORTE
SUA INDIVIDUALIDADE - VIDA ETERNA

149. O que acontece com a alma logo após a morte?

Ela volta a ser Espírito, ou seja, retorna ao Mundo dos Espíritos desencarnados, que havia deixado, temporariamente, ao renascer na Terra.

150. Após a morte, a alma conserva a sua individualidade?

Sim, jamais a perde. O que seria da alma se não conservasse a sua individualidade?

150a. Como a alma pode ter certeza da sua individualidade, se após a morte ela não possui mais o seu corpo físico?

Ela possui ainda o seu perispírito, formado pelo fluido que lhe é próprio, retirado da atmosfera do seu planeta e que possui a aparência de sua última encarnação.

Observação

O perispírito, atualmente também conhecido como corpo astral, é tão material para o Espírito quanto o corpo físico é para o homem, mesmo que seja necessário ao Espírito, um certo tempo para se adaptar a ele. Este é um dos motivos porque muitos têm dificuldade em acreditar que já desencarnaram.

150b. A alma leva consigo alguma coisa deste mundo?

Leva apenas a lembrança de sua última encarnação e o desejo de ir para um mundo melhor. Essa lembrança será boa ou ruim, de acordo com o que tenha feito durante a vida. Quanto mais evoluída for a alma, melhor compreenderá a futilidade das coisas que deixou na Terra.

151. O que pensar da opinião daqueles que dizem que após a morte a alma retorna ao Todo Universal?

O conjunto dos Espíritos não forma um todo? Não constitui um mundo completo? Quando estamos numa assembleia, somos parte integrante dela, mas nem por isso perdemos a nossa individualidade.

152. Que prova podemos ter da individualidade da alma após a morte?

Os homens não têm essa prova nas comunicações que recebem? Se eles não fossem cegos, veriam; se não fossem surdos, ouviriam. Frequentemente, uma voz fala aos encarnados e revela a existência de um **ser que está fora dele.**

Observação

Esse ser que está fora, em outra dimensão, que não é a dimensão material, é o Espírito.

Comentário de Kardec: *Aqueles que pensam que a alma, com a morte, retorna ao Todo Universal, estão errados, se por isso entendem que ela perde a sua individualidade, como uma gota quando cai no oceano. Porém, estão certos, se por Todo Universal entendem o conjunto de Espíritos, onde cada um deles é uma individualidade.*

Se as almas se confundissem com o Todo, teriam apenas as qualidades do conjunto e nada as distinguiria umas das outras; elas não teriam nem inteligência e nem qualidades próprias. Entretanto, em todas as comunicações elas demonstram ter consciência de sua existência e uma vontade distinta. É a individualidade que faz com que as comunicações das almas sejam diferentes entre si.

Se após a morte houvesse somente o que se chama de o Grande Todo, absorvendo todas as individualidades, esse Todo seria uniforme e, assim, as comunicações recebidas do Mundo Espiritual seriam todas idênticas.

Os que estão no Mundo Espiritual são seres diferentes uns dos outros, pois lá habitam seres bons e maus, sábios e ignorantes, felizes e infelizes, alegres e tristes, leviantos e sérios, etc. Essa individualidade se torna ainda mais evidente quando esses seres demonstram a sua identidade através de detalhes pessoais referentes à sua última encarnação na Terra, e que podem ser comprovados. Essa individualidade também não pode ser posta em dúvida quando eles se tornam visíveis através das aparições.

A "individualidade da alma" nos foi ensinada em teoria, como um artigo de fé, ou seja, algo que tínhamos que aceitar sem discussão. O Espiritismo torna evidente

2A PARTE / CAPÍTULO 3

e, de certo modo, até material, essa individualidade, uma vez que podemos nos comunicar e até ver os Espíritos.

153. Em que sentido devemos entender a vida eterna?

A vida do Espírito é que é eterna; a do corpo físico é transitória e passageira. Quando o corpo morre, a alma retorna ao Mundo Espiritual, ou seja, à vida eterna.

153a. Os Espíritos puros, por já terem atingido a perfeição, não precisam mais reencarnar e não têm mais provas a suportar. Não seria mais correto chamar de "vida eterna" a vida desses Espíritos?

Isso não é a "vida eterna" e sim a "felicidade eterna"! Mais uma vez, é uma questão de palavras; chamem como quiserem, contanto que se entendam.

SEPARAÇÃO DA ALMA PELA MORTE DO CORPO FÍSICO

154. A separação entre a alma e o corpo físico é dolorosa?

Não. O corpo quase sempre sofre mais durante a vida do que no momento da morte. A alma não participa dessa separação. Mesmo os sofrimentos que às vezes ocorrem no momento da morte são prazerosos para o Espírito, que vê chegar ao fim o seu exílio.

Comentário de Kardec: *Na morte natural, que ocorre pelo esgotamento dos órgãos em consequência da idade, o homem deixa a vida sem perceber. É como uma lâmpada que se apaga por falta de óleo.*

155. Como ocorre a separação entre a alma e o corpo físico?

Quando as ligações fluídicas que prendem a alma ao corpo físico se soltam, ela se desprende e retorna ao Mundo Espiritual.

155a. A separação entre a alma e o corpo físico se dá instantaneamente e com a transição brusca de um plano para o outro? Existe uma linha de demarcação bem definida entre a vida e a morte?

Não; a alma se desprende gradualmente do corpo e não escapa como um pássaro que ganha a liberdade subitamente. Os dois estados entre a vida e morte se tocam e se confundem, permitindo que o Espírito se desprenda pouco a pouco das ligações fluídicas que o prendiam ao corpo físico. Essas ligações fluídicas se desatam, não se quebram.

Comentário de Kardec: Durante a vida, o Espírito está ligado ao corpo físico pelo seu envoltório semimaterial ou perispírito. A morte ocorre apenas para o corpo físico e não para o perispírito, pois este separa-se do corpo quando nele cessa a vida orgânica. A observação comprova que, no instante da morte, o desligamento entre o perispírito e o corpo físico não se dá subitamente; ele se processa gradualmente e com uma lentidão que varia de indivíduo para indivíduo.

Para uns esse desligamento é muito rápido e, às vezes, chega a coincidir com o momento da morte; noutros, cuja vida foi toda material e sensual, o desligamento é muito mais demorado, podendo durar alguns dias, semanas e até meses.

O "desligamento demorado" não sugere que exista no corpo a menor vitalidade, nem a possibilidade de um retorno à vida, mas resulta de uma afinidade entre o corpo e o Espírito; essa afinidade está sempre na razão direta da importância que o Espírito deu ao corpo físico e às coisas materiais durante a sua vida.

De fato, é racional se conceber que quanto mais o Espírito se identifica com a matéria, mais difícil será para ele separar-se dela. Por outro lado, as atividades intelectuais e morais, junto com o pensamento elevado, operam um começo de desprendimento, mesmo durante o período em que o Espírito ainda está encarnado. Assim, quando chega à morte, o desprendimento é quase instantâneo.

Esse é o resultado de estudos feitos em vários indivíduos observados durante o momento da morte. Essas observações comprovam ainda que, a afinidade existente entre a alma e o corpo, em alguns indivíduos, é tão intensa que o Espírito pode sentir o horror da decomposição do próprio corpo físico. Esse caso é excepcional e ocorre somente para certos tipos de vida e certos tipos de morte; verifica-se entre alguns suicidas.

156. A separação definitiva entre a alma e o corpo físico pode ocorrer antes da extinção completa da vida orgânica?

Algumas vezes, na agonia, a alma já deixou o corpo físico, restando nele somente à vida orgânica. O homem já não tem mais consciência de si mesmo, entretanto, ainda lhe resta um sopro de vida orgânica. O corpo é uma máquina que o coração põe em movimento. Ele se mantém enquanto o coração estiver funcionando e, para isso, não há necessidade da alma.

157. No momento da morte, a alma chega a ter algum êxtase que lhe permita vislumbrar o mundo em que vai entrar novamente?

Muitas vezes, a alma sente que as ligações fluídicas que a prendem ao corpo físico vão se desfazer; emprega, então, todos os esforços para que isso se complete. Assim, já parcialmente separada do corpo, a alma vê o futuro desdobrar-se diante de si e desfruta, por antecipação, da condição de Espírito desencarnado.

158. O exemplo da lagarta, que inicialmente rasteja na terra, depois se encerra em sua "crisálida" em estado de morte aparente, para mais tarde renascer de forma brilhante como borboleta, pode nos dar uma ideia da vida terrestre (lagarta rastejando), do túmulo (lagarta encerrada em sua crisálida) e, finalmente, da nossa existência (lagarta renascendo como borboleta)?

A ideia é limitada, mas a imagem é boa. Todavia, não deve ser tomada ao pé da letra como muitas vezes os homens fazem.

Observação

Crisálida: Estado intermediário entre a lagarta e a borboleta. Na pergunta, a imagem da lagarta, que se transforma em borboleta, pode ser entendida como sendo a nossa transformação rumo ao aperfeiçoamento.

159. Que sensação experimenta a alma no momento em que reconhece estar no Mundo Espiritual?

Isso depende. Aqueles que fizeram o mal com o desejo de fazê-lo, num primeiro momento, sentirão vergonha do que fizeram. Para o justo, é bem diferente: a alma sente-se aliviada, como se alguém lhe tivesse tirado um grande peso, pois não teme nenhum olhar investigador.

160. O Espírito reencontra imediatamente aqueles a quem conheceu na Terra e que morreram antes dele?

Sim, conforme a afeição que havia entre eles. Quase sempre, os Espíritos amigos vêm recebê-lo na sua volta ao Mundo Espiritual, e o ajudam a se desvencilhar das ligações que ainda o prendem ao corpo físico.

Reencontra, também, aqueles a quem conheceu e perdeu de vista durante sua permanência na Terra. Vê os que estão na **erraticidade**, como também vai visitar os que estão encarnados.

Observação

Erraticidade: É o intervalo entre uma reencarnação e outra, ou melhor, é o período em que o Espírito permanece no Mundo Espiritual.

161. Em caso de morte violenta ou acidental, quando os órgãos ainda não se enfraqueceram pela idade ou pelas doenças, a separação da alma e a extinção da vida ocorrem de maneira simultânea?

Sim, geralmente é simultânea; mas, em todos os casos, o tempo entre a separação da alma e a extinção da vida é muito curto.

Observação

O desencarne por morte violenta sempre causa muita perturbação, pois o Espírito é pego de surpresa e a mudança do Mundo Material para o Mundo Espiritual ocorre de forma brusca. Entretanto, a intensidade dessa perturbação e o tempo que ela dura, pode variar ao infinito, uma vez que vai depender sempre do grau de elevação em que o Espírito já se encontra. Assim, quanto mais agarrado às coisas materiais e aos vícios de toda ordem, maior será essa perturbação. Apenas os Espíritos muito evoluídos a sofrem de maneira mais branda.

162. Após a decapitação, por exemplo, o homem conserva por alguns instantes a consciência de si mesmo?

Muitas vezes, ele a conserva por alguns minutos, até que a vida orgânica tenha se extinguido completamente. Entretanto, é muito mais frequente o medo da morte fazer com que o executado perca a consciência de si mesmo, antes do golpe fatal.

Comentário de Kardec: Trata-se aqui da consciência que o executado pode ter de si mesmo, como homem e por intermédio dos órgãos do corpo físico, e não como Espírito. Se não perdeu a consciência antes da execução, pode conservá-la por alguns instantes, que são de breve duração.

Essa consciência cessa necessariamente com a morte orgânica do cérebro, o que não significa que o perispírito esteja totalmente separado do corpo. Ao contrário: em todos os casos de morte violenta, onde as forças vitais ainda são muito intensas, as ligações que prendem o perispírito ao corpo físico ainda são muito fortes e o desligamento completo é sempre mais demorado.

PERTURBAÇÃO DOS ESPÍRITOS

163. A alma tem consciência imediata de si mesma, logo após deixar o corpo físico?

Consciência imediata não é bem o termo; ela permanece algum tempo em estado de perturbação.

164. A perturbação que se segue após a separação entre a alma e o corpo físico tem a mesma intensidade e a mesma duração em todos os Espíritos?

Não; isso vai depender da elevação de cada um. Aquele que já está purificado se reconhece quase que de imediato, porque se libertou da influência da matéria enquanto vivia no corpo físico; ao passo que o homem materialista, aquele cuja consciência ainda não é pura, conserva por muito mais tempo a sensação de ainda estar preso ao corpo.

165. O conhecimento do Espiritismo exerce alguma influência sobre a duração, mais ou menos longa, da perturbação porque passa aquele que desencarna?

Exerce uma influência muito grande, pois o Espírito compreende antecipadamente a sua nova situação. Mas a prática do bem e a consciência pura exercem maior influência.

Comentário de Kardec: No momento da morte, tudo, a princípio, é muito confuso; o Espírito precisa de algum tempo para se reconhecer. Encontra-se atordoado, assim como um homem que desperta de um sono profundo e procura compreender a sua situação.

A lucidez das ideias e a memória do passado lhe voltam à mente à medida que se apaga a influência do corpo que ele acaba de abandonar, e à medida que se dissipa o nevoeiro que lhe turva os pensamentos.

O tempo que dura a perturbação, após a morte do corpo físico, é muito variável. Pode ser de algumas horas, de muitos meses e até de muitos anos. Aqueles que, durante a vida terrena procuram aprender sobre a vida futura, passam por uma perturbação menos longa, porque compreendem de imediato a sua nova posição.

A perturbação apresenta aspectos particulares de acordo com o caráter dos indivíduos e, principalmente, com o tipo de morte. Nas mortes violentas, por suicídio, desgosto, acidente, derrame cerebral, ferimentos, etc., o Espírito fica surpreendido, espantado, não acredita que esteja morto e sustenta, com persistência, que não morreu.

Entretanto, vê seu corpo, sabe que é o seu e não compreende porque está separado dele. Aproxima-se das pessoas a quem estima, fala com elas e não compreende porque elas não o escutam. Essa ilusão se prolonga até o completo desprendimento do perispírito; só então o Espírito reconhece seu novo estado e compreende que não faz mais parte do mundo dos vivos.

Esse fenômeno se explica facilmente: surpreendido pela morte inesperada, o Espírito fica atordoado com a brusca mudança que ocorreu. Para ele, a morte ainda é sinônimo de destruição e de aniquilamento. Entretanto, como continua a pensar, ver e ouvir, tem a sensação de que efetivamente não morreu.

O que aumenta ainda mais a sua ilusão é o fato de se ver num corpo semelhante ao anterior, quanto à forma, mas cuja natureza etérea ainda não teve tempo de constatar. Considera-o sólido e compacto como era o corpo físico, e quando chamam a sua atenção para esse fato, admira-se por não poder apalpá-lo.

Este fenômeno é semelhante ao que acontece com os sonâmbulos inexperientes que não acreditam dormir; para eles o sono é sinônimo de suspensão das faculdades. Ora, como podem pensar e ver livremente, eles acreditam que não estão dormindo.

Alguns Espíritos apresentam essa particularidade de não acreditarem que estão mortos, mesmo que a morte não os tenha colhido de surpresa. Essa situação, de não dar-se conta de que morreu, ocorre muito mais entre aqueles que, mesmo estando doentes, não pensam em morrer.

Observa-se, então, o singular espetáculo de um Espírito assistir ao próprio funeral como se fosse o de um estranho, e falar sobre o assunto como algo que não lhe diz respeito, até o momento em que compreende a verdade.

A perturbação após a morte nada tem de dolorosa para o homem de bem; é calma e muito semelhante à de um despertar tranquilo. Ao contrário, a perturbação é cheia de ansiedade e de angústias para aquele que tem a consciência pesada. Essa ansiedade e essa angústia aumentam à medida que ele compreende a sua nova situação.

Nos casos de morte coletiva, tem-se observado que todos os que desencarnam ao mesmo tempo nem sempre se reencontram de imediato. Com a perturbação após a morte, cada um vai para o seu lado, ou apenas se preocupa com aqueles que lhe interessam.

CAPÍTULO 4

AS VÁRIAS EXISTÊNCIAS DO ESPÍRITO

- A Reencarnação
- Justiça da Reencarnação
- Encarnação nos Diferentes Mundos
- Transmigração Progressiva
- Destino das Crianças Após a Morte
- Sexo e Espíritos
- Parentesco e Filiação
- Semelhanças Físicas e Morais
- Ideias Inatas

A REENCARNAÇÃO

166. Como o Espírito que não alcançou a perfeição durante a vida, no corpo físico, pode acabar de se depurar?

Submetendo-se à prova de uma nova existência.

166a. Como o Espírito realiza essa nova existência? É pela sua transformação como Espírito?

O Espírito, ao evoluir, sofre, sem dúvida, uma transformação; mas, para isso é necessário que ele passe pela experiência da vida num corpo físico.

166b. Então, o Espírito precisa passar por muitas existências num corpo físico?

Sim, todos nós passamos por muitas existências no corpo. Os que afirmam o contrário querem manter os homens na ignorância em que eles próprios se encontram. Esse é o desejo deles.

166c. Depois de deixar o corpo, o Espírito reencarna em um novo corpo físico? É assim que se deve entender?

Perfeitamente.

167. Qual é a finalidade da reencarnação?

Expiação; melhoramento progressivo da Humanidade. Sem ela, onde estaria a Justiça Divina?

168. O número de encarnações é limitado ou o Espírito reencarna perpetuamente?

A cada nova existência, o Espírito dá um passo no caminho do progresso. Quando se libertar de todas as imperfeições, não precisará mais das provas em corpo físico.

169. O número de encarnações é o mesmo para todos os Espíritos?

Não. Aquele que caminha rápido se poupa de muitas provas. Mesmo assim, as encarnações sucessivas são sempre muito numerosas, porque o progresso é quase infinito.

170. Em que se transforma o Espírito após a sua última encarnação?

Transforma-se em um Espírito bem-aventurado; em um Espírito puro.

JUSTIÇA DA REENCARNAÇÃO

171. Em que se baseia a Lei da Reencarnação?

Na justiça de Deus e na **revelação**, pois não cansamos de repetir: o bom pai deixa sempre uma porta aberta para o arrependimento de seus filhos. A razão não nos indica que seria injusto privar para sempre da felicidade eterna todos aqueles que não tiveram as oportunidades para se melhorarem?

Todos os homens não são filhos de Deus? Somente entre os egoístas é comum a injustiça, o ódio implacável e os castigos sem perdão.

Observação

Na resposta dada pelo Espírito, a Revelação deve ser entendida como sendo a revelação de *Moisés*, através dos 10 mandamentos; de *Jesus*, através de Seus ensinamentos e, por fim, do *Espiritismo*, através de todos os Espíritos que se manifestaram para instruir os homens por meio das psicofonias e psicografias.

Podemos citar ainda todos os verdadeiros *Profetas* que antecederam Jesus e que também tiveram a missão de contribuir para o esclarecimento da Humanidade.

Comentário de Kardec: *Todos os Espíritos têm por destino a perfeição, e Deus fornece os meios de alcançá-la pelas provações da vida no corpo físico. A justiça Divina* nos permite realizar, em novas existências, aquilo que não conseguimos realizar em existências anteriores.

Deus não seria nem justo nem bom se condenasse para sempre os que encontram no próprio meio em que vivem obstáculos ao seu melhoramento. Principalmente quando esses obstáculos independem da sua vontade.

Se o destino do homem fosse irrevogavelmente fixado após a sua morte, Deus não estaria pesando as ações de todas as criaturas em uma mesma balança e também não estaria sendo imparcial.

A Doutrina da Reencarnação, que consiste em admitir para o Espírito várias existências sucessivas num corpo físico, é a única que corresponde à ideia que fazemos da justiça de Deus em relação aos homens que estão numa condição moral inferior; é, também, a única que pode nos explicar o futuro e fundamentar as nossas esperanças, pois mostra que podemos corrigir nossos erros mediante novas encarnações. A razão nos indica a necessidade da reencarnação e os Espíritos a ensinam.

O homem que tem consciência da sua inferioridade encontra uma esperança consoladora na Doutrina da Reencarnação. Se ele acredita na justiça de Deus, não pode querer ser tratado, perante a Eternidade, de maneira igual aos que agiram melhor do que ele.

O pensamento de que essa inferioridade não o exclui para sempre do "bem supremo", e de que ele poderá conquistá-lo através de novos esforços, o sustenta e reanima a sua coragem.

Quem é que, no final de sua caminhada, não lamenta ter adquirido tarde demais uma experiência que não mais poderá aproveitar? Entretanto, essa experiência tardia não fica perdida, pois o Espírito a aproveitará em uma nova existência.

ENCARNAÇÃO NOS DIFERENTES MUNDOS ⎯⎯⎯⎯⎯⎯

172. Todas as nossas encarnações se realizam na Terra?

Não, nem todas; as encarnações se realizam em diferentes mundos. As que passamos na Terra não são as primeiras nem serão as últimas, embora sejam das mais materiais e das mais distantes da perfeição.

173. A cada encarnação o Espírito passa de um mundo para outro ou pode ter várias encarnações num mesmo globo?

Ele pode ter várias encarnações num mesmo globo, se ainda não avançou o suficiente para passar a um mundo superior.

173a. Então podemos viver várias vezes na Terra?

Sim, certamente.

173b. Podemos voltar a Terra depois ter vivido em outros mundos?

Com certeza. É possível que o homem já tenha vivido em outros mundos além da Terra.

174. Voltar a viver na Terra é uma necessidade?

Não; mas se o homem não progride, pode ir para um mundo que não seja melhor e que pode ser ainda pior do que a Terra.

175. Existe alguma vantagem em voltar a viver na Terra?

Nenhuma vantagem em especial, a não ser que se volte para cumprir uma missão. Nesse caso, se progride tanto na Terra como em qualquer outro mundo.

175a. Não seria mais feliz continuar na condição de Espírito?

Não, certamente que não! O Espírito permaneceria estacionário, e o que ele quer é avançar para Deus.

176. Os Espíritos, depois de terem encarnado em outros mundos, podem encarnar na Terra sem jamais terem passado por ela?

Sim, do mesmo modo que os homens também podem encarnar em outros mundos. Todos os mundos são solidários: o que não realizamos num podemos realizar noutro.

176a. Então existem homens que estão na Terra pela primeira vez?

Sim, existem muitos, e em diferentes graus de adiantamento.

176b. Pode-se reconhecer, por um sinal qualquer, um Espírito que está na Terra pela primeira vez?

Isso não teria nenhuma utilidade.

177. Para alcançar a perfeição e a felicidade suprema, que é o objetivo final de todos os homens, o Espírito precisa encarnar em todos os mundos que existem no Universo?

Não, pois existem diversos mundos que estão no mesmo grau da escala evolutiva, e o Espírito não aprenderia nada de novo.

177a. Então como explicar as muitas existências do Espírito num mesmo globo?

A cada encarnação, o Espírito pode ocupar posições diferentes, o que constitui para ele outras oportunidades de aprendizado.

178. Os Espíritos podem renascer fisicamente em mundos relativamente inferiores aos que já viveram?

Sim, quando recebem a missão de ajudar no progresso desses mundos. Nesse caso, aceitam com alegria as dificuldades dessa existência, pois ela será para eles uma oportunidade de adiantamento.

178a. Pode-se encarnar em mundos inferiores também por expiação? Deus pode enviar Espíritos rebeldes para esses mundos?

Os Espíritos podem permanecer estacionários, mas não regridem. Se não progrediram, sua punição consiste em recomeçar as existências mal vividas, num mundo adequado à sua natureza.

178b. Quais são aqueles que devem recomeçar a mesma existência?

Os que falharam em suas missões ou em suas provas.

179. Os seres que habitam um mesmo mundo encontram-se todos no mesmo grau de evolução?

Não; em todos os mundos acontece como na Terra: existem seres mais e menos evoluídos.

180. Ao passar deste mundo para outro, o Espírito conserva a inteligência que tinha aqui?

Sem dúvida, a inteligência não se perde; o que pode acontecer é que o Espírito não disponha dos meios para manifestá-la. Isso dependerá de sua superioridade e das condições do corpo que irá adquirir (ver "Influência do Organismo", pergunta nº 367 e seguintes).

181. Os Espíritos que habitam os diferentes mundos possuem corpos semelhantes aos nossos?

É claro que eles possuem corpos, porque o Espírito precisa estar **revestido de matéria** para atuar sobre a matéria. Mas esse corpo é mais ou menos material, conforme o grau de evolução a que chegaram os Espíritos. É isso que diferencia os mundos que devemos percorrer.

"Na casa do Pai há muitas moradas", e elas estão em diferentes graus de evolução. Alguns já sabem e têm consciência disso aqui na Terra, enquanto outros nada sabem.

Observação

O Espírito sempre se reveste da matéria que seja adequada ao mundo onde ele é chamado a viver. Assim, Espíritos mais evoluídos se revestem de matéria mais sutil, enquanto Espíritos menos evoluídos se revestem de matéria mais grosseira.

182. Podemos conhecer com exatidão o estado físico e moral dos diferentes mundos?

Nós, os Espíritos, só podemos responder conforme o grau de adiantamento em que os homens se encontram. Assim, não podemos revelar estas coisas a todos, porque nem todos estão em condições de compreendê-las e "isso os perturbaria".

Comentário de Kardec: À medida que o Espírito se purifica, o corpo físico que o reveste se aproxima da natureza espiritual. A matéria torna-se menos densa e ele já não se arrasta mais penosamente pelo solo; suas necessidades físicas são menos grosseiras e os seres vivos não têm mais necessidade de se destruírem mutuamente para se alimentar.

O Espírito se acha mais livre e tem percepções que desconhecemos em relação às coisas que estão distantes; vê pelos olhos do corpo o que podemos imaginar apenas pelo pensamento.

A perfeição dos Espíritos se reflete na perfeição moral dos seres em que eles estão encarnados. As paixões animais se enfraquecem e o egoísmo cede lugar ao sentimento de fraternidade. É assim que, nos mundos superiores à Terra, as guerras são desconhecidas, os ódios e as discórdias não possuem objetivo, porque ninguém pensa em prejudicar o seu semelhante.

A intuição que seus habitantes têm do futuro, a segurança que lhes dá uma consciência isenta de remorsos, fazem com que a morte não lhes cause nenhuma apreensão. Eles a enfrentam sem nenhum temor e entendem a morte como uma simples transformação.

O número de anos vividos nos diferentes mundos parece ter relação com o grau de superioridade física e moral de seus habitantes, o que é perfeitamente racional. Quanto menos material é o corpo, menos sujeito às alternâncias que o desorganizam. Quanto mais puro for o Espírito, menos ele ficará sujeito às paixões que o consomem.

Essa é, ainda, uma graça da Providência, que, desse modo, abrevia os sofrimentos à medida que evoluímos.

183. Ao passar de um mundo para outro, o Espírito passa por uma nova infância?

Em todos os mundos, a infância é uma transição necessária, mas nem sempre é tão atrasada como na Terra.

184. O Espírito pode escolher o novo mundo onde vai habitar?

Nem sempre; mas pode pedir o que deseja e receberá se assim o merecer. Os Espíritos somente podem habitar mundos que sejam compatíveis com o seu grau evolutivo.

184a. Se o Espírito nada pedir, o que determina o mundo onde ele irá encarnar?

O seu grau de evolução.

185. O estado físico e moral dos seres vivos é sempre o mesmo em cada mundo?

Não; os mundos também estão submetidos à Lei do Progresso. No início, todos os mundos são inferiores; a Terra passará por uma transformação e se tornará um verdadeiro paraíso quando os homens se tornarem bons.

Comentário de Kardec: É assim que as raças que hoje povoam a Terra desaparecerão um dia, e serão substituídas por seres cada vez mais perfeitos. Essas raças mais evoluídas sucederão às atuais, assim como as atuais sucederam às mais atrasadas.

186. Existem mundos onde o Espírito deixa de se revestir com corpos materiais, tendo por envoltório apenas o perispírito?

Sim, existem. E nesses mundos o envoltório ou perispírito torna-se tão etéreo, que para os homens é como se não existisse. Esse é o estado dos Espíritos puros.

186a. Então não existe uma demarcação precisa entre o estado correspondente às últimas encarnações e o estado de Espírito puro?

Essa demarcação não existe. A diferença entre os estados vai se apagando pouco a pouco, e se torna imperceptível, assim como a noite se desfaz diante das primeiras claridades do dia.

187. A substância do perispírito é a mesma em todos os mundos?

Não. Essa substância é mais ou menos etérea. Ao passar de um mundo para outro, o Espírito se reveste com a matéria própria do mundo em que foi chamado a viver, e essa mudança ocorre com a rapidez de um relâmpago.

188. Os Espíritos puros habitam mundos especiais ou habitam o espaço universal, sem estarem ligados a um mundo específico?

Os Espíritos puros habitam determinados mundos, mas não estão confinados a eles como os homens estão à Terra; eles podem se deslocar por toda parte.

Comentário de Kardec: *De acordo com o ensinamento dos Espíritos, de todos os globos que compõem o nosso sistema planetário, a Terra é um dos que possui os habitantes menos adiantados, tanto física quanto moralmente.*

Marte estaria em estágio ainda inferior à Terra, e Júpiter muito superior em todos os sentidos. O Sol não seria um mundo habitado por seres com corpo físico, mas um local de reunião de Espíritos Superiores, que de lá irradiam seus pensamentos para outros mundos que eles dirigem.

Esses pensamentos seriam transmitidos para Espíritos menos elevados, com os quais se comunicam por meio do fluido cósmico universal. Do ponto de vista de sua constituição física, o Sol seria um foco de eletricidade. Todos os Sóis, ao que parece, estariam nas mesmas condições.

O volume de cada planeta e a distância a que eles se encontram do Sol não têm nenhuma relação com seu grau de adiantamento, pois parece que Vênus está mais adiantado que a Terra e Saturno menos que Júpiter.

Muitos Espíritos que foram personalidades conhecidas na Terra disseram estar reencarnados em Júpiter, que é um dos planetas mais próximos da perfeição. Tem causado espanto que num planeta tão adiantado se encontrem homens que a opinião terrena não julgava tão evoluídos.

Isso não deve nos causar admiração se considerarmos que alguns Espíritos que habitam Júpiter podem ter sido enviados à Terra para desempenhar uma missão que, aos nossos olhos, não os colocaria em primeiro plano.

Além disso, que entre a existência que tiveram na Terra e a que passaram a ter em Júpiter, podem ter tido outras existências intermediárias, nas quais se melhoraram. E, finalmente, que assim como na Terra, em Júpiter também existem diferentes níveis de desenvolvimento, e que entre esses níveis pode haver a mesma distância que separa, entre nós, o homem civilizado do selvagem.

Assim, o fato de um Espírito habitar Júpiter não significa que ele esteja no nível dos seres mais adiantados daquele planeta, da mesma maneira que uma pessoa comum não está no nível de um Cientista da universidade só porque reside em Paris.

As condições de longevidade dos Espíritos não são, em todos os mundos, iguais às da Terra, por isso não podemos fazer comparações de idade. O Espírito de uma pessoa já falecida há alguns anos foi evocado e disse haver encarnado seis meses antes, num mundo cujo nome nos é desconhecido.

Interrogado sobre a idade que tinha nesse mundo, respondeu: não posso avaliar porque o tempo lá não é contado como na Terra; além do mais, o modo de vida não é o mesmo; lá, o nosso desenvolvimento é bem mais rápido; embora não faça mais de seis meses, do tempo da Terra, que lá estou, posso dizer que a minha inteligência corresponde à dos trinta anos de idade se estivesse na Terra.

Muitas respostas semelhantes nos foram dadas por outros Espíritos, e nisso não existe nada no que não se possa acreditar. Se existe na Terra um grande número de animais que adquirem em poucos meses seu desenvolvimento normal, por que o mesmo não poderia ocorrer com o homem em outros mundos?

Um homem na Terra, com a idade de trinta anos, ainda está na infância do desenvolvimento que poderá atingir. É preciso ter uma visão bem curta para nos considerarmos os modelos da Criação, assim como é rebaixar a Divindade acreditar que, além do homem, nada mais seja possível para Deus.

TRANSMIGRAÇÃO PROGRESSIVA

Observação
Transmigração: passagem da alma de um corpo para outro.

189. O Espírito desfruta da plenitude de suas faculdades desde o princípio da sua formação?

Não, porque o Espírito, assim como o homem, também tem a sua infância. Em sua origem, a vida do Espírito é apenas instintiva e ele mal tem consciência de si mesmo e de seus atos. Somente aos poucos sua inteligência se desenvolve.

190. Qual é o estado do Espírito em sua primeira encarnação?

Na primeira encarnação, podemos dizer que o Espírito se encontra num estado semelhante ao do homem, quando este está na infância. Sua inteligência apenas desabrocha e o Espírito se prepara para a vida.

191. Os Espíritos dos nossos selvagens se encontram no estado da infância?

Encontram-se no estado de uma infância relativa. Pelo fato de sentirem paixões, pode-se dizer que eles já possuem um certo desenvolvimento.

191a. Então as paixões são um sinal de desenvolvimento?

Desenvolvimento, sim, perfeição, não; as paixões são um sinal de que o Espírito possui atividade e consciência própria; no Espírito primitivo, a inteligência e a vida estão em estado latente.

Comentário de Kardec: *A vida do Espírito percorre as mesmas fases que o homem percorre no corpo físico; passa gradualmente do estado embrionário ao da infância, para atingir, depois de um período, o estado adulto, que é o da perfeição, com a diferença de que para o Espírito não existe declínio nem velhice, como ocorre na vida corporal.*

A vida do Espírito tem um começo, mas não terá um fim, e, do nosso ponto de vista, precisará de um tempo imenso para passar da infância espiritual a um desenvolvimento completo. Seu progresso se realizará não em um mundo apenas, mas em diversos mundos.

Assim, a vida do Espírito se compõe de uma série de existências em corpo físico, quando, em cada uma delas, terá a oportunidade de progredir. O mesmo ocorre com o homem encarnado, que a cada dia adquire um acréscimo de experiência e instrução.

Porém, assim como na vida do homem existem dias que não lhe trazem nenhum proveito, na vida do Espírito também ocorrem encarnações sem nenhuma utilidade, simplesmente porque ele não as soube aproveitar.

192. Mediante uma conduta perfeita, é possível ao Espírito vencer, já nesta vida, todos os graus da escala evolutiva e tornar-se um Espírito puro, sem passar pelos graus intermediários?

Não, porque aquilo que o homem julga ser perfeito está longe da perfeição. Existem qualidades que ele desconhece e que, por isso, não pode compreender. Ele pode ser tão perfeito quanto a sua natureza terrena o permita, mas não será a perfeição absoluta.

A evolução do Espírito ocorre da mesma maneira que a de uma criança, pois mesmo ela sendo precoce, precisa passar pela juventude para chegar à idade adulta; assim também ocorre com o doente que precisa passar pela convalescença para chegar à cura.

O Espírito precisa progredir em conhecimento e em moralidade; para chegar ao alto da escala evolutiva, não basta que ele se adiante em apenas um aspecto, é preciso se adiantar em todos. Quanto mais o homem conseguir avançar em sua vida atual, menos longas e difíceis serão as suas provas futuras.

192a. Por meio de uma conduta perfeita, o homem pode, pelo menos nesta vida, assegurar uma existência futura com menos amarguras?

Sim, sem dúvida, pode abreviar o caminho e reduzir as dificuldades. Apenas o negligente fica sempre na mesma posição.

193. Em uma nova existência, o homem pode descer em relação ao que já havia atingido na existência atual?

Pode descer em relação a sua posição social; como Espírito, não.

194. A alma de um homem de bem pode, em uma nova encarnação, animar o corpo de um homem mau?

Não, a alma não se modifica para pior.

194a. A alma de um homem mau, pode transformar-se na alma de um homem de bem?

Se ele se arrepender, sim. E isso será para ele uma recompensa.

Comentário de Kardec: *A evolução dos Espíritos é progressiva e jamais retrocede. Eles se elevam gradualmente na hierarquia e não descem do nível que já alcançaram. Em suas diversas encarnações, os Espíritos podem retroceder como homens, assumindo tarefas menos nobres, mas não retrocedem como Espíritos.*

Assim, a alma de alguém que foi poderoso na Terra pode animar, em outra encarnação, um humilde operário e vice-versa. Frequentemente, os homens que estão moralmente mais adiantados, ocupam posições sociais inferiores. Herodes era rei e Jesus, carpinteiro.

195. A possibilidade de se melhorar noutra existência não pode levar algumas pessoas a continuarem no mau caminho, alegando que poderão se corrigir mais tarde?

Aquele que pensa assim é porque não acredita em nada, e a ideia de um castigo eterno não lhe colocaria nenhum freio, porque sua razão repele essa ideia. Ao contrário, ela só reforçaria a sua incredulidade sobre todas as coisas.

Se apenas meios racionais tivessem sido empregados para orientar os homens, não haveria tantos incrédulos. Durante sua existência em corpo físico, um Espírito imperfeito poderá pensar em adiar sua melhora; mas, uma vez desencarnado, pensará diferente, porque logo perceberá o erro que cometeu, e um sentimento oposto a esse guiará seus passos na nova encarnação.

É assim que se realiza o progresso, e é por isso que existem na Terra homens mais avançados que outros; uns já possuem a experiência que outros ainda não têm, mas que irão adquirir pouco a pouco. Depende apenas do homem impulsionar ou retardar indefinidamente o seu próprio progresso.

Comentário de Kardec: *O homem que se encontra em uma posição ruim deseja sair dela o mais rápido possível. Aquele que está convencido de que as dificuldades dessa vida são as consequências de suas próprias imperfeições, procurará garantir para si uma existência menos sofrida.*

Este pensamento o desviará mais depressa do caminho do mal do que a ideia do fogo eterno, na qual não acredita.

196. Se os Espíritos apenas podem se melhorar suportando as dificuldades da existência em corpo físico, podemos concluir que a vida material é uma espécie de "depurador", pela qual devem passar todos os seres do Mundo Espiritual para alcançarem a perfeição?

Sim, é exatamente isso. Eles se melhoram através dessas provas, evitando o mal e praticando o bem. Mas, somente depois de muitas encarnações sucessivas é que eles atingem, num tempo mais ou menos longo, e conforme os esforços empregados, o objetivo para o qual se destinam, ou seja, a perfeição.

196a. É o corpo físico que influi sobre o Espírito para que este se melhore, ou é o Espírito que influi sobre o corpo?

O Espírito é tudo; o corpo físico é apenas uma vestimenta que apodrece; assim, é sempre o Espírito que influencia o corpo.

Comentário de Kardec: Temos, no suco da uva que se transforma em vinho, uma imagem material dos diferentes graus de depuração da alma. O suco contém o licor que se chama espírito ou álcool, mas enfraquecido por várias substâncias estranhas que lhe alteram a essência. Essa essência só atinge a pureza absoluta após diversas destilações; a cada destilação, a essência vai se separando de algumas impurezas.

O alambique é o corpo físico na qual a alma deve entrar para se purificar; as substâncias estranhas correspondem ao perispírito, que também se purifica à medida que o Espírito se aproxima da perfeição.

DESTINO DAS CRIANÇAS APÓS A MORTE

197. O Espírito de uma criança que desencarna com pouca idade pode ser tão adiantado quanto o de um adulto?

Pode, e algumas vezes é bem mais adiantado, principalmente se esse Espírito já viveu várias existências, onde adquiriu experiências e aproveitou para progredir.

197a. Então o Espírito de uma criança pode ser mais adiantado que o do seu pai?

Pode, e isso é muito frequente. Os homens já não perceberam esse fato inúmeras vezes na Terra?

198. O Espírito de uma criança que morre em tenra idade, por não ter podido praticar o mal, pertence aos graus superiores da escala espírita?

Se não fez o mal, também não fez o bem, e Deus não o isenta das provas pelas quais precisa passar. Seu grau de pureza não se deve ao fato de ter animado o corpo de uma criança, e sim ao progresso que já realizou como Espírito.

199. Por que a vida é interrompida com tanta frequência na infância?

A duração da vida de uma criança pode ser, para o Espírito que nela está encarnado, o complemento de uma existência anterior que foi interrompida antes do tempo previsto. Geralmente, a morte de uma criança constitui, também, uma provação ou uma expiação para os pais.

199a. O que acontece com o Espírito de uma criança que morre em tenra idade?

Ele simplesmente retorna ao Mundo Espiritual, onde aguardará o recomeço de uma nova existência.

Comentário de Kardec: *Se o homem tivesse apenas uma existência, e depois da morte seu destino fosse fixado para sempre, qual seria o mérito de metade da espécie humana que morre com pouca idade, para desfrutar, sem esforços, da felicidade eterna?*

E com que direito essa metade da população ficaria desobrigada de viver uma vida, geralmente dura e difícil, a que se submete a outra metade? Tal ordem de coisas não estaria em concordância com a Justiça de Deus.

Com a reencarnação, as coisas ficam iguais para todos. O futuro pertence a todos, sem exceção e sem favorecer a quem quer que seja; aqueles que retardam sua evolução, somente a si mesmos poderão se queixar. O homem deve ter o mérito e também a responsabilidade por seus atos.

Não é racional considerar a infância como sendo um estado normal de inocência. Não vemos, com frequência, crianças dotadas dos piores instintos, numa idade onde a educação ainda não pode exercer a sua influência?

Não existem algumas crianças que parecem trazer do berço a astúcia, a falsidade, a malícia, até mesmo o instinto para o roubo e para o homicídio, apesar dos bons exemplos que recebem daqueles que com elas convivem?

A Lei Civil as absolve de suas más ações porque entende que elas agiram sem discernimento. Tem razão, a Lei, pois elas realmente agem mais por instinto do que intencionalmente. Porém, de onde vêm esses instintos tão diferentes entre crianças da mesma idade, educadas nas mesmas condições e submetidas às mesmas influências?

De onde vem essa perversidade precoce, senão da inferioridade do Espírito que as anima, uma vez que a educação em nada contribuiu para isso? As crianças que são viciosas o são porque seus Espíritos progrediram menos e, portanto, sofrem as consequências, não dos atos que praticaram na infância, mas dos atos que praticaram em existências anteriores. É assim que a Lei é igual para todos e a Justiça de Deus a todos alcança.

SEXO E ESPÍRITOS _____

200. Os Espíritos têm sexo?

Não como os homens entendem, pois o sexo depende do organismo físico. Entre eles existe amor e simpatia, mas tendo como base a afinidade de sentimentos.

201. O Espírito que animou o corpo de um homem pode animar, em uma nova existência, o corpo de uma mulher e vice-versa?

Certamente; os Espíritos que animam os homens e as mulheres são os mesmos.

202. Quando o Espírito está desencarnado, ele prefere animar o corpo de um homem ou de uma mulher?

Isso pouco importa ao Espírito. A escolha vai depender das provas que precisará vivenciar.

Comentário de Kardec: Os Espíritos encarnam como homens ou como mulheres porque não têm sexo. Como devem progredir em tudo, cada sexo, assim como cada posição social, lhes oferece a oportunidade de adquirir novas experiências. Aquele que encarnasse sempre como homem, apenas saberia o que os homens sabem.

PARENTESCO E FILIAÇÃO _____

203. Os pais transmitem aos filhos uma porção de sua alma ou lhes dão apenas a vida animal, à qual uma nova alma vem, mais tarde, lhes acrescentar a vida moral?

Os pais dão somente a vida animal, uma vez que a alma é indivisível. Um pai estúpido pode ter filhos inteligentes e vice-versa.

204. Uma vez que o homem já viveu muitas existências, seu círculo de parentes inclui os da existência atual e os das existências anteriores?

Sim, não pode ser de outra forma. As diversas existências em corpo físico estabelecem, entre os Espíritos, ligações que vêm de existências anteriores. A simpatia que sentimos por pessoas que nos "parecem estranhas" pode ser explicada por meio dessas ligações anteriores.

205. Alguns dizem que a reencarnação destrói os laços de família, porque faz com que as pessoas se lembrem também das afeições que tiveram em existências anteriores. Essa afirmação é correta?

A reencarnação não destrói os laços de família; ao contrário, ela os amplia. O parentesco, tendo como base as afeições anteriores, faz com que as ligações entre os membros de uma mesma família sejam mais sólidas. A doutrina da reencarnação também amplia a fraternidade entre os homens, pois entre os nossos vizinhos ou entre os nossos empregados podem estar Espíritos que já foram ligados a nós por laços de sangue.

205a. A reencarnação diminui a importância que alguns dão a seus antepassados, visto que cada um pode ter tido como pai um Espírito que pertenceu a outra raça ou que viveu em uma condição muito diversa?

É verdade, mas essa importância se baseia no orgulho. O que a maioria leva em grande consideração em seus antepassados são os títulos, a posição e a fortuna. Os mesmos que sentiriam vergonha por ter tido como antepassado um honrado sapateiro, ficariam envaidecidos por descender de um nobre corrupto.

Mas, digam ou façam o que quiserem, isso não impedirá que as coisas sejam como são, porque Deus não criou as Leis da Natureza de acordo com a vontade dos homens.

206. Se os Espíritos de uma mesma família não possuem ligações anteriores entre si, o culto aos antepassados seria uma coisa ridícula?

Certamente que não; todo homem deve considerar-se feliz por pertencer a uma família na qual encarnaram Espíritos elevados. Embora os Espíritos não procedam uns dos outros, eles têm afeição por aqueles que lhes estão ligados pelos laços de família. Muitas vezes eles são atraídos para determinadas famílias por razões de simpatia ou por ligações anteriores.

Os Espíritos dos antepassados não se sentem absolutamente honrados com o culto que lhes é oferecido por orgulho. O mérito que eles tiveram só se refletirá nos descendentes se estes seguirem seus bons exemplos. É apenas assim que a lembrança dos descendentes poderá ser agradável e útil aos antepassados.

SEMELHANÇAS FÍSICAS E MORAIS _____

207. Muitas vezes, os pais transmitem aos filhos a semelhança física. Podem transmitir também a semelhança moral?

Não, porque o Espírito do pai é diferente do Espírito do filho. O corpo procede do corpo, mas o Espírito não procede do Espírito. Entre os descendentes existem apenas os laços de sangue.

207a. Então, de onde vêm as semelhanças morais que existem, algumas vezes, entre pais e filhos?

São Espíritos simpáticos que se atraem pela afinidade de suas tendências.

208. Os pais exercem alguma influência sobre o Espírito dos filhos após o nascimento?

Sim; exercem uma influência muito grande. Conforme já dissemos, os Espíritos devem contribuir para o progresso uns dos outros. Os pais têm por missão desenvolver o Espírito de seus filhos pela educação; é para eles uma tarefa de muita seriedade, e serão responsabilizados, na parte que lhes cabe, se falharem.

209. Por que pais bons e virtuosos têm filhos perversos? Por que as boas qualidades dos pais nem sempre atraem, por afinidade, um Espírito bom para animar o corpo de seu filho?

Um Espírito inferior pode pedir pais bons para que, através de seus conselhos, ele possa seguir um caminho melhor e, muitas vezes, Deus o atende.

210. Por seus pensamentos e preces, os pais podem atrair um Espírito bom para o corpo de seu filho, no lugar de um Espírito inferior?

Não, mas os pais podem tornar melhor o Espírito do filho que Deus lhes confiou; aliás, esse é o dever dos pais. Filhos maus são sempre uma provação para os pais que os recebem.

211. De onde vem a semelhança de caráter que, frequentemente, existe entre os irmãos, especialmente entre os gêmeos?

São Espíritos simpáticos que se aproximam pela afinidade de seus sentimentos e que sentem-se felizes por estarem juntos.

212. Existem dois Espíritos nas crianças que nascem com os corpos ligados e que possuem alguns órgãos em comum?

Sim, existem dois Espíritos, pois são dois os corpos. Entretanto, a semelhança entre essas crianças é tão grande que parece existir um só Espírito.

Observação

Esses gêmeos, em que os corpos nascem ligados, são também conhecidos por *xifópagos* ou *irmãos siameses* e foram tidos, por muito tempo, como monstros. Hoje, pela melhor compreensão das Leis da Reencarnação, sabe-se que são Espíritos que possuem grandes débitos entre si, e recebem essa oportunidade como prova redentora.

Atualmente, a Medicina consegue, através de cirurgias muito delicadas, separar alguns gêmeos, quando estes possuem órgãos individualizados.

213. Se os Espíritos que encarnam como gêmeos o fazem por afinidade, de onde vem a aversão que muitas vezes existe entre eles?

Não existe uma regra que diga que os **gêmeos** tenham que ser Espíritos que tenham afinidade entre si. Espíritos inferiores podem solicitar uma reencarnação para lutarem juntos na Terra.

Observação

Os **gêmeos** podem ser inimigos do passado que, através da reencarnação, recebem a oportunidade de extinguir velhas diferenças. Também podem ser amigos que reencarnam com a missão de se ajudarem.

214. O que pensar das histórias de crianças gêmeas que lutam no ventre materno?

Essas histórias não passam de lendas! Servem para dar ideia de que o ódio entre os gêmeos era muito antigo e que se manifesta antes mesmo do seu nascimento. Geralmente os homens não compreendem o significado das imagens poéticas.

Observação

Toda criança se movimenta no ventre materno. No caso dos gêmeos, temos a impressão de que estão lutando, o que certamente não passa de impressão!

215. De onde vêm as diferenças que se observam entre os povos?

Os Espíritos também têm famílias, que são formadas pelas semelhanças de suas tendências, mais ou menos purificadas segundo o grau de elevação que já alcançaram.

Um povo é uma grande família na qual se reúnem Espíritos que possuem afinidades entre si. A semelhança que existe na característica de cada povo, origina-se na tendência que os membros dessas famílias têm para se unir.

Será que os homens julgam que Espíritos bons e caridosos procuram um povo rude e grosseiro para reencarnar? Não; os Espíritos simpatizam com os povos, assim como simpatizam com os indivíduos. É nessas coletividades que eles sentem que estão em seu ambiente.

Observação

Espíritos bons e caridosos, quando reencarnam entre povos rudes e grosseiros, o fazem para cumprir uma missão; normalmente essa missão é a de ajudar esses povos a progredir.

216. Em suas novas existências, o homem conserva os traços do caráter moral de suas existências anteriores?

Sim, isso pode acontecer; mas ao se melhorar, ele se modifica. Pode ocorrer também que a sua posição social não seja a mesma. Se de senhor ele passar a escravo, seus gostos serão diferentes e dificilmente poderíamos reconhecê-lo.

Sendo o Espírito sempre o mesmo nas diversas encarnações, suas manifestações podem ter uma ou outra semelhança com as das existências anteriores, ainda que modificadas pelos hábitos de sua nova posição, até que um aperfeiçoamento notável lhe venha mudar completamente o caráter. Assim, de orgulhoso e mau, pode tornar-se humilde e bondoso, desde que tenha se arrependido.

217. Nas suas diferentes encarnações, o homem conserva os traços físicos de suas existências anteriores?

O corpo da encarnação atual não tem nenhuma relação com o corpo da encarnação anterior, que já foi totalmente consumido. Entretanto, o Espírito se reflete no corpo.

Embora o corpo físico seja apenas matéria, ele é modelado pelas qualidades do Espírito que lhe imprime certas características, principalmente no rosto. É por isso que se diz que os olhos são o espelho da alma, ou melhor, o semblante do indivíduo lhe reflete de modo particular a alma.

Existem pessoas feias que possuem alguma coisa que agrada; trata-se de um Espírito bom, sensato e humanitário, animando um corpo feio. Por outro lado, existem pessoas belíssimas que nada despertam e às vezes até provocam um sentimento de repulsa.

É comum pensar que apenas os corpos muito bonitos são destinados aos Espíritos mais adiantados; entretanto, é possível encontrar, todos os dias, homens de bem sem nenhuma beleza exterior e algumas vezes até disformes. Existem aqueles que, mesmo não se parecendo com ninguém, passam aos demais "um ar familiar", apenas por possuírem gostos e tendências semelhantes aos que os rodeiam.

Comentário de Kardec: *O corpo que o Espírito utiliza em uma nova encarnação não tem nenhuma relação com o corpo da encarnação anterior, uma vez que o corpo novo pode ter tido uma procedência muito diversa do antigo. Entretanto, seria um absurdo supor-se que, numa sucessão de existências, não pudesse haver uma eventual semelhança entre uma encarnação e outra.*

Frequentemente, as qualidades do Espírito modificam os órgãos que servem para suas manifestações, imprimindo na fisionomia e, até mesmo no conjunto das maneiras, um jeito próprio. É assim que, num corpo mais humilde, pode-se encontrar a expressão da grandeza e da dignidade, enquanto que sob a figura de um grande senhor esconde-se por vezes a expressão da baixeza e da desonra.

Algumas pessoas, saindo de posições inferiores, adquirem sem muitos esforços os hábitos e as maneiras da alta sociedade, parecendo reencontrar nesse meio o seu ambiente. Outras, entretanto, apesar de já terem nascido e se educado nesse meio, parecem estar sempre deslocadas. Como explicar isso senão pelo reflexo daquilo que o Espírito foi antes?

IDEIAS INATAS

Observação
Ideias inatas: Ideias que já nascem com o indivíduo.

218. O Espírito encarnado conserva algum vestígio dos conhecimentos que adquiriu em suas existências anteriores?

Ele possui uma vaga lembrança; é essa lembrança que chamamos de "ideias inatas".

218a. Sendo assim, a teoria das ideias inatas não é uma fantasia?

Não; os conhecimentos adquiridos em existências anteriores não se perdem. O Espírito, quando se liberta do corpo físico, sempre os recorda. Durante a encarnação, ele pode esquecê-los em parte, momentaneamente, mas a intuição que deles guarda ajuda-o em seu adiantamento. Se não fosse assim, o Espírito estaria sempre recomeçando.

A cada nova existência, o Espírito tem como ponto de partida aquele em que se encontrava na existência anterior.

218b. Então deve existir uma grande ligação entre duas existências consecutivas?

Essa ligação nem sempre é tão grande quanto os homens imaginam, porque, em geral, as posições que o Espírito ocupa são muito diferentes, sem contar que no intervalo entre uma encarnação e outra ele pode ter progredido bastante (ver pergunta nº 216).

219. Qual é a origem das faculdades extraordinárias daqueles que, mesmo sem estudo prévio, parecem ter a intuição de certos conhecimentos, como as línguas, o cálculo, etc.?

Lembrança do passado; progresso anterior realizado pelo Espírito, mas de que ele mesmo não tem consciência. Se não fosse assim, de onde viriam esses conhecimentos? O corpo muda, mas o Espírito não, embora troque de roupa, ou melhor, de corpo físico, a cada encarnação.

220. Ao mudar de corpo, o Espírito pode perder algumas faculdades intelectuais, como o gosto pelas artes, por exemplo?

Sim, principalmente se fez mau uso de sua inteligência. Além disso, uma faculdade qualquer pode ficar adormecida durante uma existência inteira, porque o Espírito reencarnou para desenvolver outra que não tem relação com aquela. É por isso que a faculdade já adquirida em outras existências permanece em estado latente, para ressurgir mais tarde.

Observação

Todo o progresso realizado pelo Espírito lhe pertence e ele jamais o perde, pois precisará de todos os conhecimentos, tanto intelectual quanto moral, completamente desenvolvidos para alcançar o estado de Espírito puro. Assim, as inúmeras encarnações tornam-se necessárias, porque em cada uma delas o Espírito progride em alguma coisa, mesmo que esse progresso seja muito pequeno.

221. O sentimento instintivo da existência de Deus e o pressentimento da vida futura devem ser atribuídos a uma lembrança que o homem traz desde quando ainda era selvagem?

É uma lembrança que ele conserva do que sabia como Espírito, antes de encarnar; mas o orgulho, muitas vezes, não permite que esse sentimento se manifeste.

221a. Certas crenças relativas à Doutrina Espírita e que se encontram em todos os povos, também podem ser creditadas ao sentimento instintivo da existência de Deus e ao pressentimento da vida futura?

A Doutrina Espírita é tão antiga quanto o mundo. Eis porque a encontramos em toda parte, o que constitui uma prova de que ela é verdadeira. O Espírito encarnado conserva a intuição de quando era Espírito desencarnado; por isso possui, instintivamente, a consciência da existência do Mundo Invisível. Entretanto, o preconceito, a ignorância e a superstição muitas vezes não permitem que essa consciência se manifeste.

CAPÍTULO 5

CONSIDERAÇÕES SOBRE AS VÁRIAS EXISTÊNCIAS DO ESPÍRITO

222. O DOGMA DA REENCARNAÇÃO

Algumas pessoas afirmam que o dogma da reencarnação não é novo e que foi buscado na Doutrina de **Pitágoras**.

Nunca dissemos que a Doutrina Espírita fosse uma invenção moderna. Por ser uma Lei da Natureza, o Espiritismo, assim como os fatos espíritas, devem existir desde a origem dos tempos. Sempre nos esforçamos para demonstrar que se encontram sinais do conhecimento espiritual desde a mais remota Antiguidade.

Pitágoras, como se sabe, não foi o autor da teoria da **metempsicose**; ele a encontrou entre os filósofos indianos e egípcios que a conheciam desde tempos muito antigos.

Portanto, a ideia da "transmigração das almas" era uma crença comum e aceita pelos homens mais eminentes. Não sabemos de que modo essa crença chegou até eles, se foi por revelação ou por intuição. Mas, seja como for, uma ideia não atravessa os tempos e não é aceita por inteligências mais adiantadas se não tiver algo de sério.

Assim, a antiguidade da doutrina da transmigração das almas seria mais uma prova a favor da reencarnação do que uma objeção. Entretanto, entre a metempsicose dos Antigos e a moderna Doutrina da Reencarnação existe uma diferença muito grande: a de que os Espíritos rejeitam de maneira absoluta, a transmigração da alma do homem para a dos animais e vice-versa.

Observações

Pitágoras: Filósofo e Matemático Grego que viveu entre 500 e 600 a.C.

Metempsicose ou **Transmigração das almas:** Doutrina segundo a qual o mesmo Espírito pode reencarnar em corpos humanos, de animais e até em vegetais.

AS VÁRIAS EXISTÊNCIAS VIVIDAS PELO ESPÍRITO

Os Espíritos, ao ensinarem o dogma das várias existências em corpo físico, relembram uma doutrina que nasceu nas primeiras épocas do mundo e que se conservou no íntimo de muitas pessoas até os nossos dias.

Eles apenas apresentam a reencarnação de uma forma mais racional, mais de acordo com as Leis progressivas da Natureza e mais em harmonia com a sabedoria do Criador, livrando-a de todos os acessórios da superstição.

Uma circunstância digna de nota é que não foi apenas neste Livro que os Espíritos ensinaram a reencarnação nesses últimos tempos. Antes da publicação de "O Livro dos Espíritos", numerosas comunicações semelhantes foram obtidas em diversos países, e depois se multiplicaram de forma extraordinária.

Talvez fosse o caso de se examinar por que nem todos os Espíritos parecem estar de acordo sobre esta questão. É o que faremos mais adiante.

Vamos examinar a questão sob outro ponto de vista, deixando de lado, por enquanto, a intervenção dos Espíritos. Imaginemos que a teoria das várias existências nada tenha a ver com eles e que jamais se tenha cogitado a existência de Espíritos.

Coloquemo-nos, momentaneamente, numa posição neutra, admitindo o mesmo grau de probabilidade para a "Teoria das várias Existências vividas pelo Espírito em corpo físico" e para a "Teoria da Existência Única". Vejamos para que lado nos levam a razão e o nosso próprio interesse.

REENCARNAÇÃO

Muitos rejeitam a ideia da reencarnação pelo único motivo de que ela não lhes convém, dizendo ser suficiente apenas uma existência e que não gostariam de recomeçar outra semelhante. Algumas ficam furiosas pela simples ideia de terem que voltar à Terra. Será que essas pessoas pensam que Deus deveria ter solicitado sua opinião ou consultado seus gostos para reger o Universo?

Ora, das duas, uma: ou a reencarnação existe ou não existe; se existe, é inútil opor-se a ela, pois terão que enfrentá-la sem que Deus lhes peça permissão para isso. Essas pessoas se parecem com um doente que diz: "sofri bastante por hoje, não quero mais sofrer amanhã". Mas, qualquer que seja a sua contrariedade, não sofrerá menos amanhã e nos dias seguintes, até que esteja curado.

Portanto, essas pessoas reencarnarão mesmo contra a sua vontade; perderão tempo protestando, assim como a criança que não quer ir à escola ou o condenado que não quer ir para a prisão. Será preciso que eles passem por isso.

Objeções dessa natureza são muito ingênuas para merecerem um exame mais sério. Diremos a essas pessoas que fiquem tranquilas, pois o que a Doutrina Espírita ensina sobre a reencarnação não é tão terrível quanto lhes parece.

Se a tivessem estudado a fundo, não estariam assim tão assustadas; saberiam que a condição dessa nova existência só depende delas; que serão felizes ou infelizes de acordo com o que tiverem feito aqui na Terra e que podem, a partir dessa vida, se elevar tão alto que não precisarão temer novas quedas morais.

O NADA COMO PERSPECTIVA

Supomos estar falando para pessoas que acreditam num futuro qualquer depois da morte, e não para aquelas que só têm o "nada" como perspectiva ou para aquelas que desejam que sua alma seja absorvida por um Todo Universal, perdendo, assim, sua individualidade, como as gotas de chuva que caem no oceano.

Portanto, mesmo acreditando em um futuro qualquer, não se pode imaginar que ele seja igual para todos, pois, nesse caso, qual seria a utilidade do bem? Por que se reprimir? Por que não satisfazer todas as paixões, todos os desejos, mesmo à custa dos outros, uma vez que por esse comportamento não se ficaria sendo nem melhor nem pior?

O homem que acredita viver "apenas uma existência" na Terra, não vincula sua felicidade futura ao que fez durante essa existência? Não desejará que seu futuro, após a morte, seja o melhor possível, visto que vai durar pela eternidade?

Sendo assim, quem teria a pretensão de ser um dos homens mais perfeitos que já existiu na Terra e por conta disso alcançar de imediato à suprema felicidade reservada aos eleitos? É preciso aceitar que existam homens com mais valor que outros, e que por isso têm direito a um lugar melhor, sem que isso signifique a condenação de ninguém.

Imaginemo-nos, por um instante, numa situação intermediária, ou seja, nem sendo o melhor dos homens e nem o pior, e que alguém venha nos dizer: os homens sofrem; não são tão felizes quanto poderiam ser, e à frente deles estão seres que desfrutam de uma grande felicidade.

Será que os homens não gostariam de mudar sua posição com a desses seres?" Certamente, eles responderiam; mas o que é preciso fazer? – Quase nada: recomeçar o que foi feito de errado e procurar fazer melhor. Será que eles hesitariam em aceitar essa proposta, mesmo tendo que passar por muitas existências de provações?

Façamos uma comparação mais simples. Se disséssemos a um homem que sofre grandes privações em função de seus recursos, mesmo não sendo ele o último dos miseráveis: temos ali uma fortuna da qual poderá desfrutar se trabalhar arduamente por um minuto.

Mesmo o mais preguiçoso da Terra diria sem hesitar: trabalharei um minuto, dois, uma hora ou um dia se for preciso; que me importa isso se vou acabar minha vida na abundância? Assim, o que é a duração da vida em corpo físico perante a eternidade? Menos que um minuto, menos que um segundo.

SOFRIMENTOS ETERNOS

Algumas vezes temos nos deparado com o seguinte raciocínio: Deus, que é soberanamente bom, não pode impor ao homem recomeçar uma outra existência repleta de misérias e dificuldades.

Por acaso essas pessoas consideram que Deus é mais justo e bom quando condena alguém ao sofrimento eterno, apenas porque cometeu um erro, do que quando lhes dá os meios de reparar suas faltas através das sucessivas encarnações?

Dois industriais tinham, cada qual, um operário que podia aspirar a se tornar sócio do respectivo patrão. Aconteceu que esses dois operários, certa vez, empregaram muito mal o seu dia de trabalho e mereceram ser despedidos.

Um dos patrões despediu o seu empregado, apesar de suas súplicas, e este, não tendo mais encontrado trabalho, morreu na miséria. O outro disse ao seu operário: "você perdeu um dia de serviço, me deve uma compensação; fez mal o trabalho e me deve uma reparação; procura executar bem o serviço e eu o conservarei; assim, poderá aspirar à posição superior que prometi". Será necessário perguntar qual dos dois patrões foi o mais humano? Deus, que é a própria *clemência*, seria mais insensível do que o homem?

É doloroso pensar que o nosso destino possa estar fixado para sempre, sem apelação, por causa de alguns anos de provação na Terra, principalmente quando não dependeu de nós alcançar a perfeição.

Por outro lado, a ideia contrária é eminentemente consoladora, pois não nos retira a esperança. Assim, sem ficarmos a favor ou contra a Teoria das Várias Existências, diremos que: se fosse dado aos homens o direito de escolher, certamente não encontraríamos aquele que preferisse um julgamento sem apelação.

Um **Filósofo** disse que se Deus não existisse, seria preciso inventá-lo, para a felicidade dos seres humanos. O mesmo se pode dizer das várias existências vividas pelo Espírito em corpo físico. Mas, conforme já dissemos anteriormente, Deus não nos pede permissão, nem consulta a nossa vontade: as coisas são ou não são.

Observações

Clemência: Virtude que modera o rigor da justiça, perdoando ofensas e minorando os castigos.

O **Filósofo** citado por Kardec é François Marie Arouet, mais conhecido como **Voltaire** (1694 – 1778). Foi Escritor, Ensaísta, Historiador e Filósofo Iluminista Francês.

ANÁLISE DA EXISTÊNCIA ÚNICA EM CORPO FÍSICO

Consideremos o assunto sob outro ponto de vista, deixando de lado o ensinamento dos Espíritos e levando em conta unicamente o aspecto filosófico da questão.

Se a reencarnação não existe, o homem possui apenas uma existência em corpo físico, isso é evidente. Se ele possui somente uma existência, a alma de cada homem seria criada por ocasião do seu nascimento, a menos que se admita a anterioridade da alma. Mas, nesse caso, o que era a alma antes do nascimento? Seu estado não poderia constituir, por si só, uma existência sob uma forma qualquer? Aqui não existe meio-termo possível: ou a alma existia antes do corpo ou não existia.

Se ela existia, qual era a sua situação? Tinha ou não consciência de si mesma? Se não tinha, é como se não existisse. Mas, se tinha individualidade, ela estaria progredindo ou estaria estacionária? Em ambos os casos, qual era a situação da alma ao encontrar-se com o corpo?

Aceitando a crença popular de que a alma nasce com o corpo físico, ou, o que vem a ser o mesmo, que antes de encarnar ela possuía apenas qualidades negativas, perguntamos:

1. Por que a alma revela aptidões tão diversas e independentes das ideias adquiridas com a educação?

2. De onde vem a aptidão extranormal que certas crianças de tenra idade possuem para determinada Arte ou Ciência, enquanto outras permanecem inferiores ou medíocres durante a vida inteira?

3. Por que somente alguns possuem ideias inatas ou intuitivas?

4. Por que certas crianças possuem instintos precoces para os vícios ou para as virtudes; sentimentos inatos de dignidade ou de baixeza, que não combinam com o meio onde nasceram?

5. Por que certos homens, independentemente da educação, são mais avançados que outros?

6. Por que existem selvagens e homens civilizados? Por que será que, se pegarmos uma criança **hotentote** recém-nascida, retirada de uma raça primitiva, e a educarmos nas melhores escolas, não será possível fazer dela um **Laplace** ou um **Newton**?

Observações

Hotentote: Raça negra primitiva da África Meridional.

Laplace: Pierre Simon Laplace - Astrônomo, Físico e Matemático Francês (1749 – 1827).

Newton: Isaac Newton – Cientista Inglês, responsável pela Lei Fundamental da Dinâmica e pela Lei da Gravitação Universal, entre outras. (1642 – 1727).

AS ALMAS NÃO SÃO IGUAIS AO REENCARNAR

Perguntamos: qual é a Filosofia ou a Teosofia capaz de resolver estes problemas? Ou as almas são iguais ao nascer ou são desiguais, quanto a isso não possuímos a menor dúvida. Se elas são iguais, por que suas aptidões são tão diferentes? Dirão que isso depende do organismo. Mas, se for assim, estaríamos diante da mais monstruosa e imoral das doutrinas: o homem seria apenas uma máquina; um joguete da matéria e não teria mais a responsabilidade por seus atos, uma vez que poderia atribuir tudo às suas imperfeições físicas.

Se as almas são desiguais, é porque Deus as criou assim. Nesse caso, por que essa superioridade de nascença concedida a algumas? Será que essa parcialidade, esse favorecimento, combina com o amor e com a justiça que Deus dedica de maneira igual a todas as criaturas?

Admitamos, ao contrário, que as almas já viveram várias existências anteriores e tudo ficará claramente explicado. Os homens trazem, ao nascer, à intuição do que aprenderam em vidas anteriores; são mais ou menos adiantados de acordo com o número de existências que tiveram ou conforme estejam mais ou menos distantes do ponto de partida.

Podemos comparar essa afirmação com uma reunião onde se encontram homens de todas as idades, onde cada um terá um desenvolvimento proporcional ao número de anos que já viveu. As existências sucessivas serão, para vida da alma, o que os anos são para a vida do corpo.

Vamos dar outro exemplo: imaginemos mil indivíduos reunidos, com idades entre um e oitenta anos, e que sobre eles fosse jogado um véu para esconder os anos que já viveram. Aquele que chegasse após o véu ter sido levantado poderia pensar que todos nasceram no mesmo dia, e então perguntaria: por que uns são grandes e outros, pequenos? Por que uns são velhos e outros, jovens? Uns, instruídos; outros, ainda ignorantes?

Porém, se a nuvem que lhes encobre o passado for removida, e se ele compreender que uns já viveram mais que outros, tudo estará explicado. Deus, em Sua infinita Justiça, não pode ter criado algumas almas mais perfeitas que outras; entretanto, com as várias existências vividas pelo Espírito, as desigualdades que existem na vida estão de acordo com a mais rigorosa justiça.

O homem consegue ver apenas o presente; não consegue ver o passado, e é apenas por isso que não compreende o porquê de tantas desigualdades sobre a Terra.

Esse raciocínio baseia-se em algum sistema, em alguma suposição gratuita? Não. O raciocínio das vidas sucessivas parte de um fato incontestável: a desigualdade entre as aptidões e o desenvolvimento intelectual e moral que existe entre as criaturas.

Verificamos que esse fato não pôde ser explicado por nenhuma das teorias até então existentes, enquanto que a teoria das vidas sucessivas explica essas diferenças de maneira simples, natural e lógica. Será que é racional ficar com as teorias que não explicam ao invés daquela que explica?

Em relação à pergunta número seis: "Por que existem selvagens e homens civilizados?", sem dúvida se dirá que o *hotentote* pertence a uma raça inferior. Então perguntamos: esse hotentote é um homem ou não? Se for um homem, por que Deus o fez tão diferente da raça branca? Se não for um homem, por que tentar fazer dele um cristão?

A Doutrina Espírita é mais abrangente do que tudo isso; para ela, não existem diversas espécies de homens, existem apenas homens cujos Espíritos estão mais ou menos atrasados, mas todos sujeitos a progredir. Será que esse princípio não está mais de acordo com a Justiça de Deus?

ANÁLISE DA ALMA QUANTO AO SEU FUTURO

Acabamos de examinar as condições da alma quanto ao seu passado e ao seu presente. Se a examinarmos quanto ao seu futuro, encontraremos as mesmas dificuldades, senão vejamos:

1. Se a existência atual é única e é a que vai decidir nossa sorte futura, qual será, então, a posição do selvagem e a do homem civilizado na vida futura? Estarão no mesmo nível ou estarão distanciados no que se refere à felicidade eterna a que todos têm direito?

2. O homem que trabalhou durante toda sua vida para se melhorar estará na mesma posição daquele que permaneceu estagnado? E se ele permaneceu estagnado, não por culpa sua, mas porque não teve tempo nem oportunidades para se melhorar?

3. O homem que praticou o mal, por não ter podido se instruir, será culpado por um estado de coisas que não dependeu dele?

4. Trabalha-se continuamente para esclarecer, moralizar e civilizar os homens. Mas, a cada homem que se esclarece, existem milhões de outros que morrem todos os dias sem ter recebido o esclarecimento. Qual será o destino deles? Serão tratados como condenados? Se não forem, o que fizeram para merecer estar na mesma posição que os esclarecidos?

5. Qual será o destino das crianças que morrem em tenra idade e não puderam fazer o bem nem o mal? Se estiverem entre os eleitos, por que este favor, se não fizeram nada para merecê-lo? Que privilégio as livrou das dificuldades da vida?

Será que existe alguma doutrina capaz de esclarecer essas questões?

Se a tese das existências sucessivas for aceita, tudo estará explicado de acordo com a Justiça de Deus. O que não puder ser feito em uma existência, será feito em outra e, sendo assim, ninguém escapa à Lei do Progresso.

Cada um será recompensado segundo o seu real merecimento, e ninguém fica excluído da felicidade suprema a que todos aspiram, sejam quais forem os obstáculos que encontrem no caminho.

AS CONTRADIÇÕES DA IGREJA

Essas questões poderiam se multiplicar ao infinito, porque são inúmeros os problemas psicológicos e morais que só encontram solução na tese das existências sucessivas. Descrevemos, aqui, apenas as questões mais comuns.

Os opositores poderão dizer que a Doutrina da Reencarnação não é admitida pela Igreja Romana; que ela seria uma subversão da religião. Não é nosso objetivo tratar dessa questão no momento. Já é suficiente ter demonstrado que a Doutrina da Reencarnação é eminentemente moral e racional.

Ora, o que é moral e racional não pode ser contrário a uma religião que proclama ser Deus a bondade e a razão por excelência. O que seria de uma religião que se colocasse contra a opinião universal e a comprovação da Ciência, expulsando do seu convívio aqueles que não acreditassem no movimento do Sol ou nos seis dias da criação?

Que crédito mereceria e que autoridade teria, entre os povos mais esclarecidos, uma religião fundada em erros evidentes e que os impusesse como **artigos de fé** a seus seguidores? Quando o movimento da Terra em relação ao sol foi comprovado, a Igreja sabiamente se colocou ao lado da comprovação.

Se está provado que determinados fatos só podem ser explicados pela reencarnação, e que alguns dogmas da Igreja também só podem ser explicados pela reencarnação, é preciso reconhecer que a discordância entre a Doutrina da Reencarnação e esses dogmas é apenas aparente.

Mais adiante mostraremos que a religião talvez esteja menos afastada da "tese das vidas sucessivas" do que se pensa. Se ela admitisse essa tese, não sofreria mais danos do que já sofreu com as descobertas do movimento da Terra e dos períodos geológicos, que a princípio pareciam desmentir os textos bíblicos. Aliás, o princípio da reencarnação está ressaltado em muitas passagens das Escrituras e encontra-se especialmente formulado, de maneira explícita, no Evangelho:

Observações
Artigos de fé: Verdades nas quais é preciso se acreditar, mesmo que elas firam a razão.

ELIAS E JOÃO BATISTA

Quando desciam da montanha, após a **transfiguração**, Jesus recomendou a Seus discípulos: "Não falem a ninguém o que acabaram de ver, até que Eu ressuscite dentre os mortos". Então, Seus discípulos o interrogaram, dizendo: "Por que os Escribas dizem que Elias veio primeiro?" E Jesus, esclarecendo, respondeu: "É certo que Elias voltará e restabelecerá todas as coisas. Mas, na verdade Eu digo a vocês que Elias já veio (reencarnado como João Batista), e os Escribas não o reconheceram e fizeram com ele tudo quanto quiseram. É assim, também, que Eu vou padecer em suas mãos". Os discípulos compreenderam, então, que Jesus estava falando de João Batista (Mateus, cap. 17:9 a 13).

Se João Batista era Elias, então houve a reencarnação do Espírito de Elias no corpo de João Batista.

Observações
Transfiguração: Jesus subiu ao monte Tabor acompanhado de Pedro, Tiago e João. Quando iniciou sua oração, os discípulos ficaram com sono e adormeceram. Ao acordarem, perceberam que Jesus havia se transfigurado: Seu rosto brilhava como o sol e Suas vestes ficaram brancas como a luz. Ele apareceu aos discípulos conversando com Moisés e com o Profeta Elias.

IMORTALIDADE DA ALMA

Enfim, seja qual for a opinião que se tenha, contra ou a favor da reencarnação, todos irão passar por ela, desde que ela exista, apesar da crença em contrário. O ponto essencial é que o ensinamento dos Espíritos é eminentemente cristão, pois ele se apoia na imortalidade da alma; nas penas e recompensas futuras; na Justiça de Deus; no livre-arbítrio do homem; na moral do Cristo e, portanto, o Espiritismo não pode ser considerado antirreligioso.

TEORIA DAS EXISTÊNCIAS SUCESSIVAS DO ESPÍRITO

Conforme já declaramos, até agora não levamos em conta o ensinamento dos Espíritos, que, para algumas pessoas, não têm autoridade. Se nós e tantos outros adotamos a ideia das existências sucessivas da alma, não é apenas porque ela veio dos Espíritos, mas porque essa Doutrina nos pareceu a mais lógica e porque somente ela resolve questões até então insolúveis.

Se ela tivesse vindo de um homem, e não dos Espíritos, não teríamos problema algum em adotá-la e não hesitaríamos um segundo em renunciar às nossas próprias ideias.

No momento em que um erro é demonstrado, nosso amor próprio tem muito mais a perder do que a ganhar se continuarmos teimando em manter a ideia falsa. Da mesma maneira, teríamos rejeitado a ideia das existências sucessivas da alma, mesmo vinda dos Espíritos, se nos parecesse contrária à razão, assim como já rejeitamos tantas outras.

Sabemos, por experiência, que não devemos aceitar cegamente tudo o que vem dos Espíritos, assim como também não devemos aceitar tudo o que vem da parte dos homens.

A nosso ver, o princípio que melhor recomenda a reencarnação é o fato de ela ser, antes de tudo, essencialmente lógica. A reencarnação ainda pode ser confirmada pelos fatos: fatos positivos e materiais que um estudo atento e criterioso pode revelar a qualquer um que se dê ao trabalho de observá-los com paciência e perseverança, e diante dos quais a dúvida não é mais possível.

Quando a reencarnação se popularizar, assim como se popularizaram a formação e o movimento da Terra, será necessário que todos se rendam às evidências; seus opositores terão gasto em vão os argumentos contrários e serão constrangidos a desdizer-se.

Reconheçamos, em resumo, que a doutrina das existências sucessivas é a única que explica aquilo que, sem ela, é inexplicável; que é eminentemente consoladora e está em harmonia com a mais rigorosa justiça; que representa, para o homem, a âncora de salvação que Deus, na Sua misericórdia, lhe concedeu.

O EVANGELHO DO APÓSTOLO JOÃO

As próprias palavras de Jesus não deixam dúvida a esse respeito; eis o que diz o Evangelho do Apóstolo João, capítulo 3, versículos 3 a 7.

3. Jesus, respondendo a Nicodemos, disse: "Em verdade, Eu digo que, se um homem não nascer de novo, não poderá ver o Reino de Deus".

4. Nicodemos então perguntou a Jesus: "Como pode nascer um homem que já está velho? Como este homem pode entrar no ventre de sua mãe para nascer uma segunda vez?"

5. Jesus respondeu: "Em verdade, Eu digo que, se um homem não renascer da água e do Espírito, não pode entrar no Reino de Deus. O que nasceu da carne é carne, o que nasceu do Espírito é Espírito. Não há porque se admirar que Eu diga que é preciso nascer de novo." (ver pergunta nº 1010 – Ressurreição da carne).

CAPÍTULO 6

A VIDA NO MUNDO ESPIRITUAL

- Espíritos Errantes
- Mundos Transitórios
- Percepções, Sensações e Sofrimentos dos Espírtos
- Ensaio Teórico Sobre a Sensação dos Espíritos
- Escolha das Provas
- Relacionamento Entre os Espíritos Após a Morte
- Relações de Simpatia e de Antipatia Entre os Espíritos – Metades Eternas
- Lembrança da Existência no Corpo Físico
- Comemoração do Dia dos Mortos – Funerais

ESPÍRITOS ERRANTES

Observações

Erraticidade: É o período que o Espírito permanece no Mundo Espiritual; é o intervalo entre uma encarnação e outra.

Errante: É o nome dado ao Espírito que, depois de deixar a Terra, retorna ao Mundo Espiritual e lá aguarda por uma nova encarnação. Os Espíritos evoluídos, que não precisam mais reencarnar na Terra, não são considerados Espíritos errantes (ver pergunta nº226).

223. O Espírito reencarna logo após deixar o corpo físico?

Algumas vezes reencarna imediatamente; mas, o mais frequente é a reencarnação após intervalos mais ou menos longos. Nos Mundos Superiores, a reencarnação é quase sempre imediata. Nesses mundos, onde a matéria do corpo físico é menos grosseira, o Espírito, mesmo estando encarnado, desfruta de quase todas as faculdades que possui um Espírito desencarnado. Seu estado normal é o mesmo que o de um sonâmbulo lúcido.

224. No que o Espírito se torna no intervalo das encarnações?

Torna-se um Espírito errante que aguarda nova oportunidade para reencarnar.

224a. Qual o intervalo de tempo entre uma encarnação e outra?

O intervalo de tempo pode ser de algumas horas até alguns milhares de séculos. Não existe um limite pré-fixado para o estado de erraticidade, que pode prolongar-se por muito tempo, mas que nunca será eterno. Cedo ou tarde, o Espírito sempre encontra a oportunidade de recomeçar uma nova existência para se aperfeiçoar em relação às existências anteriores.

224b. Esse tempo de permanência no Mundo Espiritual está subordinado à vontade do Espírito ou pode lhe ser imposto como expiação?

O tempo de permanência do Espírito no Mundo Espiritual é uma consequência do seu livre-arbítrio, porque os Espíritos sabem perfeitamente o que fazem. Para alguns, um período prolongado no Mundo Espiritual é uma punição imposta por Deus. Outros solicitam que esse tempo se prolongue para realizarem estudos que somente podem ser feitos, com proveito, quando o Espírito está desencarnado (ver perguntas nº 258, 615, 963 e seguintes).

225. A erraticidade é um sinal de inferioridade dos Espíritos?

Não, porque existem Espíritos de todos os graus no Mundo Espiritual. Já dissemos que a encarnação é um estado transitório. O estado normal do Espírito é quando ele está desencarnado, livre do corpo físico.

226. Pode-se entender que todos os Espíritos que estão desencarnados são errantes?

Não, são errantes aqueles que ainda precisam reencarnar. Os Espíritos puros, que já atingiram a perfeição, não são errantes, seu estado é definitivo.

Comentário de Kardec: Os Espíritos pertencem a diferentes graus, de acordo com suas qualidades. À medida que desenvolvem essas qualidades, eles vão se purificando. Assim, podemos classificá-los em:

Espíritos encarnados: São aqueles que possuem um corpo físico.

Espíritos errantes: pertencem a esse grupo aqueles que já abandonaram o corpo físico e vivem no Mundo Espiritual, enquanto aguardam uma nova encarnação para continuarem o seu aperfeiçoamento.

Espíritos puros ou perfeitos: São aqueles que não precisam mais reencarnar.

227. Como os Espíritos errantes se instruem no Mundo Espiritual? Será da mesma maneira que nós?

Eles estudam o seu passado e procuram meios de se elevar. Observam o que ocorre nos lugares por onde passam; ouvem as palestras e conferências dos homens mais esclarecidos e os conselhos dos Espíritos mais elevados que eles. Participando de todas essas atividades eles adquirem conhecimentos e são inspirados por ideias que não tinham antes.

228. Os Espíritos conservam algumas de suas paixões humanas?

Os Espíritos elevados, ao desencarnarem, libertam-se das paixões inferiores e ficam somente com as boas. Já os Espíritos inferiores as conservam, pois de outro modo seriam Espíritos elevados.

229. Por que os Espíritos, ao deixarem a Terra, não abandonam suas más paixões, uma vez que reconhecem nelas os seus inconvenientes?

No mundo existem pessoas excessivamente invejosas. Será que os homens acreditam que elas deixam de ser invejosas, apenas porque desencarnaram? Após a partida da Terra, principalmente para aqueles que tiveram paixões muito intensas, resta uma espécie de atmosfera que os acompanha, que os envolve, fazendo com que se conservem todas essas coisas más, pois o Espírito ainda não está inteiramente desligado delas. Apenas por alguns momentos ele entrevê a verdade, como que para lhe mostrar o bom caminho.

230. O Espírito progride no Mundo Espiritual?

Pode melhorar-se muito, sempre de acordo com a sua vontade e o seu desejo de progredir. Mas é na existência em corpo físico que ele põe em prática as novas ideias que adquiriu.

231. Os Espíritos desencarnados são felizes ou infelizes?

São felizes ou infelizes sempre de acordo com o seu mérito. Os infelizes sofrem com as paixões das quais ainda conservam a essência; aqueles que já alcançaram um grau maior de desmaterialização são mais felizes.

No intervalo entre uma encarnação e outra, o Espírito percebe o que lhe falta para ser mais feliz, e então procura os meios para alcançar essa felicidade. Entretanto, nem sempre lhe é permitido reencarnar onde deseja, o que para ele é uma espécie de punição.

232. No estado de erraticidade, os Espíritos podem ir a todos os mundos?

Depende. Pelo simples fato de ter deixado o corpo físico, o Espírito ainda não se acha completamente desligado da matéria; permanece vinculado ao mundo onde viveu, ou a outro semelhante, a menos que durante a sua vida tenha se elevado muito. Aliás, a elevação deve ser sempre o objetivo a ser atingido, do contrário, o Espírito jamais se aperfeiçoará.

Entretanto, ele pode ir a alguns Mundos Superiores, mas sempre na qualidade de estrangeiro. Na verdade, ele consegue apenas entrever esses mundos, o que já lhe desperta o desejo de se melhorar para ser digno da felicidade que ali se desfruta e poder habitá-los mais tarde.

233. Os Espíritos já purificados vão aos mundos inferiores?

Sim; muitas vezes vão com a finalidade de ajudar os seus habitantes a progredir. Se não fosse assim, esses mundos estariam entregues a si mesmos, sem guias para dirigi-los.

MUNDOS TRANSITÓRIOS

234. Existem, como já foi dito, mundos que servem de estações ou locais de repouso para os Espíritos que estão na erraticidade?

Sim, existem. São mundos particularmente destinados aos Espíritos que estão na erraticidade, nos quais eles podem habitar temporariamente. São espécies de acampamentos ao ar livre, campos para repousar de uma erraticidade muito longa, condição esta sempre um tanto angustiante.

São posições intermediárias entre outros mundos e que estão em sintonia com a natureza dos Espíritos que lá podem permanecer. Nesses mundos transitórios, eles desfrutam de um maior ou menor bem-estar.

234a. Os Espíritos que habitam os mundos transitórios podem deixá-los quando quiserem?

Sim, eles podem deixar esses mundos para seguir o seu destino. Podemos imaginá-los como aves que pousam numa ilha para recuperar suas forças e depois seguir adiante.

235. Os Espíritos progridem durante sua estada nos mundos transitórios?

Certamente. Os que se reúnem nesses mundos o fazem com o objetivo de se instruírem. Querem obter mais facilmente a permissão para alcançar lugares melhores e chegar à posição que os eleitos já alcançaram.

236. Pela sua natureza especial, os mundos transitórios se conservam perpetuamente destinados aos Espíritos errantes?

Não; a posição deles é apenas temporária.

236a. Os mundos transitórios também são habitados por seres que possuem corpo físico?

Não; sua superfície é estéril, improdutiva. Aqueles que o habitam não precisam de nada.

236b. Essa improdutividade nos mundos transitórios é permanente ou resulta de sua natureza especial?

Não; sua improdutividade é apenas transitória.

236c. Os mundos transitórios são desprovidos de belezas naturais?

A Natureza desses mundos reflete as belezas da imensidade, que são tão admiráveis quanto às belezas naturais.

236d. Visto que o estado desses mundos é transitório, a Terra, um dia, estará entre eles?

Já esteve.

236e. Em que época?

Durante a sua formação.

Comentário de Kardec: Nada é inútil na Natureza; tudo tem o seu objetivo, a sua finalidade. O vazio não existe; tudo está habitado e existe vida em todos os lugares.

Antes da aparição do homem sobre a Terra, durante os lentos períodos de transição atestados pelas camadas geológicas, antes mesmo da aparição dos primeiros seres orgânicos, sobre essa massa sem forma, naquele caos improdutivo, onde os elementos estavam em confusão, não havia ausência de vida.

A Terra era povoada por seres que não possuíam nem as nossas necessidades nem as nossas sensações físicas. Deus quis que, mesmo nesse estado imperfeito, a Terra servisse para alguma coisa.

Quem ousaria dizer que entre os bilhões de mundos que circulam pelo Universo, apenas um, e dos menores, perdido na multidão infinita deles, tivesse o privilégio exclusivo de ser povoado? Qual seria então a utilidade dos outros? Deus os teria criado apenas para recreação dos nossos olhos?

Suposição absurda, incompatível com a sabedoria que emana de todas as Suas obras, e inadmissível quando pensamos em todas as obras que não conseguimos perceber.

Ninguém contestará que, nesta ideia da existência de mundos ainda impróprios para a vida material, mas que já recebem seres vivos apropriados ao seu meio, existe algo de grandioso e sublime, onde talvez se encontre também a solução de muitos problemas.

PERCEPÇÕES, SENSAÇÕES E
SOFRIMENTOS DOS ESPÍRTOS

237. Ao retornar ao Mundo Espiritual, o Espírito conserva as percepções que tinha na Terra?

Sim, e ainda recupera outras que não possuía, pois o seu corpo físico, semelhante a um véu, impedia o contato com essas "outras percepções". A inteligência é um dos atributos do Espírito, e ela se manifesta melhor quando ele está livre. O corpo físico é sempre um obstáculo a ser vencido.

238. As percepções e os conhecimentos dos Espíritos são ilimitados, ou melhor, eles sabem tudo?

Quanto mais se aproximam da perfeição, mais eles sabem. Se os Espíritos são Superiores, sabem muito. Os Espíritos inferiores são mais ou menos ignorantes sobre todas as coisas.

239. Os Espíritos conhecem o princípio das coisas?

Conhecem de acordo com a sua elevação e pureza. Os Espíritos inferiores não sabem mais do que os homens.

240. O tempo transcorre para os Espíritos do mesmo modo que transcorre para nós?

Não; e é por isso que os homens, às vezes, não nos compreendem quando se trata de fixar datas ou épocas.

Comentário de Kardec: *os Espíritos, no Mundo Espiritual, não percebem o tempo do mesmo modo que os homens percebem na Terra. O tempo para eles é nulo, praticamente não existe.*

Os séculos, que para nós são longos, para eles são apenas instantes que se apagam na eternidade, como as irregularidades do solo desaparecem para aqueles que se elevam no espaço.

241. A respeito do presente, os Espíritos têm uma ideia mais precisa e mais apropriada do que nós?

Sim, aquele que enxerga claramente as coisas tem uma ideia mais precisa do que um cego. Os Espíritos veem o que o homem não vê, por isso, julgam as coisas de modo diferente. Porém, lembramos mais uma vez: tudo depende da elevação de cada um.

242. Como os Espíritos têm conhecimento do passado? Para eles, esse conhecimento é ilimitado?

O passado, quando nos lembramos dele, se torna presente. O mesmo acontece quando um Espírito recorda um fato que vivenciou durante a sua última encarnação: esse fato retorna à sua mente e se torna presente.

O Espírito, por não possuir mais o corpo físico que obscurecia sua inteligência, consegue lembrar-se de coisas que para os homens estão apagadas. Mas os Espíritos não sabem tudo, a começar pela sua própria criação.

243. Os Espíritos conhecem o futuro?

Podem conhecê-lo de acordo com o grau de elevação que tenham alcançado. Muitas vezes, eles apenas entreveem o futuro, mas nem sempre lhes é permitido revelá-lo. Quando o veem plenamente, o futuro para eles é como se fosse o presente.

À medida que o Espírito se aproxima de Deus, mais claramente ele adquire a visão do futuro. Após a morte, o Espírito revê rapidamente suas encarnações passadas, mas não pode ver o que Deus lhe reserva; para isso, é preciso que ele esteja completamente integrado com a Divindade, o que só acontecerá depois de muitas e muitas existências.

243a. Os Espíritos que alcançam a perfeição absoluta têm o conhecimento completo do futuro?

Completo não é bem o termo; apenas Deus é o Soberano Senhor e ninguém pode se igualar a Ele.

244. Os Espíritos veem Deus?

Somente os Espíritos Superiores veem e compreendem Deus. Os Espíritos inferiores apenas O sentem e pressentem a Sua existência.

244a. Quando um Espírito inferior diz que Deus lhe proíbe ou lhe permite alguma coisa, como ele sabe que isso vem de Deus?

O Espírito inferior não vê Deus, mas nem por isso deixa de sentir a Sua soberania. Assim, quando uma coisa não pode ser feita e uma palavra não pode ser dita, ele sente uma espécie de intuição, uma advertência invisível que o proíbe de fazê-lo.

O próprio homem não tem pressentimentos que são como advertências secretas para fazer ou deixar de fazer alguma coisa? Com os Espíritos acontece o mesmo, mas em um grau superior, uma vez que eles, por possuírem uma essência mais sutil que a dos encarnados, podem receber melhor as advertências que vêm de Deus.

244b. A ordem que proíbe ou permite um Espírito inferior de fazer alguma coisa é dada diretamente por Deus, ou ela vem por intermédio de outros Espíritos?

A ordem não vem diretamente de Deus. Para se comunicar com Ele, é preciso ser digno disso. Deus transmite Suas ordens através de Espíritos mais elevados em perfeição e instrução.

245. Os Espíritos têm a visão localizada em um órgão específico, como nos seres encarnados?

Não, a **visão** está em todo o corpo do Espírito.

Observação

Nos Espíritos, a visão encontra-se distribuída por todo o perispírito, e não fica circunscrita a um órgão, como acontece com os homens. É um atributo que ele possui. Por isso, a faculdade de perceber as coisas fica imensamente ampliada.

246. Os Espíritos precisam da luz para ver?

Não; eles veem por si mesmos e não necessitam da luz exterior. Para eles não existem trevas, exceto para aqueles que se encontram nas trevas por expiação.

247. Os Espíritos precisam transportar-se para ver o que ocorre em dois lugares diferentes? Eles podem ver simultaneamente os dois hemisférios da Terra?

Como o Espírito se transporta na velocidade do pensamento, podemos dizer que ele vê todos os lugares de uma só vez. O pensamento dos Espíritos pode irradiar e se dirigir para muitos lugares diferentes ao mesmo tempo, mas essa faculdade depende da sua pureza.

Quanto menos puro for o Espírito, mais limitada será a sua visão. Apenas os Espíritos Superiores podem ter uma visão do conjunto.

Comentário de Kardec: No Espírito, a faculdade de ver é uma propriedade que faz parte da sua natureza e está presente em todo o seu ser, do mesmo modo que a luz se irradia de todas as partes de um corpo luminoso.

Essa capacidade de visão é uma espécie de lucidez universal que se estende a tudo e abrange simultaneamente o espaço, o tempo e as coisas. Para essa lucidez, não existem trevas ou obstáculos materiais. Compreende-se que deva ser assim.

No homem, a visão se dá por meio de um órgão que é sensível à luz, portanto, sem luz ele não enxerga. A faculdade de ver é um atributo próprio do Espírito, não sendo necessário qualquer agente exterior, a visão independe da luz (ver pergunta nº 92).

248. O Espírito vê as coisas tão distintamente quanto os homens?

Vê mais distintamente, porque sua visão penetra onde a visão do homem não pode penetrar. Para a visão dos Espíritos, não existem obstáculos.

249. O Espírito percebe os sons?

Sim. Percebe até aqueles sons que os sentidos grosseiros do homem não podem alcançar.

249a. No Espírito, a faculdade de ouvir está em todo seu corpo espiritual, assim como a de ver?

Todas as percepções são atributos do Espírito e fazem parte do seu ser. Quando está encarnado as percepções externas apenas lhe chegam através dos órgãos correspondentes a essas percepções. Entretanto, quando está desencarnado as percepções deixam de estar localizadas.

250. Sendo as percepções atributos do próprio Espírito, ele pode deixar de usá-las?

Os Espíritos Elevados apenas veem e ouvem o que querem; já os Espíritos imperfeitos, veem e ouvem, mesmo contra a sua vontade, aquilo que possa ser útil ao seu aperfeiçoamento.

251. Os Espíritos são sensíveis à música?

Quer se referir à música dos homens? O que ela representa perante a música celeste, cuja harmonia, nada na Terra pode dar uma ideia? Uma está para outra como o canto do selvagem está para uma melodia suave.

Mesmo assim, os Espíritos vulgares podem experimentar certo prazer em ouvir a música da Terra, porque ainda não é possível a eles compreender outra mais sublime. A música, para os Espíritos, tem encantos infinitos, devido ao alto desenvolvimento de suas qualidades sensitivas. Refiro-me à música celeste, que é tudo o que de mais belo e suave a imaginação espiritual pode conceber.

252. Os Espíritos são sensíveis às belezas da Natureza?

Sim, os Espíritos são sensíveis a essas belezas, de acordo com as capacidades que tenham para apreciá-las e compreendê-las. As belezas da Natureza dos diversos mundos são tão diferentes que estamos longe de conhecê-las na sua totalidade. Os Espíritos Elevados percebem as belezas do conjunto, diante das quais se apagam, por assim dizer, as belezas dos detalhes.

253. Os Espíritos sentem as mesmas necessidades e os mesmos sofrimentos físicos que nós?

Os Espíritos conhecem nossas necessidades e sofrimentos porque já passaram por elas quando estavam encarnados, mas não as sentem, materialmente, porque são Espíritos.

254. Os Espíritos sentem cansaço e necessidade de repouso?

Não sentem o mesmo tipo de cansaço que os encarnados; consequentemente, não necessitam de repouso corporal, uma vez que não possuem órgãos cujas forças precisam ser repostas. No Mundo Espiritual, o Espírito não permanece em atividade constante, e isso para ele pode ser considerado como um repouso.

Ele não age de maneira material; sua ação é toda intelectual, e o seu repouso é de ordem moral, ou melhor, existem momentos em que o seu pensamento deixa de ser tão ativo, e ele não se fixa em um objeto determinado. Esse instante é para ele um verdadeiro repouso, mas que não pode ser comparado ao repouso do corpo físico. O tipo de cansaço que podem sentir os Espíritos está na razão direta da sua inferioridade; assim, quanto mais elevados eles forem, menos repouso lhes será necessário.

255. Quando um Espírito diz que sofre, de que natureza é esse sofrimento?

Angustias morais, que o torturam mais dolorosamente que os sofrimentos físicos.

256. Então, por que alguns Espíritos se queixam de frio ou calor?

É devido à lembrança que guardam do período em que estiveram encarnados; algumas vezes, essas lembranças são tão dolorosas quanto a própria realidade. Na maior parte das vezes, é uma comparação que fazem para descrever melhor a situação em que se encontram no Mundo Espiritual.

Quando se lembram do corpo físico, experimentam a mesma sensação de quem tira um casaco pesado e, por algum tempo, ainda tem a impressão de estar com ele.

ENSAIO TEÓRICO SOBRE A SENSAÇÃO DOS ESPÍRITOS

257. PERCEPÇÃO DA DOR

O corpo físico é o instrumento da dor. Se ele não é a causa primeira da dor é, pelo menos, a sua causa imediata. O Espírito tem a percepção da dor, mas essa percepção é apenas um efeito. A lembrança que o Espírito conserva do período que ficou encarnado pode ser muito dolorosa, mas não provoca ação física no perispírito.

De fato, nem o frio nem o calor podem desorganizar os tecidos do perispírito; o Espírito não pode se congelar nem se queimar. Não vemos todos os dias a "preocupação" de um mal físico produzir a consequência desse mal e, em alguns casos, até mesmo provocar a morte?

Todos sabem que as pessoas amputadas sentem dor no membro que não existe mais. Seguramente, não é nesse membro que está a sede ou o ponto de partida da dor, e sim no cérebro, que conservou a impressão da dor. Portanto, podemos supor que uma sensação semelhante ocorra com o Espírito que sente dor após a morte.

PERISPÍRITO

Um estudo mais aprofundado do Perispírito, que desempenha papel tão importante em todos os fenômenos espíritas, como nas aparições vaporosas ou tangíveis; no estado em que o Espírito se encontra no momento da morte; na ideia que manifesta, com frequência, de que ainda está vivo; no quadro tão comovente dos suicidas, dos martirizados, dos que se deixaram absorver pelos prazeres materiais e tantos outros fatos, vieram esclarecer a questão da sensação dos Espíritos, dando lugar às explicações que resumimos a seguir.

O perispírito é o vínculo, é a ligação, que une o Espírito ao corpo físico. O Espírito é quem o forma, retirando elementos do meio ambiente e do fluido cósmico universal. Ele é formado ao mesmo tempo de eletricidade, do fluido magnético e até de alguma quantidade de matéria inerte.

Poderíamos dizer que o perispírito é a quintessência da matéria; matéria puríssima; é o princípio da vida orgânica, mas não o da vida intelectual, porque a vida intelectual reside no Espírito. O perispírito também é o agente das sensações exteriores.

No corpo físico, essas sensações estão localizadas em órgãos específicos, que servem de canais condutores dessas sensações. Após a morte do corpo, as sensações se tornam generalizadas. É por isso que o Espírito não diz que lhe dói mais a cabeça do que os pés.

É preciso não confundir as sensações do perispírito, que se tornou livre após o desencarne, com as do corpo físico. As sensações do corpo devem servir apenas como termo de comparação e não como se ainda fossem reais.

Liberto do corpo físico, o Espírito pode sofrer, mas esse sofrimento não é aquele do corpo; entretanto, não é um sofrimento exclusivamente moral, como o remorso, por exemplo, pois que ele ainda se queixa de frio e calor.

Apesar dessa queixa, o Espírito não sofre mais no inverno do que no verão: já vimos Espíritos atravessarem chamas sem sofrer dor alguma, o que mostra que a temperatura não causa neles qualquer impressão.

A dor que sentem não é uma dor física propriamente dita: é um sentimento íntimo muito vago, que o próprio Espírito não compreende bem, uma vez que a dor não está mais localizada em algum órgão e não é produzida por agentes externos; é mais uma lembrança do que uma realidade, mas é uma lembrança igualmente dolorosa.

Algumas vezes, entretanto, existe mais que uma simples lembrança, como veremos a seguir.

SEPARAÇÃO ENTRE O CORPO FÍSICO E O PERISPÍRITO

A experiência nos ensina que, no momento da morte, o perispírito se desprende mais ou menos lentamente do corpo físico. Durante os primeiros instantes, após o desencarne, o Espírito não compreende a sua situação; não acredita que morreu; sente-se vivo; vê o seu corpo deitado, sabe que é seu, mas não entende por que está separado dele.

Essa situação dura enquanto as ligações que prendem o corpo físico ao perispírito não se defizerem por completo. Um suicida nos disse: "Não, eu não estou morto", e acrescentava: "no entanto, sinto os vermes a me roerem".

Ora, seguramente, os vermes não lhe roíam o perispírito e muito menos o Espírito; roíam-lhe apenas o corpo físico. Como a separação entre o corpo e o perispírito ainda não estava concluída, havia uma espécie de repercussão moral, que transmitia ao Espírito a sensação do que estava acontecendo com o seu corpo físico.

Repercussão talvez não seja o termo mais adequado, pois poderia dar a ideia de um efeito muito material. Era antes a visão do que se passava com o seu corpo físico, ao qual o seu perispírito ainda continuava ligado, que produzia essa sensação, que o suicida tomava por realidade.

Assim, isso não era uma lembrança, pois durante sua vida ele nunca tinha sido roído por vermes: era uma sensação atual. Isso mostra que deduções se podem tirar dos fatos, quando observados atentamente.

PERISPÍRITO – SENSAÇÕES – EMOÇÕES

Durante a vida, o corpo recebe as impressões do mundo exterior e as transmite ao Espírito por intermédio do perispírito, que constitui, provavelmente, o que se chama de fluido nervoso.

171

Após a morte, o corpo físico nada mais sente, uma vez que nele não estão mais o Espírito nem o perispírito. Desligado do corpo, o perispírito passa a experimentar as sensações de uma maneira mais generalizada, porque elas não lhe chegam mais através de um canal limitado, como eram os órgãos do corpo físico.

A sede da consciência está sempre no Espírito; assim, se pudéssemos imaginar o perispírito sem a presença do Espírito, este também seria um corpo morto. Do mesmo modo, se o Espírito não tivesse perispírito, ele não sentiria dor. É o que ocorre com os Espíritos completamente purificados.

Sabemos que quanto mais o Espírito se purifica, mais a essência do perispírito se torna etérea; daí decorre que a influência material diminui à medida que o Espírito progride, ou seja, à medida que o próprio perispírito se torna menos grosseiro.

Mas, dirão, as sensações agradáveis, assim como as desagradáveis, são transmitidas ao Espírito por meio do perispírito. Ora, se o Espírito puro é inacessível a umas, deve ser também inacessível a outras. Sim, sem dúvida, assim é de fato para as sensações que provêm unicamente da influência da matéria que conhecemos. Portanto, o som dos nossos instrumentos e o perfume das nossas flores não causam ao Espírito puro nenhuma impressão.

Ao mesmo tempo, o Espírito purificado desfruta de sensações íntimas de um encanto indefinível, das quais não podemos fazer nenhuma ideia, porque estamos para elas como os cegos de nascença estão para a luz.

Sabemos que essas sensações existem, mas como se transmitem? Termina aí o nosso conhecimento. Sabemos também que o Espírito tem percepção, sensação, audição, visão; que essas faculdades se manifestam de forma "generalizada" por todo o ser, e não apenas por certos órgãos, como acontece no homem. Mas por que meio essas percepções se manifestam? Isso é o que não sabemos.

Os próprios Espíritos dizem que não conseguem nos explicar de que forma essa "percepção generalizada" acontece, porque a nossa linguagem não pode exprimir ideias que não temos. O mesmo se dá com a linguagem dos selvagens, que não possui termos que possam exprimir nossas Artes, Ciências e Doutrinas Filosóficas.

O ESPÍRITO E A PERCEPÇÃO
GENERALIZADA DO PERISPÍRITO

Ao dizer que os Espíritos são inacessíveis às impressões da nossa matéria, estamos nos referindo aos Espíritos muito elevados, cujo envoltório etéreo não encontra termos de comparação na Terra. O mesmo não acontece com os Espíritos que possuem um perispírito mais denso, pois estes percebem os nossos sons e sentem os nossos odores, mas não por uma parte determinada do seu organismo, como acontecia quando estavam encarnados.

Poderíamos dizer que nos Espíritos as vibrações moleculares se fazem sentir em todo o seu ser e alcançam, desse modo, todo o Espírito, ainda que de uma maneira diferente, o que produz uma modificação na percepção.

Eles ouvem o som da nossa voz e, no entanto, nos compreendem sem o auxílio da palavra, apenas pela transmissão do pensamento. Isso vem em apoio ao que dissemos: a percepção dessas vibrações é tão mais fácil quanto mais desmaterializado estiver o Espírito.

Quanto à visão, ela não depende da nossa luz exterior. A faculdade de ver é um atributo essencial do Espírito; sendo assim, o escuro não existe para ele. Nos Espíritos que estão mais purificados, essa visão é mais ampla e penetrante.

O Espírito tem em si mesmo a faculdade de todas as percepções. Quando ele está encarnado, essas faculdades tornam-se limitadas pelo pouco desenvolvimento de nossos órgãos físicos; mas, quando ele está desencarnado, essas percepções vão se ampliando à medida que o nosso perispírito, ou envoltório semimaterial, vai se tornando menos denso.

CARACTERÍSTICAS DO PERISPÍRITO

Retirado do meio ambiente e do fluido cósmico universal, o perispírito ou envoltório semimaterial, é formado por elementos que variam de acordo com a natureza do mundo em que o Espírito é chamado a viver.

Ao passar de um mundo para outro, os Espíritos mudam de envoltório, assim como nós mudamos de roupa quando passamos do inverno para o verão ou de um pólo para o Equador.

Os Espíritos mais elevados, quando vêm nos visitar, se revestem com o perispírito terrestre; assim, suas percepções se assemelham as dos Espíritos comuns; mas todos eles, inferiores ou superiores, apenas ouvem e sentem o que querem ouvir ou sentir.

Os Espíritos, por não possuírem órgãos sensitivos, podem livremente tornar suas percepções ativas ou nulas. Existe apenas uma coisa que são obrigados a ouvir: os conselhos dos bons Espíritos.

A visão é sempre ativa, mas eles podem tornar-se invisíveis uns para os outros. De acordo com o grau de desenvolvimento que já atingiram, os Espíritos podem ocultar-se daqueles que lhes são inferiores, mas não daqueles que lhes são superiores.

Nos primeiros momentos após a morte, a visão do Espírito é sempre turva e confusa; porém, vai ficando mais clara à medida que se liberta do corpo físico, e pode adquirir nitidez igual a que tinha durante a vida terrena, além de contar com a possibilidade de poder ver através dos corpos que são opacos para nós.

Quanto a poder ver a extensão do espaço infinito, do futuro e do passado, depende do grau de pureza e da elevação de cada Espírito.

DOR – SOFRIMENTO – CONCLUSÃO SOBRE A VIDA DO ESPÍRITO NO MUNDO ESPIRITUAL

Alguns dirão que toda essa teoria nada tem de tranquilizadora. Pensávamos que, uma vez libertos do nosso corpo físico grosseiro, que é o instrumento das nossas dores, não sofreríamos mais. Todavia, informam-nos que continuaremos sofrendo, desta ou daquela maneira, e por um longo período.

Sim, isso é verdade; podemos ainda sofrer, e muito, e por um longo tempo. Mas também é verdade que podemos não sofrer mais, desde o instante em que deixarmos o corpo físico.

Algumas vezes, os sofrimentos desse mundo independem de nós; entretanto, existem muitos sofrimentos que são consequências da nossa própria vontade. Se buscarmos a origem de cada um, veremos que a maior parte deles resulta de causas que poderíamos ter evitado.

Quantos males, quantas enfermidades o homem não deve aos seus excessos, à sua ambição, às suas paixões? O homem que sempre tivesse vivido sobriamente, que não tivesse abusado de nada, que tivesse gostos simples e desejos modestos, se pouparia de muitos sofrimentos.

O mesmo ocorre com o Espírito: os sofrimentos que enfrenta são sempre a consequência da maneira como viveu na Terra. Certamente já não sofrerá mais de artrite nem de reumatismo, mas experimentará outros sofrimentos que não serão menores.

Já vimos que esses sofrimentos resultam das ligações que ainda existem entre o Espírito e a matéria. Assim, quanto mais o Espírito estiver desligado da influência da matéria, ou melhor, quanto mais desmaterializado ele estiver, menos sensações dolorosas ele experimentará e menos sofrerá. Ora, depende apenas do homem querer se libertar dessa influência material desde esta vida.

Ele tem o livre-arbítrio e, por consequência, a escolha entre o fazer e o não fazer; que o homem domine, pois, suas paixões animais; que não sinta ódio, inveja, ciúme nem orgulho; que não se deixe dominar pelo egoísmo; que purifique a sua alma com bons sentimentos; que pratique o bem; que não dê às coisas deste mundo mais importância do que elas merecem e, então, mesmo estando encarnado, ele já estará se purificando, estará se desligando da matéria. Desse modo, quando deixar o corpo físico, ele não sentirá mais a sua influência.

Os sofrimentos físicos pelos quais passou não lhe deixarão nenhuma lembrança dolorosa; não lhe restará nenhuma impressão desagradável, visto que essas lembranças afetaram apenas o corpo físico e não o Espírito. Ficará feliz por estar livre delas, e a tranquilidade de sua consciência o livrará de todo sofrimento moral.

Interrogamos milhares de Espíritos que pertenceram a todas as classes da sociedade e ocuparam todas as posições sociais. Nós os estudamos em todos os períodos de sua vida espiritual, desde o instante em que deixaram o corpo físico; nós os acompanhamos passo a passo na vida após a morte, para observar as mudanças que se operavam neles, nas suas ideias, nas suas sensações e, sob esse aspecto, os homens mais simples foram os que nos forneceram o melhor material para estudo.

Notamos que os sofrimentos estão sempre relacionados com a conduta que tiveram enquanto estavam encarnados, e da qual sofrem as consequências.

Assim, aqueles que seguiram o bom caminho, desfrutam, na espiritualidade, de uma felicidade indescritível. Através dessa investigação, concluímos que o homem é o único responsável pelo seu sofrimento e somente a si mesmo poderá se queixar, tanto na Terra quanto no Mundo Espiritual.

ESCOLHA DAS PROVAS

258. Na espiritualidade, antes de começar uma nova existência, o Espírito tem consciência das coisas que acontecerão a ele durante a vida?

É o próprio Espírito quem escolhe o tipo de provas pelas quais deseja passar, e é nisso que consiste o seu livre-arbítrio.

258a. Então não é Deus que impõe ao Espírito, como castigo, os sofrimentos que terá que passar na Terra?

Nada acontece sem a permissão de Deus, porque foi Ele quem estabeleceu todas as Leis que regem o Universo. É inútil o homem perguntar por que Deus fez esta Lei ao invés daquela. Quando dá ao Espírito a liberdade de escolha, deixa com ele toda a responsabilidade de seus atos e de suas consequências.

Depois de encarnado, o Espírito pode optar pelo caminho do bem ou do mal. Se optar pelo caminho do mal, ainda lhe resta o consolo de que Deus, em Sua bondade, o deixa livre para recomeçar o que foi mal feito.

Aliás, é preciso distinguir o que é obra da vontade de Deus daquilo que é obra da vontade do homem. Se um perigo ameaça uma pessoa, não foi ela quem o criou, e sim Deus; se ela enxergar nesse perigo um meio de se adiantar e quiser se expor a ele, será porque Deus assim o permitiu.

259. Se o Espírito pode escolher as provas que deve suportar, podemos dizer que "todas" as dificuldades que passamos na vida foram previstas e escolhidas por nós?

Todas não é bem o termo; porque não se pode escolher e prever tudo o que acontecerá na Terra, principalmente as menores coisas. A escolha é apenas a do tipo das provas; os detalhes são consequências da forma como vivemos e de nossas próprias ações.

Se o Espírito escolheu nascer no meio de criminosos, por exemplo, sabia dos riscos a que estaria exposto; mas não conhecia cada um dos atos que viria a praticar; esses atos resultam do exercício da sua vontade ou do seu livre-arbítrio.

O Espírito sabe que, ao escolher um determinado caminho, terá que suportar um determinado tipo de luta; sabe, portanto, a natureza dos problemas que irá enfrentar, mas ignora quais os acontecimentos que o aguardam. Os detalhes dos acontecimentos menores nascem das circunstâncias e da força mesma das coisas. Apenas os grandes acontecimentos, aqueles que influenciam no destino, estão previstos.

Quando o homem escolhe uma estrada irregular para caminhar, precisa tomar cuidado, pois a probabilidade de cair será grande; mas não sabe, no entanto, em que trecho irá cair; se andar com bastante prudência, até poderá nem cair. Se, ao passar por uma rua, uma telha lhe cair na cabeça, não deve acreditar que isso estava escrito, como se diz vulgarmente.

260. Como pode um Espírito querer nascer entre pessoas de má vida?

É preciso que o Espírito seja colocado num meio onde possa suportar a prova que escolheu. Não podemos esquecer que os semelhantes se atraem; então, para lutar contra o instinto do roubo, por exemplo, é necessário que ele se encontre entre pessoas que roubam.

260a. Se na Terra não existisse gente de má vida, o Espírito não encontraria nela os meios adequados para realizar determinadas provas?

Sim; e seria o caso de lamentar se isso acontecesse? É exatamente o que ocorre nos Mundos Superiores, onde o mal não tem acesso. É por isso que esses mundos são habitados apenas por Espíritos bons. O homem deve se esforçar para que em breve o mesmo aconteça com a Terra.

261. Nas provas pelas quais deve passar para atingir a perfeição, o Espírito deve experimentar todas as tentações? Precisará passar por todas as circunstâncias que lhe despertem o orgulho, a inveja, a avareza, a sensualidade, etc.?

Certamente que não, pois existem Espíritos que escolhem, desde o começo, caminhos que os livram de muitas provas. Mas aquele que se deixa levar pelo mau caminho corre todos os riscos do mau caminho escolhido.

Por exemplo, um Espírito pode pedir a prova da riqueza e esta lhe ser concedida. Então, de acordo com o seu caráter, poderá tornar-se mesquinho ou dadivoso, egoísta ou generoso, ou pode se entregar a todos os prazeres da sensualidade. Mas isso não quer dizer que ele tenha que passar forçosamente por todas essas situações.

262. O Espírito em sua origem é simples, ignorante e sem experiência. Como ele pode escolher uma existência com conhecimento de causa e ser responsável por essa escolha?

Deus supre a sua inexperiência ao traçar-lhe o caminho que deve seguir, assim como o homem faz com uma criança, desde o berço. Mas, à medida que o seu livre-arbítrio se desenvolve, Deus o deixa livre para escolher. É então que muitas vezes ele se perde ao escolher o mau caminho, por não escutar o conselho dos bons Espíritos. É a isso que podemos chamar de "a queda do homem".

262a. Nos casos em que o Espírito pode exercer seu livre-arbítrio, a escolha da próxima encarnação dependerá sempre da sua vontade ou essa existência pode ser imposta pela vontade de Deus, como expiação?

Deus sabe esperar; não apressa a expiação. Entretanto, Deus pode impor uma existência a um Espírito quando este, por sua inferioridade ou má-vontade, não se mostra apto a compreender o que lhe seria mais proveitoso. Deus age assim quando vê que essa encarnação pode servir à sua purificação, ao seu adiantamento, e ao mesmo tempo servir-lhe de expiação.

263. Logo após a morte, o Espírito escolhe o tipo de prova pela qual passará na nova existência?

Não; muitos ainda acreditam na eternidade das penas e do sofrimento. Para aqueles que pensam assim, conforme já dissemos, essa crença constitui um castigo.

264. O que orienta o Espírito na escolha das provas que deve suportar?

A natureza de suas faltas. Ele escolhe as provas que o levam a reparar os erros cometidos em existências passadas e que lhe permitam avançar mais rapidamente. Assim, alguns impõem a si mesmos uma vida de misérias e privações, para tentar suportá-la com coragem; outros preferem experimentar as tentações da riqueza e do poder, muito mais perigosas, pelos abusos e pelo mau uso que se pode fazer delas, e pelas paixões inferiores que estimulam e desenvolvem. Outros, finalmente, decidem se experimentar nas lutas que terão que sustentar em contato com o vício.

265. Alguns Espíritos escolhem como prova o contato com o vício. Não haverá aqueles que escolhem essa prova pelo desejo de viver em um ambiente no qual gostam e sentem-se bem? Não estarão eles se entregando livremente às tendências materiais?

Sem dúvida que existem Espíritos assim, mas só fazem essa escolha aqueles que possuem o senso moral ainda pouco desenvolvido; a provação está em viver a escolha que fizeram, e eles a sofrem por longo tempo. Cedo ou tarde, compreenderão que a satisfação das paixões inferiores traz consequências deploráveis e o sofrimento lhes parecerá eterno.

Deus poderá deixá-los nessa situação até que compreendam seus erros e, por iniciativa própria, peçam para resgatá-los através de existências aproveitáveis.

266. Não parece natural que os Espíritos escolham as provas de menor sofrimento?

Para quem está encarnado sim, para o Espírito, não. Quando o Espírito está liberto do corpo físico, a ilusão cessa e ele pensa de outro modo.

Comentário de Kardec:
A ESCOLHA CONSCIENTE DO ESPÍRITO

O homem quando está na Terra, submetido às ideias terrenas, consegue ver em suas provas apenas o lado desagradável. É por isso que lhe parece natural escolher aquelas provas que, do seu ponto de vista, podem ser conciliadas com os prazeres materiais.

Entretanto, quando está no Mundo Espiritual o homem compara os prazeres ilusórios e grosseiros da Terra com a felicidade inalterável que ele entrevê. Então, que lhe importam alguns sofrimentos passageiros?

É assim que o Espírito pode escolher a prova mais rude e, por consequência, uma existência mais dolorosa, na esperança de alcançar mais rápido um estado melhor; da mesma forma que o doente escolhe o remédio mais amargo para se curar mais depressa.

Aquele que deseja ver seu nome ligado à descoberta de um país desconhecido não escolhe um caminho florido; sabe dos perigos que corre, mas também sabe da glória que o espera se for bem sucedido.

A liberdade de escolha que possuímos sobre nossas existências e sobre as provas que devemos sofrer, deixa de causar espanto ou surpresa quando consideramos que os Espíritos, libertos do corpo físico, avaliam as coisas de maneira diferente da nossa.

Eles percebem que existe um objetivo bem mais sério do que os prazeres passageiros do mundo. Assim, depois de cada existência, eles compreendem o progresso que realizaram e o que ainda lhes falta em pureza para atingir esse objetivo. É por essa razão que, quando estão encarnados, se submetem voluntariamente a todas as dificuldades.

Os próprios Espíritos pedem existências que lhes permitam alcançar mais rapidamente a meta que traçaram. Portanto, não existe razão para nos admirarmos em ver o Espírito não dar preferência a uma existência mais suave.

No estado de imperfeição em que se encontra, o Espírito não pode querer desfrutar de uma existência feliz e sem amarguras. Ele entrevê essa existência mais feliz, e é para alcançá-la que ele procura se melhorar.

O ESFORÇO DOS HOMENS NA VIDA TERRENA

Não vemos diariamente o exemplo de escolhas semelhantes? O homem trabalha uma parte de sua vida, sem descanso, para reunir posses que garantam seu bem-estar; não é uma tarefa que ele se impõe visando um futuro melhor?

O militar que se oferece voluntariamente para uma missão perigosa; o viajante que enfrenta os maiores perigos por amor à Ciência ou mesmo no interesse de sua própria fortuna, o que isso representa, senão provas voluntárias que lhes proporcionarão honra e proveito, se forem bem sucedidos? A quanta coisa o homem não se sujeita e não se expõe pelo seu interesse e pela sua glória?

Os concursos também não são provas voluntárias a que os concorrentes se submetem com o objetivo de se melhorarem na carreira que escolheram? Não se chega a uma posição social de destaque, nas Ciências, nas Artes, na Indústria, sem passar pelas posições inferiores que são, também, outras provas.

A vida humana é uma cópia da vida espiritual, na qual encontramos, em escala menor, todas as mesmas ocorrências. Se na vida terrena muitas vezes escolhemos as provas mais difíceis, com vistas a um objetivo mais elevado, por que o Espírito, que vê mais longe, e para quem a vida do corpo é apenas um incidente passageiro, não escolheria uma existência laboriosa e cheia de renúncias, sabendo que ela o conduzirá a uma felicidade eterna?

Aqueles que dizem que pedirão para serem príncipes ou milionários, uma vez que cabe ao homem escolher sua próxima existência, são como os míopes, que veem apenas o que tocam, ou como as crianças gulosas, que ao serem perguntadas sobre a profissão que desejam seguir no futuro, respondem: gostaríamos de ser pasteleiros ou confeiteiros.

O viajante que se encontra no fundo de um vale coberto pelo nevoeiro não vê a distância nem os pontos extremos do seu caminho. Mas quando chega ao topo da montanha, seu olhar abrange o caminho percorrido e o que resta a percorrer; vê o seu objetivo e os obstáculos que ainda precisa transpor e pode planejar com mais segurança os meios para atingi-lo.

O Espírito encarnado é semelhante ao viajante no fundo do vale. Livre das ligações que o prendem a Terra, sua visão é a mesma daquele que subiu ao topo da montanha. Para o viajante, o objetivo é o repouso após o cansaço; para o Espírito, o objetivo é a felicidade suprema após as dificuldades e as provas.

Todos os Espíritos dizem que, no Mundo Espiritual, pesquisam, estudam e observam para fazer a escolha mais apropriada. Não temos um exemplo desse fato na vida terrena? Não buscamos através de anos a carreira que achamos mais adequada aos nossos objetivos? Se fracassamos numa, procuramos outra.

Cada carreira que abraçamos representa um período da vida. Não empregamos cada dia para planejar o que faremos no dia seguinte? Ora, o que são para o Espírito as diferentes vidas em corpo físico, senão etapas, períodos, dias da sua vida espiritual? A vida espiritual, como sabemos, é a vida verdadeira, uma vez que a vida em corpo físico é apenas transitória e passageira.

267. O Espírito pode escolher suas novas provas enquanto está encarnado?

Seu desejo pode ter influência na escolha das novas provas, mas tudo dependerá da intenção com que as deseja. É preciso lembrar que no Mundo Espiritual o Espírito é livre, vê as coisas de maneira muito diferente, e é nesse estado que ele faz a sua escolha.

Mas poderá fazê-la durante o período em que estiver encarnado, porque o Espírito sempre tem momentos em que se liberta do corpo físico que habita, principalmente durante o sono.

267a. Muitos desejam o poder e a riqueza, mas certamente não o querem como prova nem como expiação, não é verdade?

Sem dúvida, é o instinto material que certas pessoas possuem que faz com que elas desejem o poder e a riqueza para deles desfrutar; já o Espírito as deseja para conhecer as dificuldades que elas oferecem.

268. Até chegar à perfeição, o Espírito precisa passar constantemente por provas?

Sim, mas os homens apenas entendem como provas as dificuldades materiais. O Espírito, quando atinge a um determinado grau, mesmo ainda não sendo perfeito, não tem mais provas a suportar.

Entretanto, sempre existem deveres que o ajudam a se aperfeiçoar, e que não constituem um sacrifício, mesmo que consistam em auxiliar os outros Espíritos a se aperfeiçoarem.

269. O Espírito pode se enganar quanto à eficácia da prova que escolheu?

Ele pode escolher uma prova que esteja acima de suas forças e fracassar. Também pode escolher uma que não lhe traga proveito algum, se buscar um tipo de vida ociosa e inútil. Nesse caso, quando retorna ao Mundo Espiritual, percebe que nada ganhou e pede para recuperar o tempo perdido numa outra encarnação.

270. A que devemos atribuir a vocação de certas pessoas e a sua vontade de seguir uma carreira em vez de outra?

Os homens mesmo podem responder esta pergunta. Isso não é a consequência de tudo o que acabamos de dizer sobre a escolha das provas e sobre o progresso realizado pelo Espírito em existências anteriores?

271. No Mundo Espiritual, o Espírito estuda as diversas condições nas quais poderá progredir. Como pensa realizar seu progresso nascendo entre os canibais, por exemplo?

Espíritos adiantados não nascem entre canibais; entre os canibais nascem Espíritos da natureza dos próprios canibais e outros que lhes são ainda inferiores.

Comentário de Kardec: Sabemos que os nossos canibais não estão no último degrau da escala evolutiva e que existem mundos onde o embrutecimento e a ferocidade ultrapassam tudo o que se conhece na Terra.

*Esses Espíritos são ainda mais inferiores que os mais inferiores que habitam a Terra. Para eles, nascer entre os nossos selvagens representa um progresso, como seria um progresso para os nossos canibais exercer, entre nós, **uma profissão que os obrigasse a derramar sangue.***

Se eles não aspiram algo mais elevado, é porque sua inferioridade moral não lhes permite compreender um progresso mais completo. O Espírito só pode avançar de forma gradual; não pode transpor de uma só vez a distância que separa a barbárie da civilização, e é nisso que nós vemos uma das necessidades da reencarnação, que está verdadeiramente de acordo com a justiça de Deus.

Por outro lado, em que se transformariam esses milhões de seres que morrem diariamente no último estado de degradação, se não tivessem os meios de atingir um estágio superior? Por que Deus não concederia a eles os favores concedidos aos outros homens?

Observação

Que os obrigasse a derramar sangue: Talvez o mais lógico na afirmação de Kardec tivesse sido optar pela negação, ou seja, uma profissão que NÃO os obrigasse a derramar sangue.

A Doutrina Espírita nos ensina que, mesmo os Espíritos pouco evoluídos, como os canibais, podem reencarnar em meio à civilização e desempenhar funções compatíveis com o progresso geral. Isso representa, para esses Espíritos, uma grande oportunidade de avanço se souberem aproveitar a encarnação.

272. Espíritos que procedem de mundos inferiores à Terra, ou de um povo muito atrasado, como os canibais, por exemplo, poderiam nascer entre os nossos povos civilizados?

Sim, sempre existe aqueles que se desorientam ao querer subir muito mais alto do que podem. Nesse caso, eles ficam deslocados no meio onde nascem, porque possuem costumes e instintos que não se combinam com a condição dos demais homens que ali se encontram naturalmente.

Comentário de Kardec: Esses seres nos oferecem o triste espetáculo da ferocidade em meio à civilização. O retorno para junto dos canibais não representará para eles um retrocesso, porque não farão mais do que voltar para o seu lugar e talvez ainda ganhem com isso.

273. Um homem que pertence a uma raça civilizada poderia, por expiação, reencarnar numa raça selvagem?

Poderia, mas isso depende do tipo de expiação. Um senhor que tenha sido cruel com seus escravos poderá, por sua vez, renascer na condição de escravo e sofrer os maus tratos que impôs aos que estavam sob o seu comando. Aquele que exerceu o comando pode, em uma nova existência, obedecer aos mesmos que um dia se curvaram ante a sua vontade.

É uma expiação que Deus lhe impõe por ter abusado do poder. Um bom Espírito também pode querer renascer entre povos atrasados, ocupando lugar de destaque, para ajudá-los a progredir. Nesse caso, isso seria para ele uma missão e não uma expiação.

RELACIONAMENTO ENTRE OS ESPÍRITOS APÓS A MORTE

274. Os diferentes grupos de Espíritos estabelecem, entre eles, uma hierarquia de poderes? Existem, entre os Espíritos, subordinação e autoridade?

Sim, muito grande. Os Espíritos possuem uns sobre os outros uma autoridade que está em sintonia com a superioridade que já alcançaram. Essa "autoridade" é exercida por uma "ascendência moral irresistível".

274a. Os Espíritos inferiores podem não se submeter à autoridade dos Espíritos Superiores?

Já disse: a ascendência é irresistível.

275. O poder e a consideração que um homem desfrutou na Terra podem lhe conferir alguma supremacia no Mundo Espiritual?

Não, pois "os pequenos serão elevados e os grandes rebaixados". Leiam os **Salmos**.

Observação

Salmos: É o livro de hinos e de orações da Bíblia. São 150 cânticos e poemas usados em cultos da Igreja em todas as épocas. Os Salmos foram escritos por diferentes autores entre os anos 1.000 e 333 a.C. O Rei Davi foi o autor de 73 Salmos; seguido por Asafe, com 12; pelos filhos de Coré, com 11; Salomão e Moisés entre outros. Existem Salmos para curar, adquirir bens, para família, para proteção, etc.

275a. Como devemos entender essa elevação dos que foram pequenos e esse rebaixamento dos que foram grandes?

Já não foi dito que os Espíritos pertencem a diferentes graus, conforme seus méritos? Pois bem! No Mundo Espiritual, o maior na Terra pode estar no último lugar entre os Espíritos, enquanto o seu servidor pode estar no primeiro, compreenderam? Jesus não disse: "Todo aquele que se humilhar será elevado e todo aquele que se elevar será humilhado"?

276. Aquele que foi grande na Terra e que no Mundo Espiritual se encontra em posição inferior, sente humilhação perante os Espíritos que estão ao seu redor?

Quase sempre sente uma humilhação muito grande, principalmente se era orgulhoso e invejoso.

277. O soldado que, após a batalha, encontra o seu general no Mundo Espiritual, ainda o reconhece como seu superior?

O título nada vale; o que realmente importa é a superioridade moral, pois é nela que está a verdadeira superioridade.

278. Os Espíritos dos diversos graus convivem uns com os outros?

Eles se veem, mas procuram evitar-se na medida do possível. Assim, eles se aproximam amistosamente, ou se afastam, de acordo com a simpatia ou antipatia que exista entre eles, exatamente como acontece entre os homens. Eles constituem um mundo no qual a Terra é apenas uma pálida ideia.

Os Espíritos do mesmo grau evolutivo reúnem-se por uma espécie de afinidade e formam grupos ou famílias, unidos pela simpatia e pelos mesmos objetivos: os bons pelo desejo de fazer o bem; os maus pelo desejo de fazer o mal, pela vergonha de suas faltas e pela necessidade que sentem de ficarem juntos.

Comentário de Kardec: Acontece exatamente como numa grande cidade, onde os homens de todas as classes e de todas as condições convivem sem se confundir; onde as sociedades se formam por possuírem gostos semelhantes; onde o vício e a virtude andam juntos, mas não se falam.

279. Todos os Espíritos têm livre acesso a qualquer região do Mundo Espiritual?

Os bons vão a toda parte e é preciso que assim seja, para que possam exercer a sua influência sobre os maus. Entretanto, as regiões habitadas pelos bons são interditadas aos Espíritos imperfeitos, a fim de que não as perturbem com suas paixões inferiores.

280. Que tipo de relação existe entre os bons e os maus Espíritos?

Os bons fazem de tudo para combater as más tendências dos que lhes estão abaixo, a fim de ajudá-los a subir; nisso consiste a sua missão.

281. Por que os Espíritos inferiores gostam de nos induzir ao mal?

Pela inveja de não terem merecido estar entre os bons, cuja situação julgam um privilégio. Seu desejo é de impedir, tanto quanto possam, que os Espíritos ainda inexperientes alcancem o supremo bem. Querem que os outros sofram aquilo que eles próprios estão sofrendo. Aliás, não acontece o mesmo entre os homens?

282. Como os Espíritos se comunicam entre si?

Eles se veem e se compreendem. A palavra pertence ao Mundo Material; sendo assim, ela é apenas um reflexo que o Espírito traz do período que viveu na Terra. O fluido cósmico universal estabelece entre os Espíritos uma comunicação constante: ele é o veículo da transmissão do pensamento, assim como o ar é o veículo da transmissão do som.

Esse fluido pode ser entendido como uma espécie de telégrafo universal que liga todos os mundos e permite que os Espíritos se comuniquem de um mundo a outro.

283. Os Espíritos podem esconder seus pensamentos de outros Espíritos? Podem esconder-se uns dos outros?

Não; para eles tudo está descoberto, principalmente quando são perfeitos. Eles podem se afastar uns dos outros, mas sempre se veem. Entretanto, essa regra não é absoluta, pois certos Espíritos mais evoluídos podem se tornar invisíveis a outros, se isso tiver alguma utilidade.

284. Não tendo mais o corpo físico, como os Espíritos podem constatar a sua individualidade? Como podem se distinguir daqueles que os rodeiam?

Eles constatam a sua individualidade através do perispírito. Portanto, é o perispírito que os distingue uns dos outros, assim como o corpo físico distingue os homens.

285. Os Espíritos que conviveram na Terra se reconhecem no Mundo Espiritual? O filho reconhece o pai; o amigo reconhece seu amigo?

Sim, e isso acontece através das gerações.

285a. Como os homens que se conheceram na Terra se reconhecem no Mundo Espiritual?

Nossa vida passada pode ser vista e lida como num livro. Também podemos ver a vida passada dos nossos amigos e inimigos. Assim, sabemos quando eles passam da vida material para a vida espiritual.

286. Ao deixar o corpo físico, o Espírito vê imediatamente os parentes e amigos que desencarnaram antes dele?

Imediatamente não é bem o termo. Como já dissemos, o Espírito precisa de algum tempo para compreender a sua nova situação e se desprender por completo do corpo físico.

287. Como os Espíritos são acolhidos quando retornam ao Mundo Espiritual?

O Espírito daquele que foi justo é recebido como um irmão bem amado que todos esperam com ansiedade. O Espírito daquele que foi mau é recebido como um ser que é desprezado pelos enganos que cometeu.

288. Que sentimentos manifestam os Espíritos imperfeitos com o retorno de outro Espírito imperfeito ao Mundo Espiritual?

Os Espíritos imperfeitos ficam felizes ao receber seres que são como eles, isto é, privados da felicidade dos bons. O mesmo acontece na Terra quando um ladrão retorna aos seus iguais.

289. Quando deixamos a Terra, nossos parentes e amigos vêm nos receber?

Sim, os Espíritos desencarnados vêm ao encontro do Espírito que estimam. Felicitam-no como se tivesse retornado de uma viagem, se ele escapou dos perigos do caminho, ajudam-no a se livrar das ligações que o prendem ao corpo físico.

Para os bons Espíritos que retornam ao Mundo Espiritual, é uma recompensa ser recebido por aqueles que os amam, ao passo que os Espíritos maus recebem como punição sentirem-se sozinhos ou rodeados por aqueles que lhes são semelhantes.

290. Os parentes e amigos sempre se reúnem depois da morte?

Isso depende da elevação de cada um e do caminho que escolheram para progredir. Se um deles está mais adiantado e caminha mais depressa do que o outro, não poderão ficar juntos. Poderão se ver algumas vezes, mas somente poderão caminhar juntos quando se igualarem em perfeição. Assim, a privação de estar entre os parentes e amigos constitui, algumas vezes, uma punição.

RELAÇÕES DE SIMPATIA E DE ANTIPATIA ENTRE OS ESPÍRITOS - METADES ETERNAS

291. Além da simpatia que existe entre os Espíritos que estão no mesmo grau evolutivo, existe entre eles afeições particulares?

Sim, do mesmo modo que existe entre os homens. O laço de afeição que une os Espíritos é mais forte quando eles estão descarnados; livres do corpo físico, eles não estão mais expostos às turbulências das paixões desordenadas.

292. Existe ódio entre os Espíritos?

Existe ódio apenas entre os Espíritos impuros, e são eles que estimulam, nos homens, as inimizades e as desavenças.

293. Duas pessoas que foram inimigas na Terra conservarão essa inimizade no Mundo Espiritual?

Não; elas compreenderão que as desavenças eram tolices e o motivo era infantil. Apenas os Espíritos imperfeitos conservam as inimizades enquanto não se purificam. Se a desavença ocorreu por interesses materiais, eles não pensarão mais nisso, mesmo que sejam pouco evoluídos. Desde que não haja antipatia entre eles, e tendo deixado de existir a causa de suas desavenças, eles podem se rever com prazer.

Comentário de Kardec: A mesma coisa acontece na Terra entre dois estudantes que atingiram a idade da razão; reconhecem a infantilidade das brigas que tiveram quando crianças e passam a se querer bem.

294. A lembrança das más ações que dois homens praticaram um contra o outro, torna-se um obstáculo para que exista simpatia entre eles, após a morte?

Sim, essa lembrança faz com que eles se distanciem.

295. Após a morte, qual é o sentimento daqueles Espíritos aos quais fizemos mal enquanto eles estavam na Terra?

Se são bons, perdoam de acordo com o arrependimento daquele que lhe fez o mal. Se são maus, podem conservar esse ressentimento e perseguir aquele que lhe prejudicou, às vezes, até em outra existência. Deus permite que isso aconteça como uma forma de punir aqueles que fizeram o mal.

296. As afeições que um Espírito tem pelo outro podem se alterar quando ele retorna ao Mundo Espiritual?

Não, no Mundo Espiritual eles não conseguem se enganar um ao outro, porque não possuem mais o corpo físico que escondia os fingimentos. Assim, entre os Espíritos puros as afeições são inalteráveis. O amor que os une é para eles uma fonte de suprema felicidade.

297. A afeição que uniu duas pessoas na Terra continua a existir no Mundo Espiritual?

Sim, sem dúvida, desde que essa afeição tenha por base uma afinidade verdadeira; mas, se a origem dessa afeição estiver ligada à beleza física, por exemplo, ela desaparece quando a beleza desaparecer.

As afeições entre os Espíritos são mais sólidas e duráveis do que na Terra, porque não se acham subordinadas aos caprichos dos interesses materiais e do amor-próprio.

298. Os Espíritos que devem se unir estão predestinados a essa união desde a sua origem? Cada um de nós tem, em alguma parte do Universo, sua metade à qual fatalmente se unirá um dia?

Não; não existe união particular e inevitável entre dois Espíritos. A união que existe é a união entre todos os Espíritos, mas em graus diferentes e de acordo com a perfeição que tenham atingido, ou seja, quanto mais perfeitos, mais os Espíritos são unidos. Todos os males humanos nascem da discórdia; a felicidade completa resulta da concórdia.

299. Em que sentido se deve entender a palavra "metade", de que alguns Espíritos se servem para designar os Espíritos simpáticos?

A expressão não é exata. Se um Espírito fosse a metade de outro, uma vez separados, ambos estariam incompletos.

Observação

Espíritos simpáticos: São aqueles que possuem "afinidade entre si". Não necessariamente precisam estar no mesmo grau evolutivo; por exemplo: a mãe que ama o filho que é delinquente, encontra-se num grau evolutivo acima desse filho.

300. Quando dois Espíritos com muita afinidade se reúnem, essa união é por toda a eternidade? Eles poderão se separar e se unir a outros Espíritos?

Todos os Espíritos que já atingiram a perfeição estão unidos entre si. Nas esferas inferiores, quando um Espírito se eleva, ele já não tem mais a mesma simpatia por aqueles que ele deixou para trás.

301. Dois Espíritos simpáticos são o complemento um do outro, ou essa simpatia é o resultado de uma afinidade perfeita?

A simpatia que atrai os Espíritos é o resultado da perfeita concordância que existe entre suas tendências e instintos; se um tivesse que completar o outro, perderia a sua individualidade.

302. A afinidade perfeita entre os Espíritos decorre apenas da concordância de pensamentos e sentimentos, ou também depende da uniformidade dos conhecimentos adquiridos?

Para que exista afinidade perfeita, os Espíritos precisam estar no mesmo grau evolutivo.

303. Os Espíritos que hoje não possuem afinidade entre si poderão ter afinidade no futuro?

Sim, um dia todos terão afinidade entre si. O Espírito que hoje está num padrão evolutivo inferior, ao se aperfeiçoar, alcançará o padrão evolutivo em que o outro já se encontra. O reencontro se dará mais rápido se o Espírito mais evoluído permanecer estacionário, por não ter conseguido superar as provas a que se submeteu.

303a. Dois Espíritos que possuem afinidade poderão deixar de tê-la?

Certamente; se um deles for preguiçoso e estacionar em sua evolução.

***Comentário de Kardec:** A teoria das "metades eternas" ou "almas-gêmeas" é uma imagem que representa a união de dois Espíritos cuja afinidade é muito grande.*

É uma expressão usada até mesmo na linguagem popular e que não deve ser levada ao pé da letra. Os Espíritos que utilizam essa expressão certamente não pertencem a um grau mais elevado.

Suas ideias são limitadas e expressam o pensamento que tinham quando estavam encarnados. É preciso rejeitar essa ideia de dois Espíritos criados um para o outro e que, fatalmente, um dia devem reunir-se na eternidade, após estarem separados durante um período mais ou menos longo.

LEMBRANÇA DA EXISTÊNCIA NO CORPO FÍSICO

304. O Espírito recorda-se da sua existência no corpo físico?

Sim, pelo fato de já ter vivido muitas vezes na Terra, lembra-se do que foi e do que fez como homem. Algumas vezes, essa lembrança lhe faz rir, porque ele sente pena de si mesmo.

Comentário de Kardec: O mesmo ocorre com o homem que, ao atingir a idade da razão, ri das loucuras que cometeu na juventude ou das ingenuidades de sua infância.

305. A lembrança da existência em corpo físico se apresenta ao Espírito recém-desencarnado de maneira completa e repentina?

Não; a lembrança lhe surge pouco a pouco, como algo que sai de um nevoeiro e à medida que nessa lembrança ele fixa a sua atenção.

306. O Espírito lembra, com detalhes, de todos os acontecimentos de sua vida? Ele consegue rever toda a encarnação de uma só vez?

Ele recorda os fatos que tiveram maior influência sobre a sua nova condição de Espírito. Entretanto, existem circunstâncias de sua vida para as quais ele não dá a menor importância e delas nem procura se lembrar.

306a. Ele poderia se lembrar dessas circunstâncias se quisesse?

Ele pode lembrar-se dos acontecimentos de forma minuciosa e até mesmo dos pensamentos que teve. Mas, quando isso não tem utilidade, ele não o faz.

306b. O Espírito consegue perceber a finalidade da vida na Terra em relação à vida futura?

Certamente, e essa finalidade se apresenta para ele de maneira bem mais clara do que quando ele estava encarnado. Compreende que precisa evoluir para chegar ao infinito e sabe que em cada uma das encarnações ele se liberta de algumas impurezas.

307. De que maneira a última encarnação se desenrola na memória do Espírito? É por um esforço da sua imaginação ou mediante um quadro que se abre à sua frente?

Das duas maneiras. Todos os atos que interessam ao Espírito surgem na sua lembrança como se fossem atuais; os outros ficam mais ou menos confusos na memória, ou completamente esquecidos. Quanto mais o Espírito se desmaterializa, menos importância atribui às coisas materiais.

Muitas vezes, quando se evoca um Espírito que acabou de deixar a Terra, percebe-se que ele não se lembra do nome das pessoas a quem amava, nem dos fatos que, para aqueles que ficaram, pareciam importantes. Essas lembranças acabam caindo no seu esquecimento porque o Espírito pouco se interessa por elas. Ele apenas recorda perfeitamente dos fatos principais que concorrem para o seu progresso.

308. O Espírito, logo após o desencarne, recorda de todas as existências que já viveu?

Sim, pois todo o passado se desenrola diante dele, semelhante às etapas de um caminho que um viajante percorreu. Entretanto, não consegue lembrar-se de maneira absoluta de todos os seus atos. Ele recorda os mais importantes e aqueles que tiveram maior influência sobre a sua nova condição de Espírito.

Quanto às primeiras existências, aquelas que podemos considerar como a infância do Espírito, essas se perdem no tempo e são esquecidas.

309. Como o Espírito considera o corpo físico que acabou de deixar?

Considera como se fosse uma "roupa incômoda que o atrapalhava", e sente-se feliz por estar livre dela.

309a. O que o Espírito sente ao ver seu corpo físico em decomposição?

Na maioria das vezes sente indiferença, como se fosse uma coisa à qual não atribui a menor importância.

310. Após algum tempo, o Espírito pode reconhecer os ossos do seu antigo corpo físico ou outros objetos que lhe pertenceram?

Sim, pode; mas isso depende da maneira mais ou menos elevada de como ele considera as coisas da Terra.

311. O respeito pelos objetos materiais que pertenceram ao Espírito que desencarnou lhe traz algum prazer? Esse respeito atrai a sua atenção para esses objetos?

O Espírito sempre fica feliz por ser lembrado. Os objetos que lhe pertenceram apenas servem para que os encarnados, que ele deixou ao partir, se lembrem dele. Entretanto, o que atrai o Espírito para perto dos familiares e amigos são os pensamento e não os objetos.

312. Os Espíritos conservam a lembrança dos sofrimentos pelos quais passaram em sua última encarnação?

Sim, frequentemente eles a conservam, e a lembrança desses sofrimentos contribui muito para que eles deem mais valor à felicidade que podem desfrutar como Espíritos.

313. O homem que foi feliz na Terra lastima os prazeres de ordem inferior que perdeu ao deixá-la?

Apenas os Espíritos inferiores lamentam as alegrias que perderam ao desencarnar. Estas alegrias são condizentes com a natureza impura que ainda possuem. Esses prazeres de ordem inferior representarão a causa de muito sofrimento em encarnações futuras. Para os Espíritos elevados, a felicidade espiritual é mil vezes preferível aos prazeres passageiros da Terra.

Comentário de Kardec: O mesmo acontece com o homem adulto que hoje despreza as coisas que constituíam os prazeres da sua infância.

314. Aquele que iniciou trabalhos de grande importância, visando um objetivo útil para a Humanidade, e os vê interrompidos pela morte, lamenta, no Mundo Espiritual, não ter podido acabá-los?

Não, porque ele vê que outros estão designados a concluí-los. Assim, procura influenciar outros Espíritos encarnados para que continuem sua obra. Se o seu objetivo na Terra era o bem da Humanidade, continua sendo também no Mundo Espiritual.

315. Aquele que deixou trabalhos de arte ou de literatura, conserva por suas obras o amor que tinha quando estava na Terra?

Após o desencarne, de acordo com a sua elevação, o Espírito julga as coisas sob outro ponto de vista e, frequentemente, condena aquilo que antes admirava.

316. No Mundo Espiritual, o Espírito se interessa pelos trabalhos que se realizam na Terra em benefício das Artes e da Ciência?

Isso depende da sua elevação ou da missão que irá desempenhar. Muitas vezes, o que o homem considera magnífico é bem pouca coisa para certos Espíritos. Eles admiram esses trabalhos dos homens como um sábio admira a obra de um estudante.

Os Espíritos Elevados dedicam a sua atenção apenas para as coisas que possam contribuir para elevação e o progresso da Humanidade encarnada.

317. Os Espíritos conservam o amor à pátria após o desencarne?

O princípio é sempre o mesmo: para os Espíritos Elevados, a pátria é o Universo; para os Espíritos comuns, a pátria na Terra é aquela que possui o maior número de pessoas que lhes são simpáticas.

Comentário de Kardec: A situação dos Espíritos e a sua maneira de ver as coisas variam ao infinito, de acordo com o grau de seu desenvolvimento moral e intelectual. Os Espíritos Elevados geralmente reencarnam na Terra por um período de curta duração.

Tudo o que se faz aqui é muito mesquinho em comparação com as grandezas do infinito; as coisas às quais os homens dão muito valor e importância, para esses Espíritos, são coisas infantis. Assim, eles encontram na Terra poucos atrativos para permanecer, a menos que sejam chamados a contribuir para o bem da Humanidade.

Os Espíritos de um grau intermediário são os que se encontram entre nós com mais frequência, porém já consideram as coisas sob um ponto de vista mais elevado do que quando estavam encarnados.

Os Espíritos vulgares constituem a maioria da população invisível ao redor da Terra. Conservam as mesmas ideias, os mesmos gostos e as mesmas tendências que possuíam quando encarnados. Eles se intrometem nas nossas reuniões, nos nossos negócios e nas nossas diversões, nas quais tomam parte mais ou menos ativa, de acordo com o seu caráter.

Não podendo satisfazer as suas paixões inferiores, estimulam os encarnados e se comprazem com aqueles que a elas se entregam. Entre eles, existem alguns mais sérios, que veem e observam esse comportamento para se instruir e se aperfeiçoar.

318. As ideias dos Espíritos desencarnados se modificam quando eles estão no Mundo Espiritual?

Muito; essas ideias sofrem grandes modificações à medida que o Espírito se desmaterializa. Às vezes, ele pode permanecer por muito tempo com as mesmas ideias, mas, à medida que a influência da matéria diminui, ele passa a ver as coisas com mais clareza. É então que procura os meios de se melhorar.

319. Por que o Espírito se espanta ao retornar para o Mundo Espiritual, se antes dessa encarnação ele já viveu várias vezes nesse mundo?

É apenas o efeito do primeiro momento e da perturbação que o Espírito sente ao despertar no Mundo Espiritual. À medida que lhe volta à lembrança do passado e que se apaga a impressão da vida terrena, ele reconhece perfeitamente a sua nova posição (ver pergunta nº 163 e seguintes).

COMEMORAÇÃO DO DIA
DOS MORTOS – FUNERAIS

320. Os Espíritos são sensíveis com a lembrança das pessoas que eles gostavam e que ficaram na Terra?

Sim, muito mais do que os homens podem supor; se já são felizes, essa lembrança aumenta ainda mais a sua felicidade; se são infelizes, essa lembrança é para eles um alívio.

321. O dia da comemoração dos mortos possui uma importância maior para os Espíritos? Eles se preparam para receber aqueles que vão orar em suas sepulturas?

Os Espíritos atendem ao "chamado do pensamento" tanto nesse dia como nos outros.

321a. O dia de finados é para os Espíritos um dia de reunião junto as suas sepulturas?

Nesse dia, os Espíritos se reúnem nos cemitérios em maior número, porque maior é o número de pessoas que os chamam. Mas cada Espírito apenas comparece por causa de seus amigos e não pela multidão de indiferentes.

321b. De que forma os Espíritos comparecem aos cemitérios e como eles se apresentariam, caso pudessem se tornar visíveis?

Se apresentariam com o mesmo aspecto da última encarnação.

322. Os Espíritos esquecidos, cujos túmulos ninguém visita, também comparecem ao cemitério? Lamentam por não encontrar amigos que se lembrem deles?

Que lhes importa a Terra? Eles apenas se prendem a ela pelo coração. Se aí não há amor e ninguém mais se lembra deles, nada mais existe que prenda o Espírito à Terra. Eles têm para si o Universo inteiro.

323. O que mais agrada ao Espírito: uma visita ao seu túmulo ou uma prece feita em sua intenção?

A visita ao túmulo é a maneira de mostrar que se pensa no Espírito ausente; é a representação exterior de um sentimento íntimo. Na realidade, a prece sincera é que valoriza o ato de lembrar; quando a prece vem do coração, pouco importa o lugar.

324. Os Espíritos que são homenageados por estátuas ou monumentos assistem às inaugurações? Ficam felizes com a lembrança?

Muitos comparecem às inaugurações quando podem. Entretanto, ficam mais felizes com a lembrança que os homens guardam deles do que com as estátuas ou monumentos.

325. Por que certas pessoas preferem ser enterradas em um determinado lugar em vez de outro? Após a morte, elas retornam a esse lugar com mais satisfação? Essa importância atribuída a uma coisa tão material não é um sinal de inferioridade do Espírito?

A afeição do Espírito por determinados lugares significa inferioridade moral. Que importância pode ter um pedaço ou outro de terra a um Espírito Elevado? Ele não sabe que se reunirá aos que ama, mesmo que seus ossos estejam enterrados em lugares separados?

325a. Podemos considerar futilidade enterrar num mesmo lugar todos os membros de uma mesma família?

Não; é um costume piedoso e um testemunho de simpatia para com os entes queridos. Embora essa reunião tenha pouca importância para os Espíritos, ela é útil aos homens, porque as lembranças ficam concentradas em um só lugar.

326. O Espírito, quando retorna ao Mundo Espiritual, fica sensibilizado com as homenagens que prestam aos seus despojos mortais?

O Espírito que já atingiu um certo grau de perfeição não possui mais a vaidade terrena e compreende a futilidade de todas essas coisas. Entretanto, existem Espíritos que, nos primeiros momentos que seguem ao seu desencarne, sentem um grande prazer pelas homenagens que recebem, ou ficam tristes com a falta de atenção que dão ao seu corpo físico. Isso ocorre porque eles conservam ainda vários preconceitos do período em que estiveram na Terra.

327. O Espírito assiste ao enterro de seu corpo físico?

Frequentemente assiste. Entretanto, algumas vezes sua perturbação é tão grande que ele não entende o que está acontecendo.

327a. O Espírito fica lisonjeado com o número de assistentes que compareçem ao seu enterro?

Mais ou menos; isso dependerá do sentimento com que essas pessoas comparecem ao enterro.

328. O Espírito recém-desencarnado assiste à reunião de seus herdeiros?

Quase sempre. Deus permite que isso aconteça para que o Espírito se instrua ao conhecer o valor daqueles que o lisonjeavam. Nessas reuniões, todos os sentimentos dos herdeiros se tornam claros como realmente são.

A decepção que o Espírito sente ao ver a cobiça dos que dividem seus bens o esclarece quanto à verdadeira consideração que os parentes tinham por ele. Entretanto, também chegará a vez daqueles que hoje estão lhe causando essa decepção.

329. O respeito instintivo que o homem sempre consagrou aos mortos, em todos os tempos e entre todos os povos, provém da intuição de que existe uma vida futura?

Esse respeito é a consequência natural da intuição de que realmente existe uma vida futura. Sem essa intuição, o respeito pelos mortos não teria sentido.

CAPÍTULO 7

A REENCARNAÇÃO

- Preparativos Para a Reencarnação
- União Entre a Alma e o Corpo – Aborto
- Faculdades Morais e Intelectuais do Homem
- Influência do Corpo Físico
- Deficiências Mentais
- A Infância
- Simpatias e Antipatias Terrenas
- Esquecimento do Passado

PREPARATIVOS PARA A REENCARNAÇÃO

330. Os Espíritos sabem em que época reencarnarão?

Eles pressentem, da mesma forma que um cego sente o calor quando se aproxima do fogo. Os Espíritos sabem que terão que retornar a viver num corpo físico, assim como os homens sabem que um dia devem morrer; mas não sabem quando isso acontecerá (ver, nesta obra, pergunta nº 166 e seguintes).

330a. Então podemos dizer que a reencarnação é uma necessidade da vida espiritual, assim como a morte é uma necessidade da vida corporal?

Sim, é exatamente isso.

331. Todos os Espíritos se preocupam com a sua reencarnação?

Existem aqueles que não pensam nela, e outros que nem a compreendem; essa preocupação depende da natureza mais ou menos adiantada em que o Espírito se encontra. Para alguns, a incerteza quanto ao futuro constitui uma punição.

332. O Espírito pode antecipar ou retardar o momento da sua reencarnação?

Através de preces, o Espírito pode antecipar a sua encarnação, quando tem consciência de que isso lhe será benéfico. Pode também retardá-la, recuando diante da prova, pois entre os Espíritos também existem os covardes e os indiferentes.

Entretanto, ninguém retarda uma encarnação impunemente, visto que sofre com isso, assim como sofre aquele que recusa o remédio salutar que pode curá-lo.

333. O Espírito que se encontra numa posição confortável na Espiritualidade, e que não ambiciona mais progredir, poderia prolongar esse estado indefinidamente?

Indefinidamente, não. Cedo ou tarde o Espírito sente a necessidade de progredir. Todos devem se elevar, uma vez que esse é o objetivo e o destino de todos os Espíritos.

334. A união do Espírito com um determinado corpo físico é escolhida com antecedência, ou essa escolha somente acontece no último momento?

O corpo físico em que o Espírito vai reencarnar é sempre escolhido com antecedência. Ao escolher a prova pela qual deseja passar o Espírito pede para encarnar; Deus, que tudo sabe e tudo vê, já sabia antecipadamente que tal Espírito se uniria a tal corpo.

335. O Espírito tem o direito de escolher o corpo físico em que vai encarnar ou apenas o modo de vida que lhe servirá de prova?

O Espírito pode também escolher o corpo, uma vez que as imperfeições desse novo corpo constituem, para ele, provas que o ajudarão a progredir, se vencer os obstáculos que encontrar. Entretanto, nem sempre é permitido ao Espírito escolher o novo corpo, apesar de ainda lhe restar o direito de pedir.

335a. No último momento, o Espírito pode recusar o corpo físico que ele mesmo escolheu?

Se o Espírito recusar, sofre muito mais do que aquele que permanece estacionário e não tenta nenhuma prova.

336. Uma criança pode nascer sem ter um Espírito ligado a ela?

Deus a isso proveria. Quando uma criança nasce para viver, sempre está ligada a um Espírito; nada é criado sem que exista uma finalidade.

337. A união do Espírito com um determinado corpo físico pode ser imposta por Deus?

A união pode ser imposta por Deus, assim como as diferentes provas, principalmente quando o Espírito ainda não está apto a fazer uma escolha consciente. Como expiação, o Espírito pode ser obrigado a encarnar no corpo de uma criança que, pela forma como vai nascer e pela posição que vai ocupar no mundo, poderá tornar-se, para ele, um instrumento de punição.

338. Se vários Espíritos se apresentam para ocupar um mesmo corpo que vai nascer, o que determina quem vai ocupá-lo?

Muitos Espíritos podem pedir, mas em ocasiões assim é sempre Deus quem determina o mais apto para desempenhar a missão que aquela criança terá que cumprir. Mas, como eu já disse, o Espírito que vai se unir a um determinado corpo físico é escolhido antes do nascimento.

339. O momento da encarnação é acompanhado de uma perturbação semelhante à que o Espírito experimenta ao desencarnar?

A perturbação é muito maior e muito mais prolongada. Pela morte do corpo físico, o Espírito sai da escravidão; pelo nascimento, entra nela.

340. O momento da encarnação é especial para o Espírito? Ele entende esse ato como uma coisa séria e importante?

O Espírito que reencarna é como um viajante que embarca para uma travessia marítima perigosa e não sabe se encontrará a morte nas ondas que terá pela frente.

Comentário de Kardec: O viajante que embarca sabe a que perigos se expõe, mas não sabe se naufragará. O mesmo acontece com o Espírito: ele sabe o tipo de provas que irá enfrentar, mas não sabe se fracassará.

Assim como a morte do corpo físico é uma espécie de renascimento para o Espírito, a reencarnação é para ele uma espécie de morte, ou melhor, de exílio, de prisão. Ele deixa o Mundo Espiritual para retornar ao Mundo Material, assim como o homem deixa o Mundo Material para retornar ao Mundo Espiritual.

O Espírito sabe que reencarnará assim como o homem sabe que um dia morrerá. Mas, do mesmo modo que o homem só tem consciência da morte no último momento, o Espírito também só tem consciência da reencarnação momentos antes dela acontecer.

Assim, o Espírito reencarnante é envolvido por um estado de perturbação igual ao que envolve o homem quando ele entra em agonia, antes de desencarnar; essa perturbação irá acompanhá-lo até que a nova existência esteja completamente consolidada. Os momentos que antecedem a reencarnação constituem uma espécie de agonia para o Espírito.

341. Antes da encarnação, o Espírito sente muita ansiedade por não saber se terá sucesso nas provas que vai encontrar pela frente?

Sim, sente muita ansiedade, uma vez que as provas da nova existência **retardarão** ou adiantarão seu progresso, conforme ele as suporte, bem ou mal.

Observação

Na resposta dada pelo Espírito, **retardar** significa "estacionar", "não avançar em relação a si mesmo". O Espírito pode até não querer progredir e, assim, permanecer estacionário, mas ele nunca regride.

342. No momento da reencarnação, os Espíritos amigos vêm assistir à partida do Espírito que retornará ao Mundo Material, assim como vêm recebê-lo quando ele retorna da Terra?

Isso depende do lugar em que o Espírito se encontra. Se estiver em um lugar onde reina a afeição, os Espíritos que lhe querem bem o acompanharão até o último momento, encorajando-o e, frequentemente, acompanhando-o durante a vida.

343. Os Espíritos amigos que nos acompanham durante a vida são aqueles que vemos em sonho, que nos demonstram afeição e que se apresentam a nós com aparências desconhecidas?

Sim, com frequência são esses Espíritos que vem visitar os homens; da mesma maneira que os homens visitam um prisioneiro encarcerado.

UNIÃO ENTRE A ALMA E O CORPO – ABORTO

344. Em que momento o Espírito se une ao corpo?

A união do Espírito ao corpo começa na **concepção**, mas só se completa no instante do nascimento. Após a concepção, o Espírito se liga ao corpo que vai habitar por uma espécie de ligação fluídica. Essa ligação vai aumentando gradativamente de intensidade até o momento em que a criança nasce. O choro anuncia que o Espírito se encontra entre os encarnados e entre os servidores de Deus.

Observações

Fecundação: É o momento em que se dá a união do gameta feminino, denominado óvulo com o gameta masculino, denominado espermatozoide. A célula formada pela união entre o óvulo e o espermatozoide chama-se zigoto.

Concepção: É o desenvolvimento do embrião (ser vivo nas primeiras fases da vida) a partir de sua nidação ou implantação.

Nidação: É quando o óvulo fertilizado se fixa no endométrio, que é a membrana que recobre a cavidade uterina. Essa fixação pode demorar de 5 a 12 dias após a fecundação.

345. Após a concepção, a união entre o Espírito e o corpo físico é definitiva? Durante esse primeiro período, o Espírito poderia renunciar ao corpo que lhe foi designado?

A união é definitiva no sentido de que nenhum outro Espírito poderá substituir o Espírito que está designado para viver naquele corpo. Entretanto, como a ligação fluídica que une o Espírito ao novo corpo físico ainda é muito frágil, ela pode facilmente se romper pela "vontade" do Espírito reencarnante, se este recusar levar adiante a prova que escolheu. Nesse caso, a criança não vive.

Observação

O fato da ligação fluídica, que une o Espírito ao corpo físico, ser muito frágil e poder ser facilmente rompida pela "vontade" do Espírito reencarnante, pode representar um consolo para aqueles pais que se julgam responsáveis pela morte da criança.

346. O que acontece ao Espírito se o corpo que ele escolheu morre antes dele nascer?

Ele escolhe outro.

346a. Qual a causa dessas mortes prematuras?

As imperfeições da matéria são a causa mais frequente dessas mortes.

347. Que utilidade pode ter para um Espírito encarnar num corpo que morre poucos dias após o seu nascimento?

O novo ser ainda não tem consciência plena de sua existência, e a importância da morte para ele é quase nula. Conforme já dissemos, na maioria das vezes, esse fato constitui uma prova para os pais.

348. O Espírito sabe, com antecedência, que o corpo que escolheu não tem possibilidade de viver?

Algumas vezes sabe; mas se o escolheu por este motivo, é porque recua diante da prova.

349. Quando, por qualquer motivo, uma encarnação falha para o Espírito, ela é substituída imediatamente por outra?

Nem sempre imediatamente. O Espírito precisa de tempo para fazer uma nova escolha, a menos que a reencarnação imediata seja proveniente de uma determinação anterior e esteja nos planos da prova pela qual o Espírito reencarnante precisa passar.

350. O Espírito, uma vez unido a um corpo físico e não podendo mais retroceder, pode lamentar a escolha que fez?

Como homem, ele pode lamentar a vida que está vivendo na Terra e desejar outra melhor.

Como Espírito, uma vez encarnado, ele não pode lamentar uma escolha da qual não tem consciência, porque, ao reencarnar, ele esquece a vida que escolheu.

Entretanto, pode achar que o fardo é pesado demais e considerá-lo acima de suas forças. São esses os casos daqueles que recorrem ao suicídio.

351. No intervalo entre a concepção e o nascimento, o Espírito desfruta de todas as suas faculdades?

Mais ou menos; isto vai depender do tempo que ainda lhe falta para nascer, uma vez que ele ainda não está encarnado, está apenas ligado ao corpo físico. Desde o instante da concepção, a perturbação começa a envolver o Espírito, advertindo-o de que chegou o momento de reencarnar; essa perturbação vai crescendo até o nascimento.

Nesse intervalo, seu estado é mais ou menos o de um Espírito encarnado durante o sono do corpo físico. À medida que a hora do nascimento se aproxima, suas ideias se apagam, assim como a lembrança do passado, da qual deixa de ter consciência enquanto estiver encarnado. Quando retorna ao Mundo Espiritual, essa lembrança lhe volta pouco a pouco à memória.

352. Após o nascimento, o Espírito recobra imediatamente a plenitude de suas faculdades?

Não; ele as recupera gradualmente, à medida que os órgãos do novo corpo físico vão se desenvolvendo. Para o Espírito, é uma nova existência e ele precisa aprender a utilizar os instrumentos de que dispõe. As ideias vão lhe retornando pouco a pouco, assim como retornam para uma pessoa que desperta e vê que se encontra numa posição diferente da que ocupava na véspera.

353. Uma vez que a união do Espírito com o corpo físico apenas acontece de forma definitiva após o nascimento, pode-se dizer que o feto possui uma alma?

O Espírito que vai animar o novo corpo existe, mas está, de certo modo, fora dele. Sendo assim, o feto não tem, propriamente falando, uma alma, visto que a encarnação ainda não se consumou. Entretanto, o feto acha-se ligado ao Espírito que deverá animá-lo.

354. Como se explica a vida intrauterina?

A vida intrauterina é muito semelhante à da planta que vegeta. A criança vive a vida animal. O homem tem em si a vida animal e a vida vegetal, que se completam, após o seu nascimento, com a vida espiritual.

355. Existem, conforme nos revela a Ciência, crianças que desde o ventre materno não têm possibilidades de viver? Com que finalidade isso ocorre?

Isso acontece com frequência; Deus o permite como prova para os pais ou para o Espírito reencarnante.

356. Existem crianças que nascem mortas e que não foram destinadas à encarnação de um Espírito?

Sim, existem crianças que nunca tiveram um Espírito ligado a seus corpos. Nada deveria ser realizado com aqueles corpos físicos. As crianças que já nascem mortas servem de prova apenas para os pais.

356a. Pode nascer uma criança que não está vinculada a um Espírito?

Sim, algumas vezes isso acontece, mas elas não sobrevivem.

356b. Sendo assim, toda criança que sobrevive ao nascimento tem, necessariamente, um Espírito encarnado nela?

Se não tivesse um Espírito, não seria um ser humano.

357. Quais são as consequências do aborto para o Espírito?

É uma existência nula e que ele precisará recomeçar.

358. O aborto provocado é um crime, qualquer que seja o período da gestação?

Sempre existe crime quando se transgride a Lei de Deus. A mãe, ou qualquer outra pessoa, cometerá um crime sempre que tirar a vida de uma criança antes do seu nascimento, porque estará impedindo o Espírito de suportar as provas para as quais aquele corpo seria o instrumento.

359. No caso em que a vida da mãe corre perigo pelo nascimento do filho, existe crime em sacrificar a criança para salvar a mãe?

É preferível sacrificar o ser que ainda não existe a sacrificar o que já existe.

360. É racional dispensar ao feto a mesma atenção que se dispensa ao corpo de uma criança que morre com pouca idade?

Em tudo isso se verifica a vontade de Deus e a Sua obra. Portanto, o homem não pode tratar levianamente as coisas que deve respeitar. Por que não respeitar as obras da Criação, algumas vezes incompletas pela própria vontade do Criador? Isso faz parte dos Seus desígnios e ninguém tem o direito de julgar.

FACULDADES MORAIS E INTELECTUAIS DO HOMEM

361. Qual a origem das boas e das más qualidades morais do homem?

As qualidades morais do homem são as do Espírito encarnado nele. Quanto mais puro for esse Espírito, mais o homem será propenso a fazer o bem.

361a. Então podemos dizer que o homem de bem é a encarnação de um Espírito bom e que o homem com vícios é a encarnação de um Espírito mau?

Sim; porém é mais correto dizer que o homem com vícios é a encarnação de um Espírito imperfeito, pois, do contrário, seríamos levados a acreditar na existência de Espíritos sempre maus, aos quais todos chamam de demônios.

362. Qual é o caráter dos indivíduos nos quais encarnam Espíritos desajuizados e levianos?

São criaturas imprudentes, irresponsáveis, maliciosas e, por vezes, maldosas.

363. Os Espíritos têm paixões desconhecidas pela Humanidade?

Não; se as tivessem já teriam comunicado aos homens.

364. É o mesmo Espírito que dá ao homem as qualidades morais e as da inteligência?

Sim, é o mesmo Espírito, e isso em razão do grau de adiantamento que já alcançou. O homem não tem em si dois Espíritos.

365. Por que alguns homens muito inteligentes, nos quais parecem estar encarnados Espíritos Superiores, possuem, ao mesmo tempo, tantos vícios?

Porque os Espíritos encarnados nesses homens ainda não são suficientemente puros; assim, acabam cedendo à influência de outros Espíritos mais imperfeitos. O Espírito progride numa marcha ascendente que não pode ser percebida, mas o progresso não se realiza simultaneamente em todos os campos. Num período da sua existência ele avança em conhecimento; noutro, em moralidade, e assim por diante.

366. O que pensar da ideia segundo a qual as diferentes faculdades intelectuais e morais do homem seriam a manifestação de diferentes Espíritos nele encarnados, cada um possuindo uma aptidão especial?

A reflexão sobre essa questão nos permite reconhecê-la como absurdo; o Espírito deve possuir todas as aptidões e, para progredir, precisa de uma "vontade única". Se o homem fosse uma mistura de Espíritos, essa vontade única não existiria e ele não teria individualidade. Quando da sua morte, todos esses Espíritos seriam como um bando de pássaros fugidos duma gaiola.

O homem lamenta com frequência que não compreende certas coisas, no entanto, é curioso ver como ele multiplica as dificuldades, quando tem ao seu alcance uma explicação muito mais simples e natural. Ainda nesse caso, o homem tenta explicar as diversas faculdades intelectuais e morais atribuindo a cada uma delas um Espírito diferente.

Isso é fazer com o homem o mesmo que os pagãos faziam com Deus; eles acreditavam em tantos deuses quantos fossem os fenômenos do Universo. Mas, mesmo entre eles, existiam pessoas sensatas que já viam nesses fenômenos apenas efeitos que possuíam uma causa única – Deus.

Comentário de Kardec: *O Mundo Material e o Mundo Moral nos oferecem, a esse respeito, inúmeros pontos de comparação. Enquanto os Cientistas se detiveram na aparência dos fenômenos, eles acreditaram na existência de vários tipos de matéria. Hoje, os Cientistas compreendem perfeitamente que esses fenômenos, apesar de tão variados, podem ser apenas modificações de uma matéria elementar única.*

As diversas aptidões são manifestações de um mesmo Espírito encarnado e não de diversos Espíritos, assim como os diferentes sons de um teclado são o produto de uma mesma espécie de ar e não de tantas espécies de ar quantos forem os sons.

Dessa ideia resultaria que quando um homem perde ou adquire certas aptidões, certas tendências, isso seria pela ação de outros Espíritos que encarnaram nele e depois o deixaram, o que tornaria o homem um ser múltiplo, sem individualidade e, por consequência, sem responsabilidade. Essa ideia é contestada por vários Espíritos que, através de suas manifestações, provam a sua personalidade e a sua identidade.

INFLUÊNCIA DO CORPO FÍSICO

367. Ao unir-se com o corpo físico, o Espírito se identifica com a matéria?

A matéria é apenas o envoltório do Espírito, assim como a roupa é o envoltório do corpo. Unindo-se ao corpo físico, o Espírito conserva os atributos que possuía antes de reencarnar, ou seja, os atributos da natureza espiritual.

368. O Espírito exerce as suas faculdades com plena liberdade após se unir ao corpo físico?

Para exercer as suas faculdades o Espírito depende dos órgãos que lhe servem de instrumento. O corpo físico, por ser muito material, enfraquece essas faculdades.

368a. Nesse caso, o corpo físico seria um obstáculo à livre manifestação das faculdades do Espírito, assim como um vidro opaco se opõe à livre passagem da luz?

Sim, o corpo físico comporta-se como um vidro muito opaco.

Comentário de Kardec: *A ação que a matéria grosseira do corpo físico exerce sobre o Espírito pode ser comparada a uma água barrenta que tira a liberdade dos movimentos de um corpo que nela mergulha.*

369. O Espírito precisa esperar que os órgãos se desenvolvam para que ele possa exercer as suas faculdades com liberdade?

Os órgãos são os instrumentos através dos quais o Espírito manifesta as suas faculdades; essa manifestação depende do desenvolvimento e do grau de perfeição desses mesmos órgãos, assim como a boa qualidade de um trabalho depende da qualidade da ferramenta.

370. Existe uma relação entre o desenvolvimento dos órgãos cerebrais e o desenvolvimento das faculdades morais e intelectuais do Espírito?

Não se deve confundir a consequência com a causa. O Espírito sempre está de posse de suas faculdades. Ora, não são os órgãos que dão as faculdades ao Espírito; as faculdades do Espírito é que estimulam o desenvolvimento dos órgãos.

370a. Sendo assim, a diferença entre as aptidões encontradas nos homens se devem unicamente ao estágio em que o Espírito se encontra?

Unicamente não é o termo mais exato. O princípio dessas diferenças encontra-se nas qualidades que o Espírito possui. Mesmo ele sendo mais ou menos adiantado, é preciso levar em conta a influência da matéria que sempre limita, com maior ou menor intensidade, o exercício de suas faculdades.

Comentário de Kardec: Ao encarnar, o Espírito traz consigo certas faculdades. Se atribuirmos a cada uma delas um órgão correspondente no cérebro, o desenvolvimento desses órgãos será sempre uma consequência dessas faculdades, ou seja, são as faculdades que desenvolvem os órgãos e não o contrário.

Se as faculdades tivessem sua origem nos órgãos, o homem seria uma máquina sem livre-arbítrio e sem responsabilidade por seus atos. Sendo assim, os maiores gênios, sábios, poetas, artistas, o seriam apenas porque o acaso lhes concedeu órgãos especiais, e, sem esses órgãos, não seriam gênios.

*Assim, qualquer um poderia ser um **Newton**, um **Virgílio** ou um **Rafael**, se tivesse possuído órgãos especiais. A suposição de que os órgãos possam dar as aptidões ao Espírito, torna-se ainda mais absurda quando aplicada às qualidades morais. Efetivamente, segundo essa suposição, um **São Vicente de Paulo**, dotado pela Natureza de certos órgãos, poderia ser um malfeitor, e qualquer malfeitor que possuísse determinados órgãos poderia ser um São Vicente de Paulo.*

É muito mais racional admitirmos, ao contrário, que os órgãos especiais, se é que existem, são uma consequência e se desenvolvem pelo exercício das faculdades, assim como os músculos se desenvolvem pelo movimento.

Vamos fazer uma comparação simples, porém verdadeira: pela fisionomia, podemos reconhecer o homem dado à bebida; não são os sinais que o tornam um viciado, e sim o vício que produz os sinais. Na realidade, as faculdades do Espírito é que desenvolvem os órgãos e não o contrário.

Observações

Isaac Newton: Cientista Inglês que viveu entre os anos de 1.642 e 1.727 d.C.
Virgílio: Poeta latino que escreveu Eneida e viveu entre os anos de 71 e 19 a.C.
Rafael Sanzio: Pintor, Escultor e Arquiteto Italiano; viveu entre os anos de 1.493 e 1.520 d.C.

São Vicente de Paulo: Sacerdote católico Francês, declarado santo pelo Papa Clemente XII. Viveu entre os anos de 1581 e 1660 d.C.

DEFICIÊNCIAS MENTAIS

371. A opinião de que os deficientes mentais possuem uma alma de natureza inferior tem fundamento?

Essa opinião não tem fundamento. Além de possuírem uma alma humana, eles podem ser mais inteligentes do que se imagina. Entretanto, possuem muita dificuldade em se manifestar, e isso faz com que eles sofram, assim como o mudo sofre por não poder falar.

372. Com que objetivo Deus permite a reencarnação de loucos e de doentes mentais?

Os Espíritos que habitam os corpos dos doentes mentais são aqueles que estão expiando erros cometidos em existências anteriores. Esses Espíritos sofrem pelo constrangimento a que estão sujeitos e pela dificuldade que encontram em se manifestar por meio de órgãos não desenvolvidos ou defeituosos.

372a. Nesse caso, os órgãos têm influência sobre as faculdades?

Nunca dissemos que os órgãos não tinham influência sobre as faculdades. Eles possuem uma influência muito grande sobre a manifestação das faculdades; porém, não são os órgãos que produzem as faculdades e aí está a diferença. Um bom músico, com um instrumento ruim, não produzirá boa música, mas isso não o impede de ser um bom músico.

*Comentário de Kardec: É necessário distinguir o corpo físico sadio do corpo físico doente. No estado normal, o **moral** supera o obstáculo que o corpo físico lhe opõe. No estado doente, o corpo físico oferece tanta resistência que as manifestações ficam limitadas ou descaracterizadas, ou melhor, não são entendidas; é o caso dos idiotas e dos doentes mentais.*

Nesses casos, o Espírito não pode desfrutar de toda sua liberdade, e a própria Lei Humana o isenta da responsabilidade de seus atos.

Observação

Moral: É o conjunto de todas as virtudes.

373. Qual pode ser o mérito da existência dos deficientes mentais e dos loucos que, não podendo fazer o bem nem o mal, não podem progredir?

Esses Espíritos reencarnam compulsoriamente para corrigir o uso indevido que fizeram de certas faculdades em existências anteriores. Trata-se de uma pausa temporária.

373a. O homem que foi um gênio em uma existência anterior pode animar o corpo de um deficiente mental?

Sim. Às vezes, a genialidade pode tornar-se um flagelo, quando dela se abusa.

Comentário de Kardec: A superioridade moral nem sempre acompanha a superioridade intelectual, e os grandes gênios podem ter muito a expiar. Com muito sofrimento, eles retornam para viver uma existência inferior a que tiveram.

As dificuldades que o Espírito experimenta em suas manifestações, usando um corpo físico em que o cérebro é deficiente, assemelham-se a algemas que impedem os movimentos de um homem vigoroso. Podemos dizer que os deficientes mentais são aleijados do cérebro, assim como o manco é das pernas e o cego é dos olhos.

374. Quando o deficiente mental está mais livre de seu corpo físico, durante o sono, por exemplo, ele tem consciência do seu estado?

Sim, frequentemente. Ele compreende que as restrições do corpo físico, que o impedem de uma manifestação normal, constituem para ele uma prova e uma expiação.

375. Qual é a situação do Espírito na loucura?

O Espírito quando está desencarnado, recebe diretamente suas impressões e exerce de forma direta sua ação sobre a matéria. Entretanto, quando está encarnado, somente através de órgãos especiais ele pode exercer suas manifestações.

Se uma parte ou o conjunto desses órgãos for alterado, sua ação ou suas impressões, no que diz respeito a esses órgãos, são interrompidas. Se ele perde os olhos, torna-se cego; se perde o ouvido, fica surdo, e assim por diante.

Se o cérebro, que é órgão que dirige as manifestações da inteligência e da vontade, ficar parcial ou totalmente comprometido, é fácil compreender que o Espírito, dispondo apenas de órgãos incompletos ou alterados para se manifestar, entre num estado de perturbação.

Assim, por si mesmo e no seu foro íntimo, ele tem perfeita consciência do seu estado, mas não dispõe de meios para modificar a sua situação.

375a. Então, quem se desorganiza é sempre o corpo físico e não o Espírito?

Sim, mas é preciso lembrar que, do mesmo modo que o Espírito age sobre o corpo físico, este também reage sobre o Espírito, dentro de certos limites. Também é preciso lembrar que o Espírito encontra-se momentaneamente em dificuldade, devido à alteração dos órgãos que ele utiliza para se manifestar e receber as impressões do meio em que se encontra.

Pode acontecer que, depois de um período longo, quando a loucura já durou muito tempo, a repetição dos mesmos atos acabe por exercer sobre o Espírito uma influência da qual ele somente se libertará após o desencarne, quando estiver completamente desligado de todas as impressões que o corpo deficiente lhe causava.

376. Por que, algumas vezes, a loucura leva o homem ao suicídio?

O Espírito sofre com o constrangimento a que está submetido e com a impossibilidade de se manifestar livremente. Assim, procura na morte um meio de se libertar de um corpo físico deficiente.

377. Após a morte, o Espírito de um doente mental se ressente pela desorganização de suas faculdades?

O Espírito pode se ressentir por algum tempo, até que esteja completamente desligado do corpo físico; assim como o homem, ao acordar, se ressente por algum tempo da perturbação que o sono lhe impõe.

378. De que modo a desorganização do cérebro de um doente mental reage sobre o Espírito após a morte do seu corpo físico?

A desorganização cerebral reage sobre o Espírito como espécie de lembrança, como um peso que lhe oprime. Desse modo, como ele não tem a compreensão de tudo o que se passou durante a sua loucura, precisará sempre de algum tempo para recobrar a plena lucidez.

Pode-se dizer que, quanto mais longa for a loucura no curso da vida terrena, mais tempo durará o sentimento de opressão e de constrangimento após a morte. O Espírito, mesmo desligado do corpo físico, se ressente por algum tempo da impressão que o corpo deficiente lhe causava.

A INFÂNCIA

379. O Espírito que anima o corpo de uma criança é tão desenvolvido quanto o de um adulto?

Pode ser até mais desenvolvido, se já fez progresso anterior. Apenas os órgãos em desenvolvimento o impedem de se manifestar com plenitude; assim, o Espírito age de acordo com o instrumento de que dispõe.

380. Sem considerar a limitação dos órgãos infantis, o Espírito de uma criança em tenra idade pensa como criança ou como adulto?

Quando criança, os órgãos da inteligência ainda não estão desenvolvidos; portanto, não podem dar ao Espírito a intuição própria de um adulto. Assim, na infância do novo corpo, o Espírito fica com a inteligência bastante limitada até que a idade lhe amadureça a razão. A perturbação que a encarnação produz no Espírito não cessa subitamente com o nascimento; ela se dissipa gradualmente com o desenvolvimento dos órgãos.

Comentário de Kardec: Uma observação vem apoiar essa resposta: os sonhos de uma criança não possuem o conteúdo dos sonhos de um adulto; seu objeto é quase sempre infantil, o que indica a natureza das preocupações do respectivo Espírito.

381. Quando a criança morre, o Espírito retoma imediatamente o vigor que possuía antes?

Sim, pois o Espírito se livra do corpo físico que era para ele uma espécie de limitação. Entretanto, só adquire a plenitude da sua lucidez depois de estar totalmente separado do corpo físico, ou melhor, quando não existir mais nenhuma ligação prendendo o Espírito ao corpo.

382. Durante a infância, o Espírito encarnado sofre com a limitação que seus órgãos lhe impõem?

Não, porque o período da infância, além de ser natural, é uma necessidade para o Espírito e está de acordo com os planos do Criador. É um período de repouso para o Espírito que reencarna.

383. Que utilidade pode ter para o Espírito passar pelo período da infância?

Uma vez que o Espírito encarna com o objetivo de se aperfeiçoar, durante o período da infância ele é mais acessível aos conselhos que deve receber daqueles que são responsáveis por sua educação.

384. Por que a criança chora ao nascer?

Para estimular o interesse da mãe e provocar os cuidados físicos que lhe são necessários. Se as primeiras manifestações fossem de alegria, quando a criança ainda não sabe falar, haveria pouca preocupação com os cuidados que lhe são indispensáveis. A sabedoria de Deus deve ser admirada, pois ela se manifesta em toda parte.

385. Por que o indivíduo modifica o seu caráter ao sair da adolescência? É o Espírito que se modifica?

Ao sair da adolescência, o Espírito retoma a sua natureza e se mostra tal como era. Os homens não conhecem os segredos que a inocência das crianças esconde. Não sabem o que elas são, nem o que foram, nem o que serão. Entretanto, amam e as acariciam como se fossem um pedaço deles mesmos. O amor que uma mãe sente por seus filhos é considerado o maior amor que um ser pode ter por outro ser.

Vou explicar de onde vem essa doce afeição, essa terna boa-vontade, que até mesmo os estranhos sentem pelas crianças.

As crianças são seres que Deus envia para uma nova existência. Para que não sofram com o excesso de severidade, Ele lhes concede a aparência da inocência. Mesmo uma criança má por natureza terá suas faltas encobertas pela inconsciência de seus atos. Essa "inocência" não constitui uma superioridade real sobre aquilo que o Espírito era antes; a inocência é a imagem daquilo que ele deveria ser e, se ainda não o é, a culpa recai somente sobre ele.

Mas não é somente pelas crianças que Deus dá o aspecto da inocência; é também e, principalmente, por seus pais, cujo amor é necessário à fragilidade infantil. Esse amor seria muito enfraquecido pela presença de um caráter agressivo e ríspido; ao passo que, acreditando que seus filhos são bons e dóceis, os pais lhes dedicam toda a afeição e lhes dispensam todos os cuidados.

Quando os filhos não necessitam mais dessa assistência que lhes foi dispensada durante quinze ou vinte anos, o caráter real e individual do Espírito ressurge com toda sua plenitude. Esse caráter se conserva bom se o Espírito já era bom, mas sempre sobressairão as características que estavam escondidas na primeira infância.

Observem que os caminhos de Deus são sempre os melhores e, quando se tem o coração puro, a explicação é fácil de ser compreendida.

Reflitam sobre o seguinte: o Espírito da criança que nasce pode vir de um mundo onde os hábitos são totalmente diferentes dos hábitos humanos; como querer que essa nova criatura, que vem com paixões, inclinações e gostos inteiramente opostos, permaneça entre os homens? Como querer que ela se incorpore ao ambiente terrestre, se não for como Deus quer, ou seja, passando pela fase da infância?

Nessa idade se confundem todos os pensamentos, todos os caracteres, todas as variedades de seres gerados por essa infinidade de mundos nos quais se desenvolvem as criaturas.

O próprio homem, ao desencarnar, também vai se encontrar numa espécie de infância, vivendo entre novos irmãos e, nessa nova existência extraterrena, também vai desconhecer os hábitos, os costumes e as relações desse mundo ainda novo para ele. Terá dificuldade com uma linguagem que não está mais habituado a falar, linguagem mais vivaz do que é atualmente o seu próprio pensamento (ver pergunta nº 319).

A infância tem, ainda, outra utilidade: os Espíritos reencarnam para se aperfeiçoar e se melhorar. A fragilidade da infância os torna acessíveis aos conselhos daqueles que devem fazê-los progredir. É nessa fase que podem reformar seu caráter e reprimir suas más tendências. Esse é o dever que Deus confiou aos pais, missão sagrada pela qual terão que responder.

Assim, a infância não é apenas útil, necessária e indispensável, mas também é uma consequência natural das Leis que Deus estabeleceu e que regem o Universo.

SIMPATIAS E ANTIPATIAS TERRENAS

386. Dois seres que se conheceram e se amaram numa existência podem se encontrar em outra e se reconhecerem?

Não podem se reconhecer, mas podem sentir-se atraídos um pelo outro. Frequentemente, as ligações íntimas provenientes de uma afeição sincera possuem essa causa. Duas pessoas se aproximam uma da outra por circunstâncias "aparentemente" fortuitas, mas que de fato resultam da atração de dois Espíritos que se buscam em meio à multidão.

386a. Não seria mais agradável para esses Espíritos se eles pudessem se reconhecer?

Nem sempre. A lembrança das existências anteriores pode trazer inconvenientes maiores do que o homem pode imaginar. Após a morte, eles se reconhecerão e saberão em que época estiveram juntos (ver pergunta nº 392).

387. A simpatia entre os Espíritos tem sempre por princípio um conhecimento anterior?

Não. Dois Espíritos que tenham afinidade se procuram naturalmente, sem que exista a necessidade de terem se conhecido em encarnações anteriores.

388. O encontro que acontece entre algumas pessoas, e que atribuímos ao acaso, não poderia ser o efeito de uma certa relação de simpatia?

Entre os seres pensantes existem ligações que os homens ainda não conhecem. O Magnetismo é quem dirige essa Ciência que, mais tarde, todos compreenderão melhor.

389. Qual a origem da repulsa instintiva que sentimos por certas pessoas, logo à primeira vista?

São Espíritos antipáticos entre si que se reconhecem de imediato, sem se falarem.

390. A antipatia instintiva é sempre sinal de um Espírito com natureza má?

Dois Espíritos não são necessariamente maus, apenas por não simpatizarem um com o outro. A antipatia entre eles pode ter como causa um modo diferente de pensar. Mas, à medida que vão progredindo, as divergências se apagam e a antipatia desaparece.

391. A antipatia entre duas pessoas se manifesta primeiro naquela cujo Espírito é mau ou naquela cujo Espírito é bom?

Manifesta-se tanto num quanto noutro, mas as causas e os efeitos são diferentes. O Espírito mau tem antipatia por qualquer pessoa que possa julgá-lo e desmascará-lo. Ao ver alguém pela primeira vez, logo percebe que vai ser censurado. Seu afastamento em relação a essa pessoa se transforma em ódio, em inveja e isso lhe inspira o desejo de praticar o mal.

O Espírito bom sente repulsa pelo mau porque sabe que não será compreendido por ele e que não compartilharão dos mesmos sentimentos; porém, por estar seguro de sua superioridade, não sente pelo outro nem ódio nem inveja, contenta-se em evitá-lo e lastima por isso.

ESQUECIMENTO DO PASSADO _____

392. Por que o Espírito encarnado "esquece" o seu passado?

O Espírito encarnado não pode e nem deve saber tudo. Deus, em Sua sabedoria, quer que seja assim. Sem o véu que lhe encobre certas coisas, o homem ficaria ofuscado, assim como aquele que passa rapidamente do escuro para a luz. O esquecimento do passado faz com que ele foque sua vida no presente e tenha mais confiança em si mesmo.

393. Como o homem pode ser responsável por atos e resgatar faltas das quais não se lembra? Como pode aproveitar a experiência adquirida em existências que foram esquecidas? Se ele pudesse lembrar-se das dificuldades pelas quais passou, e isso lhe servisse de lição, seria bem mais aceitável. Mas, a partir do momento que não se lembra, cada existência é para ele como se fosse a primeira. Assim, o homem está sempre recomeçando. Como conciliar isso com a Justiça de Deus?

A cada nova existência, o homem tem mais inteligência e pode distinguir melhor entre o bem e o mal. Onde estaria o mérito se ele pudesse lembrar de todo o seu passado?

Quando o Espírito retorna ao Mundo Espiritual, toda sua vida passada se desenrola diante dele. Vê as faltas que cometeu e que são a causa de seu sofrimento, bem como aquilo que poderia ter feito para evitá-las. Compreende que é justa a posição que ocupa no Mundo dos Espíritos e busca então uma nova existência onde poderá reparar os erros que cometeu na existência que ora termina.

Assim, escolhe provas semelhantes às que não soube vencer, ou lutas que considera apropriadas ao seu adiantamento. Pede aos Espíritos Superiores que o ajudem a ter êxito na nova tarefa que terá pela frente, porque sabe que o Espírito que lhe será dado por guia nessa nova existência tudo fará para ajudá-lo a reparar seus erros, dando-lhe uma espécie de "intuição" sobre as faltas cometidas em existências anteriores.

O homem recebe essa mesma intuição pelo pensamento, pelo desejo de fazer o mal, que com frequência o atinge, e ao qual resiste instintivamente, atribuindo essa resistência, na maior parte das vezes, aos princípios recebidos pelos pais. Entretanto, essa resistência é a voz da consciência que se manifesta como uma recordação do passado, advertindo-o para que não cometa as mesmas faltas.

Se nessa nova existência o Espírito suportar as provas com coragem e resistir às más influências, ele se elevará e ascenderá na hierarquia dos Espíritos, quando retornar para o Mundo Espiritual.

Comentário de Kardec: Se não temos, durante o período em que estamos encarnados, uma lembrança precisa do que fomos e do que fizemos de bem ou de mal, em existências anteriores, temos, pelo menos, a intuição disso.

As nossas "tendências instintivas" são as "lembranças do nosso passado", às quais a nossa consciência, que representa o desejo de não mais cometer as mesmas faltas, nos adverte para resistir.

394. Nos mundos mais avançados que a Terra, os habitantes, que não estão sujeitos a todas as nossas necessidades físicas e enfermidades, compreendem que são mais felizes do que nós?

A felicidade, em geral, é relativa e somente pode ser sentida se for comparada com um estado menos feliz. Como alguns desses mundos ainda não atingiram o estado de perfeição, seus habitantes também devem ter, a seu modo, razões para se aborrecer?

Na Terra, mesmo o rico, que não sofre as angústias das necessidades materiais como o pobre, não está livre das dificuldades que tornam a vida amarga. Sendo assim, pergunto: na situação em que se encontram, os habitantes desses mundos não se consideram tão infelizes quanto nós e não lamentam a própria sorte, já que não se lembram de existências em mundos inferiores que lhes sirvam de comparação?

Essa pergunta requer duas respostas distintas. Existem mundos onde os habitantes possuem uma lembrança clara e precisa de suas existências anteriores, e por isso sabem apreciar a felicidade que Deus lhes permite desfrutar.

Existem outros, onde os habitantes vivem melhor do que na Terra, mas nem por isso deixam de experimentar grandes aborrecimentos, e até mesmo infortúnios. Esses não apreciam a felicidade de que desfrutam por não terem a lembrança de um estado ainda mais infeliz.

Entretanto, se eles não apreciam essa felicidade enquanto encarnados, apreciam-na como Espíritos livres, desencarnados.

Comentário de Kardec: Será que não existe uma Sabedoria Divina no fato de o homem esquecer suas existências anteriores, principalmente aquelas que foram muito dolorosas?

É nos Mundos Superiores, onde a lembrança das existências infelizes não passa de um pesadelo, que elas se apresentam à memória. Nos Mundos Inferiores, as infelicidades do presente não seriam agravadas pela lembrança de tudo o que já se suportou?

Assim, podemos concluir que: tudo o que Deus faz é bem feito; e não nos cabe criticar Suas obras, nem dizer como Ele deveria reger o Universo.

A lembrança do que fizemos no passado teria inconvenientes muito graves. Poderia, em algumas situações, humilhar-nos excessivamente; em outras, exaltar-nos o orgulho e, assim, entravar o nosso livre-arbítrio.

Deus dá, para o nosso aperfeiçoamento, apenas aquilo que precisamos, ou seja: "a voz da consciência" e as nossas "tendências instintivas", privando-nos da lembrança de outras existências, pois essa lembrança poderia nos prejudicar.

Acrescentemos ainda que, se pudéssemos lembrar do que fizemos, lembraríamos também do que os outros fizeram, e essas lembranças poderiam causar efeitos terríveis em nossas relações sociais. Como nem sempre podemos nos orgulhar do nosso passado, não deixa de ser uma felicidade quando ele nos é ocultado.

O esquecimento do passado está em concordância com a Doutrina dos Espíritos sobre os Mundos Superiores à Terra. Nesses mundos, onde apenas reina o bem, a lembrança do passado nada tem de doloroso, razão pela qual é possível recordar a existência anterior, assim como recordamos o que fizemos no dia de ontem.

Para os Espíritos que já estão vivendo em mundos melhores, a lembrança dos mundos inferiores não passa de um simples pesadelo.

395. Podemos ter algumas revelações sobre as nossas existências anteriores?

Nem sempre. Entretanto, muitas pessoas sabem o que foram e o que fizeram. Se lhes fosse permitido falar abertamente sobre o passado, fariam revelações surpreendentes.

396. Algumas pessoas acreditam ter uma vaga lembrança de um passado desconhecido, que se apresenta a elas como a imagem passageira de um sonho, que em vão tentam reter. Essa ideia é apenas uma ilusão?

Algumas vezes é real; entretanto, frequentemente é uma ilusão contra a qual o homem precisa tomar cuidado, porque pode ser a consequência de uma imaginação superexcitada.

397. Nas existências em que os Espíritos possuem corpos físicos mais perfeitos que os nossos, a lembrança das existências anteriores é mais precisa?

Sim; à medida que o corpo físico se torna menos material, o Espírito encarnado se recorda com mais exatidão do seu passado. Para aqueles que habitam mundos de uma ordem superior, a lembrança das vidas passadas é sempre mais clara.

398. As tendências instintivas do homem são uma recordação do seu passado. Pelo estudo apurado dessas tendências, o homem pode conhecer as faltas que cometeu?

Sem dúvida, é possível conhecê-las, mas até certo ponto. É preciso considerar o progresso que o Espírito realizou durante o período em que ficou desencarnado e as resoluções que tomou no Mundo Espiritual. Assim, a existência atual pode ser muito melhor que a anterior.

398a. A nova existência pode ser pior? Ou seja, o homem pode cometer, numa nova existência, faltas que não cometeu na existência anterior?

Isso depende do seu adiantamento; se não souber resistir às provas, poderá ser levado a cometer novas faltas, que são consequência da posição que escolheu. Mas, em geral, essas novas faltas revelam mais um estado estacionário do Espírito do que um estado retrógrado, porque o Espírito pode avançar ou estacionar, mas nunca retroceder.

399. As dificuldades da vida na Terra são, ao mesmo tempo, expiação das faltas cometidas no passado e provas para o futuro. Sendo assim, pode-se dizer que, pela natureza dessas dificuldades, é possível deduzir de que modo foi a existência anterior?

Muito frequentemente, pois cada um é punido naquilo em que errou. Entretanto, isso não deve ser uma regra absoluta. As tendências instintivas são um indício mais seguro, porque as provas a que um Espírito se submete se referem tanto ao futuro quanto ao passado.

Comentário de Kardec: Quando o tempo de permanência no Mundo Espiritual se esgota, o próprio Espírito escolhe as provas pelas quais quer passar visando acelerar o seu progresso, ou melhor, o tipo de existência que ele julga ser o mais apropriado para lhe fornecer os meios que precisa para se adiantar. Essas provas estão sempre relacionadas com as faltas que ele deve corrigir. Se triunfar, ele progride; se fracassar, tem que recomeçar.

O Espírito desfruta sempre do seu livre-arbítrio. É em virtude dessa liberdade que ele escolhe, no Mundo Espiritual, as provas da vida em corpo físico. Uma vez encarnado, ele decidirá se vai cumprir estas provas ou não, ao escolher entre o bem e o mal. Negar o livre-arbítrio ao homem seria reduzi-lo à condição de uma máquina.

*Ao reencarnar, o Espírito perde momentaneamente a lembrança de suas existências anteriores; é como se um véu as ocultasse. Entretanto, às vezes, tem uma vaga consciência dessas vidas, e elas **podem até mesmo lhe ser reveladas em algumas circunstâncias. Mas, isso só acontece pela vontade dos Espíritos Superiores, que o fazem espontaneamente e com um objetivo útil, jamais para satisfazer à vã curiosidade.***

217

As existências futuras não podem ser reveladas em caso algum, porque dependem da maneira como a existência atual vai ser vivida, e também da escolha que o Espírito fará no mundo espiritual.

O esquecimento das faltas cometidas não é um obstáculo ao progresso do Espírito. Mesmo ele não se lembrando delas com precisão, o fato de tê-las conhecido no Mundo Espiritual e o compromisso que assumiu em repará-las guiam-no pela intuição e lhe dão o pensamento de resistir ao mal.

Esse pensamento é "a voz da consciência" auxiliada pelos Espíritos que o assistem; essa assistência só é mantida caso o homem atenda as boas inspirações que os Espíritos lhe sugerem.

Se o homem não recorda os atos que praticou em suas existências anteriores, pode sempre saber o tipo das faltas pelas quais se tornou culpado e qual era seu caráter dominante. Basta que estude a si mesmo e poderá julgar o que foi, não pelo o que é hoje, mas por "suas tendências".

As "dificuldades da vida" em corpo físico são, ao mesmo tempo, expiação das faltas cometidas no passado e provas para o futuro. Elas nos purificam e nos elevam, se as suportamos com resignação e sem reclamar.

A natureza das dificuldades e das provas que sofremos também pode nos esclarecer sobre o que fomos e o que fizemos, do mesmo modo que aqui na Terra julgamos os atos de um culpado pelo castigo que a Lei lhe impõe.

Assim, o orgulhoso será castigado em seu orgulho pela humilhação de uma existência subalterna; o mau rico e o avarento sofrerão com a miséria; o que foi duro para com os outros sofrerá pelo tratamento duro que receberá; o tirano suportará a escravidão; o mau filho será castigado pela ingratidão de seus filhos; o preguiçoso, por um trabalho forçado, e assim por diante.

Observação

Regressão a vidas passadas: É preciso ter muito cuidado em buscar auxílio nas chamadas "terapias de regressão a vidas passadas", pois se não nos lembramos de nossas existências anteriores, algum motivo sério deve haver.

Infelizmente, existem muitas pessoas despreparadas trabalhando com essas técnicas, e as consequências para quem vai em busca desse tipo de ajuda podem ser desastrosas. É preciso compreender que nem todos estão em condições de saber o que foram e, principalmente, o que fizeram.

Se Deus, em Sua sabedoria, nos concede a graça do esquecimento, é porque isso nos é benéfico. Se houver necessidade de acessar essas existências anteriores, os Espíritos Superiores e aqueles que são responsáveis pela nossa encarnação certamente encontrarão um meio de abrir-nos essa janela; mas eles somente o farão se isso puder nos ajudar de alguma forma.

Para um maior esclarecimento sobre "o esquecimento das existências anteriores", solicitamos ler a questão nº 370 da obra "O Consolador" - Espírito Emmanuel, psicografado por Francisco Cândido Xavier.

CAPÍTULO 8

LIBERTAÇÃO DA ALMA

- O SONO E OS SONHOS
- VISITAS ESPIRITUAIS ENTRE ENCARNADOS
- TRANSMISSÃO DE PENSAMENTO ENTRE ESPÍRITOS ENCARNADOS E DESENCARNADOS
- LETARGIA E CATALEPSIA - MORTES APARENTES
- SONAMBULISMO
- ÊXTASE
- DUPLA VISTA OU CLARIVIDÊNCIA
- RESUMO TEÓRICO DO SONAMBULISMO, DO ÊXTASE E DA DUPLA VISTA

O SONO E OS SONHOS

400. O Espírito encarnado permanece de boa vontade em seu corpo físico?

Isso é o mesmo que perguntar a um prisioneiro se ele gosta de estar na prisão. O Espírito encarnado aspira, sem cessar, à libertação do corpo físico, e quanto mais grosseiro for esse corpo, mais ele deseja livrar-se dele.

401. Durante o sono, o Espírito repousa como o corpo físico?

Não, o Espírito nunca fica inativo. Durante o sono, as ligações que o prendem ao corpo físico se afrouxam e ele vai se encontrar com outros Espíritos no Mundo Espiritual.

Observação

Durante o sono, o ritmo da atividade do nosso organismo se reduz de modo significativo; esta redução faz com que a intensidade da ligação entre o Espírito e o corpo físico também se reduza, permitindo ao Espírito afastar-se do corpo, se ele assim desejar.

402. Como podemos avaliar a liberdade do Espírito durante o sono?

Podemos avaliar pelos sonhos. Quando o corpo físico repousa, o Espírito, por estar separado deste, tem mais faculdades disponíveis do que quando está acordado; lembra-se do passado e, algumas vezes, pode prever o futuro; adquire mais autonomia e pode se comunicar com outros Espíritos, seja da Terra ou de outros mundos.

Muitas vezes o homem diz: "tive um sonho esquisito, horrível, mas que nada teve de verdade". Trata-se de um engano, pois seguidamente é a lembrança que ele teve dos lugares e das coisas que viu ou que verá numa outra existência ou numa outra ocasião. Com o corpo físico adormecido, o Espírito procura se afastar e vai investigar o passado e o futuro.

Pobres homens! Como conhecem pouco os fenômenos mais simples da vida! Julgam saber muito e se embaraçam com as coisas mais simples, como por exemplo, a pergunta que quase todas as crianças fazem: o que fazemos quando estamos dormindo? O que são os sonhos?

Durante o sono, o Espírito liberta-se parcialmente de seu corpo físico. Quando dorme, o homem encontra-se momentaneamente no estado em que ficará, de forma definitiva, depois da morte. Os Espíritos que ao desencarnarem logo se desligam do corpo, são Espíritos que quando dormem procuram ter um sono consciente; procuram a companhia daqueles que lhes são superiores: viajam, conversam e se instruem com eles; trabalham até mesmo em obras que encontrarão prontas após o seu retorno ao Mundo Espiritual, por ocasião do desencarne. Esses fatos deveriam ensinar o homem a não ter medo da morte, uma vez que "morrem todos os dias ao dormir".

Isso é o que acontece com os Espíritos elevados, porque a maioria dos homens, ao desencarnar, permanece longas horas em estado de perturbação. Enquanto eles dormem, seus Espíritos vão visitar mundos inferiores à Terra em busca de velhas afeições, ou vão atrás de prazeres ainda mais baixos do que aqueles aos quais se entregam quando estão acordados.

Vão se envolver com doutrinas ainda mais vergonhosas, desprezíveis e nocivas do que as que praticam por aqui. O que gera a "simpatia" na Terra não é outra coisa senão o fato de o homem, ao despertar, sentir-se ligado pelo coração com aqueles Espíritos com os quais acaba de passar oito ou nove horas de felicidade ou de prazer.

O desprendimento do Espírito, quando seu corpo está dormindo, explica também as "antipatias insuperáveis" que sentimos intimamente, porque as pessoas com as quais antipatizamos já são nossas conhecidas do Mundo Espiritual e sabemos que pensam diferente de nós. Assim, mesmo sem nunca tê-las visto antes com os olhos do corpo físico, nutrimos por elas uma antipatia sem explicação aparente.

Esse desprendimento explica também a indiferença de muitos homens, que não procuram conquistar novos amigos, porque sabem que existem outros que os amam e lhes querem bem no Mundo dos Espíritos. Em resumo: o sono influi na vida do homem mais do que ele pode imaginar.

Durante o sono, os Espíritos encarnados estão sempre em contato com o Mundo Espiritual. É esse contato que incentiva os "Espíritos Superiores" a encarnarem na Terra sem muita repulsa. Durante o período em que esses Espíritos estão na Terra, em contato com todos os vícios, Deus permite que, durante o sono, eles se fortaleçam no bem, indo visitar os Mundos Superiores. Essas visitas são importantes porque lá eles recebem forças para não falharem em sua missão, já que reencarnam para instruir os demais.

Na verdade, o sono é uma porta que Deus abre aos Espíritos Superiores para que eles possam reencontrar seus amigos desencarnados; pode-se dizer que é o recreio depois do trabalho, enquanto aguardam a própria desencarnação, que irá devolvê-los ao meio que lhes é próprio.

O sonho é a lembrança daquilo que o Espírito viu durante o sono. Mas observem que nem sempre ele sonha, porque nem sempre ele se lembra do que viu, ou de tudo o que viu. Isso ocorre porque a alma do homem ainda não possui o pleno desenvolvimento de suas faculdades.

Muitas vezes resta apenas a lembrança da perturbação que acompanha a entrada no Mundo Espiritual e o posterior retorno; a essa perturbação pode-se acrescentar o que se faz no Mundo dos Espíritos e o que preocupa os homens quando estão acordados. Se não fosse assim, como explicariam esses sonhos absurdos que perturbam tanto os mais sábios quanto os mais humildes? Os maus Espíritos também se aproveitam dos sonhos para atormentar as almas fracas e medrosas.

Além disso, brevemente o homem verá se desenvolver e se popularizar uma **outra espécie de sonho**, tão antiga quanto os sonhos que ele já conhece, mas que ainda ignora. Refiro-me ao **sonho de Joana D'Arc**, ao **sonho de Jacó**, ao sonho dos profetas judeus e alguns adivinhos indianos. Esse tipo de sonho é a lembrança que a alma guarda quando está quase inteiramente desligada do corpo físico; é a lembrança dessa segunda vida da qual eu falava antes, ou melhor, da vida no Mundo Espiritual.

O homem deve procurar distinguir bem essas duas espécies de sonhos, sem o que, cairá em contradições e erros que serão nocivos à sua própria fé.

Observações

Outra espécie de sonho: Aqui o Espírito refere-se à **mediunidade**.

Joana D'Arc: Heroína Francesa que comandava os exércitos da França à vitória sobre os Ingleses. Era guiada pelas visões que tinha e pelas orientações que recebia de seus mentores espirituais durante os sonhos. Era médium, portanto.

Jacó: Patriarca Hebreu do Antigo Testamento; sonhou com uma escada imensa que iniciava na Terra e terminava no Céu. Também era médium.

Comentário de Kardec: Os sonhos são o resultado da emancipação da alma, que se torna livre quando o corpo físico está dormindo. Ela se desprende e tem uma espécie de clarividência indefinida, que se estende aos lugares mais distantes ou que jamais se viu, e algumas vezes até mesmo a outros mundos.

Com a alma separada do corpo, afloram lembranças de acontecimentos ocorridos na existência atual ou em existências anteriores. A extravagância das imagens em relação ao que se passa ou ao que se passou em mundos desconhecidos, misturadas com as coisas que se passam na Terra, formam esses conjuntos estranhos e confusos que parecem não ter sentido nem ligação entre si.

A incoerência dos sonhos também é explicada pelas "lembranças descontinuadas" daquilo que nos aparece em sonho. Assim também ocorreria como num relato onde fossem retiradas, ao acaso, frases ou parte de frases; a reunião das frases restantes perderia completamente o significado.

403. Por que nem sempre nos lembramos dos sonhos?

O que o homem chama de sono é apenas o repouso do corpo físico, pois o Espírito está sempre em atividade. Durante o sono, o Espírito recobra um pouco de sua liberdade e se corresponde com os que lhe são queridos, neste mundo ou em outros. Mas, como o corpo é constituído de matéria muito densa, dificilmente esse corpo consegue reter as impressões que o Espírito recebeu enquanto estava no Mundo Espiritual. Isso ocorre porque o Espírito, quando está em liberdade, não recebe estas impressões pelos órgãos do corpo físico, e sim pelo perispírito.

Observação

O Espírito registra as impressões do que vivenciou e do que assistiu no Mundo Espiritual através do perispírito. Quando retorna ao corpo, essas impressões precisam ser repassadas aos órgãos físicos, que são constituídos de matéria muitíssimo mais densa; por isso a perda parcial, ou às vezes total, dessas informações.

404. O que pensar dos significados atribuídos aos sonhos?

Os sonhos não têm o significado que certos adivinhos lhes atribuem. É um absurdo acreditar que sonhar com isso significa aquilo. Os sonhos são verdadeiros no sentido de que apresentam imagens que para o Espírito são reais, mas que, muitas vezes, não guardam nenhuma relação com o que se passa na vida do encarnado.

Como já dissemos, os sonhos são também uma lembrança. Algumas vezes, podem ser um pressentimento do futuro, se Deus o permite, ou a visão daquilo que ocorre naquele momento, em outro lugar, para onde a alma se transporta. Não existem inúmeros exemplos de pessoas que aparecem em sonho e vêm avisar parentes e amigos do que lhes está acontecendo?

O que são essas aparições senão o Espírito dessas pessoas que vem se comunicar com os homens? Quando se tem a certeza de que aquilo que se viu realmente aconteceu, não é uma prova de que a imaginação nada teve a ver com a ocorrência? Principalmente se o que foi observado no sonho não estava no pensamento da pessoa quando ela estava acordada.

405. Muitas vezes vemos em sonho coisas que parecem pressentimentos e que não se realizam. De onde vem isto?

Pode acontecer que esses pressentimentos venham a se realizar apenas para o Espírito, ou seja, o Espírito viu aquilo que deseja porque foi ao seu encontro. É preciso lembrar que, durante o sono, o Espírito está mais ou menos sob a influência do corpo físico e que, por essa razão, nunca se liberta completamente de suas ideias terrenas.

O resultado disso é que as preocupações que se tem quando se está acordado podem dar ao que se vê a aparência do que se deseja ou do que se teme. É a isso que se pode chamar, efetivamente, de efeito da imaginação. Quando uma ideia nos preocupa fortemente, ligamos a essa ideia tudo o que vemos.

406. Não será puro efeito de imaginação ver em sonho, pessoas vivas que conhecemos perfeitamente, praticando atos que nem sequer cogitam praticar quando estão acordadas?

Será que é possível saber o que as pessoas estão pensando para se afirmar de que não cogitam em fazer isso ou aquilo? Os Espíritos dessas pessoas podem visitar o seu, assim como o seu pode visitar o delas, e nem sempre você sabe o que elas estão pensando.

Além disso, com frequência, os encarnados atribuem às pessoas que conhecem, e de acordo com os seus desejos, o que aconteceu ou o que acontece em outras existências.

407. É necessário o sono completo para emancipação do Espírito?

Não; basta que os sentidos entrem em torpor para que o Espírito recobre a sua liberdade. Para se emancipar, ele aproveita todos os momentos de repouso que o corpo lhe concede. Desde que haja a redução das forças vitais, o Espírito se desprende, e quanto mais fraco estiver o corpo, mais livre estará o Espírito.

Comentário de Kardec: É assim que o cochilar ou um simples entorpecimento dos sentidos, muitas vezes, apresenta as mesmas imagens que vemos no sonho.

408. Por que às vezes ouvimos em nosso íntimo palavras claramente pronunciadas e que não têm nenhuma relação com o que nos preocupa? De onde elas vêm?

Sim, de fato isso ocorre; às vezes podemos ouvir até mesmo frases inteiras, principalmente quando os sentidos começam a se entorpecer. É, quase sempre, a voz de um Espírito que deseja se comunicar.

409. Muitas vezes, num estado que ainda não é bem o do sono, quando estamos com os olhos fechados, vemos imagens claramente definidas, onde observamos os mais minuciosos detalhes. Isso é o efeito de uma visão ou de uma imaginação?

É uma visão, pois à medida que o corpo físico vai se entorpecendo o Espírito procura se libertar. Ele se transporta e vê. Se o sono já fosse completo, isso seria um sonho.

410. Algumas vezes, durante o sono ou quando nos achamos ligeiramente adormecidos, surgem ideias que nos parecem ser muito boas e, apesar de todos os esforços que fazemos para retê-las, elas se apagam da nossa memória. De onde vêm essas ideias?

Essas ideias resultam da liberdade que o Espírito adquire quando se desprende do corpo físico, pois nesse momento ele desfruta, de maneira mais ampla, de todas as suas faculdades. Frequentemente, também são conselhos dados por outros Espíritos.

410a. Para que servem essas ideias e esses conselhos se não nos lembramos deles e assim não podemos aproveitá-los?

Com frequência, essas ideias pertencem mais ao Mundo Espiritual do que ao Mundo Material. Entretanto, se o homem esquece, o Espírito lembra, e na ocasião oportuna a ideia lhe volta como se fosse uma "inspiração de momento".

411. O Espírito encarnado, quando desligado do corpo físico e agindo como Espírito, sabe em que época vai morrer?

Muitas vezes ele a pressente; outras vezes ele tem plena consciência dessa época, pois é dessa consciência que vem a sua intuição. É por isso que algumas pessoas preveem a própria morte com grande exatidão.

412. A atividade do Espírito durante o repouso do corpo físico pode fazer com que o corpo sinta cansaço?

Pode, pois o Espírito está preso ao corpo como um balão está preso a um poste. Assim como as movimentações do balão refletem no poste, a atividade do Espírito reflete sobre o seu corpo e pode fazer com que ele sinta cansaço.

VISITAS ESPIRITUAIS ENTRE ENCARNADOS

413. Se o Espírito pode se desligar do corpo físico durante o sono, então podemos dizer que o homem vive duas existências simultâneas: a do corpo físico, que se manifesta no Mundo Material, e a do Espírito, que se manifesta de forma oculta, no Mundo Espiritual. Isso é correto?

No estado de liberdade, a vida do corpo físico cede lugar à vida do Espírito. Entretanto, não existem verdadeiramente duas existências; são, antes, duas fases da mesma existência, porque o homem não vive de maneira dupla.

414. Duas pessoas que se conhecem podem se visitar durante o sono?

Sim, e muitas pessoas que acreditam não se conhecerem também se reúnem e conversam durante o sono. O homem pode ter amigos em outros países sem mesmo suspeitar. Esses encontros, durante o sono, entre amigos, parentes, conhecidos e pessoas que podem ser úteis, são tão frequentes que ocorrem quase todas as noites.

415. Qual a utilidade dessas visitas noturnas, se não nos recordamos de nada?

Ao despertar, geralmente o homem guarda a intuição dessas visitas. Muitas vezes essa intuição é a origem de certas ideias que surgem espontaneamente sem que ele tenha uma explicação clara. Essas "ideias" são exatamente as que foram adquiridas nessas conversas que ele manteve durante esses encontros noturnos no Mundo Espiritual.

416. O homem pode provocar essas visitas espirituais por vontade própria? Pode, por exemplo, dizer antes de dormir: esta noite quero me encontrar em Espírito com tal pessoa, para falar com ela e dizer-lhe tal coisa?

O que ocorre é o seguinte: quando o homem dorme, seu Espírito se liberta e, na maioria das vezes, aquilo que o homem havia decidido está bem longe de o Espírito seguir, pois a vida do homem interessa pouco ao Espírito, quando este está desligado do seu corpo físico.

É claro que estamos falando de homens com Espírito já bastante adiantado, porque a maioria vive a fase espiritual de suas existências de modo bem diferente: entregam-se às suas paixões ou permanecem sem fazer nada. Assim, dependendo do motivo da visita, o Espírito pode encontrar quem ele realmente deseja; mas a simples vontade do homem, quando está acordado, não é suficiente para que ocorra o encontro.

417. Os Espíritos encarnados podem se reunir no Mundo Espiritual e formar assembleias?

Sem dúvida alguma. Os laços de amizade, antigos ou novos, costumam reunir os Espíritos que se sentem felizes por estarem juntos.

Comentário de Kardec: Pelo termo "antigos" é preciso entender os laços de amizade contraídos em existências anteriores. Ao despertar, conservamos uma intuição das ideias que adquirimos nessas conversas espirituais, mesmo ignorando sua fonte.

418. Uma pessoa que julgasse estar morto um de seus amigos, embora não o estivesse, poderia encontrar-se com ele, em Espírito, e saber que está vivo? Nesse caso, ele poderia ter a intuição do fato ao despertar?

Como Espírito, ele pode certamente se encontrar com seu amigo e saber qual a sua real situação. Se não lhe foi imposto como prova acreditar na morte desse amigo, poderá ter um pressentimento de que ele está vivo, assim como poderá ter o pressentimento de sua morte.

TRANSMISSÃO DE PENSAMENTO ENTRE ESPÍRITOS ENCARNADOS E DESENCARNADOS

419. Por que a ideia de uma descoberta, por exemplo, pode surgir em vários lugares ao mesmo tempo?

Já dissemos que durante o sono os Espíritos se comunicam entre si. Quando o corpo físico desperta, o Espírito lembra-se do que aprendeu e o homem julga ser o autor da invenção. Assim, muitos podem descobrir ou inventar a mesma coisa ao mesmo tempo. Quando dizem que "uma ideia paira no ar", estão usando uma figura de linguagem mais exata do que supõem. Desse modo, sem suspeitar, cada um contribui para propagá-la.

Comentário de Kardec: *Assim, muitas vezes o nosso próprio Espírito revela a outros Espíritos, sem o nosso conhecimento, o que constitui o motivo das nossas preocupações quando estamos acordados.*

420. Os Espíritos podem se comunicar se o corpo físico estiver completamente acordado?

O Espírito não está encerrado no corpo físico como se estivesse numa caixa; ele irradia-se por todos os lados. Por isso ele pode se comunicar com outros Espíritos, mesmo estando acordado, embora o faça com mais dificuldade.

421. Como explicar que duas pessoas acordadas possam ter, no mesmo instante, a mesma ideia?

Isso ocorre com os Espíritos que possuem afinidades entre si. Eles se comunicam e enxergam o pensamento um do outro, mesmo quando o corpo não está dormindo.

Comentário de Kardec: *Existe, entre os Espíritos que possuem afinidade, uma comunicação por pensamento que permite que duas pessoas se vejam e se compreendam, sem a necessidade de falar. Podemos dizer que falam entre si a linguagem dos Espíritos.*

LETARGIA E CATALEPSIA - MORTES APARENTES _____

Observações

Letargia: Sono profundo e demorado em que a circulação sanguínea e a respiração parecem estar suspensas. Tem como causa a perda momentânea do controle cerebral ou distúrbios diversos na região do cérebro (doenças mentais).

Catalepsia: Doença nervosa caracterizada pela suspensão total ou parcial da sensibilidade e dos movimentos voluntários (imobilidade). Caracteriza-se também pela extrema rigidez dos músculos. Pode ser provocada por doenças nervosas ou pode ser até mesmo induzida, como por exemplo, pelo hipnotismo.

422. Geralmente, os letárgicos e os catalépticos enxergam e ouvem o que se passa ao seu redor, mas não podem se manifestar. É pelos olhos e ouvidos do corpo físico que eles enxergam e ouvem?

Não. É pelo Espírito que eles têm essas percepções. O Espírito tem consciência de si mesmo e do que está se passando ao redor, mas não pode se comunicar.

422a. Por que o Espírito não pode se comunicar?

O estado do corpo fisco não permite que o Espírito se comunique. Esse estado singular dos órgãos é uma prova de que existe no homem alguma coisa além do corpo físico, pois mesmo sem o funcionamento do mesmo, o Espírito continua a agir.

423. Na letargia, o Espírito pode separar-se inteiramente do corpo físico, de modo a lhe dar todas as aparências da morte, e voltar a ele em seguida?

Na letargia, o corpo não está morto, pois existem funções vitais que continuam a se realizar. Sua vitalidade encontra-se em estado latente, como na crisálida, mas não se extingue. Assim, o Espírito está unido ao corpo físico enquanto este estiver vivo.

Quando as ligações se rompem pela morte verdadeira e pela consequente desagregação dos órgãos, a separação é completa, e o Espírito não mais retorna ao corpo físico. Quando um homem aparentemente morto retorna à vida, é porque a morte ainda não havia se completado.

424. Através de cuidados dispensados a tempo, podemos reatar as ligações prestes a se romperem e fazer retornar à vida uma pessoa que, sem esses cuidados, certamente morreria?

Sim, sem dúvida, e o homem tem a prova disso todos os dias. Nesses casos, o magnetismo é um poderoso meio de ação, porque restitui ao corpo físico o fluido vital que lhe falta e que era insuficiente para manter o funcionamento dos órgãos.

Comentário de Kardec: A letargia e a catalepsia têm o mesmo princípio, que é a perda momentânea da sensibilidade e do movimento por uma causa fisiológica ainda não explicada. As principais diferenças são:

Na letargia, a suspensão das forças vitais é geral, e dá ao corpo todas as aparências da morte.

Na catalepsia, a suspensão das forças vitais é localizada, e pode afetar uma parte mais ou menos extensa do corpo, de modo a deixar a inteligência livre para se manifestar, o que não permite confundi-la com a morte.

A letargia é sempre natural; a catalepsia é às vezes espontânea, mas pode ser provocada e neutralizada artificialmente pela ação do magnetismo.

SONAMBULISMO

Observações

Mediunidade sonambúlica ou **sonambulismo:** Expressão muito utilizada por Kardec na Codificação Espírita e que hoje é conhecida por desdobramento ou projeção da consciência.

425. O sonambulismo natural tem alguma relação com os sonhos? Como ele pode ser explicado?

O sonambulismo é um estado em que o Espírito fica mais independente do corpo que no sonho, e por consequência suas faculdades ficam ampliadas. Assim, no estado sonambúlico, o Espírito passa a ter percepções que não tem no sonho; por isso, o sonho é um estado de sonambulismo imperfeito.

No sonambulismo natural, o Espírito está na posse plena de si mesmo. Os órgãos do corpo físico, achando-se de alguma forma em estado de catalepsia, não recebem mais as impressões provenientes do exterior. O sonambulismo se manifesta principalmente durante o sono, porque é nesse momento que o Espírito pode deixar temporariamente o corpo físico, que se encontra em repouso.

As manifestações sonambúlicas ocorrem quando o Espírito, fora do corpo, precisa realizar alguma coisa para a qual necessita da ajuda do seu próprio corpo físico: então, serve-se do corpo, do mesmo modo que se serviria de uma mesa ou de outro objeto material qualquer, para produzir o fenômeno das manifestações físicas, ou mesmo se utilizar da mão de um médium nas comunicações escritas.

Nos sonhos de que se tem consciência, os órgãos, incluindo o cérebro, começam a despertar. Recebem imperfeitamente as impressões produzidas por objetos ou causas externas e as comunicam ao Espírito que, por estar também em repouso, apenas capta sensações confusas e quase sempre incoerentes, sem nenhuma razão de ser aparente, mescladas de vagas lembranças, seja da existência atual, seja das anteriores.

Desse modo, fica fácil compreender porque os sonâmbulos não se recordam do que se passou enquanto estavam no estado sonambúlico e porque os sonhos, dos quais conservam a memória, na maioria das vezes, não têm nenhum sentido.

Digo na maioria das vezes porque também pode acontecer de serem os sonhos a consequência de uma lembrança precisa de acontecimentos de uma vida anterior e, algumas vezes, até mesmo uma espécie de intuição do futuro.

426. O sonambulismo magnético tem alguma relação com o sonambulismo natural?

Os dois são a mesma coisa; a diferença é que o sonambulismo magnético pode ser provocado.

427. Qual é a natureza do agente chamado fluido magnético?

O fluido magnético tem por natureza o fluido vital ou eletricidade animalizada, que são modificações do fluido cósmico universal.

428. Qual é a causa da clarividência sonambúlica?

Já respondemos, é o Espírito que vê.

429. Como o sonâmbulo pode ver através de corpos opacos?

Não existem corpos opacos a não ser para os órgãos físicos do homem. Já não dissemos que a matéria não oferece obstáculo ao Espírito, que pode atravessá-la livremente? Com frequência, o sonâmbulo diz que vê pela testa, pelo joelho, etc.

O homem, por estar preso ao corpo físico, não compreende que se possa ver sem o auxílio dos órgãos da visão. O próprio sonâmbulo, pela insistência do homem, acredita ter necessidade desses órgãos para enxergar. Porém, se ele fosse deixado livre, compreenderia que vê por todas as partes do seu corpo, ou, melhor explicando, é de fora do seu corpo que ele vê.

430. Se a clarividência do sonâmbulo provém do seu Espírito, por que ele não consegue enxergar tudo e seguidamente se engana?

É preciso compreender que, aos Espíritos imperfeitos, nem tudo é permitido ver e conhecer. Eles ainda participam dos erros e dos preconceitos do homem comum. Além disso, como estão presos a um corpo físico, não usufruem de todas as faculdades do Espírito. Deus deu ao homem a faculdade do sonambulismo com um objetivo útil e sério, e não para que ele aprenda aquilo que não deve saber. Eis porque os sonâmbulos não podem dizer tudo.

431. Qual é a origem das ideias que o sonâmbulo traz de nascença? Como ele pode falar com exatidão de coisas que ignora quando acordado e que, às vezes, estão acima da sua capacidade intelectual?

O sonâmbulo possui mais conhecimentos do que os homens podem supor. Esses conhecimentos se acham adormecidos, porque o corpo físico é uma limitação para que ele possa recordá-los plenamente. Mas, afinal, o que é um sonâmbulo? É uma pessoa como nós: um Espírito encarnado em corpo físico, que retorna à Terra para cumprir a sua missão e que, quando entra em estado sonambúlico, é como se despertasse de um sono profundo.

Nós já dissemos, repetidas vezes, que o Espírito vive muitas existências; a passagem do Mundo Espiritual para o Mundo Material é que faz o sonâmbulo, ou qualquer outro Espírito, perder materialmente o que conseguiu aprender numa existência anterior.

Ao entrar no estado de "transe", ele se recorda do que sabia, mas nem sempre de uma maneira completa; sabe, mas não consegue dizer de onde lhe vem o que sabe, nem como possui os conhecimentos que revela. Passado o "transe", toda lembrança se apaga e ele volta à obscuridade, ou melhor, volta a ser um homem comum.

Comentário de Kardec: A experiência nos mostra que os sonâmbulos também recebem comunicações de outros Espíritos, que lhes transmitem o que devem dizer, suprindo, assim, a sua insuficiência de conhecimentos.

Isto se observa principalmente nas prescrições médicas: o Espírito do sonâmbulo vê o mal e outro Espírito lhe indica o remédio. Esse trabalho em conjunto é algumas vezes evidente e se revela, de forma clara, pelas expressões bastante utilizadas: "estão me pedindo para falar que ..." ou "estão me pedindo para não falar de tal coisa".

Neste último caso, é sempre perigoso insistir em obter a revelação negada, porque permite a intromissão de Espíritos levianos, que falam de tudo sem escrúpulo e não se preocupam com a verdade.

432. Como explicar que alguns sonâmbulos possam enxergar à distância?

O Espírito não se transporta durante o sono? O mesmo ocorre com o sonâmbulo.

433. O desenvolvimento maior ou menor da clarividência sonambúlica depende do corpo físico ou da natureza do Espírito encarnado?

Depende de ambas. Existem organismos que permitem ao Espírito se desprender mais facilmente do corpo físico.

434. As faculdades que o sonâmbulo desfruta são as mesmas que o Espírito tem depois da morte?

Até certo ponto, sim, mas é preciso levar em conta a influência do corpo físico, ao qual o Espírito do sonâmbulo ainda se encontra ligado.

435. O sonâmbulo pode ver os outros Espíritos?

A maioria deles os vê muito bem, dependendo do grau e da natureza de sua lucidez. Entretanto, existem alguns sonâmbulos que no início não percebem que estão vendo Espíritos e os confundem com pessoas encarnadas. Isso acontece principalmente com aqueles que não têm nenhum conhecimento do Espiritismo: ainda não compreendem a essência dos Espíritos. O fato os espanta, e é por isso que acreditam estar vendo pessoas vivas.

Comentário de Kardec: O mesmo efeito ocorre no momento da morte, entre os que ainda se julgam vivos. Não percebem a mudança que ocorreu e os Espíritos ao seu redor parecem ser pessoas encarnadas. Assim, têm a ilusão de que o próprio corpo ou perispírito é ainda um corpo físico.

436. O sonâmbulo que vê à distância, vê do lugar onde está o seu corpo físico ou de onde está o seu Espírito?

Por que esta pergunta, uma vez que é o Espírito que vê e não o corpo físico?

437. Se é o Espírito do sonâmbulo que se transporta, por que ele sente em seu corpo físico as sensações de calor e frio existentes no lugar para onde ele foi transportado?

O Espírito nunca deixa inteiramente o corpo físico; ele conserva as "ligações fluidicas" que funcionam como condutora das sensações. Quando duas pessoas se comunicam de uma cidade a outra por meio da **eletricidade**, o fio que liga os seus pensamentos é a eletricidade. Por isso elas se comunicam como se estivessem uma ao lado da outra.

Observação

Eletricidade: Na resposta acima os Espíritos estão se referindo ao **telégrafo**, mas o mesmo conceito pode ser aplicado hoje aos telefones, aos celulares e às telecomunicações em geral.

438. O uso que um sonâmbulo faz da sua faculdade influi no estado do seu Espírito após a morte?

Influi muito. Assim como o bom e o mau uso que o homem faz de todas as faculdades que Deus lhe deu.

ÊXTASE

439. Qual a diferença entre o êxtase e o sonambulismo?

O êxtase é um sonambulismo num estágio mais aprofundado; o Espírito daquele que entra em êxtase é ainda mais independente.

440. O Espírito daquele que entra em êxtase penetra realmente nos mundos superiores?

Sim, ele os vê e compreende a felicidade dos que lá se encontram; daí seu desejo de permanecer nesses mundos. Entretanto, existem mundos inacessíveis aos Espíritos que ainda não estão suficientemente purificados.

441. Quando aquele que entra em êxtase manifesta o desejo de deixar a Terra, o faz com sinceridade? O instinto de conservação não o prende a esse mundo?

Isso depende do grau de evolução do Espírito. Se ele percebe que sua vida futura será melhor do que a vida presente, fará todos os esforços para romper as ligações que o prendem à Terra.

442. Se aquele que entra em êxtase for abandonado à própria sorte, corre o risco de deixar definitivamente o corpo físico?

Sim, ele poderia morrer. Por isso é preciso chamá-lo com muita energia, lembrando-lhe tudo aquilo que o prende à Terra. É preciso fazer com que ele compreenda que, se as ligações que o prendem ao corpo físico forem rompidas, esse será o verdadeiro meio dele não permanecer lá, onde acredita que será feliz.

Observação

O Espírito, quando atinge o estado de êxtase, até pode acessar os Mundos Superiores, mas jamais conseguirá permanecer lá por muito tempo, uma vez que seu perispírito ainda não está suficientemente depurado para que isso aconteça.

443. Aquele que entra em êxtase vê muitas coisas que resultam da sua imaginação, influenciado pelas crenças e preconceitos terrenos. Sendo assim, tudo o que ele vê é real?

Aquilo que ele vê é real para ele. Mas, como o seu Espírito está sempre sob a influência das ideias terrenas, pode ver as coisas à sua maneira, ou melhor, pode falar do que viu utilizando uma linguagem condizente com seus preconceitos e com as ideias em que foi educado.

Pode também adequar sua linguagem aos preconceitos e às ideias daqueles que o escutam, a fim de melhor se fazer compreender. É justamente na tentativa de adequar sua linguagem aos que o escutam, que ele pode errar.

444. Qual o grau de confiança que se pode depositar nas revelações daquele que entra em êxtase?

Aquele que entra em êxtase pode se enganar com muita frequência, sobretudo quando quer penetrar naquilo que deve permanecer como mistério para o homem. Quando isso ocorre, ele se deixa levar por suas próprias ideias, ou se torna joguete de Espíritos enganadores que se aproveitam do seu entusiasmo para fasciná-lo.

445. Que consequências podem ser tiradas dos fenômenos do sonambulismo e do êxtase? Não seriam eles uma espécie de iniciação a vida futura?

Sim, através desses fenômenos é possível vislumbrar a vida passada e a vida futura. Se o homem estudá-los, encontrará a solução para mais de um mistério que a sua razão procura inutilmente compreender e não consegue.

446. Os fenômenos do sonambulismo e do êxtase podem se adequar com as ideias do materialismo?

Aquele que estuda esses fenômenos de boa-fé e sem prevenções não pode ser nem materialista, nem ateu.

DUPLA VISTA OU CLARIVIDÊNCIA

Observação

O fenômeno da **dupla vista** também é conhecido por **segunda vista**.

447. O fenômeno conhecido como dupla vista ou clarividência tem alguma relação com o sonho e o sonambulismo?

Sim, tem relação; tudo isso é uma coisa só. O que os homens chamam de dupla vista é ainda o resultado da separação do Espírito de seu corpo físico, mesmo que o corpo não esteja totalmente adormecido. A dupla vista é a vista da alma.

448. A dupla vista é permanente?

A faculdade, sim; o seu exercício, não. Nos mundos mais avançados, ou seja, menos materializados que a Terra, os Espíritos se desprendem mais facilmente do corpo e se comunicam apenas pelo pensamento, sem excluir, entretanto, a linguagem falada. Nesses mundos, a dupla vista é uma faculdade permanente para a maioria de seus habitantes.

O estado normal dos que habitam esses mundos pode ser comparado ao dos sonâmbulos lúcidos da Terra. Essa também é a razão por que esses Espíritos se manifestam aos homens encarnados nesses mundos com maior facilidade do que os Espíritos encarnados em corpos físicos mais grosseiros, como na Terra, por exemplo.

449. A dupla vista surge espontaneamente ou se desenvolve pela vontade de quem a possui?

Geralmente a dupla vista é espontânea, mas a vontade também desempenha um importante papel no seu surgimento. Alguns adivinhos possuem essa faculdade, e é com o auxílio da própria vontade que eles acessam a dupla vista ou aquilo que os homens chamam de "visão".

450. Então podemos desenvolver a dupla vista pelo exercício?

Sim, o trabalho sempre conduz ao progresso, e o véu que encobre as coisas vai se dissipando.

450a. A faculdade da dupla vista tem alguma relação com o organismo físico do homem?

Sim, certamente. Existem organismos que contribuem para a manifestação da dupla vista, enquanto outros lhe são refratários.

451. Por que a dupla vista parece ser hereditária em algumas famílias?

As famílias, por possuírem organismos físicos semelhantes, transmitem a faculdade da dupla vista como transmitem quaisquer outras qualidades físicas. Posteriormente, essa faculdade se desenvolve por uma espécie de educação, que também pode ser transmitida de um indivíduo para outro.

452. É verdade que certas circunstâncias podem desenvolver a dupla vista?

Sim. A doença, um perigo iminente, uma grande comoção podem desenvolver a dupla vista. Às vezes o corpo físico se encontra em um estado tal, que permite ao Espírito ver o que o homem não poderia ver com os olhos do corpo físico.

Comentários de Kardec: *Em tempos de crise e de calamidades, as grandes emoções e todas as coisas que mexem com o moral, com o ânimo das criaturas, provocam, algumas vezes, o surgimento da dupla vista.*

Parece que Deus nos dá, quando estamos na presença do perigo, o meio de afastá-lo. Todas as seitas e facções políticas perseguidas nos oferecem numerosos exemplos a esse respeito.

453. As pessoas que possuem a faculdade da dupla vista têm consciência disso?

Nem sempre. Para elas, a dupla vista é uma coisa totalmente natural, e muitas acreditam que se as pessoas se observassem melhor descobririam que são como elas.

454. Poderíamos atribuir a uma espécie de dupla vista a perspicácia de certas pessoas que, sem nada possuírem de extraordinário, julgam as coisas com mais precisão do que as outras?

É sempre o Espírito que se irradia mais livremente e expande a sua consciência; assim, pode julgar as coisas melhor do que quando está sob o domínio do corpo físico.

454a. Em certos casos, a dupla vista pode auxiliar na previsão das coisas?

Sim, porque ela fornece também os pressentimentos. Existem vários graus nessa faculdade, e a mesma pessoa pode ter todos os graus ou apenas alguns.

RESUMO TEÓRICO DO SONAMBULISMO, DO ÊXTASE E DA DUPLA VISTA

455. O SONAMBULISMO NATURAL E O SONAMBULISMO MAGNÉTICO

Os fenômenos do sonambulismo natural se produzem espontaneamente e independem de qualquer causa exterior conhecida. Entretanto, em algumas pessoas dotadas de um organismo físico especial, o sonambulismo pode ser provocado artificialmente pela ação de um magnetizador.

O sonambulismo magnético apenas difere do sonambulismo natural porque pode ser provocado, enquanto o outro é espontâneo.

O sonambulismo natural é um fato verdadeiro que ninguém mais põe em dúvida, apesar do aspecto maravilhoso dos fenômenos que ele apresenta.

O que possui o sonambulismo magnético de tão extraordinário, além do fato de ser produzido artificialmente, como tantas outras coisas? Dizem que os charlatões o tem explorado; mais uma razão para que ele não seja deixado em suas mãos.

Quando a Ciência admitir o sonambulismo, o charlatanismo terá muito menos crédito entre as massas; mas enquanto isso não acontece, temos que considerar o sonambulismo natural ou magnético como um fato, e contra fatos não há argumentos. Assim, ele vai se firmando e se propagando no seio da própria Ciência, apesar da má vontade de alguns. Quando o sonambulismo estiver plenamente firmado, a Ciência terá que reconhecê-lo como um fato real.

O SONAMBULISMO E A CLARIVIDÊNCIA

Para o Espiritismo, o sonambulismo é mais que um fenômeno fisiológico, é uma luz lançada sobre a psicologia.

É no sonambulismo que se pode estudar o Espírito, porque é nele que o Espírito se mostra claramente.

Um dos fenômenos que caracterizam o Espírito é o da clarividência, pois ela se manifesta independentemente dos órgãos comuns da visão.

Aqueles que contestam a clarividência se baseiam no fato de que o sonâmbulo nem sempre vê as coisas como se vê com olhos do corpo físico, e nem sempre vê conforme a vontade do experimentador.

Será que deve causar surpresa se os efeitos não são os mesmos quando os meios utilizados para ver são diferentes? Enquanto o homem comum vê pelos olhos do corpo físico, o sonâmbulo vê pelos "olhos do Espírito", ou melhor, vê por todo o seu "perispírito".

Seria racional buscar efeitos semelhantes quando o instrumento da visão, que são os olhos, não existe para o sonâmbulo? O Espírito tem suas propriedades, assim como os olhos têm as suas. É preciso julgá-los em si mesmos e não por comparação.

A causa da clarividência do sonâmbulo magnético e do sonâmbulo natural é exatamente a mesma, ou seja, "é um atributo do Espírito", uma faculdade que está intimamente ligada ao ser espiritual que existe em todos nós, e cujos limites são os do próprio Espírito. O sonâmbulo vê em todos os lugares para onde o seu Espírito for transportado, seja qual for a distância.

O SONAMBULISMO E A VISÃO À DISTÂNCIA

Quando o sonâmbulo vê as coisas à distância, ele não as vê do local onde se encontra o seu corpo físico, como se estivesse usando um telescópio (aparelho utilizado para observar objetos distantes).

Ele as vê como se estivesse no lugar onde as coisas estão acontecendo, porque na verdade seu Espírito está lá. É por isso que seu corpo físico fica desprovido de sensações até que o Espírito retorne.

Essa separação do Espírito e do corpo físico é um estado anormal que pode ter uma duração mais ou menos longa, mas não é ilimitada. Esse afastamento temporário é a causa do cansaço que o corpo físico sente após certo tempo, sobretudo quando o Espírito se entrega a um trabalho ativo.

O Espírito não possui o órgão da visão num lugar determinado, como acontece no corpo físico. Isso explica por que os sonâmbulos não podem indicar para a visão um órgão específico. Eles veem, mas não sabem explicar como, pois, "para os Espíritos, a vista não tem sede própria".

Se utilizarmos uma comparação com o corpo físico, a sede da visão parece estar nos centros onde a atividade vital é maior, principalmente no cérebro, na região epigástrica (parte superior e central do abdômen) ou no órgão que consideram o ponto de ligação mais intenso entre o Espírito e o corpo físico.

LIMITES DA LUCIDEZ SONAMBÚLICA

A lucidez sonambúlica tem limites. O Espírito, mesmo quando completamente liberto do corpo físico, está limitado em suas faculdades e em seus conhecimentos, de acordo com o grau de evolução que já tenha atingido. Sofre também as limitações que o próprio corpo físico lhe impõe.

São essas limitações que fazem com que a clarividência sonambúlica não seja tão comum nem infalível. Quanto mais utilizarmos a clarividência sonambúlica como objeto de experimentação e curiosidade, desviando-a de seu objetivo proposto pela Natureza, tanto menor será a confiança que nela poderemos depositar.

COMUNICAÇÃO NO ESTADO
SONAMBÚLICO – INFLUÊNCIA DO MEIO

No estado de desprendimento em que o Espírito do sonâmbulo se encontra, fica mais fácil para ele a comunicação com outros Espíritos encarnados ou desencarnados. Essa comunicação se estabelece pelo contato dos fluidos que compõem os perispíritos, e servem de transmissão para o pensamento, assim como o fio serve para transmitir a eletricidade.

O sonâmbulo não tem, portanto, necessidade de que o pensamento seja articulado pela palavra: ele o pressente e compreende. Essa percepção dependerá da influência da atmosfera moral em que ele se encontra.

Assim, uma assistência com muitos espectadores, formada por pessoas curiosas e mal-intencionadas, prejudica a manifestação dessas faculdades. Nesse ambiente, as faculdades se recolhem sobre si mesmas e o sonâmbulo não consegue se desdobrar com toda liberdade, como faria numa reunião íntima e entre amigos.

A presença de pessoas mal-intencionadas ou antipáticas produz sobre o sonâmbulo o mesmo efeito que experimenta a "planta sensitiva" quando em contato com a mão, ou seja, ela se fecha sobre si mesma.

CORPO FÍSICO E CORPO ESPIRITUAL

O sonâmbulo vê, ao mesmo tempo, o seu próprio Espírito e o seu corpo físico. São, por assim dizer, dois seres que lhe representam a dupla existência, espiritual e corporal, e ele confunde o corpo físico com o corpo do Espírito (perispírito) devido às ligações que os unem. O sonâmbulo nem sempre se dá conta dessa situação, e essa dualidade faz com que muitas vezes ele fale de si como se falasse de outra pessoa.

Isso ocorre porque às vezes é o ser corporal que fala ao ser espiritual, e noutras é o ser espiritual que fala ao ser corporal.

O SONAMBULISMO E O CONHECIMENTO

Em cada uma de suas encarnações, o Espírito adquire um acréscimo de conhecimentos e de experiência. Por estar encarnado em matéria excessivamente grosseira, ele esquece, em parte, esses conhecimentos; mas, como Espírito, ele nunca os esquece.

É por isso que certos sonâmbulos revelam conhecimentos superiores ao seu grau de instrução e às suas capacidades intelectuais. Assim, a inferioridade intelectual e científica do sonâmbulo, quando acordado, não interfere em nada sobre os conhecimentos que ele pode revelar quando estiver no estado de lucidez, ou melhor, de consciência expandida.

Dependendo das circunstâncias e do objetivo que tenha em vista, o sonâmbulo pode retirar esses conhecimentos da sua própria experiência, da clarividência sobre as coisas presentes ou dos conselhos que receba de outros Espíritos. Pode também utilizar-se do conhecimento de seu próprio Espírito, se esse for mais ou menos evoluído, para dizer coisas mais ou menos certas e coerentes.

O SONAMBULISMO E A EMANCIPAÇÃO DA ALMA

Deus, através dos fenômenos do sonambulismo, seja ele natural ou magnético, nos dá a prova irrecusável da existência e da independência do Espírito, e nos permite assistir ao sublime espetáculo de sua emancipação.

O fenômeno da emancipação do Espírito permite ao homem ter acesso antecipado ao seu destino, ou seja, ao Mundo Espiritual.

Quando o sonâmbulo descreve o que se passa à distância, é evidente que ele vê, mas não pelos olhos do corpo físico. Vê a si mesmo nesse local, e para lá se sente transportado. Portanto, existe alguma coisa do Espírito no local para onde ele se transportou, e, se essa alguma coisa não é o seu corpo físico, só pode ser o seu Espírito.

A BUSCA DO HOMEM

Enquanto o homem se perde nas sutilezas de uma **metafísica abstrata** e incompreensível para pesquisar as causas de nossa existência moral, Deus coloca, diariamente, através do sono, sob seus olhos e sob suas mãos, os meios mais simples e mais evidentes para o estudo da psicologia experimental.

O ÊXTASE

O êxtase é o estado no qual a independência entre o Espírito e o seu corpo físico se manifesta de modo mais sensível, e essa independência se torna, de certo modo, palpável.

No sonho e no sonambulismo, o Espírito percorre os mundos terrestres. No êxtase, ele penetra num mundo desconhecido, o mundo dos Espíritos etéreos, com os quais entra em comunicação, sem, entretanto, poder ultrapassar certos limites, que não poderia transpor sem romper totalmente as ligações que o prendem ao corpo físico.

O Espírito é envolvido por um brilho resplandecente e inteiramente novo; belezas desconhecidas na Terra fazem com que ele se deslumbre; sente um bem-estar que não pode ser definido. Nessa condição, o Espírito desfruta, por antecipação, da bem-aventurança celeste e pode-se dizer que ele põe um pé no limiar da eternidade.

O ÊXTASE E O CORPO FÍSICO

No estado de êxtase, o desprendimento do Espírito em relação ao seu corpo físico é quase completo. O corpo conserva, por assim dizer, apenas a vida orgânica. Assim, o corpo sente que o Espírito está ligado a ele apenas por um fio, que um esforço a mais poderia romper para sempre, impedindo o retorno do Espírito ao corpo físico.

O ÊXTASE E A ESSÊNCIA ESPIRITUAL

Nesse estado, todos os pensamentos terrestres desaparecem para dar lugar ao sentimento purificado, que é a própria essência de nosso ser espiritual.

Aquele que entra em êxtase, fica entregue a essa contemplação sublime e encara a vida apenas como uma parada momentânea. Para ele, tanto o bem quanto o mal, as alegrias grosseiras e as misérias da Terra não passam de incidentes fúteis de uma viagem, da qual o vislumbre do término o faz sentir-se feliz.

O ÊXTASE E O GRAU DE ADIANTAMENTO DO ESPÍRITO

Aqueles que entram em êxtase são como os sonâmbulos: sua lucidez pode ser mais ou menos perfeita, dependendo do grau de adiantamento de seu Espírito. Desse modo, os que estão mais adiantados tornam-se mais aptos a conhecer e compreender as coisas.

O ÊXTASE E A EXCITAÇÃO

Às vezes, eles possuem mais excitação do que verdadeira lucidez; ou seja, sua excitação prejudica sua lucidez. É por isso que suas revelações são muitas vezes uma mistura de verdades e erros, de coisas sublimes e absurdas, ou até mesmo ridículas.

Frequentemente, os Espíritos inferiores se aproveitam dessa excitação, que sempre constitui uma causa de fraqueza quando o indivíduo não sabe reprimi-la, para dominar aquele que entra em êxtase.

Assim, os Espíritos inferiores se apresentam a ele com uma aparência que o mantém apegado às ideias e preconceitos que possui quando acordado. Isso representa uma dificuldade e um perigo, mas nem todos os que entram em êxtase são assim. Cabe-nos julgar friamente e confrontar as suas revelações com a razão.

A DUPLA VISTA

Às vezes, o desprendimento do Espírito ocorre quando a pessoa está acordada e produz o fenômeno conhecido como dupla vista. Aqueles que possuem essa faculdade conseguem ver, ouvir e sentir além dos limites dos sentidos humanos.

Eles percebem as coisas ausentes por toda parte onde o Espírito possa estender a sua ação; eles enxergam transpassando a visão comum, situada nos olhos do corpo físico, semelhante a uma miragem.

A DUPLA VISTA E AS MANIFESTAÇÕES FÍSICAS

No momento em que ocorre o fenômeno da dupla vista, o estado físico do indivíduo é sensivelmente modificado; o olhar tem algo de vago e ele olha sem ver, ou melhor, sem fixar a visão.

A fisionomia toda reflete um certo ar de perturbação. Nota-se que os órgãos da visão ficam alheios ao fenômeno, porque a visão persiste, apesar dos olhos fechados.

Essa faculdade parece ser tão natural para aqueles que a possuem, assim como é para os homens fazer uso da visão para enxergar. Consideram-na um atributo normal do seu ser, sem nada de excepcional.

Geralmente, após essa lucidez passageira, segue-se um esquecimento; a lembrança do que foi visto torna-se cada vez mais distante e acaba por desaparecer, assim como acontece no sonho.

AS MANIFESTAÇÕES DA DUPLA VISTA

O alcance da dupla vista varia desde a sensação confusa até a percepção clara e nítida das coisas presentes ou ausentes. Mesmo quando o alcance é pequeno, ela dá, a certas pessoas, uma habilidade para lidar com as coisas, uma facilidade de compreensão, uma espécie de segurança em seus atos, ao que podemos chamar de "uma rápida e precisa avaliação da decisão a ser tomada".

A dupla vista, quando um pouco mais desenvolvida, desperta os pressentimentos. Em estágio mais desenvolvido ainda, mostra os acontecimentos já ocorridos ou em vias de ocorrer.

AS LEIS DA NATUREZA, O SONAMBULISMO, O ÊXTASE E A DUPLA VISTA

O sonambulismo natural, o sonambulismo artificial, o êxtase e a dupla vista são apenas variações de uma mesma causa. Esses fenômenos, assim como os sonhos, pertencem às Leis da Natureza; eis por que existem desde todos os tempos.

A História nos mostra que eles foram conhecidos e até mesmo explorados desde a mais remota Antiguidade. Neles, encontramos a explicação para inúmeros fatos que os preconceitos acharam por bem simplesmente considerar como sobrenaturais.

Observações

Metafísica: Parte da Filosofia que estuda a essência das coisas e dos seres, ou seja, suas causas primárias. A metafísica é um conhecimento geral, abstrato, transcendente e sutil.

Abstrato: Algo que existe apenas no domínio das ideias e não possui base material. Alguma coisa que é admitida por suposição.

CAPÍTULO 9

INTERVENÇÃO DOS ESPÍRITOS NO MUNDO MATERIAL

- Como os Espíritos Podem Penetrar em Nossos Pensamentos
- Influência Oculta dos Espíritos Sobre Nossos Pensamentos e Ações
- Possessão
- Convulsões
- Afeição dos Espíritos por Determinadas Pessoas
- Anjos da Guarda, Espíritos Protetores, Familiares ou Simpáticos
- Pressentimentos
- Influência dos Espíritos nos Acontecimentos da Vida
- Ação dos Espíritos Sobre os Fenômenos da Natureza
- Os Espíritos Durante os Combates
- Sobre os Pactos
- Poder Oculto – Talismás – Feiticeiros
- Bênçãos e Maldições

COMO OS ESPÍRITOS PODEM PENETRAR EM NOSSOS PENSAMENTOS

456. Os Espíritos veem tudo o que fazemos?

Sim, eles podem ver, pois constantemente estão rodeando os homens; entretanto, os Espíritos apenas veem aquilo que lhes interessa e não se ocupam com o que lhes é indiferente.

457. Os Espíritos podem conhecer os nossos pensamentos mais secretos?

Conhecem até o que as pessoas gostariam de ocultar delas mesmas. Nem as ações, nem os pensamentos podem ser ocultados dos Espíritos.

457a. Nesse caso, será mais fácil ocultar alguma coisa de uma pessoa viva, do que dessa mesma pessoa depois de morta?

Certamente, e quando alguém pensa que está bem escondido, muitas vezes existe uma multidão de Espíritos a observá-lo.

458. O que pensam de nós os Espíritos que estão ao nosso lado e nos observam?

Isso depende. Os Espíritos levianos riem dos pequenos aborrecimentos que causam e zombam da impaciência dos encarnados. Os Espíritos sérios lamentam os erros dos homens e procuram ajudá-los.

INFLUÊNCIA OCULTA DOS ESPÍRITOS SOBRE NOSSOS PENSAMENTOS E AÇÕES

459. Os Espíritos influenciam sobre os nossos pensamentos e ações?

A influência deles é muito maior do se pode imaginar, e muito frequentemente são eles que dirigem os encarnados.

460. Podemos então dizer que o homem possui pensamentos próprios e outros que lhe são sugeridos pelos Espíritos?

O homem é um Espírito que pensa. Portanto, não ignora que muitos pensamentos lhe ocorrem ao mesmo tempo sobre um mesmo assunto e, com frequência, de maneira bem contraditória. Nesses pensamentos, existem os que são do próprio homem e os que são dos Espíritos, e é isso que os deixa na incerteza, pois existem duas ideias que se confrontam.

461. Como podemos distinguir os nossos próprios pensamentos daqueles que nos são sugeridos pelos Espíritos?

Quando o Espírito sugere um pensamento, o homem tem a impressão de que uma voz lhe fala. Em geral, os pensamentos próprios são aqueles que ocorrem primeiro. O homem não deve se preocupar em fazer essa distinção e, muitas vezes, é até melhor não saber, porque assim ele age com mais liberdade.

Se decidir pelo bem, ele o fará com mais vontade; se tomar o mau caminho, sua responsabilidade será maior.

462. Os homens inteligentes e geniais tiram sempre suas ideias de si mesmos?

Algumas vezes as ideias provêm do seu próprio Espírito; mas, muitas vezes, lhes são sugeridas por outros Espíritos que julgam esses homens capazes de compreender essas ideias e dignos de transmiti-las. Quando não as encontram em si mesmos, apelam para a inspiração. Assim, evocam os Espíritos, sem ao menos suspeitarem.

Comentário de Kardec: Se fosse útil distinguir com clareza nossos próprios pensamentos daqueles que nos são sugeridos, Deus nos teria dado um meio de fazê-lo, assim como nos deu a capacidade de distinguir o dia da noite.

Quando uma coisa permanece vaga, é porque existe uma razão, e essa razão será sempre para o nosso bem.

463. Geralmente se diz que o primeiro pensamento que nos chega é sempre o bom. Isso é correto?

O primeiro pensamento pode ser bom ou mau, conforme a natureza do Espírito encarnado. Será sempre bom para aquele que ouve as boas inspirações.

464. Como é possível saber se um pensamento sugerido vem de um bom ou de um mau espírito?

Os bons Espíritos apenas aconselham o bem; cabe ao homem estudar e distinguir.

465. Com que objetivo os Espíritos imperfeitos nos induzem ao mal?

Com o objetivo de fazer os homens sofrerem como eles.

465a. E isso lhes diminui o sofrimento?

Não; mas agem assim pela inveja que sentem em ver aqueles que são mais felizes.

465b. Qual a espécie de sofrimento que eles querem impor aos outros?

Os mesmos sofrimentos que sentem os Espíritos inferiores que se afastam de Deus.

466. Por que Deus permite que esses Espíritos nos estimulem a praticar o mal?

Os Espíritos imperfeitos são instrumentos de que Deus se utiliza para experimentar a fé e a constância dos homens na prática do bem. O Espírito deve progredir rumo ao infinito e é por isso que deve passar pelas provas do mal para chegar ao bem.

Nossa missão é a de ajudar os homens, colocando-os no bom caminho. Quando uma má influência age sobre uma pessoa, foi ela mesma quem a chamou pelo desejo que tem de praticar o mal. Os Espíritos inferiores apenas conseguem influenciar aqueles que desejam fazer o mal, quando percebem neles à vontade de praticá-lo.

Por exemplo: a pessoa que é inclinada ao homicídio terá sempre uma multidão de Espíritos alimentando nela essa ideia; assim como terá outros Espíritos que tentarão influenciá-la a praticar o bem. Dessa forma, o equilíbrio fica restabelecido e a responsabilidade da decisão será sempre daquele que praticar o ato.

Comentário de Kardec: É assim que Deus permite que a nossa consciência escolha o caminho que deseja seguir, e dá a liberdade de ceder ou não às influências contrárias que exercem sua força sobre nós.

467. O homem pode se libertar da influência dos Espíritos que o arrastam para o mal?

Sim. Os Espíritos inferiores apenas se ligam às pessoas que os chamam; esse chamado vem pelo desejo que essas pessoas possuem em fazer o mal ou pelos maus pensamentos que cultivam.

468. Os Espíritos que têm sua influência repelida pela vontade do homem desistem de suas tentativas?

O que você queria que eles fizessem? Quando não há mais nada a fazer, eles se retiram e abandonam aquele que não se deixou influenciar. Entretanto, aguardam o momento favorável para retornar, assim como o gato espreita o rato.

469. Como podemos neutralizar a influência dos maus Espíritos?

Praticando o bem e depositando em Deus toda a confiança. Assim, o homem repele a influência dos Espíritos inferiores e anula o domínio que eles pretendem exercer. Os encarnados não devem atender as sugestões dos Espíritos que inspiram maus pensamentos, insuflam a discórdia e estimulam todas as más paixões.

É preciso desconfiar especialmente daqueles que exaltam o orgulho humano, porque esses atacam os homens pelo seu lado mais fraco. Eis porque Jesus nos ensinou a dizer na oração dominical: "Senhor, não nos deixes cair em tentação, mas livra-nos do mal".

470. Os Espíritos que procuram nos induzir ao mal, colocando à prova a nossa firme vontade de fazer o bem, recebem isso como missão? E, se estão cumprindo uma missão, cabe-lhes alguma responsabilidade?

Nenhum Espírito recebe a missão de fazer o mal. Aquele que o faz age por conta própria e, assim, sofre as consequências. Deus pode permitir que o Espírito mau assim proceda para experimentar os homens, mas nunca lhe ordena tal procedimento; caberá sempre aos encarnados repelir esse assédio.

Observação

Jesus disse: "Ai do mundo por causa dos escândalos. Porque é necessário que eles aconteçam, mais ai daquele por cuja mão o escândalo venha!" *O Evangelho Segundo o Espiritismo*, cap. 8 – item 11.

471. Quando experimentamos uma sensação de angústia, de ansiedade indefinível ou de satisfação interior sem causa conhecida, devemos atribuí-la unicamente a nossa constituição física?

Quase sempre essas sensações são fruto das comunicações que, inconscientemente, os homens têm com os Espíritos ou que tiveram com eles durante o sono.

472. Os Espíritos que querem nos induzir ao mal se limitam em aproveitar as circunstâncias em que nos encontramos ou podem também criá-las?

Eles aproveitam as circunstâncias, mas podem também provocá-las, levando o homem, de forma inconsciente, ao encontro daquilo que é o objeto da sua cobiça.

Por exemplo: um homem encontra em seu caminho uma certa quantia em dinheiro; não foram os Espíritos que a colocaram lá. Entretanto, podem sugerir que ele passe por ali e fique com o dinheiro, enquanto outros podem sugerir que ele devolva o dinheiro ao seu legítimo dono. O mesmo ocorre com todas as outras tentações.

POSSESSÃO

473. Um Espírito pode introduzir-se, temporariamente, no corpo físico de uma pessoa viva e agir no lugar do Espírito que se encontra encarnado nesse corpo?

O Espírito não pode entrar num corpo físico como se entra numa casa. Ele pode sintonizar-se com um Espírito encarnado, cujos defeitos e qualidades sejam os mesmos que os seus, para agirem em conjunto. Entretanto, é sempre o Espírito encarnado que age como quer sobre o seu corpo.

Um Espírito desencarnado não pode tomar o corpo de um Espírito encarnado, porque o Espírito e o seu corpo físico permanecem ligados até que a existência material chegue ao fim.

474. Se não existe possessão propriamente dita, ou seja, dois Espíritos coabitando o mesmo corpo físico, um Espírito encarnado pode ficar na dependência de outro Espírito e ser por ele subjugado ou obsediado, a ponto de ficar com a sua vontade, de algum modo, momentaneamente paralisada?

Sim, e esses são os verdadeiros casos de possessão. Entretanto, essa dominação nunca ocorre sem o consentimento daquele que a sofre, seja por sua fraqueza, seja por seu desejo. Muitas vezes se tem enquadrado os epiléticos e os loucos como possessos, mas estes, na verdade, precisam mais de Médicos do que de exorcismos.

Comentário de Kardec: A palavra possessão, no seu significado comum, pressupõe a existência de demônios, ou seja, Espíritos maus por natureza e a necessidade de um desses Espíritos viver no mesmo corpo físico do indivíduo possuído.

Uma vez que não existem demônios, e que dois Espíritos não podem coabitar simultaneamente o mesmo corpo, não existe possessão de acordo com o significado atribuído a essa palavra. Então, podemos definir possessão como sendo: "A dependência absoluta de um Espírito encarnado em relação a Espíritos imperfeitos que sobre ele exercem o seu domínio".

475. Uma pessoa pode, por si mesma, afastar os maus Espíritos libertando-se assim de sua dominação?

Sempre é possível se libertar de um domínio quando se tem vontade firme.

476. A fascinação exercida por um mau espírito pode ser tão intensa que a pessoa fascinada não se aperceba? Nesse caso, uma terceira pessoa pode fazer cessar essa influência? Que condição deve preencher essa terceira pessoa?

Se for um homem de bem, sua vontade poderá ajudar desde que peça auxílio aos bons Espíritos. Quanto mais digna e boa for uma pessoa, mais poder ela tem para afastar os Espíritos imperfeitos e atrair os bons.

Entretanto, essa terceira pessoa nada poderá fazer se aquele que está subjugado não concordar com o auxílio. Existem pessoas que se alegram com uma dependência que satisfaça seus gostos e desejos.

Seja qual for o caso, a pessoa que não tiver um coração puro, não poderá exercer nenhuma influência para afastar os maus Espíritos. Isso acontece porque os bons Espíritos não atendem ao chamado dessa pessoa e os maus não a temem.

477. As fórmulas de exorcismo têm alguma eficácia sobre os maus Espíritos?

Nenhuma; quando esses Espíritos veem alguém levar isso a sério, eles riem e tornam-se mais teimosos ainda.

478. Existem pessoas que, apesar de bem intencionadas, não se livram da obsessão. Qual o melhor meio de nos livrarmos dos Espíritos obsessores?

Cansar-lhes a paciência; não dar nenhuma importância às suas sugestões e mostrar-lhes que estão perdendo o seu tempo. Ao verem que nada conseguem, eles se afastam.

479. A prece é um meio eficaz para curar a obsessão?

A prece é um poderoso auxílio para todos os casos, mas não basta dizer algumas palavras para obter aquilo que se deseja. Deus dá assistência aos que agem e não aos que se limitam a pedir. É preciso que o obsediado faça a sua parte, destruindo em si mesmo a causa que atrai os maus Espíritos.

480. O que se deve pensar da expulsão dos demônios mencionada no Evangelho?

Depende da interpretação. Se o homem chama de "demônio" a um Espírito mau que subjuga um indivíduo, uma vez neutralizada essa influência, ele terá sido realmente expulso. Se o homem atribui a causa de uma doença ao demônio, quando essa doença for curada, ele também dirá que expulsou o demônio.

Uma coisa pode ser verdadeira ou falsa de acordo com o significado que se der às palavras. As maiores verdades podem parecer absurdas quando são analisadas apenas superficialmente e quando se toma a aparência pela realidade. O homem deve compreender bem e guardar esse conceito, porque ele é de aplicação constante e geral.

CONVULSÓES _____

Observação

Convulsão: É uma contração violenta e involuntária dos músculos. Ocorre de forma repentina e continuada; pode fazer com que a pessoa perca momentaneamente a noção das coisas. Também é conhecida com o nome de espasmo.

481. Os Espíritos têm alguma participação nos fenômenos que se produzem com os indivíduos que entram em convulsão?

Sim, exercem uma influência muito grande, assim como o magnetismo, que é a causa originária desses fenômenos. Porém, o charlatanismo tem frequentemente explorado e exagerado seus efeitos, lançando-os no ridículo.

481a. Em geral, de que natureza são os Espíritos que provocam esse tipo de fenômeno?

São Espíritos de natureza pouco elevada. Por acaso, pode-se esperar que Espíritos Superiores se ocupem ou se alegrem com coisas dessa natureza?

482. De que modo o estado anormal daqueles que sofrem convulsão e daqueles que têm crises nervosas pode se estender subitamente a toda uma população?

Este estado anormal se propaga por afinidade. Em certas circunstâncias, as condições morais se comunicam com muita facilidade. Tomam parte no fenômeno, os efeitos magnéticos e alguns Espíritos, por serem simpáticos com aqueles que provocam esses fenômenos.

__Comentário de Kardec:__ Entre as faculdades especiais que se notam nas pessoas que sofrem convulsão, reconhecemos facilmente algumas que estão presentes também no sonambulismo e no magnetismo. São elas, entre outras: a insensibilidade física, a leitura do pensamento, a transmissão das dores por simpatia ou afinidade, etc.

Não existe razão para duvidar que os indivíduos acometidos por crises nervosas estejam numa espécie de estado sonambúlico desperto, provocado pela influência que exercem uns sobre os outros.

Eles são, ao mesmo tempo, magnetizadores e magnetizados, mesmo sem ter a menor consciência desse fato.

Observação

Em determinados vilarejos, pode ocorrer de várias pessoas entrarem em convulsão ao mesmo tempo; para que isso ocorra, são necessários elementos que deem sustentação ao fenômeno, tais como: influência magnética entre aqueles que estão convulsionando, atração e afinidade entre eles e, por fim, comprometimento por parte de todos que estão submetidos a esta modalidade mediúnica (Djalma Santos e Ana Maria Spranger – *Estudando O Livro dos Espíritos*).

483. Qual a causa da insensibilidade física que se observa em algumas pessoas que sofrem convulsão e em certos indivíduos submetidos a torturas cruéis?

Em algumas pessoas, a insensibilidade no corpo físico tem como causa exclusiva o efeito do magnetismo, que atua sobre o sistema nervoso, assim como também atuam certas substâncias.

Em outras, a excitação do pensamento faz diminuir a sensibilidade. Podemos dizer que nessas pessoas a vida parece retirar-se do corpo para se concentrar toda no Espírito. Quando o Espírito está muito preocupado com alguma coisa, o corpo físico não sente, não vê e também não ouve nada.

Comentário de Kardec: Nos casos de torturas cruéis, a excitação do pensamento e o desprendimento do Espírito trazem uma calma e um sangue frio que neutralizam a sensibilidade por uma espécie de efeito anestésico; assim, são capazes de vencer uma dor muito aguda e profunda.

Muitas vezes, no calor do combate, não nos apercebemos de um ferimento grave, ao passo que, em circunstâncias normais, um simples arranhão provoca muita dor.

Visto que os fenômenos de insensibilidade dependem de uma causa física e da ação de certos Espíritos, podemos perguntar: como, em alguns casos, a autoridade pública foi capaz de fazer com que os fenômenos cessassem?

A resposta é simples: nesses casos, a ação dos Espíritos é meramente secundária; aqueles que promovem o fenômeno aproveitam-se exclusivamente de suas características físicas naturais, ou seja, da insensibilidade que já possuem.

A autoridade pública não pode extinguir essa característica física natural chamada insensibilidade. Ela pode apenas impedir que o fenômeno seja usado de maneira vulgar. Assim, ela transformou um fenômeno que era ativo em um fenômeno latente, e o fez com razão, pois as apresentações resultavam em abuso e escândalo.

Aliás, a intervenção da autoridade pública seria impotente se a ação dos Espíritos fosse direta e espontânea.

AFEIÇÃO DOS ESPÍRITOS POR DETERMINADAS PESSOAS

484. Os Espíritos têm preferência e se afeiçoam a determinadas pessoas?

Os Espíritos bons simpatizam com os homens de bem ou com aqueles capazes de se melhorarem. Os Espíritos inferiores simpatizam com os homens viciosos ou com aqueles que podem tornar-se viciosos. A afeição nasce junto com a afinidade de sentimentos.

485. A afeição dos Espíritos por determinadas pessoas é exclusivamente moral?

A verdadeira afeição não envolve o corpo físico; mas, quando um Espírito se apega a uma pessoa, nem sempre o faz por afeição, pois pode juntar a esse apego uma vaga lembrança das paixões humanas.

486. Os Espíritos se interessam pelas nossas infelicidades e pela nossa prosperidade? Aqueles que nos querem bem se afligem com as dificuldades que passamos durante a vida?

Os bons Espíritos fazem todo o bem que lhes é possível e se alegram com a felicidade dos homens. Quando os encarnados não conseguem suportar os males da vida com resignação, ou melhor, sem reclamar, os bons Espíritos se afligem, pois sabem que esse procedimento não trará nenhum resultado benéfico. Agindo assim, o homem faz o mesmo que o doente que recusa o remédio amargo que irá curá-lo.

487. Quais os males que mais afligem os Espíritos que se interessam por nós: os males físicos ou os morais?

Os males que mais afligem os Espíritos são o egoísmo e a insensibilidade dos corações humanos. Desses dois males derivam todos os outros. Os Espíritos que se interessam pelos encarnados acham graça de todos os males imaginários que nascem do orgulho e da ambição; alegram-se com os sofrimentos morais, que tem por finalidade abreviar o tempo das provas humanas.

Comentário de Kardec: os Espíritos, sabendo que a vida no corpo físico é transitória e que as dificuldades são meios de alcançar uma condição melhor, se afligem mais pelas causas morais que nos distanciam deles, do que pelos nossos sofrimentos físicos que são apenas passageiros.

Pouco se importam com as adversidades que atingem apenas nossas ideias mundanas, assim como pouco nos importamos com as mágoas fúteis da infância.

Os Espíritos veem nas dificuldades da vida um meio de nos adiantarmos e consideram essas dificuldades apenas crises momentâneas que salvarão o doente. Sofrem com as nossas aflições assim como nós sofremos com as aflições de nossos amigos.

Entretanto, enxergando as coisas de um ponto de vista mais amplo e justo, apreciam-nas de um modo diferente do nosso.

Assim, enquanto os bons Espíritos estimulam a nossa coragem, por estarem interessados em nosso futuro, os maus nos induzem ao desespero visando o nosso comprometimento.

488. Os parentes e amigos que retornaram antes para o Mundo Espiritual têm por nós mais simpatia do que os Espíritos que nos são estranhos?

Sem dúvida, e quase sempre como Espíritos, eles protegem os encarnados. Essa proteção é sempre conforme a condição que dispõem para realizá-la.

488a. Os Espíritos são sensíveis à afeição que temos por eles?

Sim, são muito sensíveis, mas esquecem daqueles que os esquecem.

ANJOS DA GUARDA, ESPÍRITOS PROTETORES, FAMILIARES OU SIMPÁTICOS

489. Existem Espíritos que se ligam a uma pessoa em particular para protegê-la?

Sim, o irmão espiritual; aquele que os homens chamam de "bom Espírito" ou "bom Gênio".

490. O que se deve entender por anjo da guarda ou anjo guardião?

O anjo da guarda é um Espírito protetor pertencente a um grau mais elevado.

491. Qual é a missão do Espírito protetor?

A missão do Espírito protetor é mesma que a de um pai em relação aos filhos: conduzir seu protegido pelo caminho do bem; ajudá-lo com seus bons conselhos; consolá-lo nas aflições e sustentar sua coragem nas provas da vida.

492. O Espírito protetor acompanha seu protegido desde o seu nascimento?

Sim, o Espírito protetor acompanha seu protegido desde o nascimento até a morte; muitas vezes esse acompanhamento continua no Mundo Espiritual e mesmo através de várias encarnações, uma vez que essas encarnações não passam de períodos bem curtos, se comparados com a vida eterna do Espírito.

493. A missão do Espírito protetor é voluntária ou obrigatória?

O Espírito protetor tem a obrigação de cuidar do seu protegido, pois aceitou essa tarefa. Entretanto, tem o direito de escolher aqueles que lhes são simpáticos. Para alguns, é um prazer; para outros, uma missão ou um dever.

493a. Dedicando-se a uma pessoa, o Espírito protetor renuncia a proteger outras?

Não, mas o faz com menos exclusividade.

494. O Espírito protetor fica inevitavelmente ligado à criatura confiada à sua guarda?

Pode ocorrer que o Espírito protetor precise abandonar sua posição para executar outras tarefas. Mas, nesse caso, ele é substituído por outro.

495. O Espírito protetor pode abandonar o seu protegido quando este não lhe ouve os conselhos?

Ele se afasta quando vê que seus conselhos são inúteis e que o seu protegido prefere aceitar a influência dos Espíritos inferiores; mas não o abandona completamente, e sempre que pode se faz presente com seus conselhos, mesmo que o protegido se recuse a ouvi-los. Ainda assim, sempre que é chamado, o Espírito protetor retorna.

Se existe um ensinamento que, pelo seu encanto e pela sua doçura, deveria converter os mais incrédulos, é o dos "anjos da guarda". Não é uma ideia consoladora para os homens saberem que têm sempre por perto seres superiores, sempre prontos a aconselhá-los, ampará-los, ajudá-los a escalar a difícil montanha do bem, e que são os amigos mais confiáveis e devotados que os melhores amigos que se tem na Terra?

Esses Espíritos estão ao lado dos homens por ordem de Deus. Foi Ele quem os colocou ao lado dos encarnados e aí permanecem por amor a Ele, desempenhando uma bela e difícil missão.

Os anjos da guarda acompanham os seus protegidos em todos os lugares: nas prisões, nos hospitais, nos lugares obscenos e devassos, na solidão, nada separa os homens desse amigo que eles não podem ver, mas do qual recebem os mais suaves estímulos e ouvem os mais sábios conselhos.

Ah! Se os encarnados tivessem mais conhecimento sobre esta verdade chamada "anjos da guarda", eles seriam muito mais ajudados nos momentos de crise e se livrariam com muito mais facilidade dos maus Espíritos. Mas, no dia do desencarne, o anjo da guarda dirá: "eu aconselhei isso e não me ouviram; mostrei o abismo e quiseram nele se precipitar; fiz ecoar na consciência de cada um a voz da verdade, mas seguiram os caminhos da mentira".

Chamem seus anjos da guarda, estabeleçam com eles a mesma sintonia de amor que possuem com seus melhores amigos. Não pensem em lhes esconder nada, porque eles são os olhos de Deus e ninguém os pode enganar.

Pensem no futuro; procurem evoluir nessa vida e suas provações serão mais curtas e suas existências mais felizes. Vamos, homens, coragem! Afastem para sempre do pensamento os preconceitos e as ideias preconcebidas! Entrem no caminho novo que se abre diante de suas vidas. Marchem! Marchem! Sigam seus guias. A determinação não pode faltar, porque a meta a ser atingida é o próprio Deus.

Aos que pensam ser impossível que Espíritos verdadeiramente elevados se sujeitem a uma tarefa tão trabalhosa e sem interrupções, diremos: nós influenciamos suas almas, mesmo estando a quilômetros de distância. Para nós, o espaço não existe, e mesmo vivendo em outro mundo, os nossos Espíritos conservam suas ligações com os Espíritos da Terra.

Desfrutamos de faculdades que não podem compreender, mas fiquem certos de que Deus não nos impôs uma tarefa acima de nossas forças e que não deixou os homens abandonados e sozinhos na Terra, sem amigos e sem apoio.

Cada anjo da guarda tem o seu protegido e cuida dele como um pai cuida do seu filho. Fica feliz quando o vê no bom caminho e fica triste quando seus conselhos são desprezados.

Não tenham medo de nos cansar com suas perguntas. Ao contrário, procurem sempre estar em contato conosco, pois assim serão mais felizes e mais fortes. São essas comunicações que cada um tem com o seu Espírito protetor que fazem com que todos vocês sejam médiuns. Médiuns hoje ignorados, mas que se manifestarão mais tarde e se espalharão como um oceano sem limites, para afastar a incredulidade e a ignorância.

Homens instruídos, instruam os demais; homens de talento, eduquem seus irmãos. Assim, estarão realizando a obra do Cristo, a mesma que Deus confiou a todos os seus filhos. Para que Deus deu aos homens a inteligência e o saber, senão para que repartam com seus irmãos, senão para fazê-los avançar no caminho da alegria e da felicidade eterna?

São Luís, Santo Agostinho de Tagaste.

Comentário de Kardec: O ensinamento, no qual os anjos da guarda cuidam de seus protegidos, apesar da distância que separa os mundos, nada tem que deva surpreender. Ao contrário, é grandioso e sublime.

Na Terra, apesar da distância, não vemos o pai cuidar de seu filho enviando-lhe conselhos por correspondência? O que haverá então de surpreendente em que os

Espíritos, de um mundo ao outro, possam guiar aqueles que estão sob a sua proteção? Principalmente se levarmos em conta que, para eles, a distância que separa os mundos é menor que a distância que separa os continentes na Terra?

Os Espíritos Superiores não dispõem também do fluido cósmico universal que liga todos os mundos e os torna solidários? Não é esse fluido o veículo da transmissão dos pensamentos, assim como o ar é, para nós, o veículo da transmissão do som?

496. O Espírito protetor que abandona seu protegido, não lhe fazendo mais o bem, pode lhe fazer o mal?

Os bons Espíritos nunca fazem o mal; aqueles que tomam o seu lugar é que fazem o mal. Então os homens acusam a má sorte pelas infelicidades que suportam, quando a má sorte é culpa deles próprios.

497. O Espírito protetor pode deixar seu protegido a mercê de outro Espírito que lhe queira fazer o mal?

Os maus Espíritos se unem para neutralizar a ação dos bons Espíritos. Mas, se o protegido quiser, dará toda a força ao seu protetor. Pode ocorrer que o Espírito protetor encontre, noutro lugar, alguém de boa vontade também necessitando de ajuda e, assim, aproveite a oportunidade para ajudá-lo, enquanto aguarda o retorno para junto do seu protegido.

498. Quando o Espírito protetor deixa que seu protegido se perca na vida, é por que não teve condições para lutar contra os Espíritos maldosos?

Não. Não é porque não possa lutar contra os Espíritos maldosos, mas é porque não quer. E faz isso, porque sabe que o seu protegido sairá das provas mais perfeito e mais instruído. Entretanto, sempre o ajuda com seus conselhos, sugerindo-lhe bons pensamentos, mas que, infelizmente, nem sempre são ouvidos.

Somente a fraqueza, a negligência e o orgulho do homem é que podem dar força aos maus Espíritos; o poder que possuem sobre os encarnados advém do fato destes não lhes oporem resistência.

499. O Espírito protetor está constantemente com seu protegido? Não existem circunstâncias em que ele se afasta um pouco, mesmo sem abandoná-lo?

De fato, existem momentos em que a presença do Espírito protetor não é necessária junto ao seu protegido.

500. Chega um momento em que o Espírito encarnado não tem mais necessidade de um anjo da guarda?

Sim, quando ele tem condições de guiar-se por conta própria, assim como chega o momento em que o aluno não precisa mais do mestre. Mas isso ainda não acontece na Terra.

501. Por que os Espíritos agem sobre nós de forma oculta e por que, quando nos protegem, não o fazem de forma ostensiva?

Se o homem tivesse um apoio ostensivo não agiria por si só e o seu Espírito não progrediria. O Espírito precisa de experiência para se adiantar, e essa experiência ele deve adquirir por conta própria. É necessário que exercite suas forças, sem o que ele seria como uma criança a quem não se deixa caminhar sozinha.

A ação dos Espíritos que zelam por aquele que está encarnado é sempre no sentido de deixar que o seu livre-arbítrio se manifeste, pois se ele não tiver responsabilidade pelo que faz, não avança no caminho que deve conduzi-lo a Deus. O homem, não vendo quem o ampara, confia em suas próprias forças; seu guia, no entanto, zela por ele e, de tempos em tempos, o adverte do perigo.

502. O Espírito protetor que consegue conduzir seu protegido no bom caminho recebe alguma recompensa por isso?

Isso constitui para o Espírito protetor um mérito que lhe será levado em conta, seja para o seu próprio adiantamento, seja para a sua felicidade. Sente-se feliz ao ver que seus esforços foram bem sucedidos, assim como o professor sente-se vitorioso pelo sucesso do aluno.

502a. O Espírito protetor pode ser responsabilizado se não tiver êxito em sua tarefa?

Não, pois fez o que dependia dele.

503. O Espírito protetor sofre ao ver seu protegido seguir o caminho do mal, apesar de seus conselhos? Isso não perturba a sua felicidade?

Ele sofre com os erros do seu protegido e lamenta a sua situação, mas essa aflição não tem as angústias da paternidade terrena, porque o protetor sabe que existe remédio para o mal e aquilo que não se faz hoje, se fará amanhã.

504. É possível saber o nome do nosso Espírito protetor ou anjo da guarda?

Por que os homens querem saber nomes que não existem para eles? Será que eles acreditam que só existem os Espíritos que conhecem?

504a. Então, como chamá-lo, se não o conhecemos?

Podem dar a ele o nome que quiserem, o de um Espírito Superior pelo qual sintam simpatia ou veneração. O seu Espírito protetor atenderá ao chamado, pois todos os bons Espíritos são irmãos e se ajudam mutuamente.

505. Os Espíritos protetores que utilizam nomes conhecidos são realmente os que tiveram esses nomes quando encarnados?

Não necessariamente. Muitas vezes os Espíritos protetores que utilizam nomes conhecidos não podem comparecer a determinados chamados; assim, enviam Espíritos que são da sua confiança. Se os homens precisam de nomes, então esses Espíritos utilizam um que lhes inspire confiança. Quando alguém não pode realizar pessoalmente uma tarefa, envia outro que seja da sua confiança e que atue em seu lugar.

506. Quando retornarmos ao Mundo Espiritual, reconheceremos o nosso Espírito protetor?

Sim; a maioria já conhecia o seu Espírito protetor antes de encarnar.

507. Todos os Espíritos protetores pertencem à classe dos Espíritos Superiores? Podemos encontrá-los entre as classes intermediárias? Um pai, por exemplo, pode tornar-se Espírito protetor de seu filho?

Pode, mas a proteção pressupõe um certo grau de elevação e um **poder ou uma virtude a mais, concedidos por Deus**. O pai que protege seu filho também pode ser assistido por um Espírito mais elevado.

Observação

Um poder ou uma virtude a mais, concedida por Deus: talvez fosse mais correto dizer que o poder e a virtude a mais são uma conquista do Espírito protetor, e não uma concessão Divina, uma vez que Deus não concede virtudes a ninguém; nós é que as conquistamos.

508. Os Espíritos que deixam a Terra em boas condições podem proteger aqueles pelos quais possuem estima e que ainda não desencarnaram?

O poder dos que desencarnam é mais ou menos restrito. A situação em que se encontram nem sempre lhes permite inteira liberdade de ação.

509. Os homens no estado selvagem ou de inferioridade moral também possuem Espíritos protetores? Esses Espíritos pertencem a uma ordem tão elevada quanto a dos Espíritos protetores dos homens mais adiantados?

Todo homem possui um Espírito que zela por ele, mas as missões do Espírito protetor são relativas ao objetivo do Espírito encarnado. Não se dá, a uma criança que aprende a ler, um professor de Filosofia. O progresso do Espírito protetor acompanha o do Espírito protegido.

Aquele que tem um Espírito Superior que zela por ele também pode, por sua vez, ser o protetor de um Espírito inferior, e os progressos que este Espírito inferior conseguir através de sua ajuda contribuirão para o seu adiantamento. Deus não pede ao Espírito mais do que podem a sua natureza e o grau de elevação que já alcançaram.

510. Quando o pai que zela por um filho reencarna, ele continua a zelar por esse filho?

É difícil que isso aconteça. Porém, num momento de desprendimento, o pai pode pedir a um Espírito amigo que o ajude nessa missão. Aliás, os Espíritos apenas aceitam missões que podem cumprir até o fim.

O Espírito encarnado, principalmente nos mundos onde a existência é muito material, ainda está muito preso ao corpo físico para poder devotar-se inteiramente a outro Espírito e poder assisti-lo pessoalmente.

Assim, aqueles que ainda não se elevaram o suficiente também são assistidos por outros Espíritos, que lhes são superiores, de modo que, se um deles faltar, por uma razão qualquer, será substituído por outro.

511. Além do Espírito protetor, existe também um mau espírito ligado a cada indivíduo, com a finalidade de induzi-lo ao erro e lhe proporcionar a ocasião de escolher entre o bem o mal?

Ligado não é bem o termo. É verdade que os maus espíritos procuram desviar o homem do bom caminho quando encontram ocasião para isso; entretanto, quando um mau Espírito se liga a alguém, o faz por conta própria, porque espera ser ouvido. Ocorre, então, a luta entre o bom e o mau, e vence aquele por quem o homem se deixar influenciar.

512. Podemos ter muitos Espíritos protetores?

Todo homem sempre tem Espíritos, mais ou menos elevados, que por ele se afeiçoam e se interessam, como também tem aqueles que o intuem para o mal.

513. Os Espíritos que possuem afinidade conosco agem cumprindo uma missão?

Algumas vezes podem ter uma missão temporária, mas quase sempre são atraídos pela identidade de pensamentos e de sentimentos, tanto para o bem quanto para o mal.

513a. Parece resultar daí que os Espíritos que possuem afinidade conosco podem ser bons ou maus?

Sim, o homem sempre encontra Espíritos que possuem afinidade por ele, seja qual for o seu caráter.

514. Espíritos familiares, Espíritos simpáticos e Espíritos protetores são a mesma coisa?

Existem inúmeros níveis de proteção e de afinidade; podem dar o nome que quiserem. O Espírito familiar é antes de tudo o amigo da casa.

Comentário de Kardec: Das explicações acima e das observações feitas sobre a natureza dos Espíritos que se ligam ao homem, podemos deduzir o seguinte:

O ESPÍRITO PROTETOR, ANJO DA GUARDA ou BOM GÊNIO é o que tem por missão acompanhar o homem na vida e ajudá-lo a progredir. É sempre de natureza superior à do protegido.

Os ESPÍRITOS FAMILIARES se ligam a certas pessoas por laços mais ou menos duráveis, com a finalidade de ajudá-las na medida do poder que dispõem, quase sempre muito limitado.

São bons, mas às vezes pouco adiantados e mesmo um tanto levianos; ocupam-se de boa vontade e de forma espontânea com as particularidades da vida íntima e só atuam por ordem ou com a permissão dos Espíritos protetores.

Os ESPÍRITOS SIMPÁTICOS são os que atraímos para nós por afeições particulares e por uma certa semelhança de gostos e de sentimentos, tanto para o bem quanto para o mal. A duração de suas relações é quase sempre subordinada às circunstâncias.

O MAU GÊNIO é sempre um espírito imperfeito que se liga ao homem para desviá-lo do bom caminho; age sempre por conta própria e não no cumprimento de uma missão.

A persistência de sua atuação está vinculada ao acesso mais ou menos fácil que encontra junto aos encarnados. O homem sempre será livre para seguir ou não o conselho desse espírito inferior.

515. O que pensar das pessoas que se ligam a certos indivíduos para levá-los fatalmente à perdição ou para guiá-los no bom caminho?

De fato, certas pessoas exercem sobre outras uma espécie de fascinação que parece irresistível. Quando isso acontece para o mal, são maus Espíritos que se servem de outros, igualmente maus, para melhor subjugarem suas vítimas. Deus permite que isso aconteça para colocar os homens a prova.

516. Nosso Espírito protetor e nosso mau gênio poderiam encarnar para nos acompanhar na vida de uma maneira mais direta?

Isso até pode acontecer, mas o que ocorre com mais frequência é eles encarregarem dessa missão outros Espíritos encarnados, que com eles possuem afinidade.

517. Existem Espíritos que se ligam a uma família inteira para protegê-la?

Sim, alguns Espíritos se ligam a uma família inteira para protegê-la, principalmente se entre os membros dessa família existe muita afeição. Mas não acreditem em **Espíritos protetores do orgulho das raças**.

Observação

O Espírito São Luiz nos adverte sobre a necessidade de abandonarmos o espírito de grupo, de seita e de partido, uma vez que todos os homens são irmãos. Assim, o verdadeiro cristão não deve ter orgulho por pertencer a essa ou aquela raça (Evangelho Segundo o Espiritismo cap. 13 – Beneficência Exclusiva).

518. Os Espíritos são atraídos para alguns indivíduos pela afinidade que existe entre eles. Por motivos particulares, poderão ser atraídos também para reuniões de indivíduos?

Os Espíritos vão, de preferência, aos lugares onde estão seus semelhantes. Aí, sentem-se mais à vontade e com a certeza de que serão ouvidos. O homem atrai os Espíritos em razão de suas tendências, quer esteja só, quer esteja formando uma coletividade, tal como uma sociedade, uma cidade ou um povo. Portanto, as sociedades, as cidades e os povos são assistidos por Espíritos mais ou menos elevados, de acordo com o caráter e as paixões que predominam nesses agrupamentos.

Os Espíritos imperfeitos se afastam daqueles que os repelem; disso resulta que o aperfeiçoamento moral de toda a coletividade, assim como dos indivíduos que a compõem, tende a afastar os maus Espíritos e atrair os bons, que estimulam e alimentam o sentimento do bem na população, do mesmo modo que os Espíritos inferiores podem estimular as más paixões.

519. As aglomerações de indivíduos, como as sociedades, as cidades, as nações, têm seus Espíritos protetores especiais?

Sim, porque essas aglomerações são individualidades coletivas que marcham para um **objetivo comum** e precisam de uma direção superior.

Observação

O objetivo comum, a que o Espírito se refere, é o nosso progresso individual.

520. Os Espíritos que protegem as coletividades são mais elevados do que os Espíritos que protegem os indivíduos?

Tudo é relativo ao grau de adiantamento em que se encontram as coletividades e os indivíduos.

521. Os Espíritos podem auxiliar no progresso das Artes protegendo aqueles que a elas se dedicam?

Existem Espíritos protetores especiais e que auxiliam aqueles que os chamam, desde que sejam dignos desse auxílio. Entretanto, o que os Espíritos podem fazer por aqueles que acreditam ser o que não são? Não cabe aos Espíritos fazer com que os cegos vejam e os surdos ouçam!

Comentário de Kardec: *Os Antigos fizeram desses Espíritos divindades especiais. AS MUSAS simbolizavam OS ESPÍRITOS PROTETORES DAS CIÊNCIAS E DAS ARTES; LARES E PENATES, que eram os deuses domésticos dos romanos e dos pagãos, representavam os ESPÍRITOS PROTETORES DA FAMÍLIA. Atualmente, as Artes, as diferentes Indústrias, as Cidades, os Países também possuem seus patronos ou protetores, que nada mais são do que Espíritos Superiores, embora com outros nomes.*

Cada homem tem Espíritos que possuem afinidade com ele. Assim, podemos deduzir que: a maioria dos Espíritos que se vinculam a determinadas coletividades o fazem pela afinidade com os tipos de homens que compõem essas coletividades; os Espíritos estranhos são atraídos para esses agrupamentos pela identidade de gostos e pensamentos.

Resumindo: os agrupamentos de pessoas, assim como os indivíduos, são mais ou menos assistidos e influenciados pelos Espíritos, de acordo com a natureza dos pensamentos daqueles que os compõem.

Entre os povos, o que atrai os Espíritos são os costumes, os hábitos, o caráter dominante e principalmente as Leis, porque o caráter de uma nação se reflete em suas Leis.

Aqueles que fazem reinar a justiça entre si, combatem a influência dos maus Espíritos. Em todos os lugares onde as Leis consagram as coisas injustas, contrárias a Humanidade, os bons Espíritos estão em minoria e os maus se reúnem e mantém a nação sob o domínio de suas ideias.

Dessa forma, as boas influências se perdem na multidão, assim como uma espiga isolada se perde no meio dos espinheiros. Estudando-se os costumes dos povos ou de qualquer agrupamento humano, fica fácil imaginar a população de Espíritos que interferem em seus pensamentos e em suas ações.

Observação

O comentário feito por Kardec, em relação à resposta dada pelos Espíritos, traz duas constatações importantes: *A primeira* é da interpretação espírita sobre a *Mitologia*, modificando tudo o que os estudos puramente humanos disseram até hoje sobre o assunto, pois mostra que os deuses mitológicos realmente existiam, mas como Espíritos.

A segunda refere-se à *Sociologia*, que, à luz do Espiritismo, reveste-se também com novo aspecto, pois é preciso levar em conta o intercâmbio existente entre a coletividade espiritual e a coletividade encarnada, para uma melhor compreensão dos processos sociais (Herculano Pires).

PRESSENTIMENTOS _____

522. O pressentimento é sempre um aviso do Espírito Protetor?

O pressentimento é o conselho íntimo e oculto de um Espírito que deseja o bem dos homens. O pressentimento também é a intuição da escolha que o Espírito fez antes de encarnar: é a voz do instinto. Antes de reencarnar, o Espírito tem conhecimento das fases principais de sua nova existência, ou seja, do tipo de provas que precisará enfrentar.

Quando as provas têm um caráter marcante, o encarnado conserva em seu íntimo uma espécie de impressão, que é a voz do instinto, e essa impressão se manifesta em forma de pressentimento, quando chega o momento dele vivenciar essas provas.

523. Os pressentimentos e a voz do instinto têm sempre alguma coisa de vago. O que devemos fazer quando ficamos na incerteza?

Quando estiverem na incerteza devem chamar pelo seu Espírito protetor ou fazer uma prece a Deus, o Senhor de todos, solicitando que envie um de seus mensageiros, um de nós.

524. As advertências dos nossos Espíritos protetores têm como finalidade única a nossa conduta moral, ou também a conduta que devemos adotar em relação às coisas da vida particular?

Os Espíritos se preocupam com tudo e procuram fazer com que os homens vivam da melhor maneira possível. Mas, quase sempre, os encarnados fecham os ouvidos para seus bons conselhos e tornam-se infelizes por sua própria culpa.

Comentário de Kardec: *Os Espíritos protetores nos ajudam com seus conselhos por meio da voz da consciência que fazem vibrar em nosso íntimo. Mas, como nem* *sempre lhes damos a importância necessária, eles se valem de pessoas próximas para passar seus conselhos de forma mais direta.*

Se cada um examinar as diversas circunstâncias, felizes ou infelizes de sua vida, verá que em muitas ocasiões recebeu conselhos que nem sempre aproveitou, e que lhe teriam poupado muitos dissabores, se os tivesse escutado.

INFLUÊNCIA DOS ESPÍRITOS NOS ACONTECIMENTOS DA VIDA

525. Os Espíritos exercem alguma influência sobre os acontecimentos da vida?

Certamente, uma vez que aconselham os homens.

525a. Além dos pensamentos que sugerem, os Espíritos utilizam outra maneira para nos influenciar como, por exemplo, uma ação direta sobre a realização das coisas?

Sim, mas eles nunca agem fora das Leis da Natureza.

Comentário de Kardec: *É um erro pensar que a ação dos Espíritos se manifesta apenas por intermédio de fenômenos extraordinários. Gostaríamos que eles viessem nos ajudar através de milagres e munidos de uma varinha mágica. Entretanto, a ação dos Espíritos não acontece dessa forma; eis porque sua intervenção nos parece oculta, e o que é feito com o auxílio deles nos parece muito natural.*

Assim, por exemplo, eles provocarão o encontro de duas pessoas que julgarão ter se encontrado por acaso; inspirarão a alguém o pensamento de passar por um determinado lugar; chamarão a atenção dos homens para um determinado ponto, se isso levar ao resultado que desejam. É dessa maneira que o homem, pensando seguir seus próprios pensamentos, conserva sempre o seu livre-arbítrio.

526. Os Espíritos, possuindo ação sobre a matéria, podem provocar alguns efeitos, a fim de que se realize um acontecimento? Por exemplo, um homem deve morrer: sobe numa escada, a escada se quebra e ele morre efetivamente. São os Espíritos que quebram a escada para que o destino daquele homem se cumpra?

Os Espíritos realmente agem sobre a matéria, mas para o cumprimento das Leis da Natureza, e não para revogá-las, fazendo surgir, em determinado lugar e no momento certo, um acontecimento inesperado e que seja contrário a essas Leis.

No exemplo citado, a escada se quebrou porque estava gasta e fraca para sustentar o peso do homem. Se o destino desse homem fosse morrer dessa maneira, os Espíritos lhe inspirariam a ideia de subir na escada que se quebraria com o seu peso. Assim, sua morte se daria por um "acidente" natural, sem que para isso fosse necessário um milagre.

527. Tomemos outro exemplo em que não exista a intervenção da matéria. Um homem deve morrer atingido por um raio. Refugia-se debaixo de uma árvore e morre pela ação do raio. Os Espíritos podem provocar esse raio, dirigindo-o para o homem?

Esse exemplo é igual ao anterior. O raio atingiu a árvore, naquele momento, porque estava nas Leis da Natureza que assim acontecesse. O raio não foi dirigido para árvore porque o homem se encontrava lá. Os Espíritos é que inspiraram o homem para que ele se refugiasse debaixo de uma árvore sobre a qual cairia um raio. A árvore seria atingida, estivesse ou não o homem debaixo dela.

528. Um homem mal-intencionado dispara uma arma contra outro, mas a bala passa de raspão e não o atinge. Um Espírito bom pode ter desviado a trajetória da bala?

Se a pessoa não deve ser atingida, um Espírito bom pode lhe inspirar o pensamento de se desviar, ou poderá ofuscar a pontaria do atirador impedindo que ele acerte; porque a bala, uma vez disparada, seguirá a sua trajetória.

529. Algumas lendas se referem às balas encantadas que fatalmente atingem o alvo. O que pensar sobre isso?

Pura imaginação! O homem gosta do maravilhoso e não se contenta com as maravilhas da Natureza.

529a. Os Espíritos que dirigem os acontecimentos da vida terrena podem ter sua ação dificultada ou impedida por outros Espíritos que desejam o contrário?

O que Deus quer é o que acontece. Se houver alguma dificuldade ou impedimento na execução de uma obra, é porque Ele assim o desejou.

530. Podem os Espíritos levianos e brincalhões criar pequenos embaraços aos nossos projetos e atrapalhar as nossas previsões? São eles os autores daquilo que vulgarmente chamamos "as pequenas misérias da vida humana"?

Os Espíritos levianos e brincalhões sentem-se bem em causar aborrecimentos que são provas destinadas a exercitar a paciência dos homens, mas se cansam quando nada conseguem. Os encarnados, pela irresponsabilidade que possuem, são os principais culpados pelas decepções que sofrem. Assim, não é justo nem correto responsabilizar os Espíritos por tudo. Se a baixela de louça se quebra, a culpa é daquele que a carregou sem o devido cuidado, e não dos Espíritos.

530a. Os Espíritos que provocam esses contratempos agem em consequência de antipatias pessoais, ou atacam o primeiro que aparece, sem um motivo determinado, simplesmente por malícia?

Acontecem as duas coisas. Às vezes, são Espíritos inimigos que o homem fez nesta encarnação ou em encarnações anteriores. Outras vezes, não existe motivo algum para essa perseguição.

531. O rancor das pessoas que nos fizeram mal na Terra extingue-se com a sua morte?

Geralmente elas reconhecem a injustiça e o mal que fizeram. Outras vezes, elas continuam com sua perseguição, mesmo estando no Mundo Espiritual; como uma forma de experimentar os homens, Deus permite que isso aconteça.

531a. De que forma podemos colocar um fim nessas perseguições?

Orando por esses Espíritos e retribuindo o mal com o bem; assim, eles acabarão por compreender seus erros. Se o homem se colocar acima da maldade desses Espíritos, fará com que eles parem, pois perceberão que nada ganham com isso.

Comentário de Kardec: A experiência demonstra que alguns Espíritos prosseguem com a sua vingança de uma existência a outra. Assim, cedo ou tarde o homem sempre sofre as consequências do mal que causou a outras criaturas.

532. Os Espíritos têm o poder de afastar o mal de certas pessoas e de atrair para elas a prosperidade?

Os Espíritos não podem afastar o mal completamente, porque existem males que estão nos planos de Deus. Entretanto, eles podem amenizar as dores, dando ao homem a paciência e a resignação para suportá-los.

Muitas vezes, depende apenas do homem afastar esses males ou, pelo menos, atenuá-los. Deus lhe deu a inteligência, e é por meio dela que os Espíritos os ajudam, sugerindo pensamentos benéficos.

Mas os Espíritos apenas assistem aqueles que sabem ajudar-se a si mesmos. É esse o significado das palavras de Jesus: "Busquem e vocês encontrarão; batam à porta e ela se abrirá".

Aquilo que hoje parece ser um mal, nem sempre o é. Muitas vezes, o mal que aflige o homem na atualidade se transformará em um bem muito maior. É isso que a maioria das pessoas não consegue compreender, porque pensam somente no presente ou nelas mesmas.

533. Os Espíritos podem fazer com que alguém obtenha a riqueza, desde que sejam solicitados a isso?

Algumas vezes, os Espíritos interferem para que se consiga a riqueza como uma forma de provar os homens, mas quase sempre eles recusam essas solicitações, como se recusa a uma criança um pedido insensato.

533a. Os Espíritos que concedem esses favores são os bons ou os maus?

Ambos concedem esses favores e isso vai depender da intenção. Na maioria das vezes, são os maus Espíritos que atendem a essas solicitações, porque querem arrastar o homem para o mau caminho; assim, nos prazeres que a riqueza proporciona, eles encontram um meio fácil para atingir os seus objetivos.

534. Quando obstáculos parecem se opor fatalmente aos nossos projetos, isso pode ser pela influência de algum Espírito?

Algumas vezes é devido à influência dos Espíritos, mas na maioria das vezes são os próprios homens que erram na elaboração e na execução de seus projetos. A posição e o caráter da pessoa influem muito nesses casos. Se alguém insiste em seguir um caminho que não é o seu, os Espíritos nada têm a ver com isso. O homem mesmo é o seu próprio mau espírito.

535. Quando nos acontece alguma coisa boa, é ao nosso Espírito protetor que devemos agradecer?

Agradeçam primeiramente a Deus, porque sem a Sua permissão nada se faz; depois, aos bons Espíritos que foram os agentes da Sua vontade.

535a. O que acontece aos que esquecem de agradecer?

Acontece o mesmo que aos ingratos, ou seja, são esquecidos.

535b. Entretanto, existem pessoas que não oram nem agradecem, e para as quais tudo dá certo!

De fato, às vezes isso ocorre, mas é preciso observar o resultado final. Essas pessoas pagarão um preço muito alto por desfrutarem de uma felicidade passageira da qual não são merecedoras e, quanto mais tiverem recebido, mais terão que restituir.

AÇÃO DOS ESPÍRITOS SOBRE
OS FENÔMENOS DA NATUREZA _____

536. Os grandes fenômenos da Natureza, aqueles que são considerados como perturbação dos elementos, provêm de causas acidentais ou têm um objetivo Providencial?

Tudo tem uma razão de ser, e nada acontece sem a permissão de Deus.

536a. Esses fenômenos sempre têm por objetivo final atingir o homem?

Às vezes esses fenômenos têm no homem sua razão imediata de ser. Entretanto, na maioria dos casos, seu objetivo único é o restabelecimento do equilíbrio e da harmonia das forças físicas da Natureza.

536b. Compreendemos que a vontade de Deus é a causa primeira, nisto como em todas as coisas. Sabemos, também, que os Espíritos podem agir sobre a matéria e que eles são os agentes da vontade de Deus; sendo assim, perguntamos: os Espíritos podem agir sobre os elementos para agitá-los, acalmá-los ou dirigi-los?

Mas é evidente que os Espíritos exercem influência sobre os elementos, e nem poderia ser de outro modo. Deus não exerce ação direta sobre a matéria; Ele possui agentes dedicados em todos os graus da escala dos mundos.

537. A mitologia dos Antigos era inteiramente fundamentada sobre as ideias espíritas, com a única diferença de que os Espíritos eram considerados divindades. Os Antigos representavam esses deuses ou esses Espíritos com atribuições especiais. Assim, uns se encarregavam dos ventos, outros do raio, outros do reino vegetal, etc. Essa crença possui fundamento?

Essa crença não possui fundamento e está longe da verdade.

537a. Ainda levando em conta as ideias da mitologia, poderiam existir Espíritos vivendo no interior da Terra e dirigindo os fenômenos geológicos?

Esses Espíritos não habitam, efetivamente, o interior da Terra, mas regulam os fenômenos e os dirigem de acordo com as suas atribuições. Um dia os homens terão a explicação de todos esses fenômenos e os compreenderão melhor.

538. Os Espíritos responsáveis pelos fenômenos da Natureza formam uma categoria à parte no Mundo Espiritual? São seres especiais ou Espíritos que tiveram encarnações na Terra, assim como nós?

Alguns Espíritos já estiveram encarnados na Terra e outros ainda vão encarnar.

538a. Esses Espíritos pertencem aos graus superiores ou inferiores da hierarquia espiritual?

A tarefa que desempenham é que vai determinar; ela pode ser mais material ou mais voltada para o uso da inteligência. Existem os que mandam e os que executam. Aqueles que executam tarefas materiais são sempre de um grau inferior, e isso vale tanto para os Espíritos quanto para os homens.

539. Na produção de certos fenômenos, como as tempestades, por exemplo, é apenas um Espírito que atua, ou eles se reúnem em um grande número para produzi-lo?

Reúnem-se em massas inumeráveis.

540. Os Espíritos que exercem ação sobre os fenômenos da Natureza agem com conhecimento de causa, utilizando seu livre-arbítrio, ou fazem isso por impulso instintivo e, portanto, irrefletido?

Alguns Espíritos, sim; outros, não. Façamos uma comparação: imaginem esses milhares de animais que, pouco a pouco, fazem emergir do mar ilhas e arquipélagos; será que não existe nesse processo um objetivo de Deus, visto que essa transformação da superfície do globo é necessária à harmonia geral? Entretanto, são os animais do último grau evolutivo que executam essas tarefas, provendo suas necessidades e sem suspeitarem de que são instrumentos de Deus.

Do mesmo modo, os Espíritos mais atrasados também são úteis ao conjunto. Enquanto se preparam para a vida e antes que tenham plena consciência de seus atos e de seu livre-arbítrio, participam de certos fenômenos, dos quais são agentes, mesmo de forma inconsciente. Num primeiro momento, executam; mais tarde, quando suas inteligências estiverem mais desenvolvidas, comandarão e dirigirão as coisas do Mundo Material.

Mais tarde ainda, dirigirão as coisas que pertencem ao Mundo Moral. É assim que tudo serve e que tudo se encaixa na Natureza, desde o átomo primitivo até o arcanjo, que também teve seu início como átomo. Admirável Lei de Harmonia, da qual a limitação dos homens ainda não pode abranger e nem compreender o conjunto.

OS ESPÍRITOS DURANTE OS COMBATES _____

541. Durante uma batalha, existem Espíritos que ajudam cada uma das forças contrárias?

Sim, além de ajudar, ainda estimulam a coragem dos participantes.

Comentário de Kardec: Outrora, os Antigos representavam os deuses tomando partido deste ou daquele povo. Esses deuses eram Espíritos representados por figuras alegóricas.

542. Numa guerra, a justiça está sempre de um dos lados. Como pode haver Espíritos que ajudam aqueles que lutam por uma causa injusta?

Todos sabem muito bem que existem Espíritos que apenas procuram a discórdia e a destruição; para eles, guerra é guerra: de que lado está a justiça, pouco lhes interessa.

543. Os Espíritos podem influenciar o general em seus planos de campanha?

Sem dúvida nenhuma. Os Espíritos podem influenciar o general em seus planos, como em todos os seus pontos de vista.

544. Os maus espíritos poderiam inspirar planos errados a um general para levá-lo à derrota?

Sim; mas ele não tem o seu livre-arbítrio? Se o general não consegue distinguir uma ideia justa de uma falsa, sofrerá as consequências da decisão errada que tomar. Seria melhor, para ele, obedecer ao invés de comandar.

545. Algumas vezes, o general pode ser guiado por uma espécie de dupla vista, por uma visão intuitiva que lhe mostre antecipadamente o resultado de seus planos?

Essa visão intuitiva acontece frequentemente com o homem de grande talento. É o que ele chama de inspiração, e que lhe permite agir com uma espécie de certeza. Essa inspiração lhe vem por intermédio dos Espíritos que o dirigem e que se aproveitam das faculdades das quais ele é portador.

546. O que acontece com os homens que morrem em combate? Eles ainda se interessam pela batalha após a morte?

Existem os que continuam a se interessar; os outros se afastam.

Comentário de Kardec: Nos combates, ocorre o mesmo que se verifica em todos os casos de morte violenta: no primeiro momento, o Espírito fica surpreso e perturbado; não acredita que morreu e pensa que ainda está participando do combate. Somente pouco a pouco vai adquirindo a consciência da nova realidade.

547. Os Espíritos que em vida combatiam entre si, após a morte, ainda continuam inimigos? Continuam com os ânimos acirrados uns contra os outros?

Logo após desencarnar em um combate, o Espírito nunca está calmo. Assim, nos primeiros instantes, pode ainda procurar seus inimigos e até mesmo persegui-los. Porém, quando se acalma e à razão retorna, percebe que a sua animosidade não faz mais sentido. Entretanto, o Espírito pode guardar do combate alguns resquícios de rancor mais ou menos forte, conforme o seu caráter.

547a. Após o desencarne, eles ainda continuam a ouvir o ruído das armas?

Sim, perfeitamente.

548. Um Espírito desencarnado, que assiste calmamente a um combate, pode ver o momento em que a alma daquele que morreu se separa do corpo físico? Como esse fenômeno se apresenta para ele?

Existem poucas mortes verdadeiramente instantâneas. Na maioria dos casos, o Espírito, cujo corpo acaba de ser mortalmente ferido, não tem consciência imediata do que lhe aconteceu.

Somente quando começa a recobrar a consciência é que o Espírito assistente poderá distinguir o Espírito ferido mover-se ao lado do cadáver. Isso parece tão natural ao Espírito que assiste o combate que a visão do corpo morto não lhe causa nenhuma sensação desagradável.

A essência da vida está toda no Espírito que acaba de desencarnar e não no corpo ferido; Assim, toda a atenção é direcionada ao Espírito desencarnante, e é com ele que o assistente vem conversar ou lhe dar ordens.

SOBRE OS PACTOS

549. Existe algo de verdadeiro nos pactos com os maus Espíritos?

Não existem pactos. O que existe são homens maus que sintonizam, por afinidade, com os maus Espíritos. Por exemplo: uma pessoa quer atormentar seu vizinho e não sabe como fazê-lo; chama, então, os Espíritos inferiores que, como ela, só querem fazer o mal. Esses Espíritos, para ajudá-la, também exigem que seus maus propósitos sejam atendidos. Mas isso não significa que o vizinho não possa livrar-se desse assédio por meio de uma ação contrária ou utilizando a sua própria vontade.

Aquele que deseja praticar uma ação má, pelo simples fato de alimentar esse desejo, chama inconscientemente os maus Espíritos que correm para ajudá-lo; essa pessoa fica então obrigada a servi-los em troca da ajuda recebida, pois os Espíritos também precisam dela para o mal que desejam fazer. É somente nisso que consiste o pacto.

Comentário de Kardec: *Às vezes o homem fica na dependência de Espíritos inferiores por sintonizar com os maus pensamentos que esses Espíritos lhe sugerem, e não porque exista entre eles algum tipo de acordo. O pacto, no seu sentido popular, representa a figura de uma criatura de natureza má em afinidade com Espíritos maldosos.*

550. Qual o sentido das lendas fantásticas, segundo as quais alguns indivíduos teriam vendido suas almas a Satanás para obterem certos favores?

Todas as fábulas trazem um ensinamento e um sentido moral. O erro de alguns é atribuir-lhe uma interpretação ao pé da letra. A lenda dos pactos é uma alegoria que pode ser explicada assim: todo aquele que pede auxílio aos Espíritos para obter a riqueza ou qualquer outro favor, rebela-se contra Deus; renuncia a missão que recebeu, juntamente com as provas pelas quais deve passar na Terra, sofrendo, na vida futura, a consequência desse ato.

Entretanto, isso não significa que, ao desencarnar, sua alma esteja condenada para sempre ao sofrimento. Ao agir assim, em vez dele se libertar da matéria, a ela se liga cada vez mais. Os prazeres que desfrutou na Terra, não desfrutará no Mundo dos Espíritos, até que resgate suas faltas através de novas provas, talvez maiores e mais difíceis. O apego aos prazeres materiais coloca-o na dependência de Espíritos impuros.

Assim, fica subentendido que entre eles existe um pacto silencioso que o conduz à perdição. Mas sempre será possível romper esse pacto com a assistência dos bons Espíritos, desde que o queira com convicção.

PODER OCULTO, TALISMÁS, FEITICEIROS

551. Um homem mau, com o auxílio de um mau Espírito, que a ele seja dedicado, pode fazer o mal ao seu próximo?

Não; Deus não permite que isso aconteça.

552. Acredita-se que certas pessoas têm o poder de enfeitiçar; o que pensar sobre isso?

Algumas pessoas possuem um poder magnético muito grande e, se forem más, poderão utilizá-lo para fazer o mal. Nesse caso, elas podem ser ajudadas por outros Espíritos maus.

Entretanto, não acreditem em um suposto poder mágico que existe apenas na imaginação de pessoas supersticiosas e que ignoram as verdadeiras Leis da Natureza. Os fatos que essas pessoas citam são fatos naturais, mal observados e, principalmente, mal compreendidos.

553. Qual é o efeito das fórmulas e práticas com ajuda das quais certas pessoas pretendem contar com a cooperação dos Espíritos?

O efeito é o de tornar essas pessoas ridículas, se procedem de boa-fé. Caso contrário, são tratantes que merecem castigo. Todas as fórmulas são ilusões, ou melhor, são enganosas.

Não existe nenhuma palavra sacramental; nenhum sinal cabalístico; nenhum talismá que tenha qualquer ação sobre os Espíritos, porque eles são atraídos "apenas pelo pensamento" e não pelas coisas materiais.

553a. Entretanto, alguns Espíritos não têm ditado, eles próprios, fórmulas cabalísticas?

É verdade; existem Espíritos que indicam sinais, palavras esquisitas ou prescrevem certos atos, com ajuda dos quais as pessoas conseguem realizar o que chamam de conjuros ou tramas secretas. Mas tenham a certeza de que são Espíritos que zombam dos homens e abusam da sua credulidade.

554. Aquele que confia naquilo que se chama a "virtude" de um talismá, independente de estar certo ou errado, não pode atrair um Espírito, justamente por efeito dessa confiança, visto que, nesse caso, é o pensamento que atua? O talismá não poderia ser um símbolo, um ponto de referência, que ajudaria a conduzir o pensamento e auxiliar a concentração?

Sim, isso é verdade; mas a natureza do Espírito atraído depende sempre da pureza da intenção e da elevação dos sentimentos. Ora, aquele que é ingênuo o suficiente para acreditar na "virtude" de um talismã, certamente possui um objetivo mais material do que moral. Porém, qualquer que seja o caso, essa crença indica sempre um pensamento pequeno e fraco, que favorece a ação dos Espíritos zombeteiros e imperfeitos.

555. O que devemos entender pela palavra feiticeiro?

Aqueles a quem os homens chamam de feiticeiros são pessoas que, quando possuem boa-fé, desfrutam de certas faculdades, como a força magnética ou a dupla vista.

Assim, por fazerem coisas que a maioria não compreende, as pessoas acreditam que essas criaturas são dotadas de um poder sobrenatural. Os Cientistas não têm passado muitas vezes por feiticeiros aos olhos das pessoas ignorantes?

Comentário de Kardec: O Espiritismo e o Magnetismo nos dão a chave de uma infinidade de fenômenos sobre os quais a ignorância criou várias fábulas, em que os fatos são exagerados pela imaginação.

O conhecimento esclarecido dessas duas Ciências, que na verdade são apenas uma, é a melhor defesa contra as ideias supersticiosas, porque, ao mostrar a realidade das coisas e suas verdadeiras causas, revela o que é possível e o que é impossível; o que está nas Leis da Natureza e o que não passa de uma crença ridícula.

556. Algumas pessoas têm realmente o dom de curar pelo simples toque?

Quando se juntam a pureza dos sentimentos e o desejo ardente da fazer o bem, a força magnética pode realmente curar, porque, quando isso acontece, os bons Espíritos sempre vêm em auxílio daqueles que são portadores dessas qualidades.

Entretanto, sempre é preciso desconfiar da maneira como as coisas são contadas, principalmente por pessoas muito crédulas e muito entusiasmadas, que estão sempre dispostas a ver o maravilhoso nas coisas mais simples e naturais. Também é preciso desconfiar dos relatos interesseiros, por parte de pessoas que exploram a credulidade alheia em proveito próprio.

BÊNÇÃOS E MALDIÇÕES

557. A bênção e a maldição podem atrair o bem e o mal para aqueles sobre os quais elas são lançadas?

Deus não leva em consideração uma maldição injusta e aquele que a pronuncia torna-se culpado perante Ele. Como o homem possui os dois opostos, o bem e o mal, é possível que a maldição exerça uma influência momentânea, até mesmo sobre a matéria.

Entretanto, a influência de uma maldição somente se verifica com a permissão de Deus, e porque aquele que a sofre precisa passar por essa provação. Aliás, é mais comum serem amaldiçoados os maus e abençoados os bons. A benção e a maldição jamais impedirão que Deus exerça a Sua justiça. A maldição atinge apenas aquele que é realmente mau, e a benção só cobre com sua proteção aquele que a merece.

CAPÍTULO 10

SOBRE AS OCUPAÇÕES E AS MISSÕES DOS ESPÍRITOS

558. Além de trabalharem pelo seu aperfeiçoamento pessoal, os Espíritos possuem outras ocupações?

Os Espíritos são os ministros de Deus, e concorrem para harmonia do Universo ao executar as Suas vontades. A vida no Mundo Espiritual é uma ocupação contínua, mas que nada tem de sofrida, como é a vida na Terra. Lá, não existe o cansaço do corpo físico nem as angústias da necessidade.

559. Os Espíritos inferiores e imperfeitos também possuem utilidade para o Universo?

Todos têm deveres a cumprir. O mais simples dos Pedreiros também não participa da construção do edifício, assim como o Arquiteto? (ver pergunta nº 540)

560. Os Espíritos possuem atribuições especiais?

Todos nós precisamos viver em todos os lugares e adquirir o conhecimento de todas as coisas, exercendo sucessivamente funções em todas as partes do Universo. Mas, como está escrito no **Eclesiastes**: "existe um tempo para cada coisa". Assim, enquanto um cumpre hoje sua missão neste mundo, outro já cumpriu ou ainda cumprirá em outra época, na terra, na água, no ar, etc.

Observação

Eclesiastes: Livro do Antigo Testamento escrito por Salomão. Também é conhecido como o Livro da Sabedoria.

561. As funções que os Espíritos desempenham na ordem das coisas são permanentes para cada um deles, ou são atribuições exclusivas de algumas classes?

Todos precisam percorrer os diferentes graus da escala evolutiva para se aperfeiçoarem. Deus, que é justo, não poderia ter dado a uns a inteligência sem o respectivo trabalho, enquanto outros só a adquirem com muito esforço.

Comentário de Kardec: O mesmo ocorre entre os homens: ninguém chega ao grau supremo de habilidade numa arte qualquer sem que tenha adquirido os conhecimentos necessários na prática das funções mais ínfimas dessa arte.

562. Os Espíritos Superiores, não tendo mais o que aprender, encontram-se em repouso absoluto ou ainda possuem ocupações?

O que queriam que eles fizessem durante a eternidade? A ociosidade eterna seria para eles um suplício eterno.

562a. Que tipo de ocupação possuem os Espíritos Superiores?

Receber diretamente as ordens de Deus, transmiti-las por todo o Universo e cuidar para que elas sejam executadas.

563. Os Espíritos vivem permanentemente ocupados?

Sim; o seu pensamento está sempre em atividade, porque eles vivem pelo pensamento. Mas é preciso não comparar as ocupações dos Espíritos com as ocupações materiais dos homens. A própria atividade dos Espíritos é para eles um prazer, pela consciência que têm de serem úteis.

563a. Essa alegria por estar sempre em atividade se concebe para os bons Espíritos; ocorre o mesmo com os Espíritos inferiores?

Os Espíritos inferiores têm ocupações apropriadas à sua natureza. Será que se pode confiar ao trabalhador braçal e ao ignorante o mesmo trabalho que se confia a um homem instruído?

564. Entre os Espíritos, existem aqueles que são ociosos ou que não se ocupam com nada de útil?

Sim, mas esse estado é temporário e está subordinado ao desenvolvimento da inteligência do Espírito. Existem entre os Espíritos, assim como entre os homens, aqueles que vivem apenas para si mesmos.

Cedo ou tarde, essa ociosidade acaba pesando em suas consciências; o desejo de progredir faz com que eles sintam que ter uma atividade é necessário e sentem-se felizes por tornarem-se úteis.

Estamos nos referindo aos Espíritos que já possuem a consciência de si mesmos e do seu livre-arbítrio, porque, em sua origem, eles são como crianças recém-nascidas, que agem mais pelo instinto do que por vontade própria.

565. Os Espíritos examinam os nossos trabalhos de arte e se interessam por eles?

Examinam tudo aquilo que possa contribuir para a elevação e o progresso dos Espíritos.

566. Um Espírito que foi Pintor ou Arquiteto na Terra, quando retorna ao Mundo Espiritual, se interessará, de preferência, pelas mesmas especialidades?

Tudo se confunde num "objetivo superior". Se o Espírito for bom, se interessará pelos trabalhos que permitam ajudar as almas a se elevarem até Deus. Aliás, esquecem que o Espírito que desenvolve uma Arte, em uma existência, pode ter praticado outra, em existência anterior, uma vez que é preciso que ele tenha conhecimento de tudo para atingir a perfeição.

Assim, conforme o seu grau de adiantamento, pode ser que nenhuma delas constitua uma especialidade para ele. Isso é o que deve ser entendido quando eu afirmei que tudo se confunde num "objetivo superior". Notem, ainda, o seguinte: o que é sublime no mundo atrasado em que vivem, não passa de infantilidade em mundos mais adiantados.

Como querem que os Espíritos que habitam esses Mundos Superiores, onde existem Artes que os homens desconhecem, admirem algo que, para eles, não passa de um trabalho de estudante? Como eu já disse: eles se interessam por tudo que possa revelar algum tipo de progresso.

566a. Compreendemos que seja assim, em relação a Espíritos mais adiantados. Entretanto, estamos nos referindo a Espíritos comuns, que ainda não se elevaram acima das ideias terrenas.

Para esses, o caso é diferente. Como o ponto de vista de onde observam as coisas é mais limitado, eles podem admirar o que os homens também admiram.

567. Os Espíritos se envolvem, algumas vezes, com as nossas ocupações e com os nossos prazeres?

Os Espíritos comuns se envolvem; eles estão sempre ao redor dos encarnados, e algumas vezes participam ativamente de suas tarefas, conforme suas naturezas. É necessário que se envolvam para impulsionar os homens nos diferentes caminhos da vida, estimulando ou moderando suas paixões.

Comentário de Kardec: *Os Espíritos se ocupam com as coisas da Terra conforme o estado de elevação ou de inferioridade em que se encontram. Os Espíritos*

Superiores possuem a condição de analisar as coisas nos mínimos detalhes, mas somente o fazem quando isso for útil ao progresso.

Apenas os Espíritos inferiores dão importância relativa às coisas desse mundo, em função das lembranças que ainda estão presentes em sua memória e das ideias materiais que neles ainda não se extinguiram.

568. Os Espíritos que possuem missões a cumprir o fazem quando estão encarnados ou quando estão desencarnados?

Os Espíritos cumprem suas missões em ambos os estados. Para certos Espíritos desencarnados, cumprir uma missão é uma grande ocupação.

569. Quais são as missões que os Espíritos desencarnados podem receber?

As missões são tão variadas que é impossível descrevê-las. Aliás, muitas dessas missões os homens ainda não podem compreender. Os Espíritos executam as vontades de Deus, e nem sempre é possível penetrar em todas as Suas intenções.

Comentário de Kardec: *Os Espíritos sempre recebem missões cujo objetivo é fazer o bem. Estejam encarnados ou desencarnados, eles são encarregados de ajudar no progresso da Humanidade, dos povos ou dos indivíduos, dentro de um círculo de ideias mais ou menos amplas, mais ou menos especiais. São encarregados também de preparar o caminho para alguns acontecimentos e de zelar pela realização de certas coisas.*

Alguns desempenham missões mais restritas, mais locais, como assistir aos doentes, agonizantes e aflitos, zelar por aqueles que são seus protegidos, ajudando-os com seus bons conselhos ou pelos bons pensamentos que lhes sugerem.

Pode-se dizer que existem tantos tipos de missões quantas as espécies de interesses a resguardar, seja no Mundo Físico ou no Mundo Moral. O Espírito progride segundo a maneira pela qual desempenha a sua tarefa.

570. Os Espíritos sempre têm consciência dos projetos que recebem para executar?

Nem todos. Existem aqueles que apenas são instrumentos cegos e não possuem consciência do que estão fazendo. Entretanto, outros sabem muito bem com que objetivo trabalham.

571. Apenas os Espíritos elevados cumprem missões?

A importância da missão está sempre em concordância com a capacidade e a elevação do Espírito. O mensageiro que entrega uma correspondência também cumpre uma missão, embora não seja a mesma que a do general.

572. O Espírito é obrigado a aceitar uma missão, ou a aceitação depende da sua vontade?

Ele solicita a missão e fica feliz em recebê-la.

572a. A mesma missão pode ser pedida por vários Espíritos?

Sim; geralmente existem muitos candidatos, mas nem todos são aceitos.

573. Em que consiste a missão dos Espíritos encarnados?

Consiste em instruir os homens; ajudá-los a progredir, aperfeiçoar suas **instituições,** utilizando-se para essa finalidade do seu trabalho e do auxílio material. Apesar de serem gerais, as missões variam de importância. Aquele que cultiva a terra desempenha uma missão, do mesmo modo que aquele que governa ou que instrui.

Tudo se encadeia na Natureza. Ao mesmo tempo que o Espírito evolui pela encarnação, ele concorre, desta forma, para realização da vontade de Deus. Todos têm sua missão na Terra e cada um pode ser útil de alguma forma.

Observação

Instituição: É o conjunto de regras e normas responsável pelo bom andamento das necessidades gerais de uma cidade, de um estado ou de um país.

574. Na Terra, qual pode ser a missão das pessoas voluntariamente inúteis?

Realmente existem pessoas que vivem apenas para si mesmas e não sabem se tornar úteis para nada. São seres dignos de compaixão, porque a sua inutilidade lhes trará intensos sofrimentos; muitas vezes, seu castigo já se inicia nesta encarnação, pelo tédio e pelo desgosto que a vida lhes causa.

574a. Se os Espíritos podiam escolher, por que preferiram uma existência que não lhes traria nenhum proveito?

Entre os Espíritos existem também os preguiçosos, que recuam diante de uma vida de trabalho. Deus os deixa agir assim porque mais tarde compreenderão, através do próprio sofrimento, os inconvenientes dessa inutilidade.

Eles serão os primeiros a solicitar uma oportunidade para recuperar o tempo perdido. Pode ocorrer também que tenham escolhido uma vida mais útil; entretanto, uma vez encarnados, recuam diante da execução da tarefa e se deixam influenciar por Espíritos que os incentivam a permanecer na ociosidade.

575. As ocupações comuns se parecem mais com deveres a cumprir do que com missões propriamente ditas. O significado da palavra "missão" está associado a um sentido mais amplo e menos pessoal. Assim, como se pode reconhecer que um homem está realmente desempenhando uma missão na Terra?

Pelas grandes coisas que realiza e pelo progresso a que conduz os seus semelhantes.

576. Os homens que têm missões importantes a cumprir na Terra, foram escolhidos por Deus para desempenhá-las? Possuem consciência dessas missões?

Algumas vezes, sim; mas geralmente as ignoram. Ao nascerem na Terra, eles possuem um objetivo mais ou menos vago, até que, gradativamente e de acordo com as circunstâncias, suas missões se apresentam de modo mais claro. É então que Deus os direciona para o caminho pelo qual deverão cumprir a Sua vontade.

577. Quando um homem executa alguma coisa de grande utilidade, é sempre em consequência de uma missão anteriormente prevista por Deus, ou pode ter recebido uma missão que não estava prevista?

Nem tudo o que o homem faz é resultado de uma missão predestinada; muitas vezes, ele é o instrumento de que um Espírito se serve para executar alguma coisa útil.

Por exemplo, um Espírito quer escrever um livro que ele mesmo escreveria se estivesse encarnado. Assim, procura o escritor mais apto a compreender e executar o seu pensamento; transmite a ideia do livro a esse escritor e dirige a sua execução. Entretanto, o escritor não veio à Terra com a missão de executar tal obra.

O mesmo ocorre com diversos trabalhos artísticos e inúmeras descobertas. Deve-se dizer ainda que: enquanto o corpo físico está dormindo, o Espírito encarnado se comunica diretamente com o Espírito desencarnado e ambos se entendem a respeito da tarefa a realizar.

578. O Espírito pode falhar em sua missão por sua própria culpa?

Pode falhar se não for um Espírito Superior.

578a. Quais são as consequências dessa falha para o Espírito?

Terá que recomeçar a tarefa e nisso consiste a sua punição. Também sofrerá as consequências do mal que porventura tenha causado.

579. Como Deus pode confiar uma missão importante e de interesse geral a um Espírito que pode falhar?

Será que Deus não sabe antecipadamente que o Seu general sairá vencedor ou será derrotado? Certamente que sabe, e Seus planos, quando importantes, não são confiados aos que podem abandonar a obra no meio do caminho. A questão está no conhecimento do futuro que Deus possui e os homens não.

580. O Espírito que encarna para desempenhar uma missão possui o mesmo receio que o Espírito que encarna para cumprir uma prova?

Não; o Espírito que encarna para desempenhar uma missão já possui experiência.

581. Os homens com inteligência bem acima da média certamente possuem uma missão a cumprir. Mas entre eles existem aqueles que se enganam, e ao lado de grandes verdades também propagam grandes equívocos. Como se deve considerar a missão desses homens?

Esses homens enganam a si mesmos. Estão abaixo da tarefa a que se propuseram executar. Entretanto, é necessário levar em conta as circunstâncias; os homens sábios devem falar de acordo com a época em que vivem. Assim, um ensinamento que parece errado ou infantil para uma época avançada, pode ter sido suficiente para o século em que foi divulgado.

582. A paternidade pode ser considerada uma missão?

Sem dúvida, a paternidade é uma missão. Ela é um compromisso que envolve, mais do que o homem pensa, sua responsabilidade quanto ao futuro. Deus coloca o filho sob a guarda dos pais para que estes o dirijam no caminho do bem, e lhes facilita a tarefa dando à criança um organismo frágil e delicado que a torna acessível a todas as influências.

Entretanto, existem aqueles que se ocupam mais em endireitar as árvores do seu jardim e fazer com que elas deem bons frutos, do que endireitar o caráter de seu filho. Se o filho falhar por culpa dos pais, estes sofrerão as consequências dessa queda.

Assim, os sofrimentos que o filho vivenciou recairão sobre os pais em uma vida futura, por não terem feito tudo quanto deles dependia para que o filho trilhasse o caminho do bem.

583. Os pais são responsáveis pelo filho que segue o caminho do mal, apesar dos cuidados que lhe dispensam?

Não; entretanto, quanto maior for a tendência do filho em praticar o mal, mais a tarefa é difícil, e maior será o mérito dos pais se conseguirem desviá-lo do mau caminho.

583a. Os pais usufruem de algum benefício se o filho se torna um homem de bem, apesar da negligência ou do mau exemplo que eles lhe proporcionaram?

Deus é justo.

584. Qual pode ser a natureza da missão de um conquistador político, que tem em vista apenas satisfazer a sua ambição e que, para atingir esse objetivo, não recua diante das calamidades que ocasiona?

Com muita frequência, o conquistador é um instrumento do qual Deus se serve para que a Sua vontade seja cumprida, e essas calamidades são algumas vezes um meio de fazer um povo avançar mais rapidamente.

584a. Se essas calamidades passageiras produzem algum bem, aqueles que foram instrumentos do interesse pessoal do conquistador não desfrutam de uma parcela desse bem?

Cada um é recompensado de acordo com as suas obras; com o bem que procurou fazer e com a retidão de suas intenções.

Comentário de Kardec: Os Espíritos encarnados possuem ocupações que estão relacionadas com a sua existência no corpo físico. Quando estão desencarnados, suas ocupações são proporcionais ao grau de adiantamento que já alcançaram.

Uns percorrem os mundos, instruindo-se e preparando-se para uma nova encarnação. Outros, mais avançados, se ocupam com o progresso, dirigindo os acontecimentos e sugerindo pensamentos favoráveis; ajudam os homens com inteligência superior, que contribuem para o adiantamento da Humanidade.

Existem aqueles que encarnam para executar uma missão que resultará em progresso para todos, enquanto outros tomam sob sua guarda os indivíduos, as famílias, os aglomerados humanos, as cidades e os povos, dos quais se tornam anjos da guarda, Espíritos protetores e Espíritos familiares.

Outros, finalmente, dirigem os fenômenos da Natureza, dos quais são os agentes diretos.

Os Espíritos vulgares se misturam nas ocupações e nos divertimentos dos homens. Os Espíritos imperfeitos ou impuros aguardam, entre sofrimentos e angústias, o momento em que Deus lhes proporcione os meios para que se adiantem. Se eles praticam o mal, é pelo despeito de ainda não poderem desfrutar do bem.

CAPÍTULO 11

OS TRÊS REINOS

- Os Minerais e as Plantas
- Os Animais e o Homem
- Metempsicose

OS MINERAIS E AS PLANTAS

585. O que se pode dizer da divisão da Natureza em três reinos, ou melhor, em duas classes: a dos seres orgânicos e a dos seres inorgânicos? Segundo alguns, a espécie humana seria um quarto reino. Qual dessas divisões é preferível?

Todas são boas, dependendo do ponto de vista. Olhando pelo lado material, existem apenas seres orgânicos e inorgânicos; do ponto de vista moral, existem quatro reinos em evolução.

Observações

Seres orgânicos: São todos aqueles que possuem órgãos e, por consequência, têm vida.

Seres inorgânicos: Não possuem vida.

Comentários de Kardec: *Esses quatro reinos em evolução possuem características bem definidas, ainda que seus limites pareçam se confundir.*

O Reino Mineral é constituído de matéria inerte e possui em si apenas uma força mecânica.

As plantas, embora compostas de matéria inerte, são dotadas de vitalidade.

Os animais, também são compostos de matéria inerte e igualmente dotados de vitalidade; mas, além disso, possuem uma espécie de inteligência instintiva, ainda que limitada. Possuem a consciência de sua existência e de sua individualidade.

O homem possui tudo o que existe nas plantas e nos animais; domina todas as outras classes através de uma inteligência especial, sem limites fixados, que lhe dá a consciência do seu futuro, a percepção das coisas extramateriais e o conhecimento da existência de Deus.

586. As plantas têm consciência da sua existência?

Não; as plantas não pensam, elas possuem apenas a vida orgânica.

587. As plantas possuem sensações? Elas sofrem quando são mutiladas?

As plantas sentem as impressões físicas que atuam sobre a matéria porque elas possuem vida; mas, por não terem percepções, não sentem dor.

588. A força que atrai as plantas umas para as outras independe da vontade delas?

Sim, pois as plantas não pensam. É uma força mecânica da matéria agindo sobre a matéria; as plantas não poderiam se opor a essa força.

589. Algumas plantas, como a sensitiva e a *dionéia*, apresentam movimentos que mostram uma grande sensibilidade e, em alguns casos, uma espécie de vontade. É o caso da dionéia, cujos lóbulos apanham a mosca que vem pousar sobre ela para extrair-lhe o suco; tem-se a impressão de que a planta preparou uma armadilha para matar o inseto. Essas plantas possuem a capacidade de pensar? Têm vontade e formam uma classe intermediária entre a natureza vegetal e a natureza animal? Constituem a transição de um reino para outro?

Tudo está em transição na Natureza, pelo simples fato de que nada é semelhante, embora tudo se relacione. As plantas não pensam e, por consequência, não possuem vontade. A ostra que se abre e todos os **zoófitos** também não pensam: neles existe apenas um instinto cego e natural.

Observações

Dionéia: É uma espécie de planta carnívora que prende os insetos por um movimento rápido e repentino de fechamento de seus tentáculos.

Zoófito: Designação antiga dos animais invertebrados cujas formas lembram as das plantas, como os corais, as esponjas e as medusas.

Comentário de Kardec: *O organismo humano também nos oferece exemplos de movimentos involuntários, ou melhor, sem a participação da vontade, como ocorre nas funções digestivas e circulatórias. O piloro, que é um orifício situado na parte inferior do estômago, possui uma válvula que se fecha e impede que o bolo alimentar volte do intestino para o estômago.*

O mesmo movimento involuntário deve ocorrer com as sensitivas, o que não implica, de modo algum, a necessidade de uma percepção e, menos ainda, de uma vontade.

590. Existe nas plantas e nos animais um instinto de conservação que os leve a procurar aquilo que lhes possa ser útil e a evitar aquilo que lhes possa ser nocivo?

As plantas possuem uma espécie de instinto, dependendo isso da extensão que se dê ao significado desta palavra; mas esse instinto é puramente mecânico. Quando dois corpos se unem, através de uma reação química, é porque existe entre eles uma afinidade; mas não se pode chamar essa união de instinto.

591. Nos Mundos Superiores as plantas são de uma natureza mais perfeita, assim como os outros seres?

Nos Mundos Superiores tudo é mais perfeito; porém as plantas continuam sendo plantas, os animais continuam sendo animais e os homens continuam sendo homens.

OS ANIMAIS E O HOMEM

592. Se compararmos o homem e os animais, no que se refere à inteligência, é difícil estabelecer uma linha de demarcação entre eles, porque certos animais apresentam, sob o aspecto da inteligência, uma superioridade evidente sobre alguns homens. Sendo assim, essa linha de demarcação pode ser estabelecida de maneira precisa?

A esse respeito, os Filósofos da Terra estão em completo desacordo. Uns querem que o homem seja um animal e outros que o animal seja um homem. Todos estão errados.

O homem é um ser à parte, que desce muito baixo algumas vezes, ou que pode elevar-se muito alto. Pelo físico, o homem é como os animais, e bem menos dotado que muitos deles. A Natureza deu aos animais tudo aquilo que o homem é obrigado a inventar, com a sua inteligência, para satisfazer as suas necessidades e conservar a sua espécie.

É verdade que o seu corpo se destrói como o dos animais, mas seu Espírito tem um destino que só ele pode compreender, porque apenas o homem é completamente livre. Pobres homens, que se rebaixam mais do que os brutos! Ainda não aprenderam a se distinguir deles? O homem deve ser reconhecido pela faculdade que possui em compreender a existência de Deus.

593. Podemos dizer que os animais agem apenas pelo instinto?

De fato, o instinto obedece a um princípio e domina a maioria dos animais. Mas, será que não percebem que muitos animais agem com uma vontade determinada? Isso é uma espécie de inteligência, embora seja limitada.

Comentário de Kardec: Além do instinto, não se poderia negar a certos animais a prática de atos combinados, que expressam a vontade de agir em determinado sentido e de acordo com as circunstâncias.

Nesses animais existe uma espécie de inteligência, que eles usam para satisfazer as suas necessidades físicas e prover a sua conservação. Entre eles não existe nenhum ato criativo e nenhum indício de melhoria. Seja qual for a arte com que executem seus trabalhos, fazem hoje o que faziam antigamente, nem melhor, nem pior, de modo constante e invariável.

O filhote, isolado da sua espécie, não deixa de construir o seu ninho adotando o mesmo modelo, e sem nunca ter sido ensinado. Alguns animais conseguem reter alguma educação, mas o desenvolvimento intelectual é restrito e sempre motivado pela ação do homem, pois eles não conseguem progredir por conta própria.

O progresso obtido com o auxílio do homem é efêmero e puramente individual; tanto é assim que, se o animal for abandonado a si mesmo, não tarda a retornar aos limites que a Natureza lhe traçou.

594. Os animais possuem algum tipo de linguagem?

Se você se refere a uma linguagem formada por palavras e sílabas, não. Entretanto, eles possuem um meio de se comunicarem entre si. Os animais dizem, uns aos outros, muito mais coisas do que se pode imaginar. Mas a sua linguagem e as suas ideias são limitadas às suas necessidades.

594a. Os animais que não possuem voz também não possuem linguagem?

Eles se entendem por outros meios. Será que os homens só possuem as palavras para se comunicarem? Ainda não observaram os mudos? Os animais, quando se relacionam, têm meios de prevenir e de exprimir as suas sensações.

Os peixes não se entendem entre si? Portanto, o homem não possui o privilégio exclusivo da linguagem. Enquanto a dos animais é instintiva e limitada ao círculo de suas necessidades e ideias, a linguagem do homem pode ser aperfeiçoada e serve para representar todas as manifestações da sua inteligência.

Comentário de Kardec: Os peixes que emigram em massa e as andorinhas que obedecem ao guia que as conduz, devem ter meios de se comunicar, de se entender e de se corrigir. É possível que as aves disponham de uma visão mais penetrante que lhes permita distinguir os sinais que façam entre si. Pode ser, também, que a água seja um veículo que transmita aos peixes certas vibrações.

Seja como for, é incontestável que eles possuem meios de se entenderem, assim como todos os animais privados da voz e que realizam trabalhos em comum. Diante disso, devemos nos admirar que os Espíritos possam comunicar-se entre si sem o auxílio da palavra articulada? (ver pergunta nº 282).

595. Os animais possuem livre-arbítrio?

Os animais não são simples máquinas, como muitos podem imaginar. Entretanto, sua liberdade de ação é limitada às suas necessidades, e não pode ser comparada com a dos homens. Por serem muito inferiores ao homem, os animais não têm os mesmos deveres. A liberdade que desfrutam fica restrita aos atos da vida material.

Observação

Descartes ensinava que os animais eram máquinas e agiam de acordo com as Leis da Natureza, por não possuírem Espírito. Esse pensamento, na época em que o Livro dos Espíritos foi escrito, era muito difundido, e de alguma forma permanece até os dias de hoje. Pela resposta acima, os Espíritos contestam esse pensamento e são respaldados pela própria Ciência.

596. De onde vem a aptidão de certos animais para imitar a linguagem do homem? E por que esta aptidão é mais comum entre as aves do que entre os macacos, por exemplo, cuja conformação física é mais parecida com a do homem?

É devido à conformação particular que as aves possuem nos órgãos vocais, reforçado pelo instinto de imitação. O macaco imita os gestos, algumas aves imitam a voz.

597. Se a inteligência dos animais lhes permite uma certa liberdade de ação, existe neles um princípio independente da matéria?

Sim, e esse princípio independente da matéria sobrevive à morte do corpo físico.

597a. Esse princípio é uma alma semelhante à do homem?

É também uma alma, dependendo do sentido que se dá a essa palavra; mas é inferior à do homem. A distância que separa a alma do homem da alma do animal é tão grande quanto a distância que separa a alma do homem e Deus.

598. Após a morte, a alma dos animais conserva a sua individualidade e a consciência de si mesma?

Conserva a individualidade, mas a consciência de si mesma, não. A vida inteligente, nos animais, permanece em estado latente, aguardando o momento propício para se manifestar.

Observação

A alma dos animais pertence ao que se pode chamar de "alma-grupo", ou seja, uma alma que ainda não possui a consciência de si mesma.

Como tudo na vida está em constante evolução, chegará o dia em que esta alma-grupo abandona o Reino Animal e ingressa no Reino Hominal, onde terá suas primeiras encarnações entre povos primitivos e em planetas também primitivos, para assim continuar sua evolução. Porém, o momento em que isso ocorre ainda é um mistério.

599. A alma dos animais pode escolher em que espécie animal vai encarnar?

Não; a alma dos animais não possui o livre-árbitro.

600. A alma do animal sobrevive ao corpo? Ela também vai para erraticidade, assim como a alma do homem?

A alma do animal fica numa espécie de erraticidade, pois não está mais unida ao corpo físico; entretanto, não pode ser considerada como um "Espírito errante".

O Espírito errante é um ser que pensa e age por sua livre vontade; a alma dos animais não possui a mesma faculdade. A consciência de si mesmo é que constitui o principal atributo do Espírito.

Existem Espíritos encarregados de classificar os animais após a sua morte e promover uma reencarnação quase que imediata. Assim, não há tempo para que os animais desencarnados se relacionem com outras criaturas.

601. Os animais estão sujeitos à Lei do Progresso, assim como os homens?

Sim, e é por isso que nos Mundos Superiores, onde os homens são mais avançados, os animais também o são, e possuem meios de comunicação mais desenvolvidos. Entretanto, são sempre inferiores e submissos ao homem. Os animais são, para os homens, servidores inteligentes.

Comentário de Kardec: *A evolução dos animais não constitui nada de extraordinário. Vamos imaginar que os nossos animais de maior inteligência, como o cão, o elefante e o cavalo, pudessem ser dotados de uma conformação apropriada para realizar trabalhos manuais; o que eles não poderiam fazer sob o comando dos homens?*

602. Os animais progridem pela ação da sua vontade, assim como o homem, ou pela força dos acontecimentos?

Eles progridem pela força dos acontecimentos, e é por isso que para os animais não existe expiação.

603. Nos Mundos Superiores, os animais conhecem Deus?

Não; para eles, o homem é um deus, como antigamente os Espíritos eram deuses para os homens.

604. Os animais que vivem nos Mundos Superiores, apesar de mais aperfeiçoados, são sempre inferiores ao homem. Sendo assim, pode-se dizer que Deus criou seres inteligentes eternamente voltados à inferioridade; este procedimento parece em desacordo com a Lei da Igualdade e do Progresso existente em todas as Suas obras. Como explicar esse fato?

Tudo se encaixa na Natureza, por laços que a Humanidade ainda não pode compreender. Assim, as coisas aparentemente mais desiguais têm pontos de contato que o homem jamais poderá compreender no estágio evolutivo em que se encontra.

Ele pode entrever esses pontos de contato por um esforço da sua inteligência, mas somente quando essa inteligência tiver adquirido seu pleno desenvolvimento e estiver livre dos preconceitos, do orgulho e da ignorância, é que o homem poderá vê-los claramente na obra de Deus.

Enquanto esse desenvolvimento não se realiza, suas ideias limitadas lhe farão ver as coisas de um ponto de vista mesquinho e restrito. Notem bem que Deus não pode se contradizer, e tudo na Natureza se harmoniza segundo Leis Gerais, que jamais se afastam da sublime sabedoria do Criador.

604a. Então podemos dizer que a inteligência é uma propriedade comum, um ponto de contato entre a alma dos animais e a alma do homem?

Sim, mas os animais possuem apenas a inteligência da vida material; no homem, a inteligência proporciona a manifestação da vida moral.

605. Considerando todos os pontos de contato que existem entre o homem e os animais, não se poderia pensar que o homem possui duas almas: a alma animal e a alma espírita, e que, se ele não tivesse a alma espírita, somente poderia viver como animal? Perguntando de outra forma: o animal é um ser semelhante ao homem, tendo a menos que ele apenas a alma espírita? Se for assim, os bons e os maus instintos do homem seriam o resultado da predominância de uma alma sobre a outra?

Não, o homem não possui duas almas, mas o corpo tem seus instintos, que resultam da percepção dos órgãos. O que é duplo no homem é a sua natureza, pois ele possui a natureza animal e a natureza espiritual. Pelo seu corpo físico, ele participa da natureza dos animais e de seus instintos; pela sua alma, ele participa da natureza dos Espíritos.

605a. Então podemos concluir que além de suas próprias imperfeições, das quais o Espírito precisa se livrar, o homem ainda tem que lutar contra a influência da matéria?

Sim. Quanto mais inferior é o Espírito, mais forte são as ligações deste com a matéria. Não percebem isso? O homem não possui duas almas; a alma é sempre única em cada ser. A alma do homem e a alma do animal são diferentes entre si; assim, a alma de um não pode animar o corpo criado para o outro.

Entretanto, se o homem não possui uma alma animal que o coloque, pelas paixões, ao nível dos animais, possui o corpo, que muitas vezes o rebaixa ao nível deles. Isso acontece porque o corpo físico do homem é um ser dotado de vitalidade e de instintos, mas esses instintos não têm inteligência e são limitados, servindo apenas para promover a conservação que o corpo requer.

Comentário de Kardec: O Espírito, ao encarnar no corpo do homem, transmite-lhe o princípio intelectual e moral, que o torna superior aos animais. A natureza animal e a natureza espiritual que existem no homem fornecem, às paixões humanas, duas origens diferentes: umas provêm dos instintos da natureza animal, outras resultam das impurezas do Espírito encarnado, que sintoniza em maior ou menor proporção com a grosseria dos apetites animais.

Purificando-se, o Espírito se liberta pouco a pouco da influência da matéria. Submetendo-se à influência material, ele se aproxima dos brutos; libertando-se dela, ele se eleva ao seu verdadeiro destino.

606. Os animais possuem uma alma de natureza especial; de onde eles tiram o princípio inteligente que constitui essa alma?

O princípio inteligente é retirado do elemento inteligente universal.

606a. Então a inteligência do homem e a dos animais emana de um princípio único?

Sim, sem dúvida alguma. Mas no homem a inteligência passou por uma elaboração que a eleva acima da que existe no animal.

607. Na pergunta nº 190 foi dito que a alma do homem, em sua primeira encarnação, se encontra num estado semelhante ao do homem quando este está na infância; que sua inteligência apenas desabrocha, e

que o Espírito se prepara para a vida. Onde o Espírito passa essa primeira fase do seu desenvolvimento?

Numa série de existências que antecedem o período que o homem chama de Humanidade.

607a. Assim, poderíamos considerar a alma como tendo sido o princípio inteligente dos seres inferiores da Criação?

Já não dissemos que tudo se encadeia na Natureza e que tudo tende para a unidade? Nos seres inferiores da Criação, que o homem ainda está longe de conhecer inteiramente, é que o princípio inteligente se elabora, se individualiza pouco a pouco e se prepara para a vida.

É, de certo modo, um trabalho preparatório, como o da germinação, em que o princípio inteligente sofre uma transformação e se torna Espírito. É então que começa, para o Espírito, o período da humanização e, com ele, a consciência do seu futuro, a distinção entre o bem e o mal, e a responsabilidade por seus atos. Do mesmo modo que depois da infância vem a adolescência, depois a juventude e, por fim, a idade adulta.

Não existe, nessa origem, nada que possa humilhar o homem. Será que os grandes gênios se sentem humilhados por terem sido fetos em formação no ventre de sua mãe? Se alguma coisa deve humilhar os homens, é a sua inferioridade perante Deus e a sua impotência para sondar a profundidade de Suas intenções e a sabedoria das Leis que regem a harmonia do Universo.

É preciso reconhecer a grandeza de Deus nessa harmonia admirável que faz com que tudo seja solidário na Natureza. Acreditar que Deus possa ter feito alguma coisa sem objetivo e ter criado seres inteligentes sem futuro, seria insultar a Sua bondade, que se estende sobre todas as Suas criaturas.

607b. Esse período de humanização do Espírito começa na Terra?

A Terra não é o ponto de partida da primeira encarnação humana. O período humano começa para o Espírito em mundos ainda mais atrasados que a Terra. Entretanto, essa não é uma regra absoluta, e poderia acontecer que um Espírito, desde o seu início como ser humano, estivesse apto a viver na Terra. Esse caso não é frequente e seria, antes, uma exceção.

608. Após a morte, o Espírito do homem tem consciência das existências anteriores ao período de humanização?

Não, porque não é nesse período que começa a sua vida de Espírito. É difícil para o Espírito lembrar-se de suas primeiras existências como homem, assim como o homem não se lembra mais dos primeiros tempos de sua infância, e muito menos do tempo que passou no ventre de sua mãe. É por isso que os Espíritos dizem que não sabem como começaram (ver pergunta nº 78).

609. O Espírito, depois que entra no período humano, conserva os traços do período que se poderia chamar de pré-humano?

Isso depende da distância que separa os dois períodos e do progresso que já foi realizado pelo Espírito. Durante algumas gerações, o Espírito pode conservar vestígios mais ou menos pronunciados do seu estado primitivo, porque nada na Natureza acontece de forma brusca.

Sempre existem elos que ligam os seres e os acontecimentos uns aos outros, mas esses vestígios desaparecem com o desenvolvimento do livre-arbítrio. Os primeiros progressos se realizam muito lentamente porque ainda não estão apoiados pela vontade; entretanto, progridem com maior rapidez à medida em que o Espírito adquire a consciência mais perfeita de si mesmo.

610. Os Espíritos que disseram que o homem é um ser à parte entre os seres da Criação estavam enganados?

Não; mas a questão não havia sido desenvolvida, e existem coisas que apenas o tempo pode esclarecer. De fato, o homem é um ser à parte, uma vez que possui faculdades que o distinguem de todos os outros seres, além de possuir outro destino. A espécie humana é a que Deus escolheu para a encarnação dos seres que podem conhecê-Lo.

METEMPSICOSE

Observação

Metempsicose ou **transmigração das almas:** Doutrina segundo a qual a mesma alma poderia reencarnar em corpos humanos, de animais e até de vegetais.

611. O fato dos seres vivos terem como origem comum o princípio inteligente não é a consagração da doutrina da metempsicose?

Duas coisas podem ter uma origem comum e mais tarde não se assemelharem em nada. Quem reconheceria a árvore, suas folhas, suas flores, seus frutos, no gérmen sem forma contido na semente de onde ela saiu?

A partir do momento em que o princípio inteligente atinge o grau necessário para tornar-se Espírito e ingressar na espécie humana, perde a relação que possuía com o seu estado primitivo e não é mais a alma dos animais, como a árvore não é mais a semente.

No homem atual, só restam do animal o corpo e as paixões que nascem da influência do corpo e do instinto de conservação, que é inseparável da matéria. Portanto, não se pode dizer que aquele homem é a encarnação do Espírito de determinado animal. Assim, conclui-se que a metempsicose, tal como foi entendida, não é verdadeira.

612. O Espírito que encarnou no corpo de um homem poderia encarnar no corpo de um animal?

Isso seria retroceder, e o Espírito não retrocede. O rio não retorna à sua origem (ver pergunta nº 118).

613. Por mais errada que seja a ideia da metempsicose, ela não seria o resultado intuitivo das existências que o homem teve no período pré-humano?

O sentimento intuitivo se encontra nessa crença, como em muitas outras. Mas, como faz com a maioria de suas ideias intuitivas, o homem também deturpou a ideia da metempsicose.

Comentário de Kardec: *A Doutrina da Metempsicose seria verdadeira se entendessemos por essa palavra a progressão da alma de um estado inferior para um estado superior, onde a cada etapa ela fosse adquirindo conhecimentos para transformar a sua natureza.*

Entretanto, essa Doutrina é falsa quando admite a transmigração direta, ou seja, a passagem direta da alma do animal para o corpo do homem e vice-versa, o que dá a ideia de um retrocesso ou de uma união.

Ora, o fato dessa união, entre o corpo do animal e o corpo do homem, não poder se realizar é um indicativo de que essas espécies encontram-se em graus de evolução incompatíveis. Essa incompatibilidade também deve existir entre o Espírito que anima o homem e o Espírito que anima o animal.

Se um mesmo Espírito pudesse animar ora o corpo de um animal, ora o corpo de um homem, disso resultaria que o animal e o homem teriam a mesma natureza; a consequência desse fato seria a possibilidade de uma reprodução física entre o homem e o animal, o que não é possível.

Os Espíritos ensinam que a reencarnação tem por base a marcha ascendente da Natureza, e que o progresso do homem deve acontecer dentro da sua própria espécie, o que em nada lhe diminui a dignidade. O que rebaixa o homem é o mau uso que ele faz das faculdades que Deus lhe concedeu para o seu adiantamento.

Seja como for, o fato da Doutrina da Metempsicose ser antiga, conhecida universalmente e ter sido adotada por homens eminentes, prova que o princípio da reencarnação tem suas raízes na própria Natureza. Assim, esses argumentos estão a favor da reencarnação, e não contrários a ela.

A origem do Espírito é uma questão que está ligada ao princípio das coisas e faz parte dos segredos de Deus. Não é permitido ao homem conhecer a sua origem de maneira absoluta; sobre essa matéria, ele pode fazer apenas suposições ou criar hipóteses mais ou menos prováveis. Os próprios Espíritos estão longe de conhecer tudo e, sobre aquilo que desconhecem, eles também podem possuir opiniões pessoais mais ou menos sensatas.

É por isso que nem todos pensam da mesma maneira a respeito das relações existentes entre os homens e os animais. Segundo alguns, o Espírito só inicia sua encarnação na espécie humana, depois de ter passado pelos diversos graus que compõem os seres inferiores da Criação. Segundo outros, o Espírito do homem teria pertencido sempre à raça humana, sem passar pela experiência animal.

O PRIMEIRO desses sistemas – a evolução do animal para o reino hominal - tem a vantagem de dar um objetivo ao futuro dos animais, que formariam assim os primeiros elos da cadeia dos seres pensantes.

O SEGUNDO – aquele que entende que a espécie humana nunca esteve no reino animal – está mais de acordo com a dignidade do homem, e pode ser resumido da seguinte maneira:

As diferentes espécies de animais não procedem "intelectualmente" umas das outras pela via do progresso. Desse modo, o espírito da ostra não se torna sucessivamente o espírito do peixe, do pássaro, do quadrúpede e do macaco. Cada espécie constitui, física e moralmente, um tipo absoluto que se encerra em si mesmo, com cada um dos seus indivíduos retirando da fonte universal a quantidade de princípio inteligente que lhe é necessária, de acordo com a perfeição de seus órgãos, e com a tarefa que tenha que realizar nos fenômenos da Natureza; após a morte, essa quantidade de princípio inteligente é devolvida à fonte universal.

Os animais dos mundos mais avançados que o nosso (ver pergunta nº 188) são igualmente formados por raças distintas, adequadas às necessidades desses mundos e ao grau de adiantamento dos homens de lá, dos quais são auxiliares; esses animais não procedem, de maneira alguma, dos animais da Terra, espiritualmente falando.

Com o homem não ocorre o mesmo. Do ponto de vista físico, o homem constitui um elo da cadeia dos seres vivos; mas, do ponto de vista moral, existe uma interrupção entre o animal e o homem. O homem possui a sua própria alma, centelha Divina que lhe dá o senso moral e um "alcance intelectual" que os animais não possuem. Essa intelectualidade é o principal atributo do homem, pois ela existe antes do homem encarnar e sobrevive à morte do corpo físico, conservando, assim, a sua individualidade.

Qual é a origem do Espírito? Onde está o seu ponto de partida? O Espírito se forma a partir do princípio inteligente individualizado? Eis um mistério que seria inútil tentar penetrar, e sobre o qual, conforme já dissemos, nos é permitido apenas formular hipóteses.

O que permanece e resulta do raciocínio e da experiência é a "sobrevivência do Espírito", a conservação de sua "individualidade" após a morte do corpo físico; sua faculdade de progredir; seu estado feliz ou infeliz de acordo com o seu progresso no caminho do bem, e todas as verdades morais que são consequências desses princípios.

Vamos repetir para deixar bem claro: as relações misteriosas que existem entre os homens e os animais estão entre os segredos de Deus, assim como muitas outras coisas cujo conhecimento atual não importa ao nosso progresso e sobre as quais seria inútil nos determos.

Terceira Parte
Leis Morais

CAPÍTULO 1

LEI DE DEUS OU LEI NATURAL

- CARACTERÍSTICAS DA LEI NATURAL
- ORIGEM E CONHECIMENTO DA LEI NATURAL
- O BEM E O MAL
- DIVISÃO DA LEI NATURAL

CARACTERÍSTICAS DA LEI NATURAL

614. O que devemos entender por Lei Natural?

A Lei Natural é a Lei de Deus. É a única verdadeira para trazer a felicidade ao homem. Essa Lei indica o que o homem deve fazer e o que ele não deve fazer. O homem torna-se infeliz quando se afasta da Lei Natural.

615. A Lei de Deus é eterna?

É eterna e imutável, como o próprio Deus.

616. É possível que Deus tenha ordenado aos homens fazer uma coisa em uma determinada época, e lhes proibido de fazer a mesma coisa em outra época?

Deus não se engana. Os homens é que são obrigados a modificar suas Leis porque são imperfeitas; as Leis de Deus são perfeitas. A harmonia que rege o Universo Material e o Universo Moral tem como alicerce as Leis estabelecidas por Deus desde toda a Eternidade.

617. Qual a abrangência das Leis Divinas? Elas regulam outra coisa além da conduta moral?

Todas as Leis da Natureza são Leis Divinas, porque Deus é o autor de todas as coisas. O Cientista estuda as Leis da matéria; o homem de bem estuda e pratica as Leis da Alma.

617a. É permitido ao homem se aprofundar no estudo das Leis da Matéria e das Leis da Alma?

Sim, mas uma única existência não é suficiente para esse estudo.

*Comentário de Kardec: O que representam alguns anos para se adquirir tudo o que constitui o ser perfeito, mesmo que se considere apenas a distância que separa o selvagem do homem civilizado? A mais longa existência que seja possível de se viver, ainda assim é insuficiente; essa existência se torna ainda mais insuficiente **quando ela é curta, o que, aliás, acontece com a maior parte dos homens**.*

Entre as Leis Divinas estão:

AS LEIS FÍSICAS – Regulam o movimento e as relações da matéria bruta; seu estudo está a cargo da Ciência.

AS LEIS MORAIS – Dizem respeito ao homem, suas relações com Deus e com os seus semelhantes. As Leis Morais abrangem tanto as regras da vida do corpo físico quanto as regras da vida da alma.

Observação

Na época de Kardec, quando **O Livro dos Espíritos** foi publicado, a expectativa de vida era muito menor e os homens, efetivamente, viviam menos.

618. As Leis Divinas são as mesmas para todos os mundos?

A razão nos diz que elas devem ser apropriadas à natureza de cada mundo, e proporcionais ao grau de adiantamento dos seres que os habitam.

ORIGEM E CONHECIMENTO DA LEI NATURAL ⎯⎯⎯⎯⎯⎯

619. Deus proporcionou a todos os homens os meios de conhecer a Sua Lei?

Todos podem conhecê-la, mas nem todos a compreendem. Os que a compreendem melhor são os homens de bem e os que procuram pesquisá-la. Entretanto, todos a compreenderão um dia, porque é necessário que o progresso se realize.

Comentário de Kardec: A justiça das diversas encarnações do homem é uma consequência da Lei do Progresso, pois a cada nova existência, sua inteligência vai se desenvolvendo, e ele compreende melhor a diferença entre o bem e o mal.

Se tudo tivesse que se realizar em uma única existência, qual seria a sorte dos milhões de seres que morrem todos os dias no embrutecimento da selvageria ou nas trevas da ignorância, sem que tivesse dependido deles o próprio esclarecimento? (ver as perguntas nº 171 e 222).

620. O Espírito, quando está desencarnado, compreende a Lei de Deus melhor do que quando está encarnado?

O Espírito compreende a Lei de Deus segundo o grau de adiantamento que já atingiu, e conserva a lembrança intuitiva dessa Lei, mesmo depois de encarnado; entretanto, os maus instintos do homem fazem com que ele frequentemente esqueça a Lei de Deus.

621. Onde está escrita a Lei de Deus?

Na consciência.

621a. Por que é preciso revelar a Lei de Deus ao homem, uma vez que ele a traz na consciência?

O homem havia esquecido e, por isso, desprezado essa Lei: Deus quis que ela lhe fosse relembrada.

622. Deus confiou a alguns homens a missão de revelar a Sua Lei?

Sim, certamente. Em todos os tempos houve homens que receberam essa missão. São Espíritos Superiores, que encarnam com o objetivo de fazer a Humanidade progredir.

623. Aqueles que têm pretendido instruir os homens segundo as Leis de Deus não têm se enganado algumas vezes, fazendo com que seus seguidores frequentemente se percam com falsos princípios?

Aqueles que não foram inspirados por Deus e que, levados pela ambição, se atribuíram uma missão que não lhes cabia, certamente fizeram com que muitos se perdessem. Entretanto, como eram homens muito inteligentes, mesmo entre os erros que ensinaram, muitas vezes se encontram grandes verdades.

624. Qual é o caráter do verdadeiro Profeta?

O verdadeiro Profeta é um homem de bem e inspirado por Deus. Pode ser reconhecido por suas palavras e por suas ações. Deus não pode se servir de um mentiroso para ensinar a verdade.

625. Qual o tipo mais perfeito que Deus ofereceu ao homem para lhe servir de modelo e guia?

Jesus.

Comentário de Kardec: Para o homem, Jesus representa a perfeição moral que a Humanidade pode aspirar na Terra. Deus nos oferece Jesus como o mais perfeito modelo, e a doutrina que ele ensinou é a mais pura expressão da Lei Divina. Jesus estava animado pelo Espírito do Criador e foi o ser mais puro que apareceu sobre a Terra.

Se alguns dos que têm pretendido instruir os homens na Lei de Deus algumas vezes os desencaminham, ensinando-lhes falsos princípios, é porque se deixam dominar por sentimentos muito materiais, e porque confundem as Leis que regem as condições da vida da alma com as Leis que regem a vida do corpo.

Muitos deles apresentaram como Leis Divinas o que eram apenas Leis Humanas, criadas para servir às paixões e para dominar os Povos.

626. As Leis Divinas e Naturais só foram reveladas aos homens por Jesus? Antes dele, as pessoas apenas conheciam essas Leis por intuição?

Já não dissemos que as Leis de Deus estão escritas por toda parte? Todos os homens que meditaram sobre a sabedoria puderam compreendê-las e ensiná-las desde os tempos mais remotos.

Por meio de seus ensinamentos, mesmo incompletos, esses homens prepararam o terreno para receber a semente. Estando as Leis de Deus registradas na Natureza, o homem pôde conhecê-las quando quis procurá-las.

Eis porque os princípios que essas Leis consagram têm sido proclamados em todos os tempos pelos homens de bem, e é por isso, também, que os seus princípios são encontrados na doutrina moral de todos os povos que já saíram da barbárie, mesmo que incompletos ou alterados pela ignorância e pela superstição.

627. Uma vez que Jesus ensinou as verdadeiras Leis de Deus, qual é a utilidade dos ensinamentos dados pelos Espíritos? Eles poderão ensinar alguma coisa além do que Jesus ensinou?

Os ensinamentos de Jesus eram figurados e na forma de parábolas, porque ele falava de acordo com a época e com os lugares por onde passava. Hoje é preciso que a verdade seja entendida por todos.

É preciso explicar e desenvolver as Leis de Deus, uma vez que são poucos os que as compreendem, e menos ainda os que as praticam. Nossa missão é a de abrir os olhos e os ouvidos de todos para confundir os orgulhosos e desmascarar os hipócritas, ou seja, aqueles que tomam as aparências da virtude e usam a religião para ocultar suas baixezas.

O ensinamento dos Espíritos deve ser claro e sem equívocos, a fim de que ninguém possa alegar ignorância, e todos possam julgar e apreciar o que foi ensinado utilizando a sua própria razão. Nós estamos encarregados de preparar o reino do bem anunciado por Jesus, impedindo que cada um interprete a Lei de Deus ao sabor de suas paixões, ou deturpe o sentido de uma Lei toda de amor e de caridade.

628. Por que a verdade nem sempre esteve ao alcance de todos?

É necessário que cada coisa venha a seu tempo. A verdade é como a luz: é preciso habituar-se a ela pouco a pouco; do contrário, ela ofusca.

Deus jamais permitiu que o homem recebesse comunicações tão completas e instrutivas como as que ele está recebendo na atualidade. Havia, na Antiguidade, alguns indivíduos possuidores do que eles próprios consideravam uma ciência sagrada, da qual faziam mistério para aqueles que, aos seus olhos, eram considerados profanos, ou melhor, pessoas alheias à religião.

Conhecendo agora as Leis que regem os fenômenos das comunicações espíritas, os homens estão aptos a compreender que esses indivíduos recebiam apenas algumas verdades esparsas, inseridas em um conjunto equivocado, e na maioria das vezes, simbólico.

Entretanto, para o estudioso, não existe nenhum sistema antigo de filosofia, nenhuma tradição, nenhuma religião a menosprezar, porque em todas elas existem os germens das grandes verdades. Mesmo essas verdades parecendo contraditórias entre si, já que estão dispersas em meio a acessórios sem fundamento, elas são facilmente entendidas, graças aos ensinamentos que hoje o Espiritismo vem trazer.

Através dele, o homem pôde explicar uma infinidade de coisas que até então pareciam não possuir lógica alguma, e cuja realidade está hoje demonstrada de maneira incontestável. Assim, não desprezem recorrer a esses materiais como objetos de estudo. Eles são riquíssimos e podem contribuir bastante para a instrução de todos.

O BEM E O MAL

629. Como se pode definir a moral?

A moral é a regra do bem proceder, ou seja, o procedimento que permite distinguir o bem do mal. Ela tem como fundamento o cumprimento da Lei de Deus. O homem procede bem quando faz tudo pelo bem de todos; assim, ele cumpre a Lei de Deus.

630. Como se pode distinguir o bem do mal?

O bem é tudo o que está em conformidade com a Lei de Deus; o mal é tudo o que é contrário a essa Lei. Sendo assim, fazer o bem é proceder de acordo com a Lei de Deus; fazer o mal é infringir essa Lei.

631. O homem pode, por si mesmo, distinguir o bem do mal?

Sim, quando acredita em Deus e quer realmente distinguir um do outro. Deus lhe deu a inteligência para que ele possa fazer essa distinção.

632. O homem, por estar sujeito ao erro, não pode se enganar na apreciação do bem e do mal, e acreditar que faz o bem, quando na realidade faz o mal?

Jesus disse: "Façam aos outros o que gostariam que os outros fizessem a vocês." Tudo está resumido nesse ensinamento. Utilizando-o, não se enganarão!

633. A regra do bem e do mal também pode ser chamada de reciprocidade ou de solidariedade. Entretanto, o homem não pode ter reciprocidade ou solidariedade para consigo mesmo. Sendo assim, ele encontra na Lei Natural um guia seguro para distinguir o bem do mal?

Quando alguém come em excesso, isso lhe faz mal. É Deus quem dá ao homem a medida do que ele necessita. Sempre que ele ultrapassa essa medida, é punido. Assim ocorre com todas as coisas.

A Lei Natural traça para o homem o limite de suas necessidades; quando ele ultrapassa esses limites, é punido pelo sofrimento. Se o homem escutasse, para todas as coisas, a voz que lhe diz "basta!", evitaria a maior parte dos males pelos quais acusa a Natureza.

634. Por que o mal moral está na natureza das coisas? Deus não poderia ter criado a Humanidade em melhores condições?

Já dissemos que os Espíritos foram criados simples e ignorantes (ver pergunta nº 115). Deus deixa que o homem escolha o seu caminho. Tanto pior para ele se escolhe o caminho do mal: sua caminhada será mais longa.

Se não houvesse montanhas, o homem não compreenderia que se pode subir e descer; se não houvesse rochedos, não compreenderia que existem corpos duros. O Espírito precisa adquirir experiência, e para isso é necessário que conheça o bem e o mal. É por isso que existe a união do Espírito com o corpo físico (ver a pergunta nº 119).

635. As diferentes posições sociais ocupadas pelos homens criam necessidades novas que não são as mesmas para todos. Assim, parece que a Lei Natural não é uma regra uniforme. Isso é correto?

Essas diferentes posições sociais fazem parte da vida, e estão em conformidade com a Lei do Progresso. Isso não impede a unidade da Lei Natural, que se aplica a tudo.

Comentário de Kardec: As condições de existência do homem mudam de acordo com os tempos e os lugares, o que resulta, para ele, em necessidades diferentes e posições sociais correspondentes a essas necessidades.

Essas mudanças estão de acordo com a sequência natural da vida, e em concordância com a Lei de Deus. Apesar das mudanças, a Lei de Deus continua sendo uma só em seus princípios. Cabe à razão distinguir as necessidades reais das necessidades artificiais ou convencionais.

636. O bem e o mal estão sempre presentes para todos os homens?

A Lei de Deus é a mesma para todos; mas o mal depende principalmente da vontade que se tem de praticá-lo. O bem é sempre o bem, e o mal é sempre o mal, seja qual for a posição do homem na sociedade. A diferença está no grau de responsabilidade de quem pratica um ou outro.

637. O homem selvagem, que não resiste ao seu instinto e se alimenta de carne humana, é culpado?

Eu já disse que a prática do mal depende da vontade que se tem de praticá-lo. Pois bem! O homem é tanto mais culpado quanto maior for a sua consciência sobre aquilo que faz.

Comentário de Kardec: As circunstâncias dão ao bem e ao mal uma gravidade relativa. Com frequência, o homem comete erros que são consequência da posição que ocupa na sociedade, mas nem por isso esses erros são menos repreensíveis.

Entretanto, a responsabilidade é proporcional aos meios que ele tem para compreender o bem e o mal. É por isso que o homem esclarecido, que comete uma simples injustiça, é mais culpado, aos olhos de Deus, do que o selvagem ignorante, que apenas dá vazão aos seus instintos.

638. Certas vezes, o mal parece ser uma consequência da força dos acontecimentos. Por exemplo: a necessidade que o homem encontra, em determinadas circunstâncias, de destruir até mesmo o seu semelhante. Nesses casos, pode-se dizer que existe infração à Lei de Deus?

O mal não se torna menor pelo fato de ser necessário. Entretanto, a necessidade de praticá-lo desaparece à medida em que o Espírito evolui, passando de uma existência para outra. É assim que o homem se torna mais culpado quando comete o mal, porque melhor o compreende.

639. O mal que cometemos não resulta, muitas vezes, da posição em que os outros homens nos colocaram? Nesse caso, quais são os mais culpados?

A responsabilidade pelo mal recai sobre aquele que o causa. Porém, o homem que é levado a praticar o mal, em virtude da posição que seus semelhantes o colocaram, é menos culpado do que aqueles que causaram esse mal. Entretanto, cada um será punido, não apenas pelo mal que praticou diretamente, como também pelo mal que provocou.

640. Aquele que não pratica o mal, mas que se aproveita do mal praticado por outro, é tão culpado quanto este?

É tão culpado como se o tivesse praticado. Aproveitar-se do mal é o mesmo que participar dele. Talvez não fosse capaz de praticá-lo, mas uma vez que tira partido do mal que encontra realizado, é porque aprova o que foi feito, e ele mesmo o teria praticado se pudesse ou se tivesse tido coragem.

641. O desejo de fazer o mal é tão condenável quanto o ato de praticá-lo?

Depende; pois existe virtude naquele que resiste, por vontade própria, ao mal que deseja praticar, especialmente quando ele tem a possibilidade de satisfazer a esse desejo. Entretanto, o homem é culpado se não praticar o mal apenas porque faltou ocasião.

642. Basta não praticar o mal para agradar a Deus e assegurar um futuro melhor?

Não; é necessário fazer o bem no limite das próprias forças, pois cada um responderá por todo o mal que seja resultado do bem que não praticou.

643. Existem pessoas que não têm a possibilidade de fazer o bem, em função da posição que ocupam na sociedade?

Não existe pessoa que não possa fazer o bem. Apenas o egoísta nunca encontra oportunidade de praticá-lo. Bastam as relações sociais com outros homens para que se tenha a oportunidade de fazer o bem; a cada dia a vida oferece essa possibilidade para aquele que não estiver cego pelo egoísmo.

Fazer o bem não consiste somente em ser caridoso, mas em ser útil, na medida do possível, sempre que o auxílio se fizer necessário.

644. O meio em que alguns homens vivem não constitui para eles o motivo principal de muitos vícios e crimes?

Sim, mas isso é uma prova que o próprio Espírito escolheu antes de reencarnar. Ele quis se expor à tentação para ter o mérito da resistência.

645. Quando o homem está mergulhado na atmosfera do vício, praticar o mal não se torna para ele um convite quase que irresistível?

Ele pode ter vontade de praticar o mal, mas essa vontade não é irresistível. Mesmo no meio dessa atmosfera viciada, algumas vezes, se encontram grandes virtudes. São Espíritos que têm a força de resistir e, ao mesmo tempo, têm por missão exercer boa influência sobre os seus semelhantes.

646. O mérito para aqueles que praticam o bem está subordinado a algumas condições? Existem diferentes graus de merecimento para os que fazem o bem?

O **mérito** do bem está na dificuldade que se encontra em praticá-lo; não existe mérito algum em fazer o bem sem esforço e quando nada custa. Deus leva mais em conta o pobre que reparte o seu único pedaço de pão, do que o rico que apenas dá do que lhe sobra. Aliás, foi o que Jesus ensinou na passagem do **óbolo da viúva**.

Observação

Mérito: Neste caso, a palavra mérito deve ser entendida como: **o merecimento em função do esforço realizado,** e não no sentido de julgar se determinada pessoa merece ou não receber determinado benefício ou auxílio.

Óbolo: O mesmo que esmola (ver a parábola do "óbolo da viúva": O Evangelho Segundo o Espiritismo, cap. 13 – item 5).

DIVISÃO DA LEI NATURAL

647. Toda Lei de Deus está contida no ensinamento de Jesus: "Amar o próximo como a si mesmo"?

Certamente esse ensinamento de Jesus contém todos os deveres que os homens têm uns para com os outros. Mas é preciso mostrar aos homens a sua aplicação, pois, do contrário, deixarão de praticá-lo; aliás, hoje em dia eles já fazem isso.

A Lei Natural abrange todas as circunstâncias da vida, e esse ensinamento de Jesus abrange apenas uma parte da Lei. Os homens necessitam de regras precisas. Os ensinamentos gerais e indefinidos, por serem muito vagos, possibilitam diversas interpretações.

648. Que pensar da divisão da Lei Natural em dez partes, compreendendo as Leis de Adoração, Trabalho, Reprodução, Conservação, Destruição, Sociedade, Progresso, Igualdade, Justiça, Amor e Caridade?

Essa divisão da Lei de Deus em dez partes é a de Moisés, e pode abranger todas as circunstâncias da vida, sendo essencial que ela assim o faça. O homem pode seguir essa divisão, mas ela não possui nada de absoluto, assim como não o têm os demais sistemas de classificação que dependem do ponto de vista sob o qual se considere qualquer assunto. A Lei da Caridade é a mais importante; é por meio dela que o homem pode avançar mais rapidamente na vida espiritual, porque ela contém todas as outras.

CAPÍTULO 2

LEI DE ADORAÇÃO

- **Finalidade da Adoração**
- **Manifestações Exteriores da Adoração**
- **Vida Contemplativa**
- **A Prece**
- **Politeísmo**
- **Sacrifícios**

FINALIDADE DA ADORAÇÃO

649. Em que consiste a adoração?

Consiste em elevar o pensamento a Deus. Pela adoração, o homem aproxima sua alma de Deus.

650. A adoração é um sentimento que já nasce com o homem ou é fruto de algum ensinamento?

A adoração é um sentimento que já nasce com o homem, assim como o sentimento da existência de Deus. A consciência de sua fraqueza leva o homem a se curvar diante Daquele que pode protegê-lo.

651. Existem povos desprovidos de todo sentimento de adoração?

Não, porque nunca existiram povos ateus. Todos compreendem que acima de tudo existe um Ser Supremo.

652. Pode-se dizer que a adoração tem sua origem na Lei Natural?

A adoração faz parte da Lei Natural, pois resulta de um sentimento que já nasce com o homem. É por isso que encontramos a adoração entre todos os povos, embora manifestada sob formas diferentes.

MANIFESTAÇÕES EXTERIORES DA ADORAÇÃO _____

653. A adoração necessita de manifestações exteriores?

A verdadeira adoração está no coração. O homem deve lembrar-se de que, em todas as suas ações, Deus está sempre a observá-lo.

653a. A adoração exterior é útil?

Sim, se não for uma adoração falsa, uma simulação. É sempre útil dar um bom exemplo. Entretanto, aqueles que o fazem de forma fingida ou por amor próprio, mas cuja conduta desmente a piedade que aparentam possuir, dão um mau exemplo. Esses fazem mais mal do que imaginam.

654. Deus tem preferência pelos que O adoram dessa ou daquela maneira?

Deus prefere os que O adoram do fundo do coração, com sinceridade, fazendo o bem e evitando o mal. Ele não gosta daqueles que usam cerimônias para adorá-Lo, e que não se tornam melhores para com os seus semelhantes.

Todos os homens são irmãos e filhos de Deus. Ele chama para Si todos os que seguem Suas Leis, seja qual for a forma pela qual se manifestem.

Todo aquele cuja piedade é apenas aparente, é um hipócrita; aquele cuja adoração é falsa e está em contradição com a própria conduta, dá um mau exemplo.

Aquele que se envaidece por adorar o Cristo, mas que é orgulhoso, invejoso, ciumento, duro e implacável para com o próximo, ou apenas possui ambição pelos bens terrenos, tem a religião apenas nos lábios e não em seu coração.

Deus, que tudo vê, dirá: "Aquele que conhece a verdade é cem vezes mais culpado pelo mal que faz, do que o selvagem do deserto, e será tratado com mais rigor no dia da justiça". Se ao passar, um cego derrubar alguém, certamente será perdoado; se um homem que enxerga perfeitamente fizer o mesmo, será censurado e com razão.

Portanto, não perguntem se existe uma forma de adoração mais conveniente, porque isso seria o mesmo que perguntar se Deus prefere ser adorado em um idioma ao invés de outro. Eu afirmo mais uma vez: os cânticos de louvores só chegam a Deus pela porta do coração.

655. Merece censura aquele que pratica uma religião na qual não acredita do fundo de sua alma, fazendo isso apenas por respeito aos demais e para não escandalizar os que pensam de outro modo?

Nesse caso, como em tantas outras coisas, o que vale é a intenção. Aquele que respeita as crenças alheias não procede mal; aquele que as ridiculariza, falta com a caridade. Mas quem pratica uma religião por interesse ou por ambição é desprezível aos olhos de Deus e aos olhos dos homens. Deus não se agrada daqueles que fingem humilhar-se diante Dele apenas para conquistar a aprovação dos homens.

656. A adoração coletiva é preferível à adoração individual?

Os homens reunidos numa comunhão de pensamentos e de sentimentos têm mais força para atrair os bons Espíritos. O mesmo ocorre quando se reúnem para adorar a Deus. Entretanto, isso não significa que a adoração particular seja menos valiosa, porque cada um pode adorar a Deus apenas pensando Nele.

VIDA CONTEMPLATIVA

657. Os homens que se entregam a uma vida contemplativa e passam o tempo apenas pensando em Deus, possuem algum mérito perante Ele, uma vez que não fazem mal a ninguém?

Não possuem mérito algum, porque se não fazem o mal também não fazem o bem e tornam-se inúteis. Aliás, não fazer o bem já é um mal.

Deus quer que se pense Nele, mas não quer que se pense apenas Nele, porque Ele deu ao homem deveres a cumprir na Terra. Aquele que consome o seu tempo na meditação e na contemplação, nada realiza de meritório aos olhos do Criador. Sua vida é toda pessoal e inútil para Humanidade; Deus lhe pedirá contas do bem que deixou de fazer (ver pergunta nº 640).

A PRECE

658. A prece é agradável a Deus?

A prece é sempre agradável a Deus, principalmente quando sai do coração. Para Deus, a intenção é tudo, e a prece que sai do coração é sempre preferível à prece que pode ser lida, por mais bela que seja; especialmente se essa prece for lida mais com os lábios do que com o pensamento.

A prece é agradável a Deus quando é dita com fé, fervor e sinceridade. Deus não se sensibiliza com a prece do homem fútil, orgulhoso e egoísta, a menos que essa prece represente um ato sincero de arrependimento e de verdadeira humildade.

659. O que caracteriza a prece?

A prece é um ato de adoração. Fazer preces a Deus é pensar Nele; é aproximar-se Dele; é colocar-se em comunicação com Ele. Pela prece, podemos fazer três coisas: louvar, pedir e agradecer.

660. A prece torna o homem melhor?

Sim, porque aquele que reza com fervor e confiança se torna mais forte contra as tentações do mal, e Deus lhe envia os bons Espíritos para assisti-lo. A prece é uma ajuda que jamais é recusada ao homem, quando pedida com sinceridade.

660a. Por que certas pessoas, apesar de rezarem muito, têm mau caráter, são ciumentas, invejosas, implicantes, carentes de boa-vontade, de indulgência e, às vezes, até viciosas?

A essência não está em rezar muito, e sim em rezar bem. Essas pessoas acreditam que todo mérito está numa prece mais longa e fecham os olhos para os seus próprios defeitos; para elas, a prece é uma ocupação, um emprego do tempo, nunca uma avaliação de si mesmas. Nesse caso, a ineficácia não é do remédio e sim da maneira como ele é aplicado.

661. É útil pedir a Deus que perdoe as nossas faltas?

Deus sabe diferenciar entre o bem e o mal; a prece não oculta as faltas que os homens cometem. Aquele que pede a Deus o perdão de suas faltas, apenas vai obtê-lo se mudar sua conduta. A melhor prece é praticar boas ações, porque os atos valem mais do que as palavras.

662. Existe alguma utilidade em rezar pelos outros?

O Espírito daquele que reza age pela vontade que tem de fazer o bem ao próximo. Pela prece, ele atrai para si os bons Espíritos que se associam ao bem que ele deseja fazer.

Comentário de Kardec: *Possuímos em nós mesmos, pelo pensamento e pela vontade, um poder de ação que se estende muito além dos limites do nosso corpo* *físico. Rezar em favor de outras pessoas é colocar em ação essa vontade. Se ela for ardente e sincera, atrai a presença dos bons Espíritos que vêm em auxílio daquele por quem estamos rezando.*

Assim, os bons Espíritos lhe sugerem bons pensamentos e dão, ao corpo e à alma, a força de que eles precisam. Mas ainda nesse caso, a prece do coração é tudo, a dos lábios não tem valor algum.

663. As preces que fazemos em favor de nós mesmos podem mudar a natureza de nossas provas e desviar-lhes o curso?

As provas pelas quais os homens precisam passar estão nas mãos de Deus, e existem algumas que devem ser suportadas até o fim. Deus sempre leva em conta os que se resignam, ou melhor, que aceitam as dificuldades sem reclamar.

A prece sempre atrai a presença dos bons Espíritos para perto daqueles que rezam, dando-lhes a força para suportar as provas com coragem e fazer com que elas pareçam menos duras. Ela é sempre útil quando é feita de coração, porque fortalece aquele que ora, o que já é um grande resultado.

Jesus disse: "Ajudem-se, que o Céu os ajudará". Deus não muda a ordem da Natureza de acordo com a vontade de cada um, porque **aquilo que parece ser um grande mal**, segundo o ponto de vista acanhado do homem, restrito à sua vida efêmera, **é quase sempre um grande bem** na ordem geral do Universo. Além disso, de quantos males o homem não é o próprio autor, pela sua imprevidência e por suas faltas!

O homem é punido naquilo em que pecou. Entretanto, os pedidos justos são mais atendidos do que se pode imaginar.

Não é razoável acreditar que Deus não escute alguém, apenas porque não realizou um milagre em seu favor. Deus assiste a todos por meios tão naturais que parecem obra do acaso ou da força das circunstâncias. Muitas vezes, também, e é o que quase sempre acontece, Deus sugere ao homem o pensamento necessário para que ele saia das dificuldades pelo seu próprio esforço.

Observação

Às vezes, nos acontecem coisas que parecem ser um grande mal, mas que, depois de algum tempo, transformam-se num grande bem. A visão limitada do homem comum não permite que ele tenha o alcance necessário para perceber que, com frequência, o sofrimento pelo qual passa é uma preparação para receber um bem maior.

664. É útil orar pelos mortos e pelos Espíritos sofredores? Nesse caso, como nossas preces podem proporcionar-lhes alívio e abreviar seus sofrimentos? Nossas preces têm o poder de abrandar a justiça de Deus?

A prece não pode ter por efeito mudar os desígnios de Deus, mas o Espírito por quem se ora experimenta alívio, porque sente que alguém se interessa por ele. O infeliz sempre encontra consolo quando almas caridosas se compadecem de suas dores.

Por outro lado, a prece estimula o arrependimento e desperta o desejo de fazer o que for preciso para ser feliz. É nesse sentido que a prece pode abreviar o sofrimento do Espírito, se ele também contribuir com sua boa vontade. O desejo de se melhorar, estimulado pela prece, atrai, para junto do Espírito sofredor, Espíritos melhores, que vêm esclarecê-lo, consolá-lo e trazer-lhe esperanças.

Jesus orava pelas ovelhas desgarradas, mostrando ao homem que ele será culpado se nada fizer por aqueles que são os mais necessitados.

Observação
Resposta dada pelo Espírito São Luiz.

665. O que pensar sobre a opinião daqueles que rejeitam a prece em favor dos mortos, pelo fato dela não estar recomendada no Evangelho?

O Cristo disse aos homens: "Amem-se uns aos outros". Esta recomendação ensina que o homem deve empregar todos os meios possíveis para testemunhar afeição pelos outros homens, sem, com isso, entrar em detalhes quanto à maneira de atingir esse objetivo.

Se é verdade que nada pode impedir o Criador, imagem da justiça perfeita, de aplicar a Sua justiça a todas as ações do Espírito, também não é menos verdade que a prece dirigida a Deus, em favor daquele por quem temos afeição, constitui para ele uma prova de que não o esquecemos. Essa prece contribui para aliviar seus sofrimentos e consolá-lo.

O Espírito desencarnado só pode ser socorrido após manifestar seu arrependimento, por menor que ele seja. Entretanto, nunca ficará sem saber que uma alma simpática se interessou por ele através da prece. Ao contrário, será informado de que a intercessão dessa alma lhe foi muito útil.

Aquele que foi ajudado passa a ter, necessariamente, um sentimento de gratidão e afeto por aquele que lhe deu essa prova de afeição ou de piedade. Por consequência, o amor que o Cristo recomendava aos homens só aumentará entre eles. Assim, ambos obedecem a Lei do Amor e a Lei de União entre todos os seres, Leis Divinas que devem conduzir os homens à integração, que é o objetivo e a finalidade do Espírito.

Observação

Resposta dada pelo Espírito do Sr. Monod, pastor protestante de Paris, falecido em abril de 1856.

666. Podemos orar aos Espíritos?

Pode-se orar aos bons Espíritos, que são os mensageiros de Deus e executam as Suas vontades. Mas o poder dos bons Espíritos é proporcional à superioridade que já tenham alcançado, e depende sempre do Senhor de todas as coisas, pois sem a Sua permissão nada se pode fazer. É por isso que as preces que dirigimos a esses Espíritos só são eficazes se forem aceitas por Deus.

POLITEÍSMO

Observação

Politeísmo: Sistema religioso que admite a crença em vários deuses.

667. Mesmo sendo falso, por que o politeísmo é uma das crenças mais antigas e mais divulgadas?

Apenas com o desenvolvimento de suas ideias, o homem poderia chegar à crença de um Deus único. Em sua ignorância, o homem era incapaz de conceber um ser imaterial, sem forma determinada e agindo sobre a matéria. Assim, ele conferiu a Deus os atributos de uma natureza corporal, ou seja, uma forma humana e um rosto.

Desde então, tudo o que lhe parecia ultrapassar os limites da inteligência comum, o homem considerava como sendo uma divindade. Tudo aquilo que ele não compreendia devia ser obra de um poder sobrenatural. Por isso, passou a acreditar em tantos poderes distintos quanto os efeitos que observava.

Mas em todos os tempos houve homens esclarecidos, que compreenderam a impossibilidade dessa multidão de poderes governar o mundo sem que houvesse uma direção superior. Foi assim que se chegou à concepção de um Deus único.

668. Os fenômenos espíritas são conhecidos desde as primeiras épocas do mundo e se manifestaram em todos os tempos. Será que eles não contribuíram para fazer os homens acreditarem na existência de vários deuses?

Sem dúvida. Os homens chamavam de "deus" a tudo que era sobre-humano. Assim, os Espíritos eram deuses para eles. É por isso que quando um homem se distinguia dos demais por suas ações, sua inteligência ou por um poder oculto que o povo não compreendia, faziam dele um deus e lhe rendiam culto após sua morte.

Comentário de Kardec: *Entre os antigos, a palavra "deus" tinha um significado muito amplo. Não significava, como hoje, a personificação do Senhor da Natureza. Era uma qualificação genérica que se dava a todos os seres que eram colocados acima das condições humanas.*

As manifestações espíritas revelaram aos homens daquela época a existência de criaturas sem corpo físico, que agiam como forças da Natureza. A essas criaturas os Antigos chamaram "deuses", assim como hoje nós os chamamos de "Espíritos"; uma simples questão de palavras. Alguns dos homens mais inteligentes e mais esclarecidos daquela época tinham interesse em manter o povo na ignorância, pois eles construíam templos e altares muito lucrativos em homenagem a esses seres.

Hoje, esses deuses são considerados simples criaturas como nós, mais ou menos perfeitas e despojadas de seu corpo físico. Se estudarmos atentamente os diversos atributos das divindades pagãs, reconheceremos, sem dificuldades, todos os atributos que caracterizam os nossos Espíritos em todos os graus da escala espírita: seu estado físico nos Mundos Superiores, todas as propriedades do perispírito, e o papel que desempenham nas coisas da Terra.

O cristianismo, vindo esclarecer o mundo com seus ensinamentos Divinos, não podia destruir uma coisa que está na própria Natureza, mas fez com que a adoração se voltasse para aquele que realmente a merecia, ou seja, Deus.

Quanto aos Espíritos, a lembrança deles se perpetuou sob diversos nomes, conforme os povos. Suas manifestações, que jamais deixaram de se produzir, foram interpretadas de maneiras diversas, e muitas vezes exploradas sob o domínio do mistério. Enquanto a religião via nessas manifestações fenômenos miraculosos, os incrédulos as tomaram por charlatanice.

Hoje, graças a estudos mais sérios e transparentes, o Espiritismo, liberto das ideias supersticiosas que obscureceram essas manifestações através dos séculos, nos revela um dos maiores e mais sublimes princípios da Natureza, ou seja, a manifestação dos Espíritos desencarnados.

SACRIFÍCIOS

669. A prática dos sacrifícios humanos vem da mais alta Antiguidade. Como o homem pôde acreditar que tais coisas pudessem agradar a Deus?

Em primeiro lugar, porque o homem daquela época não compreendia Deus como sendo a fonte da bondade. Entre os povos primitivos, a matéria prevalece sobre o Espírito; eles se entregam aos mesmos instintos do animal selvagem, razão pela qual são geralmente cruéis. Nesses povos, o senso moral ainda não se acha desenvolvido.

Em segundo lugar, porque os homens primitivos acreditavam com muita naturalidade que, aos olhos de Deus, uma criatura viva tinha muito mais valor do que uma criatura morta. Foi isso que levou os antigos a sacrificar primeiro os animais e, mais tarde, os homens. Segundo a falsa crença que possuíam, eles pensavam que o valor do sacrifício era proporcional à importância da vítima.

Na vida moderna, o homem escolhe os melhores presentes para as pessoas que lhe merecem mais afeto e consideração. Devia ocorrer o mesmo com os homens ignorantes em relação a Deus.

669a. Sendo assim, os sacrifícios de animais vieram antes dos sacrifícios humanos?

Sim. Quanto a isso não há dúvida.

669b. Então, de acordo com essa explicação, os sacrifícios humanos não se originaram de um sentimento de crueldade?

De um sentimento de crueldade, não, mas de uma falsa ideia do que seria agradável a Deus. Vejam o que ocorreu com **Abraão**. Com o tempo, os homens passaram a cometer abusos, sacrificando seus inimigos, fossem eles inimigos comuns ou pessoais. Deus jamais exigiu sacrifícios, nem de animais, nem de homens. Não há como imaginar que se possa honrar Deus através da destruição inútil de Suas criaturas.

Observação

Abraão: Personagem bíblico citado no livro do Gênesis, que pretendeu oferecer seu filho Isaac em sacrifício, como prova de obediência a Deus, mas foi impedido pela intervenção de um Espírito.

670. Algumas vezes, os sacrifícios humanos foram praticados com intenção piedosa; isso poderia ter sido agradável a Deus?

Não, jamais. O que Deus julga é a intenção. Os homens primitivos, em sua ignorância, acreditavam praticar um ato louvável ao sacrificar um de seus semelhantes. Nesse caso, Deus levava em conta apenas a intenção, e não o fato em si.

Ao se melhorarem, os homens reconheceram seu erro e passaram a reprovar tais sacrifícios, que não eram mais aceitos pelos Espíritos encarnados esclarecidos. Digo esclarecidos porque os Espíritos estavam, até então, com sua visão encoberta por um véu material; mas, utilizando o seu livre-arbítrio, eles puderam ter a percepção de sua origem e de sua finalidade. Muitos, por intuição, tinham consciência do mal que faziam, embora continuassem a praticá-lo para satisfazer as suas paixões.

671. O que devemos pensar das chamadas guerras santas? Para agradar a Deus, os povos fanáticos exterminam o maior número possível dos que não compartilham de suas crenças. Esse procedimento não parece se originar do mesmo sentimento que animava os povos primitivos, quando sacrificavam seus semelhantes?

Os que agem assim estão envolvidos pela ação de maus Espíritos e, ao guerrearem com seus semelhantes, estão indo contra a vontade de Deus, que manda o homem amar ao próximo como a si mesmo.

Todas as religiões, ou melhor, todos os povos adoram um mesmo Deus, seja qual for o nome que lhe deem. Então, por que fazer uma guerra de extermínio entre si, só porque a religião de um é diferente da religião do outro, ou porque ainda não alcançou o progresso da religião dos povos esclarecidos?

Os povos não devem ser condenados por não acreditarem na palavra daquele que "o Espírito de Deus animava e que o Pai enviou", ou seja, Jesus, sobretudo aqueles que não o viram e não testemunharam seus atos. E como querer que eles acreditem nessa "palavra de paz", quando eram procurados de espada em punho?

Eles precisam ser esclarecidos e devemos procurar fazer com que conheçam os ensinamentos do Cristo pela persuasão e pela doçura, e não pela força e pelo sangue.

A maioria dos encarnados não acredita nas comunicações que nós, Espíritos, temos com certos homens; como querem que estranhos acreditem nas palavras que estão dizendo, quando desmentem com atos os ensinamentos que pregam?

672. A oferenda feita a Deus, de frutos da terra, tinha mais mérito a Seus olhos do que o sacrifício dos animais?

Já respondemos essa pergunta quando dissemos que Deus julga a intenção e que a oferenda em si tem pouca importância para Ele. É evidente que seria mais agradável a Deus receber como oferendas os frutos da terra do que o sangue das vítimas.

Conforme já foi dito e sempre repetiremos: a prece feita do fundo do coração é cem vezes mais agradável a Deus do que todas as oferendas que o homem possa fazer. Repito: a intenção é tudo, o fato, em si, não tem importância!

673. Se essas oferendas fossem destinadas a minorar os sofrimentos daqueles a quem falta o necessário, isso não seria um meio de torná--las mais agradáveis a Deus? Nesse caso, o sacrifício de animais, praticado com um fim útil, não seria mais meritório do que simplesmente sacrificá-los sem serventia alguma? Será que não haveria alguma coisa de verdadeiramente piedoso em dedicar aos pobres os primeiros frutos dos bens que Deus nos concede na Terra?

Deus sempre abençoa aqueles que fazem o bem. Ajudar os pobres e os aflitos é o melhor meio de agradá-Lo. Com isso, não estamos querendo dizer que Deus desaprova as cerimônias que os homens praticam para Lhe dirigir suas preces. Entretanto, existe muito dinheiro que se gasta com essas cerimônias, e que poderia ser aplicado de maneira mais útil em favor dos necessitados.

Deus ama a simplicidade em tudo. O homem que se prende às coisas exteriores, e não às coisas do coração, é um Espírito de visão limitada. Julguem se Deus deve se importar mais com a forma do que com o conteúdo.

CAPÍTULO 3

LEI DO TRABALHO

• Necessidade do Trabalho
• Limite do Trabalho – Repouso

NECESSIDADE DO TRABALHO

674. A necessidade do trabalho é uma Lei da Natureza?

O trabalho é uma Lei da Natureza, e por isso mesmo é uma necessidade. A civilização obriga o homem a trabalhar cada vez mais, porque o trabalho aumenta as suas necessidades e os seus prazeres.

675. Devemos entender por trabalho apenas as ocupações materiais?

Não, porque o Espírito também trabalha, assim como o corpo. Toda ocupação útil é trabalho.

676. Por que o trabalho é imposto ao homem?

O trabalho é uma consequência da natureza corpórea do homem. O corpo físico precisa ser sustentado, e isso é obtido com o trabalho. É uma expiação e ao mesmo tempo um meio de aperfeiçoar a sua inteligência. Sem o trabalho, o homem permaneceria sempre na infância intelectual. É por isso que o seu sustento, a sua segurança e o seu bem-estar dependem do seu trabalho e da sua atividade.

Para aquele que possui um corpo muito fraco e franzino, Deus deu-lhe a inteligência para compensar; mas usar a inteligência é sempre um trabalho.

677. Por que a Natureza se encarrega, por si mesma, de atender a todas as necessidades dos animais?

Tudo trabalha na Natureza. Os animais trabalham, assim como o homem, mas, como possuem uma inteligência limitada, seu trabalho consiste em cuidar da própria conservação. Eis porque, entre os animais, o trabalho não resulta em progresso, ao passo que, entre os homens, o trabalho tem um duplo objetivo: a conservação do corpo e o desenvolvimento da faculdade de pensar, que também é uma necessidade e o eleva acima de si mesmo.

Quando digo que o trabalho dos animais é limitado ao cuidado de sua própria conservação, refiro-me ao objetivo com que eles trabalham. Os animais, mesmo de forma inconsciente, ao proverem suas necessidades materiais, se constituem em agentes da vontade do Criador. O trabalho que executam não é menos importante para o objetivo final da Natureza, embora os homens não percebam seu resultado imediato.

678. Nos mundos mais avançados, o homem está submetido à mesma necessidade de trabalhar?

A natureza do trabalho guarda proporção com a natureza das necessidades. Quanto menos materiais são as necessidades, menos material é o trabalho. Mas não julguem, por isso, que o homem permaneça inativo e inútil; a ociosidade seria para ele um suplício, em vez de ser um benefício.

679. Aquele que possui bens suficientes para assegurar sua subsistência está livre da Lei do Trabalho?

Talvez esteja livre do trabalho material, mas não está livre da obrigação de se tornar útil, de acordo com as suas possibilidades, nem do dever de aperfeiçoar a sua inteligência ou a dos outros, o que também constitui um trabalho.

O homem que não precisa trabalhar, porque recebeu de Deus bens suficientes para assegurar a sua própria subsistência, não está livre da obrigação de ser útil aos seus semelhantes. E essa obrigação é, para ele, tanto maior quanto maior for o seu tempo livre para fazer o bem, em função do adiantamento em bens materiais que recebeu de Deus.

680. Existem homens impossibilitados de trabalhar em qualquer atividade, e cuja existência se torna inútil?

Deus é justo e apenas desaprova aquele que, por vontade própria, tornou inútil a sua existência, porque esse vive à custa do trabalho alheio. Deus quer que cada um se torne útil, de acordo com as suas aptidões (ver pergunta nº 643).

681. A Lei da Natureza obriga os filhos a trabalharem para os pais?

Certamente, assim como os pais devem trabalhar para seus filhos. Foi por isso que Deus fez do amor filial e do amor paternal um sentimento natural, a fim de que, por essa afeição recíproca, os membros de uma mesma família fossem levados a se ajudarem mutuamente. Aliás, essa ajuda entre as pessoas está muito esquecida na sociedade atual (ver pergunta nº 205).

LIMITE DO TRABALHO – REPOUSO

682. O repouso, sendo uma necessidade para quem trabalha, não é também uma Lei da Natureza?

Sem dúvida, o repouso serve para reparar as forças do corpo e também é necessário para **dar um pouco mais de liberdade à inteligência**, para que esta se eleve acima da matéria.

Observação

Ao dizer que **é preciso dar mais liberdade à inteligência**, o Espírito que respondeu está se referindo ao retorno do Espírito encarnado ao Mundo Espiritual, enquanto o seu corpo físico está em repouso, ou melhor, dormindo.

683. Qual é o limite do trabalho?

O limite do trabalho é o limite das forças; mas, ainda nisso, Deus dá liberdade ao homem.

684. O que pensar daqueles que abusam da sua autoridade para impor a seus subordinados um trabalho excessivo?

É uma das ações mais condenáveis. Todo aquele que tem o poder de mandar é responsável pelo excesso de trabalho que impõe a seus subordinados, porque ele transgride a Lei de Deus (ver pergunta n° 273).

685. O homem tem direito ao repouso na velhice?

Sim. O homem apenas está obrigado ao trabalho de acordo com as suas forças.

685a. Qual o recurso do idoso que precisa trabalhar para viver, mas está incapacitado de fazê-lo?

O forte deve trabalhar para o fraco. Na falta da família, a sociedade deve tomar o seu lugar: é a Lei da Caridade.

Comentário de Kardec: Não basta dizer ao homem que ele precisa trabalhar. É necessário que ele encontre um lugar para trabalhar e isso nem sempre acontece. Quando a falta de trabalho se generaliza, ela assume proporções de um flagelo, assim como a escassez.

A Ciência Econômica procura remédio para a falta de trabalho no equilíbrio entre a produção e o consumo, mas esse equilíbrio, supondo-se que seja possível, nem sempre será contínuo, e nesses intervalos o trabalhador também precisa continuar vivendo.

Existe um elemento que não se costuma levar em consideração, e sem o qual a Ciência Econômica não passa de teoria: esse elemento é a educação; não a educação intelectual, mas a educação moral. Não nos referimos à educação moral pelos livros, e sim àquela que consiste na arte de formar o caráter, àquela que cria os hábitos, porque a educação é o conjunto dos hábitos adquiridos.

Quando pensamos na grande quantidade de indivíduos que nascem todos os dias e passam a fazer parte da população, indivíduos sem princípios, sem freios e entregues a seus próprios instintos, devemos nos admirar com as consequências desastrosas que daí resultam?

Quando a arte de formar o caráter através da educação for conhecida, compreendida e praticada, o homem terá no mundo hábitos de ordem e de previdência para si e para os seus, hábitos de respeitar o que precisa ser respeitado, hábitos que lhe permitirão atravessar com menos dificuldade os dias ruins que não pode evitar.

A desordem e a imprevidência são duas chagas que somente uma educação bem conduzida pode curar. Educação! Eis o ponto de partida, o elemento real do bem-estar e a garantia da segurança de todos.

CAPÍTULO 4

LEI DA REPRODUÇÃO

- **POPULAÇÃO DA TERRA**
- **SUCESSÃO E APERFEIÇOAMENTO DAS RAÇAS**
- **OBSTÁCULOS À REPRODUÇÃO**
- **CASAMENTO E CELIBATO**
- **POLIGAMIA**

POPULAÇÃO DA TERRA

686. A reprodução dos seres vivos é uma Lei da Natureza?

Certamente; sem a reprodução, o mundo corporal acabaria.

687. Se a população continuar crescendo da forma progressiva que vemos, chegará um momento em que ela se tornará excessiva na Terra?

Não; Deus não se descuida disso e mantém sempre o equilíbrio. Ele nada faz de inútil. O homem, que apenas vê uma parte da Natureza, não pode julgar a harmonia do conjunto.

SUCESSÃO E APERFEIÇOAMENTO DAS RAÇAS

688. Existem, nesse momento, raças humanas que evidentemente estão diminuindo. Chegará o momento em que elas desaparecerão da face da Terra?

Isto é verdade. É que outras raças estão tomando o lugar das que estão em extinção; assim como outras raças um dia tomarão o lugar da sua.

689. Os homens atuais constituem uma criação nova ou são descendentes aperfeiçoados dos seres primitivos?

Os homens atuais são os mesmos Espíritos, que "voltaram" para se aperfeiçoar em novos corpos, mas que ainda estão longe da perfeição. Desse modo, a raça humana atual, pelo seu crescimento, tende a se expandir por toda a Terra e substituir as raças que se extinguem.

A raça humana também terá o seu período de decréscimo e de extinção. Ela será substituída por outras raças, mais aperfeiçoadas, que descenderão da raça atual, assim como os homens civilizados de hoje descendem dos seres brutos e selvagens dos tempos primitivos.

690. Do ponto de vista puramente físico, os corpos da raça atual são uma criação especial ou procedem dos corpos primitivos, que evoluíram através da reprodução?

A origem das raças se perde na noite dos tempos. Mas, como todas as raças pertencem à grande família humana, qualquer que tenha sido o tronco primitivo de cada uma, elas puderam se misturar e produzir novos tipos.

691. Ainda do ponto de vista puramente físico, qual o caráter especial e dominante das raças primitivas?

O caráter dominante das raças primitivas foi o desenvolvimento da força física ao invés da força intelectual. Atualmente, ocorre o contrário: as realizações humanas dependem muito mais da inteligência do que da força física. O homem hoje faz cem vezes mais, porque soube tirar proveito das forças da Natureza, o que não conseguem os animais.

692. O aperfeiçoamento genético das raças animais e vegetais pela Ciência é contrário à Lei Natural? Não estaria mais de acordo com a Lei Natural deixar que as coisas seguissem o seu curso normal?

Tudo deve ser feito para se alcançar a perfeição, e o próprio homem é um instrumento do qual Deus se serve para alcançar Seus objetivos. O objetivo da Natureza também é atingir a perfeição, e tudo aquilo que for feito para que essa perfeição seja atingida está em concordância com a vontade de Deus.

692a. Mas, geralmente, o homem só se esforça para melhorar as raças animais e vegetais visando seu interesse pessoal, ou melhor, visando aumentar seus prazeres. Isso não lhe diminui o mérito?

Que importa que o mérito do homem seja diminuído ou nulo, contanto que o progresso se realize? Cabe apenas a ele tornar seu trabalho meritório pela intenção com que realiza esse trabalho. Aliás, pela tarefa de aperfeiçoar geneticamente as raças, o homem exercita e desenvolve a sua inteligência, e é sob esse aspecto que ele tira maior proveito.

OBSTÁCULOS À REPRODUÇÃO

693. As Leis e os costumes humanos que têm por objetivo criar obstáculos para que a reprodução não se realize são contrários à Lei da Natureza?

Tudo aquilo que dificulta a marcha da Natureza é contrário a Lei Geral.

693a. Entretanto, existem espécies de animais e vegetais cuja reprodução sem limites seria prejudicial a outras espécies e das quais o próprio homem acabaria por ser vítima. Ele comete um ato repreensível, ao impedir essa reprodução?

Deus deu ao homem um poder sobre todos os seres vivos. Ele deve usar esse poder para o bem, mas sem abusar dele. Assim, o homem pode regular a reprodução desses seres de acordo com as necessidades, mas não deve impedir a reprodução deles sem razão.

A ação inteligente do homem é um contrapeso estabelecido por Deus para equilibrar as forças da Natureza, e é isso que o distingue dos animais, porque ele faz esse equilíbrio com conhecimento de causa.

Contudo, os próprios animais também contribuem para esse equilíbrio, pois ao utilizarem o instinto de destruição que lhes foi dado para prover a conservação da própria espécie, eles ajudam a deter o desenvolvimento excessivo e até perigoso das espécies animais e vegetais que eles utilizam para se alimentar.

694. O que devemos pensar do controle da natalidade para impedir a reprodução, visando satisfazer a sensualidade?

Esse controle visando satisfazer a sensualidade apenas comprova o predomínio do corpo sobre o Espírito e quanto o homem ainda está materializado.

CASAMENTO E CELIBATO

Observação
Celibato: É o ato de se manter solteiro; não se casar.

695. O casamento, ou melhor, a união permanente entre dois seres, é contrária à Lei da Natureza?

O casamento é um progresso na marcha da Humanidade.

696. Qual seria o efeito da abolição do casamento na sociedade humana?

O efeito seria o mesmo que retornar à vida dos animais.

Comentário de Kardec: A união livre e casual dos sexos pertence a um estado natural. O casamento é um dos primeiros atos de progresso das sociedades humanas. Ele estabelece a solidariedade fraterna e se encontra entre todos os povos, embora em condições diversas.

A abolição do casamento seria o mesmo que retornar à infância da Humanidade, e colocaria o homem até mesmo abaixo de certos animais que lhe dão o exemplo de uniões constantes.

697. A ideia de que o casamento não pode ser absolutamente dissolvido está na Lei da Natureza ou somente na Lei dos homens?

Essa ideia pertence à Lei dos homens, e é muito contrária à Lei da Natureza. Mas os homens podem modificar suas Leis; apenas as Leis da Natureza são imutáveis.

698. O celibato voluntário possui algum mérito aos olhos de Deus? Representa um estado de perfeição?

Não, e os que vivem assim, por egoísmo, além de desagradarem a Deus ainda enganam a todos.

699. O celibato voluntário não pode ser considerado um sacrifício a que alguns se submetem com a finalidade de se dedicarem mais inteiramente em servir a Humanidade?

Sacrificar-se para servir a Humanidade é muito diferente. Eu disse: por egoísmo. Todo sacrifício pessoal possui mérito quando é feito para o bem geral. Quanto maior for o sacrifício visando o bem alheio, maior será o mérito.

Comentário de Kardec: Deus não pode entrar em contradição nem achar ruim o que Ele próprio fez. Assim, não pode haver mérito na violação de Sua Lei.

Mas, se o celibato, por si mesmo, não constitui nenhum mérito aos olhos de Deus, o mesmo não se pode dizer daquele que renuncia às alegrias do convívio familiar para se sacrificar em favor da Humanidade; esse possui um valor imenso.

Todo sacrifício pessoal, visando o bem e sem o disfarce do egoísmo, eleva o homem acima de sua condição material.

POLIGAMIA

Observação

Poligamia: Casamento de um mesmo homem com várias mulheres.

700. O número aproximado que existe entre homens e mulheres é um indicativo da proporção segundo a qual eles devem se unir?

Sim, porque tudo tem uma finalidade na Natureza.

701. Qual das duas está mais de acordo com a Lei da Natureza, a poligamia ou a monogamia?

A poligamia é uma Lei dos homens, cuja abolição marca um progresso social. O casamento, aos olhos de Deus, deve ter como base a afeição dos seres que se unem. Na poligamia não existe afeição verdadeira; existe apenas sensualidade.

Comentário de Kardec: *Se a poligamia estivesse de acordo com a Lei da Natureza, ela deveria ser universal, o que seria materialmente impossível em virtude do número aproximado entre homens e mulheres.*

A poligamia, por estar presente apenas em alguns povos, deve ser considerada como uma legislação específica, apropriada a certos costumes. O próprio aperfeiçoamento social fará com que ela desapareça pouco a pouco.

CAPÍTULO 5

LEI DA CONSERVAÇÃO

- Instinto de Conservação
- Meios de Conservação
- Prazeres Terrenos
- Necessário e Supérfluo
- Privações Voluntárias – Mortificações

INSTINTO DE CONSERVAÇÃO

702. O instinto de conservação é uma Lei da Natureza?

Sem dúvida. Ele é dado a todos os seres vivos, seja qual for o grau de inteligência que possuam. Em alguns, o instinto de conservação se manifesta de forma puramente mecânica; em outros, ele é exercido com o uso do raciocínio.

703. Por que Deus concedeu o instinto de conservação a todos os seres vivos?

Porque todos devem contribuir para que os objetivos da Providência sejam cumpridos. Foi por isso que Deus deu aos seres vivos a necessidade de viver. A vida material é necessária ao aperfeiçoamento dos seres. Todos sentem esse instinto de conservação e muitos nem se apercebem disso.

MEIOS DE CONSERVAÇÃO

704. Deus, dando ao homem a necessidade de viver, sempre lhe forneceu os meios para que ele atendesse essa necessidade?

Sim, e se o homem não os encontra é porque não os compreende. Deus não poderia dar ao homem a necessidade de viver sem lhe dar também os meios para isso. Assim, faz a Terra produzir e fornecer o necessário a todos os seus habitantes, porque só o necessário é útil; o supérfluo nunca o é.

705. Por que nem sempre a terra (solo) produz o suficiente para fornecer o necessário ao homem?

O homem, por ser ingrato, descuida da terra! Apesar disso, a terra continua sendo uma excelente mãe. Muitas vezes, o homem também acusa a Natureza daquilo que só é resultado da sua própria imperícia ou imprevidência.

A terra produziria sempre o suficiente, se o homem soubesse se contentar com o necessário. Se o que a ela produz não é o suficiente para suprir todas as necessidades, é porque o homem emprega no supérfluo o que poderia ser aplicado no necessário.

Vejam o Árabe no deserto: ele sempre encontra do que viver, porque não cria para si necessidades artificiais. Mas, quando metade da produção é desperdiçada para satisfazer fantasias, terá o homem motivo para se espantar se nada encontra no dia seguinte? Terá ele motivo para se queixar quando estiver desprovido de tudo, nos dias de escassez?

Na verdade, eu posso dizer: não é a Natureza que é imprevidente, é o homem que não sabe regrar a sua vida.

706. Por "bens da Terra", devemos entender somente os produtos que provêm do solo?

O solo é a fonte principal, de onde se originam todos os outros recursos. Esses recursos são simples transformações dos produtos do solo. Por isso, é preciso entender por "bens da Terra" tudo aquilo que o homem pode desfrutar neste mundo.

707. Muitas vezes, faltam a certos indivíduos os meios de subsistência, mesmo quando cercados pela abundância. A que devemos atribuir esse fato?

Ao egoísmo dos homens, que nem sempre fazem o que devem. Jesus disse: "Busquem e vocês encontrarão"; estas palavras não querem dizer que basta olhar a terra para encontrar nela o que se deseja. Elas querem dizer que é preciso procurar com ardor e perseverança, e não com preguiça, sem se deixar desanimar frente aos obstáculos que, frequentemente, são simples meios de colocar à prova a constância, a paciência e a firmeza dos homens (ver pergunta nº534).

Comentário de Kardec: *Se a civilização multiplica as necessidades, multiplica também as oportunidades de trabalho e os meios de vida; mas é necessário admitir que, sob esse aspecto, ainda lhe resta muito a fazer. Quando a Civilização tiver realizado a sua obra, ninguém poderá dizer que lhe falta o necessário, a não ser por sua própria imprevidência.*

Muitas pessoas são infelizes porque seguem um caminho errado, que não é aquele que a Natureza lhes traçou. É então que lhes falta a inteligência para vencerem. Para todos há lugar ao Sol, mas com a condição de que cada um ocupe o seu lugar, e não o dos outros. A Natureza não pode ser responsável pelos vícios da organização social, nem pelas consequências da ambição e do amor-próprio.

Entretanto, seria preciso ser cego para não reconhecer o progresso que os povos mais adiantados têm realizado na multiplicação das oportunidades de trabalho.

Apesar do crescimento incessante das populações, a insuficiência da produção se acha atenuada, pelo menos em grande parte, graças aos louváveis esforços que a Filantropia e a Ciência, reunidas, não cessam de produzir para melhorar a condição material dos homens. Assim, os anos mais calamitosos do presente não podem ser comparados com aqueles de outrora.

A higiene pública, elemento tão essencial ao bem-estar e à saúde, desconhecida por nossos pais, é objeto de constante atenção. Hoje, o infortúnio e o sofrimento encontram lugares onde podem se refugiar. Em toda parte a Ciência contribui para aumentar o bem-estar.

Estamos dizendo que já se atingiu a perfeição? Certamente que não. Entretanto, pelo que já foi feito, podemos ter uma ideia do que o homem ainda pode fazer se tiver perseverança; se for bastante sensato para procurar a sua felicidade nas coisas positivas e sérias, e não nas ilusões que o fazem recuar ao invés de avançar.

708. Não existem situações em que os meios de subsistência independem da vontade do homem, e onde a privação daquilo que ele mais necessita é uma consequência da força dos acontecimentos?

Certamente, existem situações assim. Muitas vezes é uma prova cruel que o homem deve passar, e à qual já sabia que seria exposto, antes de reencarnar. Seu mérito consiste em se submeter à vontade de Deus, caso a sua inteligência não lhe forneça nenhum meio de sair da dificuldade.

Se a morte vier a atingi-lo, deverá se submeter a ela sem reclamar, compreendendo que a hora da verdadeira libertação chegou e que o desespero do último momento pode fazer com que ele perca o fruto de sua resignação.

709. Cometeram algum crime aqueles que, em certas situações críticas, se viram obrigados a sacrificar os seus semelhantes para se alimentarem deles? E, se houve crime, ele não fica atenuado pela necessidade de viver que resulta do instinto de conservação?

Já respondi, quando disse que há mais mérito em sofrer todas as provas da vida com coragem e renúncia. Nesse caso, há homicídio e crime contra **uma Lei da Natureza**; faltas que devem ser duplamente punidas.

Observação

Ninguém tem o direito de matar o seu semelhante, independente da desculpa que apresente para dar respaldo ao erro que cometeu. Somente Deus pode nos tirar a vida física, porque foi Ele quem nos deu.

Se a vida é "Amor", ao matarmos alguém, estamos violentando uma Lei da Natureza, no caso, a Lei do Amor. Assim, o criminoso pagará duplamente por sua falta: primeiro, pelo homicídio; segundo, por violar uma Lei Natural.

710. Nos mundos onde o corpo físico é mais aperfeiçoado, os seres vivos necessitam de alimentação?

Sim, necessitam; mas seus alimentos estão de acordo com a natureza do seu corpo físico mais aperfeiçoado. Tais alimentos não seriam bastante substanciais para o estômago grosseiro dos homens; do mesmo modo que, para eles, a alimentação humana não poderia ser digerida.

PRAZERES TERRENOS

711. O uso dos bens da Terra é um direito de todos os homens?

Esse direito é a consequência da necessidade de viver. Deus não pode impor ao homem um dever sem dar a ele os meios de cumpri-lo.

712. Com que finalidade Deus colocou o prazer como um atrativo dos bens materiais?

Com a finalidade de estimular o homem a cumprir sua missão e também para experimentá-lo por meio da tentação.

712a. Qual é o objetivo dessa tentação?

Desenvolver-lhe a razão, que deve preservá-lo dos excessos.

Comentário de Kardec: *Se o homem tivesse sido estimulado a usar os bens terrenos somente pela utilidade que eles têm, sua indiferença poderia comprometer a harmonia do Universo. Deus deu a esse uso o atrativo do prazer para que os objetivos da Providência fossem cumpridos.*

Mas, por esse mesmo prazer, Deus quer experimentar o homem através da tentação que o arrasta para o abuso, do qual sua razão deve defendê-lo.

713. A Natureza traçou limites para os prazeres?

Sim, traçou; e fez isso para indicar ao homem o limite daquilo que lhe é necessário. Mas, pelos excessos que comete, ele acaba saciado e, desse modo, pune a si mesmo.

714. O que pensar do homem que procura nos excessos de toda ordem o refinamento de seus prazeres?

Pobre criatura, que devemos lastimar e não invejar, porque está bem próximo da morte!

714a. Essa criatura está perto da morte física ou da morte moral?

De uma e de outra!

Comentário de Kardec: O homem que procura, nos excessos de toda ordem, o refinamento dos prazeres, coloca-se abaixo dos animais, porque estes sabem limitar-se à satisfação das suas necessidades.

O homem despreza a razão que Deus lhe deu por guia e, quanto maiores forem seus excessos, maior será o domínio de sua natureza animal sobre a sua natureza espiritual. As doenças, a decadência e a morte prematura resultante dos excessos são apenas a punição pela violação da Lei de Deus.

NECESSÁRIO E SUPÉRFLUO

715. Como o homem pode conhecer o limite do necessário?

Aquele que é sábio conhece esse limite por intuição. Muitos apenas conhecem o limite do necessário à custa de suas próprias experiências.

716. A Natureza não traçou o limite do necessário em nosso próprio organismo físico?

Sim, mas o homem é insaciável. A Natureza traçou o limite das necessidades no próprio organismo do homem, mas os vícios lhe alteraram a constituição e criaram para ele necessidades que não são reais.

717. O que pensar dos que se apropriam dos bens da Terra para obter o supérfluo, prejudicando aqueles a quem falta o necessário?

Essas pessoas desconhecem a Lei de Deus e responderão pelas privações que fizeram os outros sofrerem.

Comentário de Kardec: Não existe um limite definido claramente entre o que é supérfluo e o que é necessário. A Civilização criou necessidades que o Selvagem desconhece, e os Espíritos que ditaram esses princípios não pretendem que o homem civilizado viva como o Selvagem.

Tudo é relativo, e cabe à razão colocar cada coisa no seu devido lugar. A Civilização desenvolve o senso moral e, ao mesmo tempo, o sentimento de caridade que leva os homens a se ajudarem uns aos outros. Aqueles que vivem à custa das privações alheias exploram, em proveito próprio, os benefícios que a Civilização oferece.

Essas pessoas possuem da Civilização apenas o que ela tem de superficial, assim como existem pessoas que possuem da religião apenas a aparência.

PRIVAÇÕES VOLUNTÁRIAS – MORTIFICAÇÕES _____

718. A Lei da conservação obriga o homem a prover as necessidades do corpo?

Sim; sem força e sem a saúde, o trabalho é impossível.

719. O homem que procura o seu bem-estar deve ser censurado?

O bem-estar é um desejo natural. Deus só proíbe o abuso por ser contrário à Lei da Conservação. Assim, Deus não condena a procura pelo bem-estar, desde que ele não seja conseguido à custa de outras pessoas, nem venha enfraquecer as forças físicas e morais do homem.

720. As privações voluntárias, que visam uma expiação também voluntária, possuem algum mérito aos olhos de Deus?

Quanto mais o homem fizer o bem aos outros, maior mérito ele terá.

720a. Existem privações voluntárias que sejam meritórias?

Sim, a privação dos prazeres inúteis, porque liberta o homem da matéria e eleva sua alma. O mérito está em resistir à tentação que convida aos excessos ou ao prazer das coisas inúteis.

A privação voluntária é meritória quando o homem tira do que lhe é necessário para dar aos que não têm o suficiente. Se a privação é apenas um fingimento, ela torna-se uma falsidade.

721. A vida de mortificações contemplativas, praticada pelos devotos e pelos místicos, desde a mais remota Antiguidade e por diferentes povos, é meritória sob algum ponto de vista?

Perguntem a quem ela serve e terão a resposta. Se ela serve apenas para aquele que a pratica, e isso o impede de fazer o bem, é uma ação puramente egoísta, seja qual for o pretexto sob o qual se disfarce. A caridade cristã ensina que a verdadeira mortificação consiste em privar-se a si mesmo e trabalhar pelos outros.

Observação

Mortificação: Sofrimento, privação voluntária imposta ao corpo físico e à mente, com o objetivo de moderar os apetites inferiores e dominar os sentidos do corpo. Na Antiguidade, era utilizado, erroneamente, sob o pretexto de elevação espiritual.

722. A abstenção de certos alimentos, prescrita por diversos povos, está amparada na razão?

Todo alimento é permitido ao homem, desde que não lhe prejudique a saúde. Entretanto, alguns legisladores, com uma finalidade útil, tiveram que proibir certos alimentos e, para dar maior autoridade às suas Leis, apresentaram-nas como vindas de Deus.

723. O homem, ao se alimentar do animal, contraria a Lei da Natureza?

Na constituição física do homem, a carne alimenta a carne, pois, do contrário, o homem enfraquece. A Lei de Conservação cria, para o homem, o dever de preservar as suas forças e a sua saúde para cumprir a Lei do Trabalho. Assim, ele deve alimentar-se conforme as necessidades do seu organismo.

724. Abster-se da alimentação animal ou de qualquer outra, como expiação, possui algum mérito?

Sim, se o homem se privar desses alimentos em benefício dos outros. Para Deus, só existe a privação que é verdadeira e útil. Foi por isso que dissemos que aqueles que se privam de alguma coisa, apenas na aparência, são falsos (ver pergunta nº 720).

725. Que pensar das mutilações praticadas no corpo do homem ou dos animais?

Por que semelhante pergunta? Vocês estão sempre perguntando se uma coisa é útil. Aquilo que é "inútil" não pode agradar a Deus, e o que é prejudicial sempre Lhe é desagradável.

Deus apenas é sensível aos sentimentos que elevam a alma até Ele. E é praticando a Sua Lei, que o homem poderá se libertar do domínio que a matéria terrestre exerce sobre ele, e não violando-a.

726. Se os sofrimentos deste mundo nos elevam, pela maneira como os suportamos, poderão nos elevar também aqueles que criarmos voluntariamente?

Os únicos sofrimentos que elevam são os sofrimentos naturais, porque eles vêm de Deus. Os sofrimentos voluntários não possuem serventia, pois não contribuem para o bem dos outros.

Será que alguém acredita que se adiantam, no caminho do progresso, aqueles que abreviam a própria vida, se impondo rigores sobre-humanos, como fazem os **bonzos**, os **faquires** e alguns fanáticos de certas seitas? Por que eles não trabalham, antes, pelo bem de seus semelhantes, ao invés de se imporem tais rigores?

Que eles vistam o indigente; que consolem aquele que chora; que trabalhem por aquele que está enfermo; que eles sofram privações para o alívio dos infelizes e, então, suas vidas serão úteis e agradáveis a Deus.

Quando, nos sofrimentos voluntários que enfrenta, o homem só pensa em si mesmo, é egoísmo; quando sofre pelos outros, é caridade: estes são os princípios do Cristo.

Observação

Bonzos: Monges do Budismo que praticam martírios e suplícios.

Faquires: Praticam jejuns ou mutilações pelo corpo. Exibem-se em público para mostrar que são insensíveis à dor e que possuem domínio sobre o próprio corpo.

727. Se não devemos criar sofrimentos voluntários, que não tenham nenhuma utilidade para os outros, devemos procurar nos preservar daqueles sofrimentos que conseguimos prever ou daqueles que nos ameaçam?

O instinto de conservação foi dado a todos os seres contra os perigos e os sofrimentos. O homem deve castigar o seu Espírito, e não o seu corpo; deve castigar o seu orgulho; deve sufocar o seu egoísmo, que se assemelha a uma serpente a roer o seu coração, e fará muito mais pelo seu adiantamento do que impondo-se rigores que já não são deste século.

CAPÍTULO 6

LEI DA DESTRUIÇÃO

- **Destruição Necessária e Destruição Abusiva**
- **Flagelos Destruidores**
- **Guerras**
- **Assassinato**
- **Crueldade**
- **Duelo**
- **Pena de Morte**

DESTRUIÇÃO NECESSÁRIA E DESTRUIÇÃO ABUSIVA

728. A destruição é uma Lei da Natureza?

É preciso que tudo se destrua para renascer e se regenerar. O que o homem chama de destruição não passa de uma transformação que tem por finalidade a renovação e o melhoramento dos seres vivos.

728a. Deus teria dado aos seres vivos o instinto de destruição com alguma finalidade?

As criaturas de Deus são os instrumentos de que Ele se serve para alcançar os Seus objetivos. Para se alimentar, os seres vivos se destroem uns aos outros, com duplo objetivo: primeiro, manter o equilíbrio na reprodução, que poderia se tornar excessiva; segundo, utilizar os restos do corpo físico que sobraram após a morte.

Apenas o corpo físico é destruído, porque ele é um simples acessório, e não a parte essencial do ser pensante. O princípio inteligente, que é a parte essencial do ser pensante, é indestrutível, e se elabora nas diversas **metamorfoses** por que passa ao longo das existências.

Observação

Metamorfose: Mudança, transformação, alteração, troca de forma.

729. Se a destruição dos seres é necessária para que aconteça a sua regeneração, por que a Natureza os cerca com meios de preservação e de conservação?

É para evitar que a destruição se dê antes do tempo necessário. Toda destruição antecipada dificulta o desenvolvimento do princípio inteligente. Foi por isso que Deus concedeu, a cada ser, a necessidade de viver e de se reproduzir.

730. Se a morte nos conduz a uma vida melhor e nos livra dos males deste mundo, ela deveria ser mais desejada do que temida. Por que, então, o homem tem por ela um horror instintivo, que o faz ficar apreensivo?

Já dissemos que o homem deve procurar prolongar sua vida para cumprir a sua tarefa. Foi por isso que Deus lhe deu o instinto de conservação que o sustenta nas provas. Sem ele, o homem se entregaria ao desânimo com muito mais frequência.

A voz secreta que o faz temer a morte lhe diz que ele ainda pode fazer alguma coisa pelo seu progresso. Quando um perigo o ameaça, isto é uma advertência para que aproveite o tempo que Deus lhe concede. Mas o homem, ingrato como é, agradece mais vezes à sua "boa estrela" do que ao seu Criador!

731. Por que, ao lado dos meios de conservação, a Natureza colocou também os agentes destruidores?

É o remédio ao lado do mal. Já dissemos: os meios de conservação foram colocados ao lado dos agentes destruidores para manter o equilíbrio e servir de contrapeso.

732. A necessidade de destruição é a mesma em todos os mundos?

A necessidade de destruição é proporcional ao estado mais ou menos material dos mundos. Ela cessa quando o estado físico e moral estão mais depurados. Nos mundos mais avançados que a Terra, as condições de existência são completamente diferentes.

733. A necessidade de destruição sempre existirá entre os homens na Terra?

A necessidade de destruição diminui no homem à medida que o Espírito se sobrepõe a matéria. É por isso que o horror à destruição cresce com o desenvolvimento intelectual e moral dos indivíduos.

734. Em seu estado atual, o homem tem direito ilimitado de matar os animais?

Esse direito é regulado pela necessidade que o homem tem de assegurar a sua alimentação e a sua segurança. O abuso nunca foi um direito.

735. O que se deve pensar da destruição que ultrapassa os limites das necessidades e da segurança? Da caça, por exemplo, que tem por objetivo apenas o prazer de destruir sem utilidade?

Destruir sem um objetivo útil caracteriza a predominância dos maus instintos sobre a natureza espiritual. Toda destruição que ultrapassa os limites da necessidade é uma violação da Lei de Deus. Os animais apenas matam para satisfazer suas necessidades; mas o homem, que é dotado de livre-arbítrio, destrói sem necessidade. Ele deverá prestar contas do abuso da liberdade que lhe foi concedida, porque, nesse caso, o homem cede aos maus instintos.

736. Os povos que são excessivamente escrupulosos em relação à destruição dos animais possuem algum mérito especial?

Esse sentimento, embora louvável em si mesmo, torna-se abusivo quando praticado em excesso. Seu mérito é neutralizado por abusos de outros tipos. Entre esses povos, existe mais temor supersticioso do que verdadeira bondade.

FLAGELOS DESTRUIDORES

737. Com que objetivo Deus permite que os flagelos destruidores atinjam a Humanidade?

Com o objetivo de fazer a Humanidade progredir mais depressa. Já não dissemos que a destruição é necessária para a regeneração moral dos Espíritos, que em cada nova existência sobem mais um degrau rumo à perfeição?

É necessário ver com que objetivo alguma coisa é realizada para avaliar os seus resultados. O homem julga esses acontecimentos apenas do ponto de vista pessoal, e dá a eles o nome de "flagelo", em virtude do prejuízo que causam.

Muitas vezes, esses transtornos são necessários para que as coisas cheguem mais rapidamente a uma situação melhor, e para que se realize, em alguns anos, aquilo que exigiria séculos (ver pergunta nº 744).

738. Deus não poderia empregar outros meios para melhorar a Humanidade, em vez dos flagelos destruidores?

Sim, e Ele os emprega todos os dias, uma vez que tem dado a cada um os meios de progredir pelo conhecimento do bem e do mal. Entretanto, é o próprio homem que não se aproveita desses meios para progredir. Assim, é preciso que ele seja castigado em seu orgulho e sinta a sua própria fraqueza.

738a. Mas, nesses flagelos, morre tanto o homem de bem como o homem mau; isso é justo?

Durante a vida, o homem relaciona tudo ao seu corpo físico; mas, após a morte, ele pensa de modo diferente. Como já dissemos, a vida do corpo é bem pouca coisa.

Um século na Terra é um relâmpago na eternidade. Portanto, os sofrimentos de alguns meses ou de alguns dias nada representam; é apenas um ensinamento que servirá para o futuro.

Os Espíritos, que preexistem e sobrevivem a tudo, constituem o mundo real (ver pergunta nº 85). São esses os filhos de Deus e o objeto de toda a Sua atenção. Os corpos físicos não passam de trajes com os quais esses Espíritos aparecem no mundo.

Nas grandes calamidades que dizimam os homens, o cenário é semelhante ao de um exército em que os soldados, durante a guerra, ficam com seus uniformes estragados, rasgados ou perdidos. O general se preocupa mais com os seus soldados do que com os seus uniformes.

738b. Mas nem por isso as vítimas desses flagelos deixam de ser vítimas. Não é assim?

Se o homem considerasse a vida como de fato ela é, e o quanto é insignificante em relação ao infinito, não lhe daria tanta importância. Essas vítimas encontrarão, em outra existência, uma grande compensação aos seus sofrimentos, se souberem suportá-los sem se lamentar.

Comentário de Kardec: A morte pode vir por um flagelo ou por uma causa comum, mas ninguém deixará de morrer quando chegar a sua hora. A única diferença é que, em caso de flagelo, morrem um número maior de pessoas ao mesmo tempo.

Se pudéssemos nos elevar pelo pensamento, de maneira a abranger toda a Humanidade numa visão única, esses flagelos tão terríveis não nos pareceriam mais do que tempestades passageiras no destino do mundo.

739. Além dos males que causam, os flagelos destruidores têm alguma utilidade do ponto de vista físico?

Certamente, algumas vezes eles modificam as condições de toda uma região; mas o bem que deles resulta só é percebido pelas gerações futuras.

740. Para o homem, os flagelos não seriam também provações morais, submetendo-os às mais aflitivas necessidades?

Os flagelos são provas que dão ao homem a oportunidade de exercitar a sua inteligência e mostrar a sua paciência e resignação à vontade de Deus. Também lhe permitem desenvolver os sentimentos de abnegação, desinteresse e amor ao próximo, se ele não estiver dominado pelo egoísmo.

741. É permitido ao homem evitar os flagelos que o afligem?

Em parte, sim; mas não como geralmente se imagina. Muitos flagelos resultam da imprevidência do próprio homem. À medida que ele adquire conhecimentos e experiência, poderá preveni-los se souber procurar suas causas.

Mas, entre os males que afligem a Humanidade, existem aqueles de caráter geral, que fazem parte da vontade de Deus, e dos quais cada indivíduo recebe, em maior ou menor grau, o impacto. Sobre esse tipo de flagelo, o homem nada pode fazer, cabendo-lhe apenas submeter-se à vontade de Deus. Além disso, muitas vezes, esses males são agravados pela sua própria negligência.

Comentário de Kardec: Entre os flagelos destruidores naturais e que não dependem do homem, devem ser colocados em primeiro lugar: a peste, a fome, as inundações e as intempéries que impedem a Terra de produzir alimentos.

Mas não tem o homem encontrado, na Ciência, nos trabalhos de arte, no aperfeiçoamento da agricultura, na rotação das culturas, nas irrigações, no estudo das condições de higiene, os meios de neutralizar ou, pelo menos, atenuar esses desastres?

Algumas regiões, que no passado foram devastadas por terríveis flagelos, não estão preservadas hoje? Portanto, o que não fará o homem pelo seu bem-estar material, quando souber aproveitar todos os recursos da sua inteligência e quando, aos cuidados da sua conservação pessoal, souber aliar o sentimento da verdadeira caridade para com os seus semelhantes?

GUERRAS

742. Qual é a causa que leva o homem à guerra?

A causa é a satisfação das paixões e a predominância da natureza animal sobre a natureza espiritual. No estado de barbárie, os povos conhecem apenas o direito do mais forte; é por isso que, para eles, a guerra é um estado normal. À medida que o homem progride, a guerra se torna menos frequente, porque ele evita suas causas. Quando a julga necessária, sabe aliar seu modo de agir ao sentimento de humanidade.

743. A guerra desaparecerá um dia da face da Terra?

Sim, quando os homens compreenderem a justiça e praticarem a Lei de Deus. Nessa época, todos os povos serão irmãos.

744. Qual foi o objetivo de Deus em tornar a guerra necessária?

Os objetivos foram a liberdade e o progresso.

744a. Se a guerra tem por objetivo conduzir os povos à liberdade, como se explica que ela tenha, frequentemente, por objetivo e por resultado, a escravidão?

A escravidão é temporária, e tem por finalidade oprimir os povos, fazendo com que eles progridam mais rapidamente.

745. O que pensar daquele que provoca a guerra em seu benefício?

Esse, sem dúvida, é o verdadeiro culpado, e precisará de muitas existências para expiar todas as mortes que causou. Ele responderá por todos os homens que morreram para satisfazer a sua ambição.

ASSASSINATO

746. O assassinato é um crime aos olhos de Deus?

Sim, é um grande crime, porque aquele que tira a vida do seu semelhante interrompe uma vida de expiação ou de missão, e aí está o mal.

747. O assassinato tem sempre o mesmo grau de culpabilidade?

Conforme já dissemos: Deus é justo e julga mais a intenção do que o fato em si.

Observação

Todo o assassino responderá pelo crime que cometeu. A escala de culpabilidade é muito ampla e matar é sempre uma falta grave. Apenas Deus, que nos deu a vida, pode tirá-la quando achar conveniente.

Não devemos esquecer, também, que existem muitos meios de assassinar, principalmente os que vão matando as criaturas de forma lenta e gradual (O Livro dos Espíritos comentado – Espírito Miramez).

748. Deus desculpa o assassinato que é cometido em caso de legítima defesa?

Apenas a necessidade pode desculpar o assassino. Mas se o agredido puder defender a sua própria vida sem atentar contra a vida do agressor, deve fazê-lo.

Observação

Não devemos confundir a Lei de Deus com as Leis dos homens, pois na Lei de Deus não existe legítima defesa. Este foi um recurso criado pelo homem para atenuar seus crimes. Não existe razão alguma que sirva como justificativa para se tirar a vida de alguém. Mesmo ameaçado pelos criminosos, existem muitos meios de defesa.

O correto não é revidar ao agressor; ele está sendo instrumento da cobrança de algo que já foi realizado por nós. Não devemos nos nivelar a ele para não nos tornarmos também um agressor. A legítima defesa somente pode ser expressa em forma de amor e com Deus no coração. Não nos é permitido fazer justiça com as próprias mãos. Devemos fazer de tudo para evitar que as nossas mãos fiquem manchadas com o sangue do nosso irmão.

O verdadeiro amor, ensinado por Jesus, é o caminho que devemos seguir para evitar que a justiça Divina nos alcance. (O Livro dos Espíritos comentado – Espírito Miramez)

749. O homem é culpado pelos assassinatos que comete durante a guerra?

Não, quando ele é constrangido pela força; mas é culpado pelas crueldades que comete, assim como será levado em conta o seu sentimento humanitário.

750. Qual é o mais culpado aos olhos de Deus: aquele que mata um pai, ou aquele que mata uma criança?

Os dois são igualmente culpados, porque todo crime é crime.

751. Como se explica que entre alguns povos, já adiantados sob o ponto de vista intelectual, a morte de crianças seja um costume consagrado pela legislação?

O desenvolvimento intelectual não leva necessariamente à prática do bem. O Espírito que é superior em inteligência também pode ser em maldade. É aquela criatura que viveu muito sem se melhorar; ela apenas tem conhecimento, mas não o pratica.

Observação

Nos dia de hoje, sob o nome de aborto legal, a morte de crianças é permitida por Lei, mesmo entre povos intelectualmente desenvolvidos. Em tempos remotos, as crianças eram sacrificadas em nome de deuses pagãos, por influência de Espíritos inferiores que se utilizavam de homens distanciados do amor.

Jesus, para desfazer essa prática, utilizou a criança como símbolo da doçura e do amor quando disse: "Deixem que venham a mim as criancinhas, não as impeçam, pois o Reino dos Céus é para aqueles que a elas se assemelham". (O Livro dos Espíritos comentado – Espírito Miramez).

CRUELDADE

752. Podemos associar o sentimento de crueldade ao instinto de destruição?

O sentimento de crueldade é o instinto de destruição naquilo que ele tem de pior, porque, se algumas vezes a destruição é uma necessidade, a crueldade jamais o é. Ela sempre é o resultado de uma natureza má.

753. Por que a crueldade é a característica dominante dos povos primitivos?

Entre os povos primitivos, a matéria predomina sobre o Espírito. Eles se entregam aos instintos animais, e como não têm outras necessidades além de cuidar do corpo físico, cuidam apenas da conservação pessoal, sendo isso o que geralmente os torna cruéis.

Além disso, os povos cujo desenvolvimento é imperfeito estão sob o domínio de Espíritos igualmente imperfeitos, com quem possuem afinidade. Eles permanecem assim até que povos mais adiantados venham destruir ou enfraquecer a influência desses Espíritos pouco desenvolvidos.

754. A crueldade não é o resultado da ausência do senso moral?

Podemos dizer que o senso moral não está desenvolvido, mas não podemos dizer que ele esteja ausente, porque ele existe, em princípio, em todos os homens. É o senso moral que fará com que os homens cruéis, mais adiante, se tornem seres bons e humanos.

Portanto, o senso moral existe também no homem selvagem, embora ainda não tenha se manifestado, assim como o princípio do perfume existe no embrião da flor que ainda não desabrochou.

Comentário de Kardec: Todas as faculdades existem no homem em estado rudimentar ou latente. Elas se desenvolvem conforme as circunstâncias lhes sejam mais ou menos favoráveis. O desenvolvimento excessivo de uma faculdade cessa ou neutraliza o desenvolvimento de outras.

Os instintos materiais, quando muito excitados, abafam, por assim dizer, o senso moral, assim como o desenvolvimento do senso moral enfraquece, pouco a pouco, as faculdades puramente animais.

755. Como se explica que no seio da civilização mais adiantada, às vezes, se encontrem seres tão cruéis quanto os selvagens?

Do mesmo modo que numa árvore carregada de bons frutos se encontram, também, frutos estragados. Esses frutos, se quiserem, são como os selvagens, que da civilização têm apenas a aparência; são lobos perdidos em meio às ovelhas.

Espíritos de um grau inferior e muito atrasados podem encarnar entre homens adiantados, na esperança de também se adiantarem; mas, se a prova é muito pesada, a natureza primitiva prevalece.

756. No futuro, a sociedade dos homens de bem estará livre dos malfeitores?

A Humanidade está em permanente progresso. Esses homens dominados pelo instinto do mal, e que estão deslocados entre as pessoas de bem, desaparecerão pouco a pouco, assim como o grão estragado é separado do bom depois de peneirado.

Eles renascerão em outros corpos físicos e, como terão mais experiência, compreenderão melhor a diferença entre o bem e o mal. O homem tem um exemplo disso nas plantas e nos animais que ele conseguiu aperfeiçoar, desenvolvendo neles qualidades novas. Somente após muitas gerações é que o aperfeiçoamento se torna completo. Esse quadro é a imagem das diversas existências do homem.

DUELO

757. O duelo pode ser considerado como um caso de legítima defesa?

Não; o duelo é um assassinato e um costume absurdo, digno dos bárbaros. Com uma civilização mais adiantada e mais moralizada, o homem compreenderá que o duelo é tão ridículo quanto os combates que antigamente eram considerados como "o julgamento de Deus".

758. O duelo pode ser considerado um suicídio por parte daquele que, conhecendo a sua própria fraqueza, tem quase certeza de que vai morrer?

Sim, é um suicídio.

758a. E quando as chances são iguais, o duelo é um assassinato ou um suicídio?

É as duas coisas.

Comentário de Kardec: Em todos os casos, mesmo naqueles em que as chances são iguais, o duelista sempre é culpado. Primeiro, porque atenta friamente e de propósito deliberado contra a vida de seu semelhante; segundo, porque expõe a sua própria vida, inutilmente e sem proveito para ninguém.

759. Em matéria de duelo, qual é o valor daquilo que se chama "ponto de honra"?

Orgulho e vaidade: as duas chagas da Humanidade.

759a. Mas não há casos em que a honra se acha verdadeiramente comprometida, e que a recusa seria uma covardia?

Isso depende dos costumes. Cada país e cada século tem a esse respeito uma visão diferente. Quando os homens forem melhores e moralmente mais adiantados, compreenderão que o verdadeiro ponto de honra está acima das paixões terrenas, e que não é matando nem se deixando matar que se repara um erro.

Comentário de Kardec: Sempre existe mais grandeza e verdadeira honra em reconhecer a culpa, quando cometemos um erro, ou em perdoar, quando a razão está do nosso lado. Mas, em todos os casos, também existe grandeza em desprezar os insultos que não nos podem atingir.

PENA DE MORTE

760. A pena de morte desaparecerá algum dia da legislação humana?

A pena de morte desaparecerá incontestavelmente, e o seu desaparecimento representará um progresso para a Humanidade. Quando os homens estiverem mais esclarecidos, a pena de morte será completamente abolida da Terra. Os homens não terão mais necessidade de serem julgados pelos próprios homens. Falo de uma época que ainda está muito distante da época atual.

Comentário de Kardec: Sem dúvida, o progresso social ainda deixa muito a desejar. Mas seríamos injustos para com a sociedade moderna se não víssemos, entre os povos mais avançados, um progresso nas restrições impostas à pena de morte. Hoje em dia, a sua aplicação também está limitada à natureza dos crimes.

Se compararmos as garantias com que a justiça procura cercar o acusado, a humanidade com que ele é tratado, mesmo quando o reconhece culpado, com o que se praticava em tempos que ainda não vão muito longe, não poderemos deixar de reconhecer o caminho progressivo pelo qual a Humanidade avança.

761. A Lei de Conservação dá ao homem o direito de preservar sua própria vida. Ao eliminar da sociedade um membro perigoso, não está ele usando desse direito?

Existem outros meios pelos quais o homem pode se preservar do perigo, sem precisar matar. Aliás, é preciso abrir ao criminoso a porta do arrependimento, e não fechá-la.

762. Embora possa ser banida das sociedades civilizadas, a pena de morte não terá sido uma necessidade em tempos mais atrasados?

Necessidade não é o termo mais adequado. O homem sempre julga uma coisa necessária quando não encontra outra melhor. Mas, à medida que se esclarece, ele compreende mais acertadamente o que é justo e o que é injusto, e repudia os excessos cometidos nos tempos de ignorância, em nome da justiça.

763. A restrição dos casos em que a pena de morte é aplicada não é um indício de progresso da Civilização?

Será que alguém pode duvidar disso? Seu Espírito não se revolta ao ler a narrativa das carnificinas humanas que se faziam antigamente em nome da justiça, e muitas vezes para honrar a Divindade? Também não eram revoltantes as torturas cruéis que sofria o condenado, e mesmo o simples acusado, para lhe arrancar, por meio de sofrimentos atrozes, a confissão de um crime que muitas vezes ele não havia cometido?

Os homens que viviam naqueles tempos achavam tudo isso muito natural, e se tivessem sido juízes, teriam agido da mesma forma. Assim, o que parecia justo em uma época, parece bárbaro em outra. Apenas as Leis de Deus são eternas; as Leis humanas modificam-se com o progresso e continuarão a mudar, até que entrem em harmonia com as Leis Divinas.

764. Jesus disse: "Quem matou com a espada, pela espada morrerá". Essas palavras não consagram a "pena de talião", e a morte imposta ao assassino não é uma aplicação dessa pena?

Tenham cuidado! Os homens têm se enganado muito a respeito dessas palavras, assim como sobre muitas outras. A pena de talião é a justiça de Deus; é Ele quem a aplica. Todos sofrem essa pena a cada instante, porque são punidos naquilo em que erraram, nesta vida ou em outra.

Aquele que fez sofrer os seus semelhantes sofrerá, ele mesmo, o que impôs aos outros. Este é o significado das palavras de Jesus. Mas ele também não disse "Perdoem os seus inimigos"? E também não ensinou que devem pedir a Deus que perdoe suas ofensas conforme vocês mesmo têm perdoado, ou seja, na mesma proporção em que houverem perdoado? Isso deve ficar bem compreendido.

Observação

Pena de Talião: Punição utilizada na Antiguidade, e que mandava impor ao infrator o mesmo mal que ele havia praticado.

765. O que pensar da pena de morte aplicada em nome de Deus?

Isso é o mesmo que tomar o lugar de Deus na aplicação da justiça. Os que agem assim estão longe de compreender Deus, e ainda têm muito a expiar. A pena de morte é um crime quando aplicada em nome de Deus, e aqueles que a impõem serão responsabilizados por assassinato.

CAPÍTULO 7

LEI DA SOCIEDADE

- • NECESSIDADE DA VIDA SOCIAL
- • VIDA DE ISOLAMENTO – VOTO DE SILÊNCIO
- • LAÇOS DE FAMÍLIA

NECESSIDADE DA VIDA SOCIAL

766. A vida social faz parte da Natureza?

Certamente. Deus fez o homem para viver em sociedade. Não lhe deu a "palavra" e todas as outras faculdades necessárias ao relacionamento inutilmente.

767. O isolamento absoluto é contrário à Lei da Natureza?

Sim, pois os homens buscam, por instinto, o convívio social, e todos devem contribuir para o progresso, ajudando-se mutuamente.

768. O homem, ao buscar conviver em sociedade, obedece apenas a um sentimento pessoal ou há, nesse sentimento, um objetivo mais amplo, proveniente de Deus?

O homem deve progredir, mas não pode fazer isso sozinho porque não dispõe de todas as faculdades; eis porque precisa se relacionar com os outros homens. No isolamento, ele embrutece e se enfraquece.

Comentário de Kardec: Nenhum homem possui todas as faculdades. Através das relações sociais, eles se completam mutuamente, asseguram o seu bem-estar e progridem. Por terem necessidade uns dos outros é que os homens foram feitos para viver em sociedade, e não isolados.

VIDA DE ISOLAMENTO – VOTO DE SILÊNCIO ⎯⎯⎯⎯⎯⎯

769. Como princípio geral, é compreensível que a vida social faça parte da Natureza. Mas como todos os gostos também fazem parte da Natureza, por que o gosto pelo isolamento absoluto seria condenável, se nele o homem encontra a sua satisfação?

O isolamento absoluto é condenável porque o homem encontra nele a satisfação do egoísta. Também há homens que encontram satisfação em se embriagar; será que isso merece aprovação? Não pode ser agradável a Deus uma vida em que o homem se condena a não ser útil a ninguém.

770. O que pensar dos homens que vivem em reclusão absoluta para fugir ao contato nocivo do mundo?

Nesse caso, é duplo egoísmo.

770a. Mas se o objetivo dessa reclusão for uma expiação, ela não será meritória, uma vez que o homem, nessa clausura, se impõe uma privação dolorosa?

A melhor expiação é fazer mais o bem do que o mal. Para evitar um mal, vivendo uma vida de reclusão, o homem cai em outro, pois esquece a Lei do Amor e da Caridade.

771. O que pensar das pessoas que se afastam do mundo para se dedicar ao alívio dos infelizes?

Ao se rebaixar, essas pessoas se elevam. O mérito delas é duplo, pois se colocam acima dos prazeres materiais e ainda fazem o bem, cumprindo a Lei do Trabalho.

771a. O que pensar também das pessoas que procuram no "retiro" a tranquilidade necessária para a realização de certos trabalhos?

Esse retiro não é absolutamente o retiro do egoísta. Essas pessoas não se isolam da sociedade, uma vez que trabalham para ela.

772. Como devemos entender o "voto de silêncio" prescrito por algumas seitas desde a mais remota Antiguidade?

Perguntem antes se a "palavra" é um dom natural, e por que Deus a concedeu ao homem. Deus condena o abuso e não o uso das faculdades que lhe conferiu. Entretanto, o silêncio é útil, pois o Espírito se recolhe, torna-se mais livre e pode entrar em comunicação conosco. Mas o voto de silêncio é uma tolice.

Não duvidamos que ajam com boa intenção aqueles que consideram essas privações voluntárias como atos de virtude, mas eles se enganam, porque não compreendem suficientemente as verdadeiras Leis de Deus.

Comentário de Kardec: *O voto de silêncio absoluto, do mesmo modo que o voto de isolamento, priva o homem das relações sociais que podem proporcionar a ele as ocasiões de fazer o bem e de cumprir a Lei do Progresso.*

LAÇOS DE FAMÍLIA

773. Por que razão, entre os animais, os pais e os filhos deixam de se reconhecer assim que os filhos não necessitam mais de cuidados?

Isso acontece porque os animais vivem a vida material e não a vida moral. A ternura da mãe pelos filhotes tem origem no instinto de conservação dos seres que ela deu à luz. Quando esses seres podem cuidar de si mesmos, sua tarefa está concluída, e a Natureza nada mais lhe exige. Por isso, ela os abandona para se ocupar com os recém-chegados.

774. Pelo fato dos animais abandonarem suas crias, há pessoas que entendem que os laços de família são apenas o resultado dos costumes sociais, e não de uma Lei da Natureza. O que devemos pensar a esse respeito?

O homem tem um destino diferente do destino dos animais; por que, então, querer sempre se assemelhar a eles? No homem, além das necessidades físicas, existe também a necessidade de progredir. Os laços sociais são necessários ao progresso, e os laços de família estreitam os laços sociais. É por isso que os laços de família são uma Lei da Natureza. Dessa forma, Deus quer que os homens aprendam a se amar como irmãos (ver pergunta nº 205).

775. Qual seria, para a sociedade, o resultado do enfraquecimento dos laços de família?

O aumento do egoísmo.

CAPÍTULO 8

LEI DO PROGRESSO

- ESTADO NATURAL
- MARCHA DO PROGRESSO
- POVOS DEGENERADOS
- CIVILIZAÇÃO
- PROGRESSO DA LEGISLAÇÃO HUMANA
- INFLUÊNCIA DO ESPIRITISMO NO PROGRESSO

ESTADO NATURAL

776. O estado natural e a Lei da Natureza são a mesma coisa?

Não; o *estado natural* é o estado primitivo. A civilização é incompatível com o estado primitivo, enquanto que a *Lei da Natureza* contribui para o progresso da Humanidade.

Comentário de Kardec: O estado natural é a infância da Humanidade e o ponto de partida do seu desenvolvimento intelectual e moral. O homem – sendo perfectível, isto é, podendo se aperfeiçoar, e tendo em si o princípio do seu aperfeiçoamento – não está destinado a viver para sempre no estado primitivo, como também não está destinado a viver perpetuamente na infância da vida física.

O estado natural é um estado transitório, e o homem liberta-se dele pelo progresso da Civilização. A Lei da Natureza, ao contrário, rege a Humanidade inteira, e o homem se aperfeiçoa à medida que melhor compreende e melhor pratica essa Lei.

777. No estado natural, que é o estado primitivo, o homem, por ter menos necessidades, não possui todos os problemas que cria para si mesmo num estado mais avançado; o que pensar da opinião dos que consideram o estado primitivo como o da mais perfeita felicidade sobre a Terra?

A felicidade no estado primitivo é a felicidade do bruto. Existem pessoas que não compreendem outro tipo de felicidade. Isso é o mesmo que ser feliz à maneira dos animais. As crianças também são mais felizes que os adultos.

778. O homem pode regredir ao estado natural, ou melhor, ao estado primitivo?

Não; o homem deve progredir sempre e não pode retornar à infância. Ele progride porque essa é a vontade de Deus. Pensar que ele possa retornar à sua condição primitiva seria negar a Lei do Progresso.

MARCHA DO PROGRESSO

779. O homem traz em si mesmo a força para progredir ou o progresso é apenas fruto de um ensinamento?

O homem progride naturalmente usando suas próprias forças; mas nem todos progridem ao mesmo tempo e do mesmo modo. Assim, através do contato social, os mais adiantados auxiliam o progresso outros.

780. O progresso moral acompanha sempre o progresso intelectual?

O progresso moral é a consequência do progresso intelectual. Mas nem sempre o segue imediatamente (ver perguntas nº 192 e 365).

780a. Como o progresso intelectual pode conduzir o homem ao progresso moral?

O progresso intelectual conduz ao progresso moral pela compreensão do que é o bem e do que é o mal; o homem, então, pode escolher. O desenvolvimento do livre-arbítrio acompanha o desenvolvimento da inteligência e aumenta a responsabilidade do homem por seus atos.

780b. Então, como explicar que os povos mais esclarecidos sejam, muitas vezes, os mais pervertidos?

O progresso completo é o objetivo dos povos e dos indivíduos, mas eles só o alcançam passo a passo. Assim, enquanto o senso moral não estiver plenamente desenvolvido, eles podem até mesmo utilizar da sua inteligência para fazer o mal. A moral e a inteligência são duas forças que só se equilibram com o tempo (ver perguntas nº 365 e 751).

781. É permitido ao homem deter a marcha do progresso?

Deter, não; mas pode entravá-la algumas vezes.

781a. O que pensar dos homens que tentam deter a marcha do progresso e fazer com que a Humanidade retroceda?

Pobres seres que Deus castigará. Serão arrastados pela própria correnteza que procuram deter.

Comentário de Kardec: O progresso é uma condição da natureza humana e ninguém tem o poder de se opor a ele. O progresso é uma força viva, que as Leis maldosas até podem retardar, mas não podem obstruir.

Quando essas Leis se tornam incompatíveis com o progresso, ele as destrói juntamente com os que se esforçam por mantê-las. Isso acontecerá até que o homem faça suas Leis de acordo com a Justiça Divina, que quer o bem para todos, e não a imposição de Leis feitas pelos fortes em prejuízo do fraco.

782. Não existem homens de boa-fé que dificultam o progresso acreditando favorecê-lo, porque, do ponto vista em que se colocam, muitas vezes o veem onde ele não está?

Esses homens são como pequenas pedras colocadas sob a roda de um grande carro e que não o impede de avançar.

783. O aperfeiçoamento da Humanidade segue sempre uma marcha progressiva e lenta?

Existe o progresso regular e lento, que resulta da força das circunstâncias. Entretanto, quando um povo não progride com a rapidez que deveria, Deus faz com que esse povo, de tempos em tempos, passe por um abalo físico ou moral que o transforme.

Comentário de Kardec: O homem não pode permanecer para sempre na ignorância, porque deve atingir o objetivo fixado pela Providência, ou seja, o progresso completo; ele se esclarece pela força das circunstâncias.

Tanto as revoluções morais como as revoluções sociais se infiltram nas ideias, pouco a pouco; desenvolvem-se ao longo dos séculos e brotam de repente, fazendo ruir os velhos conceitos do passado, que não estão mais em harmonia com as novas necessidades e nem com as novas aspirações.

O homem percebe, nessas transformações, apenas a desordem e a confusão momentâneas que o atingem em seus interesses materiais. Aquele que eleva seu pensamento acima do próprio interesse admira os propósitos da Providência, que do mal faz sair o bem. Essas transformações podem ser comparadas com a tempestade que limpa a atmosfera depois de tê-la agitado com violência.

784. A perversidade do homem é muito grande. Do ponto de vista moral, não parece que ele está recuando em vez de avançar?

Esse pensamento é um engano. Observem bem o conjunto e verão que o homem avança, porque compreende melhor o que é o mal, e a cada dia corrige seus abusos. É preciso que o mal chegue ao excesso para fazer com que se compreenda a necessidade do bem e das reformas.

785. Qual é o maior obstáculo ao progresso do homem?

Os maiores obstáculos são o orgulho e o egoísmo. Refiro-me ao progresso moral, porque o progresso intelectual avança sempre. À primeira vista, parece mesmo que o progresso intelectual duplica a intensidade do egoísmo e do orgulho, ao desenvolver a ambição e o amor pelas riquezas. Essa ambição, por sua vez, incentiva o homem às pesquisas que lhe esclarecem o Espírito.

É assim que tudo se inter-relaciona, tanto no mundo moral quanto no mundo físico, e que do próprio mal pode sair o bem. Mas esse estado de coisas não tende a durar por muito tempo, e mudará à medida que o homem compreender melhor que, além dos prazeres da Terra, existe uma felicidade infinitamente maior e mais duradoura (ver nesta obra "O Egoísmo", 3ª parte, cap. 12)

Comentário de Kardec: Existem duas espécies de progresso que, apesar de se apoiarem mutuamente, não caminham juntas: são o "progresso intelectual" e o "progresso moral". Entre os povos civilizados, o progresso intelectual tem recebido, no decorrer deste século, todos os incentivos possíveis, e por isso atingiu um grau que nunca havia atingido antes.

Ainda falta muito para que o progresso moral esteja no mesmo nível do intelectual. Entretanto, se compararmos os costumes sociais de hoje com os costumes de alguns séculos atrás, somente um cego poderia negar o progresso moral já realizado.

Por que razão o progresso moral mostrou-se mais lento em relação ao progresso intelectual? Por que duvidar que entre o século 19 e o século 24 não haverá tanto avanço quanto houve no progresso intelectual do século 14 para o século 19? Duvidar dessa possibilidade será pretender que a Humanidade tenha atingido o auge da perfeição, o que seria um absurdo, ou que ela é moralmente incapaz de se aperfeiçoar, o que é desmentido pela experiência.

POVOS DEGENERADOS _____

786. A história nos mostra que diversos povos, após as fortes comoções que sofreram, recaíram na barbárie. Neste caso, onde está o progresso?

Quando a casa ameaça desabar, o homem a derruba para construir uma mais sólida e com mais comodidade; mas até que ela esteja pronta, ocorrem perturbações e confusões. É preciso compreender bem o seguinte: quando está na pobreza, o homem mora num casebre; quando fica rico, ele vai morar num palácio. Mais tarde, um pobre diabo vem morar nesse casebre e sente-se feliz, porque antes não possuía sequer um abrigo.

Aprendam, portanto, que os Espíritos que estão encarnados no povo que sofreu a comoção não são os mesmos que faziam parte desse povo na época do seu esplendor. Os Espíritos que faziam parte desse povo, quando ele estava em seu esplendor, evoluíram e foram morar em habitações mais perfeitas, enquanto outros Espíritos, menos adiantados, tomaram o lugar que ficou vago, e que um dia também deixarão quando evoluírem.

787. Não existem raças que, por sua própria natureza, são rebeldes ao progresso?

Existem, mas todos os dias elas vão se destruindo fisicamente.

787a. Qual será o destino das almas que animam essas raças?

O destino dessas almas, assim como de todas as outras, será a perfeição, após terem passado por inúmeras existências. Deus não abandona ninguém.

787b. Sendo assim, os homens que hoje são civilizados já foram selvagens e antropófagos?

Sim, você mesmo foi antropófago, em mais de uma encarnação, antes de ser o que é hoje!

Observação
Antropófago: É aquele que se alimenta de carne humana.

788. Os povos são individualidades coletivas que, assim como os indivíduos, passam pela infância, pela idade adulta e pela velhice. Essa verdade, comprovada pela História, não nos faz concluir que os povos mais adiantados deste século também terão o seu declínio e o seu fim, assim como tiveram os povos da Antiguidade?

Os povos materialistas, aqueles que vivem apenas a vida do corpo físico, e cuja grandeza se baseia apenas na força e na extensão territorial, nascem, crescem e morrem, porque a força de um povo se esgota, assim como a de um homem.

Os povos cujas Leis egoístas entravam o progresso do conhecimento e da caridade morrem porque o conhecimento destrói as trevas, e a caridade destrói o egoísmo. Mas, tanto para os povos quanto para os indivíduos, existe a vida da alma.

Entretanto, aqueles cujas Leis se harmonizam com as Leis Eternas do Criador, viverão e servirão de farol para os outros povos.

789. O progresso reunirá um dia todos os povos da Terra em uma única nação?

Não, isso seria impossível, porque a Terra possui climas muito distintos, onde nascem costumes e necessidades diferentes que constituem as diversas nacionalidades. Assim, sempre será preciso que existam Leis apropriadas a esses costumes e a essas necessidades diferentes.

Entretanto, a caridade não leva em conta os diferentes climas e nem distingue os homens pela cor da pele. Quando, em todos os lugares, a Lei de Deus servir de base para Lei humana, tanto os povos quanto os indivíduos praticarão a caridade entre si; então, viverão felizes e em paz, porque ninguém fará mal a seu vizinho, nem viverá à sua custa.

Comentário de Kardec: *A Humanidade progride por meio de indivíduos que se melhoram pouco a pouco e se esclarecem. Quando estes se tornam maioria, tomam a dianteira e arrastam os outros. De tempos em tempos, Deus envia homens com inteligência acima da média, e também homens investidos de autoridade, que fazem a Humanidade avançar séculos em apenas alguns anos.*

O progresso dos povos faz com que a justiça da reencarnação fique evidente. Os homens de bem fazem louváveis esforços para ajudar uma nação a avançar moral e intelectualmente. Os integrantes da nação transformada serão mais felizes neste mundo e no Mundo Espiritual.

Mas durante a caminhada lenta da Humanidade através dos séculos, milhares de indivíduos morrem todos os dias. Qual é a sorte de todos que morrem ao longo do caminho? Será que sua inferioridade relativa os privará da felicidade reservada aos que chegam por último? Ou será que a felicidade dos que chegam por último também é relativa?

A justiça Divina não poderia consagrar semelhante injustiça. Pelo princípio de que se vive várias existências, o direito à felicidade é igual para todos, porque ninguém fica excluído do progresso. Aqueles que viveram no tempo da barbárie, podem retornar a viver no tempo da civilização, junto do mesmo povo, ou em outro. É deste modo que todos se beneficiam da marcha ascendente do progresso que a Humanidade realiza.

Mas o princípio de que se vive apenas uma existência apresenta, neste caso, outra dificuldade. De acordo com esse princípio, a alma é criada no momento do nascimento. Assim, se um homem é mais adiantado que outro, é porque Deus criou para ele uma alma mais adiantada. Por que esse favor? Que mérito possui esse homem, que não viveu nem mais nem menos que o seu semelhante para ser beneficiado com uma alma superior?

Mas essa ainda não é a principal dificuldade. Em mil anos, uma nação passa da barbárie à civilização. Se os homens vivessem mil anos, seria possível entender que, nesse período, tivessem tempo para progredir; mas diariamente morrem homens de todas as idades e nascem homens sem cessar, de modo que a cada dia podemos ver multidões aparecerem e desaparecerem.

Após mil anos, já não existe mais qualquer vestígio de seus antigos habitantes, e a nação, de bárbara que era, tornou-se civilizada. Mas quem foi que progrediu? Os indivíduos que antigamente eram bárbaros? Mas eles já morreram há muito tempo. Teriam sido os recém-chegados? Mas, se suas almas foram criadas no momento em que eles nasceram, essas almas não existiam na época da barbárie.

Assim, é preciso admitir que os esforços que são feitos para civilizar um povo não têm o poder de melhorar as almas imperfeitas, mas de fazer com que Deus crie almas mais perfeitas.

Comparemos essa teoria do progresso, ou seja, a alma vivendo apenas uma existência, com aquela que nos foi apresentada pelos Espíritos: a mesma alma vivendo várias existências. As almas que vivem hoje, no tempo da civilização, já viveram antes, no tempo da barbárie, como todas as outras. Dessa forma, elas retornam adiantadas, em consequência do progresso anteriormente realizado. Elas vêm atraídas por um ambiente que lhes é familiar e que está de acordo com o seu estado atual.

Desse modo, os cuidados para tornar um povo civilizado não têm por objetivo criar almas mais perfeitas para o futuro, mas, sim, atrair aquelas que já progrediram; essas almas podem ser aquelas que já viveram no seio desse mesmo povo, quando ele estava na época da barbárie, como podem ser almas que venham de outros lugares. "A evolução das almas", eis a chave para entender o progresso de toda a Humanidade.

Quando todos os povos estiverem no mesmo nível, no que se refere ao sentimento e à prática do bem, a Terra abrigará apenas bons Espíritos, que viverão em união fraterna. Os maus Espíritos, sentindo-se repelidos e deslocados, procurarão, nos Mundos Inferiores, o ambiente que lhes convêm, até que se transformem e se tornem dignos de voltar ao nosso mundo.

A teoria da existência única da alma ainda traz a seguinte consequência: os trabalhos de aperfeiçoamento social são aproveitados somente pelas gerações presentes e futuras. Seu resultado é nulo para as gerações passadas, que cometeram o erro de encarnar cedo demais. Essas almas, além de serem atrasadas, ainda têm que suportar o peso dos atos que cometeram quando viviam no estado de barbárie.

De acordo com a Doutrina dos Espíritos, onde é possível a alma viver várias existências, os progressos anteriormente realizados são aproveitados também pelas gerações passadas, que podem retornar em condições melhores, através das diversas reencarnações; dessa forma, continuam seu aperfeiçoamento, não mais na barbárie, mas entre um povo já civilizado (ver pergunta nº 222).

CIVILIZAÇÃO

790. A Civilização é um progresso ou, segundo alguns filósofos, uma decadência da Humanidade?

A Civilização é um progresso incompleto. O homem não passa subitamente da infância para a idade adulta.

790a. É correto condenar a Civilização?

A Civilização é uma obra de Deus. O homem deveria condenar primeiramente aqueles que abusam dela.

791. A Civilização evoluirá um dia, fazendo com que desapareçam os males que tenha produzido?

Sim, quando a Moral estiver tão desenvolvida quanto a inteligência. O fruto não pode vir antes da flor.

792. Por que a Civilização não realiza imediatamente todo o bem que poderia produzir?

Porque os homens ainda não estão preparados e nem dispostos a conseguir esse bem.

792a. Não seria também porque, ao criar novas necessidades, a Civilização desperta novas paixões?

Sim, e também porque nem todas as faculdades do Espírito progridem ao mesmo tempo. É preciso tempo para tudo. Não se pode esperar frutos perfeitos de uma Civilização incompleta (ver perguntas nº 751 e 780).

793. Por que sinais se pode reconhecer uma Civilização completa?

Pelo desenvolvimento moral. O homem acredita que está muito adiantado porque fez grandes descobertas, invenções maravilhosas e porque está residindo e vestindo-se melhor que os selvagens.

Mas os homens não têm o direito de se dizerem civilizados enquanto não tiverem banido da sociedade os vícios que a desonram, e enquanto não viverem como irmãos, praticando a caridade cristã. Até lá, serão apenas povos esclarecidos, que só percorreram a primeira fase da Civilização.

Comentário de Kardec: A Civilização, como todas as coisas, tem diferentes níveis. Uma Civilização incompleta é apenas um estado transitório que dá origem a males específicos, desconhecidos do homem no seu estado primitivo. Mas nem por isso a Civilização incompleta deixa de constituir um progresso natural que, além de necessário, ainda traz consigo o remédio para o mal que causa.

À medida que a Civilização se aperfeiçoa, faz cessar alguns dos males que gerou, e esses males desaparecerão completamente com o progresso moral.

Entre dois povos que tenham chegado ao topo da escala social, o único que pode considerar-se o mais "civilizado", no verdadeiro significado da palavra, é aquele onde se encontra menos egoísmo, menos cobiça e menos orgulho; onde os hábitos são mais intelectuais e morais do que materiais; onde a inteligência pode se desenvolver com mais liberdade; onde existe mais bondade, boa-fé, benevolência e generosidade recíprocas; onde os preconceitos de classe e de nascimento são menos enraizados, porque tais preconceitos são incompatíveis com o verdadeiro amor ao próximo.

Onde as Leis não consagram qualquer privilégio e são as mesmas para todos, tanto para o último quanto para o primeiro; onde a justiça é exercida com imparcialidade; onde o fraco encontra sempre amparo contra o forte; onde a vida do homem, suas crenças e suas opiniões são mais respeitadas; onde existem menos infelizes; enfim, onde todo homem de boa vontade está sempre certo de que não vai lhe faltar o necessário.

PROGRESSO DA LEGISLAÇÃO HUMANA _____

794. A sociedade poderia governar-se apenas pelas Leis da Natureza, sem a colaboração das Leis Humanas?

Poderia, se todos tivessem a perfeita compreensão das Leis Naturais e quisessem praticá-las; então, elas bastariam. Mas a sociedade tem suas exigências e precisa de Leis específicas.

795. Por que as Leis humanas estão sempre se modificando?

Nos tempos de barbárie, foram os mais fortes que fizeram as Leis, e eles as fizeram para si, para se beneficiarem. À medida que os homens foram compreendendo melhor a justiça, foi preciso modificá-las. As Leis humanas são mais estáveis quanto mais elas se aproximam da verdadeira justiça; quanto mais elas são feitas para o benefício de todos, mais elas se identificam com as Leis da Natureza.

Comentário de Kardec: A Civilização criou novas necessidades para o homem, e essas necessidades são relativas à posição social que cada um ocupa. Foi preciso regular os direitos e os deveres dessas posições através de Leis humanas.

Muitas vezes, influenciado por suas paixões, o homem criou direitos e deveres imaginários, que a Lei da Natureza condena e que os povos vão retirando de seus códigos à medida que evoluem.

A Lei da Natureza é imutável e é a mesma para todos; a Lei Humana é variável e está sempre progredindo. Apenas a Lei humana poderia ter consagrado, na infância das sociedades, o direito do mais forte.

796. A severidade das Leis penais não é uma necessidade no estado atual da sociedade?

Uma sociedade depravada certamente necessita de Leis mais severas. Infelizmente, essas Leis se destinam a punir o mal já realizado, ao invés de combater esse mal na origem. Apenas a educação pode reformar os homens que, assim, não precisarão mais de Leis tão rigorosas.

797. Como o homem poderá ser levado a reformar suas Leis?

Isso ocorre naturalmente, pela força das circunstâncias e pela influência das pessoas de bem que guiam os homens para o caminho do progresso. O homem já reformou muitas Leis e ainda reformará muitas outras. Aguardem!

INFLUÊNCIA DO ESPIRITISMO NO PROGRESSO _____

798. O Espiritismo se tornará uma crença comum ou continuará sendo seguido apenas por algumas pessoas?

Certamente, o Espiritismo se tornará uma crença comum e marcará uma Nova Era na História da Humanidade. Ele faz parte da Natureza e chegou o tempo em que ocupará o seu lugar entre os conhecimentos humanos.

Entretanto, o Espiritismo enfrentará grandes lutas; mais contra os interesses do que contra a convicção, porque não podemos desconhecer que existem pessoas interessadas em combatê-lo; umas, por amor próprio; outras, por interesses puramente materiais. Mas os seus opositores, por se encontrarem cada vez mais isolados, serão forçados a pensar como os demais, sob pena de se tornarem ridículos.

Comentários de Kardec: As ideias somente se transformam com o passar do tempo, e nunca de maneira súbita. De geração em geração, elas vão se enfraquecendo e acabam por desaparecer, pouco a pouco, junto com seus seguidores, que são substituídos por outros indivíduos inspirados por novos princípios, como acontece com as ideias políticas.

Vejam o paganismo. Certamente não existe mais quem aceite hoje as ideias religiosas daquela época. Entretanto, muitos séculos após o surgimento do Cristianismo, ainda restavam traços do paganismo, que apenas a completa renovação das raças conseguiu apagar.

O mesmo ocorrerá com o Espiritismo, que tem progredido bastante; mas, durante duas ou três gerações, haverá ainda uma certa incredulidade que apenas o tempo fará desaparecer. Todavia, seu crescimento será mais rápido que o do Cristianismo, porque é o próprio Cristianismo quem lhe abre os caminhos e serve de apoio. O Cristianismo tinha o que destruir; o Espiritismo só tem que edificar.

Observação

Paganismo: Designação dada pelos antigos cristãos ao politeísmo dos Gregos, dos Romanos, dos Egípcios,etc., ou seja, religião dos que adoravam vários deuses.

799. De que maneira o Espiritismo pode contribuir para o progresso da Humanidade?

Destruindo o materialismo, que é uma das chagas da sociedade, o Espiritismo faz com que os homens compreendam onde estão seus verdadeiros interesses. Não havendo mais dúvida sobre a vida futura, o homem compreenderá melhor que é através do presente que ele vai preparar o seu futuro.

O Espiritismo, ao destruir os preconceitos de seitas, de castas e de cores, ensina aos homens a grande solidariedade que deve uni-los como irmãos.

800. Não é de temer que o Espiritismo não consiga triunfar sobre a indiferença dos homens e do seu apego às coisas materiais?

Seria conhecer bem pouco os homens para pensar que uma causa qualquer pudesse transformá-los como que por encanto. As ideias se modificam gradualmente, de acordo com os indivíduos, e é necessário que passem algumas gerações para apagar completamente os vestígios dos velhos hábitos.

Portanto, a transformação só pode acontecer com o tempo, de forma gradual e progressiva. A cada geração, uma parte da verdade aparece, e o Espiritismo vem revelá-la inteiramente. Se a Doutrina Espírita conseguisse corrigir em um homem, apenas um único defeito, já teria feito esse homem dar um passo, que representa, para ele, um grande bem. Esse primeiro passo é muito importante porque tornará os outros mais fáceis.

801. Por que somente agora os Espíritos vêm nos transmitir os seus ensinamentos? Por que não fizeram isso antes?

Não se ensina a uma criança o que se ensina a um adulto e não se dá a um recém-nascido um alimento que ele não possa digerir. Cada coisa tem o seu tempo. Os Espíritos ensinaram muitas coisas que os homens não compreenderam ou adulteraram, mas que podem compreender agora, porque já estão em condições. Por meio de seus ensinamentos, mesmo incompletos, os Espíritos têm preparado o terreno para receber a semente que hoje vai frutificar.

802. Se o Espiritismo está destinado a ser um marco no progresso da Humanidade, por que os Espíritos não apressam esse progresso por meio de manifestações tão ostensivas e tão generalizadas que convençam até os mais incrédulos?

Desejam milagres? Deus os espalha em abundância no caminho dos homens e, mesmo assim, ainda existem aqueles que insistem em negá-Lo. Por acaso o próprio Cristo convenceu seus contemporâneos com os prodígios que realizou?

Ainda hoje não existem homens que negam os fatos mais evidentes, mesmo que ocorram diante de seus olhos? Não existem aqueles que dizem: "mesmo vendo não acredito"? Não, não é por meio de prodígios que Deus quer conduzir os homens. Em Sua bondade, Ele quer deixar que os homens tenham o mérito de se convencerem pela razão.

CAPÍTULO 9

LEI DA IGUALDADE

- IGUALDADE NATURAL
- DESIGUALDADE DAS APTIDÕES
- DESIGUALDES SOCIAIS
- DESIGUALDADE DAS RIQUEZAS
- PROVAS DA RIQUEZA E DA MISÉRIA
- IGUALDADE DOS DIREITOS DO HOMEM E DA MULHER
- IGUALDADE PERANTE A MORTE

IGUALDADE NATURAL

803. Todos os homens são iguais perante Deus?

Sim, os Espíritos encarnados e desencarnados tendem para o mesmo objetivo e Deus fez Suas Leis para todos. Quando o homem diz: "O sol brilha para todos", está dizendo uma verdade maior e mais abrangente do que imagina.

Comentário de Kardec: Todos os homens estão submetidos às mesmas Leis da Natureza: todos nascem com a mesma fragilidade, estão sujeitos às mesmas dores e o corpo do rico se destrói como o do pobre. Deus não concedeu superioridade natural a nenhum homem, nem pelo nascimento, nem pela morte; diante Dele, todos são iguais.

DESIGUALDADE DAS APTIDÕES

804. Por que Deus não concedeu a todos os homens as mesmas aptidões?

Deus criou todos os Espíritos iguais. Entretanto, aqueles que tiveram um número maior de encarnações são mais experientes. Assim, a diferença entre eles está na desigualdade da experiência adquirida e na vontade com que trabalham, vontade esta, que constitui o livre-arbítrio. É por isso que uns se aperfeiçoam mais rapidamente, o que lhes garante aptidões diversas.

A variedade de aptidões é necessária, a fim de que cada um possa contribuir para execução dos projetos da Providência, no limite do desenvolvimento de suas forças físicas e intelectuais. O que um não pode ou não sabe fazer, o outro faz. É assim que todos têm um papel útil a desempenhar.

Além disso, como todos os mundos são solidários entre si, é necessário que habitantes de Mundos Superiores, que na sua maioria foram criados antes do seu, venham habitá-lo para dar-lhes o exemplo (ver pergunta nº 361).

805. Ao passar de um Mundo Superior a um Mundo Inferior, o Espírito conserva integralmente as faculdades já adquiridas?

Sim, já dissemos que o Espírito que progrediu não retrocede. Ele pode escolher, antes de encarnar, um corpo físico mais grosseiro ou uma posição mais precária do que aquelas que já teve, mas sempre para lhe servir de ensinamento e ajudá-lo a progredir (ver pergunta nº 180).

Comentário de Kardec: Assim, a diversidade das aptidões que existe entre os homens não tem relação com a natureza íntima de sua criação, mas com o grau de aperfeiçoamento que cada um já alcançou como Espírito, durante as várias encarnações.

Portanto, Deus não criou a desigualdade das faculdades ou aptidões, mas permitiu que Espíritos com diferentes graus de desenvolvimento estivessem em contato, para que os mais adiantados pudessem auxiliar no progresso dos mais atrasados.

Também permitiu esse contato para que os homens, tendo necessidade uns dos outros, compreendam e pratiquem a Lei da Caridade que deve uni-los.

DESIGUALDADES SOCIAIS

806. A desigualdade das condições sociais é uma Lei da Natureza?

Não; a desigualdade das condições sociais é obra do homem e não de Deus.

806a. Essa desigualdade social desaparecerá um dia?

Somente as Leis de Deus são eternas. Não veem a desigualdade social diminuir pouco a pouco todos os dias? Desaparecerá quando o egoísmo e o orgulho deixarem de predominar, restando apenas a desigualdade do merecimento.

Chegará o dia em que os membros da grande família dos filhos de Deus não se olharão mais levando em conta a maior ou menor pureza do sangue. Apenas o Espírito pode ser mais ou menos puro, e isso não depende da posição social.

807. O que pensar dos que abusam da superioridade de sua posição social para, em benefício próprio, oprimirem os que lhe são inferiores?

Esses merecem a condenação. Pobres infelizes! Serão também oprimidos e sofrerão, em encarnações futuras, tudo o que fizeram os outros sofrer (ver perguntas nº 273 e 684).

DESIGUALDADE DAS RIQUEZAS

808. A desigualdade das riquezas não tem sua origem na desigualdade das aptidões, que dá a uns mais meios de adquirir bens do que a outros?

Sim e não; o que me dizem da astúcia e do roubo?

808a. Entretanto, a riqueza herdada não é fruto das más paixões.

O que os homens sabem sobre isso? Busquem a origem de tal riqueza e verão que nem sempre ela é pura. Sabem, porventura, se lá no princípio ela não foi fruto de um roubo ou de uma injustiça?

Mas, mesmo sem falar da sua origem, que pode ser má, acreditam que a cobiça de bens, ainda que adquiridos honestamente, que os desejos secretos de possuí-los o mais depressa possível, sejam sentimentos louváveis? É isso o que Deus julga, e eu asseguro que o Seu julgamento é mais severo que o dos homens.

809. Se uma riqueza foi mal adquirida em sua origem, os que a herdam mais tarde serão responsáveis por esse fato?

Certamente eles não são responsáveis pelo mal que seus antecessores praticaram, principalmente se ignoram o fato. Muitas vezes, um homem recebe a riqueza para ter a oportunidade de reparar uma injustiça. Feliz daquele que compreende isso!

Se fizer o reparo em nome daquele que cometeu a injustiça, a reparação será levada em conta para ambos; porque, quase sempre, o desencarnado que cometeu a injustiça é quem inspira esse procedimento aos herdeiros.

810. Dentro da Lei, qualquer um pode dispor de seus bens de maneira mais ou menos justa. Depois da morte, quem assim procede será responsável pelo testamento que deixar?

Toda ação produz seus frutos. Os frutos das boas ações são doces; os outros são sempre amargos. Entendam bem isso, sempre!

811. É possível distribuir as riquezas de forma absolutamente igual para todos? Alguma vez isso já foi feito?

Não; não é possível distribuir a riqueza de forma igual para todos. A diferença das aptidões e do caráter existente entre os homens não permite essa igualdade.

811a. No entanto, existem pessoas que acreditam que a divisão das riquezas de forma igualitária seria a solução para os males da sociedade. O que pensar sobre isso?

São pessoas ambiciosas e invejosas; elas não compreendem que a igualdade com que sonham seria logo desfeita pela força das circunstâncias. O homem deveria primeiro combater o egoísmo, que é a chaga da sua sociedade, ao invés de correr atrás de fantasias.

812. Uma vez que a igualdade das riquezas não é possível, ocorre o mesmo com o bem-estar?

Não, porque o bem-estar é relativo, e todos podem desfrutar dele, desde que se entendam melhor. O verdadeiro bem-estar consiste em cada um empregar o seu tempo naquilo que gosta, e não na execução de trabalhos pelos quais não sinta nenhum prazer. Como os indivíduos possuem aptidões diferentes, nenhum trabalho útil ficaria por ser realizado. O equilíbrio existe em tudo; o homem é quem o perturba.

812a. Será possível que um dia os homens se entendam?

Sim, os homens se entenderão quando praticarem a Lei da Justiça.

813. Existem pessoas que caem na miséria por sua própria culpa. A sociedade pode ser responsabilizada por isso?

Sim, muitas vezes a sociedade é a causa principal dessas situações, conforme já dissemos. Aliás, não é a sociedade que deve cuidar da educação moral de seus membros? Quase sempre, é a má educação que desvirtua o julgamento dessas pessoas, em vez de reprimir suas tendências perniciosas (ver pergunta nº 685).

PROVAS DA RIQUEZA E DA MISÉRIA _____

814. Por que Deus concedeu a riqueza e o poder a uns e a miséria a outros?

Para experimentar cada um de modo diferente. Aliás, como já sabem, são os próprios Espíritos que escolhem as suas provas antes de reencarnar, e ao realizá-las, com frequência, fracassam.

815. Qual das duas provas é a mais perigosa para o homem: a riqueza ou a miséria?

Tanto a riqueza quanto a miséria são perigosas. A miséria provoca as queixas contra Deus; a riqueza estimula todos os excessos.

816. Se o rico está sujeito a maiores tentações, não dispõe também de mais recursos para fazer o bem?

Sim, dispõe, mas é justamente o que ele nem sempre faz, porque torna-se egoísta, orgulhoso e insaciável. Suas necessidades aumentam com a riqueza e ele julga nunca ter o suficiente para si mesmo.

Comentário de Kardec: Nesse mundo, a posição social elevada e a autoridade sobre os semelhantes são provas tão grandes e tão arriscadas quanto a miséria. Quanto mais rico e poderoso for o homem, mais obrigações ele tem a cumprir, e maiores são os seus recursos para fazer o bem e o mal. Deus experimenta o pobre pela **resignação** *e o rico pelo uso que faz de seus bens e de seu poder.*

A riqueza e o poder despertam todas as paixões que nos prendem à matéria e nos afastam da perfeição espiritual. Foi por isso que Jesus disse: "É mais fácil um **camelo** *passar pelo buraco de uma agulha do que um rico entrar no Reino dos Céus" (ver pergunta nº 266).*

Observações

Resignação: É o ato de se submeter à vontade de Deus e aceitar pacientemente o que nos acontece, sem reclamar, apenas conformando-se.

Camelo e cabo: A língua hebraica utilizava a mesma palavra para designar camelo e cabo. O cabo era uma corda grossa utilizada para amarrar os navios; esse cabo era feito com os pelos do camelo. Na tradução, foi utilizado o significado *camelo*; é bem provável que no pensamento de Jesus estivesse o significado *cabo*, pois este é, pelo menos, bem mais compreensível.

IGUALDADE DOS DIREITOS DO HOMEM E DA MULHER

817. O homem e a mulher são iguais perante Deus e possuem os mesmos direitos?

Deus não deu a ambos a condição de distinguir entre o bem e o mal e a capacidade de progredir?

818. De onde vem a inferioridade moral da mulher em alguns países?

Vem do domínio injusto e cruel que o homem exerce sobre ela. Esse domínio é o resultado das instituições sociais e do abuso da força sobre a fraqueza. Entre os homens moralmente pouco avançados, a força faz o direito.

819. Por que a mulher é fisicamente mais fraca que o homem? Qual a razão disso?

Para que a mulher possa assumir funções diferenciadas e especiais. Cabe ao homem, por ser mais forte, executar os trabalhos mais rudes, e à mulher, os trabalhos mais leves. Entretanto, ambos devem se ajudar mutuamente a suportar as provas de uma vida cheia de amarguras.

820. A fraqueza física da mulher não a coloca naturalmente sob a dependência do homem?

Se Deus deu a força para uns, foi para que eles protegessem o fraco e não para que o escravizassem.

Comentário de Kardec: Deus adequou a organização física de cada ser às funções que lhe cumpre desempenhar. Quando Ele deu à mulher uma força física menor, deu-lhe, ao mesmo tempo, uma sensibilidade muito maior, relacionada com a delicadeza das funções maternais e com a fraqueza dos seres confiados aos seus cuidados.

821. As funções que a Natureza destina às mulheres são tão importantes quanto as que destina aos homens?

Sim, e até maiores. É a mulher que dá ao homem as primeiras noções da vida.

822. Sendo os homens iguais perante a Lei de Deus, deveriam ser também iguais perante as Leis humanas?

O primeiro princípio da justiça é este: "Não façam aos outros o que não gostariam que os outros fizessem a vocês."

822a. Sendo assim, uma legislação, para ser perfeitamente justa, deve estabelecer a igualdade entre os direitos do homem e da mulher?

Igualdade de direitos, sim; de funções, não. É necessário que cada um tenha um lugar definido. O homem deve se ocupar com as coisas que estão fora do lar e a mulher com as coisas que estão dentro, cada um de acordo com a sua aptidão.

A Lei humana, para ser imparcial, deve dar os mesmos direitos ao homem e à mulher. Qualquer privilégio concedido a um ou a outro é contrário à justiça. *A emancipação da mulher segue o progresso da Civilização, ao passo que sua escravidão marcha com a barbárie.*

Aliás, os sexos existem apenas no corpo físico, uma vez que *os Espíritos podem encarnar tanto como homem ou como mulher*, pois não há nenhuma diferença entre eles sob esse aspecto. Sendo assim, devem desfrutar dos mesmos direitos.

IGUALDADE PERANTE A MORTE

823. De onde vem o desejo do homem de perpetuar sua memória através de monumentos fúnebres?

Vem do último ato de orgulho.

823a. Mas, na maioria das vezes, a suntuosidade dos monumentos fúnebres se deve mais aos parentes, que desejam honrar sua memória, do que ao próprio falecido. Nesse caso, continua existindo orgulho?

Nesse caso, o orgulho é dos parentes que desejam glorificar a si mesmos. Nem sempre é pelo morto que se fazem todas essas demonstrações. Elas são feitas pelo amor-próprio, pela consideração que os parentes dão à opinião do mundo e para ostentar sua riqueza.

Acreditam que a lembrança de um ser querido dure menos no coração do pobre, porque este só pôde colocar uma singela flor em sua sepultura? Acreditam que o mármore faça com que aquele que foi inútil na Terra não seja esquecido?

824. Os Espíritos reprovam de modo absoluto a pompa dos funerais?

Não; quando ela tem por objetivo honrar a memória de um homem de bem, ela é justa e serve como um bom exemplo.

Comentário de Kardec: *O túmulo é o local de encontro de todos os homens. Nele, terminam definitivamente todas as diferenças humanas. É em vão que o rico tenta perpetuar sua memória através de monumentos grandiosos. O tempo os destruirá, assim como fez com o seu próprio corpo físico. A Natureza quer que seja dessa forma.*

A lembrança de suas boas e más ações será mais duradoura do que o seu túmulo. A pompa dos funerais não o limpará de seus defeitos e não o fará subir um único degrau na hierarquia espiritual (ver pergunta nº 320 e seguintes).

CAPÍTULO 10

LEI DA LIBERDADE

- **LIBERDADE NATURAL**
- **ESCRAVIDÃO**
- **LIBERDADE DE PENSAR**
- **LIBERDADE DE CONSCIÊNCIA**
- **LIVRE-ARBÍTRIO**
- **FATALIDADE**
- **CONHECIMENTO DO FUTURO**
- **RESUMO TEÓRICO DA MOTIVAÇÃO DAS AÇÕES DO HOMEM**

LIBERDADE NATURAL

825. Existem posições no mundo em que o homem pode se vangloriar de desfrutar de absoluta liberdade?

Não, porque todos precisam uns dos outros, tanto os pequenos quanto os grandes.

826. Em que condições o homem poderia desfrutar de absoluta liberdade?

Na condição de um **eremita** no deserto. Desde que dois homens estejam juntos, existe entre eles direitos a serem respeitados e, por consequência, nenhum deles desfrutará mais de liberdade absoluta.

Observação

Eremita ou Ermitão: Pessoa que vive sozinha, longe das cidades, para evitar o convívio social. Pode fazê-lo com finalidades contemplativas ou religiosas.

827. A obrigação de respeitar os direitos alheios retira do homem o direito de ser dono de si mesmo?

De modo algum, porque esse é um direito que a Natureza lhe concede.

828. Como conciliar as opiniões liberais de certos homens com o despotismo que, com frequência, exercem no próprio lar e sobre os seus subordinados?

Esses homens têm a compreensão da Lei da Natural, mas ela fica neutralizada pelo orgulho e pelo egoísmo. Quando os princípios liberais que apoiam não representam uma farsa bem calculada, eles sabem perfeitamente como devem agir, mas não agem como deveriam.

828a. Como serão recebidos, no Mundo Espiritual, os homens que procedem assim?

Quanto mais inteligência tem o homem para compreender um princípio, tanto maior será a sua culpa se não o aplicar a si mesmo. Em verdade eu digo que o homem simples, porém sincero, está mais adiantado no caminho de Deus do que aquele que pretende parecer o que não é.

ESCRAVIDÃO

829. Existem homens que estejam destinados, por natureza, a ser propriedade de outros homens?

Toda submissão absoluta de um homem a outro homem é contrária à Lei de Deus. A escravidão é um abuso da força e desaparecerá com o progresso, como desaparecem, pouco a pouco, todos os abusos.

Comentário de Kardec: A lei humana que autoriza a escravidão é contrária à Natureza, porque iguala o homem ao animal e o degrada moral e fisicamente.

830. Quando a escravidão faz parte dos costumes de um povo, os que se aproveitam dela merecem ser condenados, uma vez que se beneficiam de um hábito que lhes parece natural?

O mal é sempre o mal e todos os argumentos enganosos não farão com que uma ação má se torne boa. Mas a responsabilidade pelo mal tem relação com os meios que o homem dispõe para compreendê-lo.

Aquele que tira proveito da lei da escravidão é sempre culpado por violar uma Lei da Natureza. Mas, nesse caso, como em todos os outros, a culpa é relativa. A escravidão, fazendo parte dos costumes de alguns povos, propiciou ao homem aproveitar-se dela, ainda que de boa-fé, como algo que lhe parecia natural.

Mas, desde que a sua razão se mostrou mais desenvolvida e, sobretudo, mais esclarecida pelos ensinamentos do Cristianismo, o homem compreendeu que o escravo é um ser igual perante Deus. Assim, não existe mais desculpa que justifique a escravidão.

831. A desigualdade natural das aptidões não coloca certas raças humanas sob a dependência das raças mais inteligentes?

Sim, a desigualdade das aptidões coloca as raças menos evoluídas sob a dependência das mais inteligentes. Entretanto, a missão das raças mais inteligentes é a de ajudar as raças mais atrasadas a se elevar, e não a de embrutecê-las ainda mais pela escravidão. Durante muito tempo os homens consideraram certas raças humanas como animais de trabalho, dotados de braços e mãos, e se julgaram no direito de vendê-las como animais de carga.

Os que agem assim acreditam possuir um sangue mais puro. Insensatos! Não enxergam além da matéria! Não é o sangue que é mais ou menos puro, e sim o Espírito (ver as perguntas nº 361 e 803).

832. Existem homens que tratam seus escravos com humanidade, que não lhes deixam faltar nada, por acreditarem que a liberdade os exporia a privações ainda maiores. O que pensar sobre isso?

Eu digo que esses homens cuidam melhor de seus próprios interesses. Eles também dispensam muito cuidado aos seus bois e cavalos, para obter bom preço no mercado. Não são tão culpados quanto os que maltratam os escravos, mas nem por isso deixam de utilizá-los como uma mercadoria, privando-os do direito de serem livres.

LIBERDADE DE PENSAR

833. Existe no homem algo que escape a todo constrangimento e lhe conceda plena liberdade?

É através do "pensamento" que o homem desfruta de uma liberdade sem limites, porque para o pensamento não existem obstáculos. Pode-se impedir a manifestação da liberdade, mas não se pode impedir ninguém de pensar.

834. O homem é responsável pelo seu pensamento?

É responsável diante de Deus. Apenas Ele pode saber o que o homem está pensando, e Ele o condena ou absolve segundo a Sua justiça.

LIBERDADE DE CONSCIÊNCIA

835. A liberdade de consciência é uma consequência da liberdade de pensar?

A consciência é um pensamento íntimo que pertence ao homem, assim como todos os outros pensamentos.

836. O homem tem o direito de colocar obstáculos à liberdade de consciência?

Não, ele não tem o direito de colocar obstáculos, nem à liberdade de consciência, nem à liberdade de pensar. Apenas a Deus pertence o direito de julgar a consciência. Pelas Leis humanas, o homem regula as relações de homem para homem; pelas Leis da Natureza, Deus regula as relações entre Ele e os homens.

837. Qual o resultado dos obstáculos colocados contra a liberdade de consciência?

Constranger os homens e fazer com que eles ajam de modo contrário ao que pensam, tornando-os hipócritas. A liberdade de consciência é uma das características da verdadeira Civilização e do verdadeiro progresso.

838. Toda crença deve ser respeitada, ainda que seja notoriamente falsa?

Toda crença é respeitável quando é sincera e conduz à prática do bem. As crenças condenáveis são as que conduzem ao mal.

839. Será motivo de repreensão ofender a crença daquele que não pensa como nós?

Ofender a crença alheia é faltar com a caridade e atentar contra a liberdade de pensar.

840. Colocar obstáculos às crenças que causam problemas à sociedade é atentar contra a liberdade de consciência?

O homem pode reprimir as ações, mas a crença íntima é inacessível.

Comentário de Kardec: *Reprimir as ações exteriores de uma crença, quando ela ocasiona um prejuízo qualquer a terceiros, não é atentar contra a liberdade de consciência, porque essa repressão não impede que a pessoa mantenha a sua crença.*

841. Devemos deixar que se propaguem doutrinas perniciosas, por respeito à liberdade de consciência? Podemos, sem atentar contra essa liberdade, tentar trazer de volta para o caminho da verdade aqueles que se perderam ao admitir falsos princípios?

Certamente que podem e até mesmo devem trazer de volta aqueles que se perderam. Mas, a exemplo de Jesus, ensinem pela doçura e pela persuasão, e não pela força, porque usar a força para convencer alguém a deixar a sua crença seria pior do que a própria crença que está sendo praticada.

Se existe alguma coisa que é permitido impor, é o bem e a fraternidade. Não acreditamos que o meio de convencer alguém seja a violência, pois a convicção não se impõe.

842. Todas as doutrinas têm a pretensão de ser a única expressão da verdade. Por que sinais podemos reconhecer a que tem o direito de se apresentar como tal?

A verdadeira doutrina é aquela que faz mais homens de bem do que hipócritas. Homens que pratiquem a Lei do Amor e da Caridade na sua maior pureza e na sua mais ampla aplicação. Esse é o sinal pelo qual se reconhece que uma doutrina é boa, porque toda doutrina que tiver por resultado semear a desunião e estabelecer uma linha de demarcação entre os filhos de Deus só pode ser falsa e prejudicial.

LIVRE-ARBÍTRIO

Observação

Livre-arbítrio: É a liberdade que o homem possui de agir por conta própria, ou seja, de fazer aquilo que deseja independente de estar certo ou errado.

843. O homem tem o livre-arbítrio de seus atos?

Uma vez que o homem tem a liberdade de pensar, tem também a de agir. Sem o livre-arbítrio, o homem seria uma máquina.

844. O homem desfruta do livre-arbítrio desde o seu nascimento?

O homem tem liberdade para agir, desde que tenha vontade para fazê-lo. Nas primeiras fases da vida, a liberdade é quase nula; à medida que o tempo passa, a liberdade vai evoluindo e seus objetivos mudam de acordo com o desenvolvimento das faculdades.

Os pensamentos da criança estão relacionados com as necessidades da sua idade; assim, ela aplica o seu livre-arbítrio às coisas que lhe são necessárias.

845. As tendências instintivas que o homem traz ao nascer não são um obstáculo ao exercício do seu livre-arbítrio?

As tendências instintivas são aquelas que o Espírito possui antes dele encarnar. Conforme o Espírito seja mais ou menos adiantado, essas tendências instintivas podem levá-lo a praticar atos condenáveis e, na prática desses atos, será auxiliado pelos Espíritos que possuam as mesmas tendências.

Mas não existe arrastamento irresistível quando se tem a vontade de resistir. Lembrem-se de que querer é poder (ver pergunta nº 361).

846. O Corpo físico exerce alguma influência sobre os atos da vida? Em caso afirmativo, essa influência não exerce algum prejuízo ao livre-arbítrio?

Certamente o Espírito é influenciado pelo corpo, que pode dificultar as suas manifestações. Eis porque nos mundos onde os corpos são menos materiais do que na Terra as faculdades se desenvolvem com mais liberdade.

Mas não é o corpo físico que dá a faculdade ao Espírito. Aliás, é necessário fazer aqui uma distinção entre as faculdades morais e as intelectuais. Se um homem tem o instinto assassino, seguramente é o seu próprio Espírito que possui esse instinto e lhe transmite, e não os seus órgãos físicos.

Aquele que anula o seu pensamento para se ocupar apenas com a vida material torna-se semelhante ao animal, e ainda pior do que este, pois não pensa mais em se prevenir contra o mal. A sua culpa está justamente em não se importar mais com a prática do mal, visto que age assim por vontade própria (ver pergunta nº 367 e seguintes – "influência do corpo físico").

847. A deformação das faculdades tira o livre-arbítrio do homem?

Aquele cuja inteligência é perturbada por uma causa qualquer não é mais senhor do seu pensamento e, daí em diante, não tem mais liberdade. Muitas vezes, essa perturbação é uma punição para o Espírito que, numa existência anterior, pode ter sido fútil e orgulhoso, ou pode ter feito mau uso de suas faculdades.

Esse Espírito pode renascer no corpo de um deficiente mental, assim como o autoritário pode renascer no corpo de um escravo, o mau rico no de um mendigo e assim por diante. O Espírito sofre esse constrangimento, do qual tem perfeita consciência. É nisso que consiste a ação do corpo físico sobre o Espírito (ver pergunta nº371 e seguintes).

848. A alteração das faculdades intelectuais causadas pela embriaguez serve de desculpa para ações condenáveis?

Não, porque o bêbado se priva voluntariamente da razão para satisfazer paixões inferiores. Em vez de uma falta, comete duas.

849. No homem primitivo, a faculdade dominante é o instinto ou o livre-arbítrio?

A faculdade dominante é o instinto, o que não o impede de agir com inteira liberdade em certas circunstâncias. Mas, assim como a criança, o homem primitivo aplica essa liberdade às suas necessidades, e ela se desenvolve com a inteligência. Por consequência, aquele que é mais esclarecido do que um selvagem, é mais responsável pelas coisas que faz.

850. A posição social não é para o homem, algumas vezes, um obstáculo à total liberdade de seus atos?

Sem dúvida, o mundo tem suas exigências. Deus é justo e tudo leva em conta, mas deixa ao homem a responsabilidade do pouco esforço que faz para superar os obstáculos.

FATALIDADE

851. Existe fatalidade nos acontecimentos da vida, conforme o sentido que se dá a essa palavra, ou seja, todos os acontecimentos são predeterminados? Nesse caso, como fica o livre-arbítrio?

A fatalidade só existe na escolha que o Espírito fez, antes de encarnar, ao submeter-se a esta ou aquela prova. Ao escolher a prova, o Espírito cria para si mesmo uma espécie de destino; esse destino é a própria consequência da posição em que ele se acha colocado.

Refiro-me às provas de natureza física, porque, quanto às provas de natureza moral e às tentações, o Espírito, conservando o seu livre-arbítrio, sempre será livre para escolher entre o bem e o mal, e para ceder ou não a uma tentação.

Um Espírito bom, ao vê-lo fraquejar, pode vir em seu auxílio, embora não possa exercer domínio sobre a sua vontade. Um Espírito inferior, ao lhe mostrar de forma exagerada um perigo físico, poderá abalá-lo e amedrontá-lo. Mas nem por isso a vontade do Espírito encarnado deixa de se conservar livre para tomar a sua decisão.

852. Existem pessoas que, independente da maneira de agir, parecem ser perseguidas pela fatalidade. A infelicidade está no destino dessas pessoas?

Talvez sejam provas a que elas devam se submeter e que elas mesmas escolheram antes de encarnar. Mais uma vez, o homem culpa o destino por coisas que, muitas vezes, é apenas consequência de suas próprias faltas. Que o homem trate de conservar pura a sua consciência, em meio aos males que o afligem, e já se sentirá bastante consolado.

Comentário de Kardec: As ideias verdadeiras ou falsas que fazemos das coisas nos levam a sermos bem ou mal sucedidos, de acordo com o nosso caráter e a nossa posição social. Achamos mais simples, e menos humilhante para o nosso amor-próprio, atribuir nossos erros à falta de sorte ou ao destino, do que a nós mesmos.

Algumas vezes a influência dos Espíritos contribui para esse insucesso. Entretanto, sempre podemos nos livrar dessa influência repelindo as ideias que eles nos sugerem, se elas forem más.

853. Algumas pessoas mal escapam de um perigo mortal para logo cair em outro. Parece mesmo que não poderiam escapar da morte. Não há fatalidade nisso?

Fatal, no verdadeiro significado da palavra, só o instante da morte. Quando chega esse momento, de uma forma ou de outra, o homem não tem como livrar-se dele.

853a. Assim, qualquer que seja o perigo que nos ameace, se a hora da morte ainda não chegou, não morreremos?

Perfeitamente, o homem não morre antes que chegue a sua hora, e sobre isso ele tem milhares de exemplos. Entretanto, quando chegar a hora da sua morte, nada poderá impedi-la. Deus sabe, com antecedência, qual o tipo de morte que cada um terá, e muitas vezes o Espírito também sabe, uma vez que isso lhe foi revelado quando escolheu o tipo de existência que viveria na Terra.

854. Se a hora da morte é inevitável, as preocupações que tomamos para evitá-la são inúteis?

Não, porque as precauções que o homem toma para evitar a morte são sugeridas pelos Espíritos. É um dos meios empregados para que ela não aconteça antes do tempo.

855. Qual é o verdadeiro objetivo da Providência ao nos fazer correr perigos que não terão consequências?

Quando a vida do homem é colocada em perigo, isso é um aviso que ele mesmo desejou para se desviar do mal e se tornar melhor. Ao escapar do perigo, ainda sob o efeito do risco que correu, ele pensa seriamente em se melhorar, conforme a maior ou menor influência recebida pelos bons Espíritos.

Ao receber a influência de Espíritos que ainda possuem a maldade consigo, ele pensa que escapará do mesmo modo que escapou de outros perigos, e novamente se deixa dominar pelas paixões. Por meio desses perigos, Deus lembra ao homem o quanto a sua existência é fraca e frágil.

Se ele examinar a causa e a natureza do perigo que correu, verá que, muitas vezes, esse perigo é a consequência de uma falta cometida ou de um dever que foi negligenciado. Assim, através desses perigos, Deus o adverte para que ele reflita e se corrija.

856. O Espírito sabe antecipadamente qual será o tipo de morte que terá?

O Espírito sabe que o tipo de vida que escolheu o expõe a desencarnar mais de uma maneira do que de outra. Sabe também quais lutas terá que sustentar para evitar a morte e que, se Deus permitir, ele não sucumbirá.

857. Existem homens que enfrentam os perigos do combate convencidos de que sua hora ainda não chegou. Existe algum fundamento nessa confiança?

Seguidamente o homem tem o pressentimento de que sua vida está no fim, assim como tem o pressentimento de que sua hora de morrer ainda não chegou. Esse pressentimento vem dos seus Espíritos protetores, que assim o advertem para que esteja preparado para retornar ao Mundo Espiritual ou estimulam a sua coragem nos momentos em que isso é mais necessário.

Esse pressentimento pode vir também da intuição que o Espírito tem como consequência da existência que escolheu, ou da missão que aceitou e sabe que deverá cumprir (ver perguntas nº 411 e 522).

858. Por que razão aqueles que pressentem a morte geralmente a temem menos que os outros?

Quem teme a morte é o homem, e não o Espírito. Aquele que a pressente pensa mais como Espírito do que como homem. O Espírito compreende que a morte vai libertá-lo e espera por ela.

859. Se a morte não pode ser evitada quando chega a sua hora, ocorre o mesmo com todos os acidentes que nos acontecem durante a vida?

Em geral, esses acidentes são coisas muito pequenas e servem para que os Espíritos previnam os homens, conduzindo seus pensamentos e ajudando-os a evitá-los, porque o sofrimento material desagrada os bons Espíritos.

Esses acontecimentos são de pouca importância para vida que os encarnados escolheram. A verdadeira fatalidade apenas ocorre quando o homem nasce e quando ele morre.

859a. Existem fatos que forçosamente devam ocorrer e que a vontade dos Espíritos não pode evitar?

Sim, mas esses fatos foram vistos pelo homem, na condição de Espírito desencarnado, quando ele fez a sua escolha. Entretanto, não se deve acreditar que tudo o que acontece esteja escrito, como se costuma dizer.

Muitas vezes, um acontecimento qualquer é a consequência de um ato que o homem praticou por sua livre vontade, caso contrário o acontecimento não teria ocorrido. Quando alguém queima o dedo, isso é consequência da sua imprudência e efeito da matéria.

Apenas as grandes dores, os acontecimentos importantes que podem influir na evolução moral, são previstos por Deus, porque são úteis ao aperfeiçoamento e à educação de todos.

860. O homem pode, por sua vontade e por seus atos, evitar acontecimentos que deveriam se realizar? Pode fazer com que acontecimentos que não deveriam se realizar, se realizem?

Pode, desde que esse aparente desvio caiba na vida que ele próprio escolheu. Além disso, para fazer o bem, que é seu dever e único objetivo na vida, o homem pode também impedir o mal, especialmente aquele que possa contribuir para produção de um mal ainda maior.

861. O homem que comete um assassinato sabe, ao escolher sua existência, que será um assassino?

Não. Mas, ao escolher uma vida de lutas, ele sabe que terá a oportunidade de matar um de seus semelhantes, porém ignora se o fará, porque antes de cometer o crime a decisão será sempre sua.

Aquele que decide fazer uma coisa é sempre livre para fazê-la ou não. Se soubesse antecipadamente que, como homem, cometeria um assassinato, seu Espírito estaria predestinado a isso. Saibam que ninguém é predestinado ao crime e que todo crime, assim como qualquer ato praticado, é sempre o resultado da vontade e do livre-arbítrio.

Além disso, o homem sempre confunde duas coisas bem distintas: *os acontecimentos materiais da vida* e *as ações da vida moral*. Se algumas vezes existe fatalidade, ela se manifesta apenas nos acontecimentos materiais, cuja causa está fora do homem e independe da sua vontade.

As ações da vida moral emanam sempre do próprio homem que, por isso mesmo, sempre terá a liberdade de escolha. Para essas ações nunca há fatalidade.

862. Existem pessoas que não conseguem êxito em coisa alguma, como se um mau Espírito as perseguisse em todos os seus empreendimentos. Não é a isso que se pode chamar de fatalidade?

É uma fatalidade se o homem quiser chamar assim, mas que decorre do tipo de existência que ele escolheu antes de encarnar. Existem aqueles que querem ser provados por uma vida de decepções, a fim de exercitarem a paciência e a resignação. Entretanto, não acreditem que essa fatalidade seja absoluta. Muitas vezes, ela resulta do caminho errado que tomaram, e que está em desacordo com suas inteligências e aptidões.

Aquele que pretende atravessar um rio a nado, sem saber nadar, tem grande probabilidade de se afogar. O mesmo acontece com a maioria dos acontecimentos da vida. Se o homem fizesse apenas o que é compatível com suas aptidões, quase sempre teria êxito.

O amor-próprio e a ambição é que fazem com que o homem se perca, pois além de desviá-lo do seu próprio caminho, ainda o induzem a considerar como "vocação" o simples desejo de satisfazer certas paixões. Assim, ele fracassa por sua própria culpa; mas, em vez de admitir o erro, prefere acusar sua estrela.

Às vezes é melhor ser um bom trabalhador e ganhar a vida honestamente, do que ser um mau poeta e morrer de fome. No mundo, haveria lugar para todos, desde que cada um soubesse ocupar o seu lugar.

863. Os costumes sociais não obrigam o homem a seguir um caminho em vez de outro? Nesse caso, não estará ele submetido ao controle da opinião pública na escolha de suas ocupações? O que chamamos de "respeito humano" não é um obstáculo ao exercício do livre-arbítrio?

São os homens que fazem os costumes sociais, e não Deus. Se eles se submetem a tais costumes é porque lhes convêm. Submeter-se ao controle da opinião pública representa um ato de livre-arbítrio, pois se quisessem poderiam se libertar dela. Então, por que se queixam?

Não são os costumes sociais que os homens devem acusar, mas o seu tolo amor-próprio, que faz com que eles prefiram morrer de fome a abandoná-lo. Ninguém levará em conta esse sacrifício feito à opinião pública, ao passo que Deus levará em conta o sacrifício que fizerem para se livrar de suas vaidades.

Isso não quer dizer que o homem deva afrontar sem necessidade a opinião pública, como fazem certas pessoas em que há mais originalidade do que verdadeira filosofia.

Existe tanto desatino em alguém se fazer objeto de crítica ou parecer um animal curioso, quanto existe sabedoria em descer voluntariamente e sem reclamar, quando não se pode permanecer no topo da escala.

864. Existem pessoas para as quais a sorte é contrária, enquanto outras parecem ser favorecidas por ela, visto que tudo lhes sai bem. A que atribuir isso?

Quase sempre é porque essas pessoas sabem se conduzir melhor na vida; mas isso também pode ser um tipo de prova. O sucesso as embriaga; elas confiam demais em seu destino e muitas vezes pagam, mais tarde, o próprio sucesso, com reveses cruéis, que poderiam ter evitado com a prudência.

865. Como explicar a boa sorte que favorece certas pessoas em circunstâncias que não dependem da vontade nem da inteligência, como no jogo, por exemplo?

Alguns Espíritos escolhem, antes de encarnar, certas formas de prazer. A sorte que os favorece é uma tentação. Aquilo que ganha como homem, perde como Espírito: é uma prova para o seu orgulho e para a sua ganância.

866. Então, a fatalidade que parece presidir os destinos materiais de nossa vida também é resultante de nosso livre-arbítrio?

O homem mesmo escolheu a sua prova. Quanto mais rude ela for e melhor ele a suportar, mais ele se elevará. Aqueles que passam a vida na abundância e desfrutando a felicidade humana são Espíritos fracos, que permanecem estacionários.

Assim, o número de Espíritos infortunados é muito maior que o número de Espíritos felizes sobre a Terra, pois a maioria procura provas que lhes sejam mais proveitosas. Os Espíritos veem muito bem a futilidade das grandezas e dos prazeres do homem. Aliás, a vida mais feliz na Terra é sempre agitada, sempre inquieta, mesmo na ausência da dor (ver pergunta nº 525 e seguintes).

867. De onde vem a expressão "nascer sob uma boa estrela"?

Antiga superstição, segundo a qual as estrelas estariam ligadas ao destino de cada homem. É uma simbologia que algumas pessoas cometem a tolice de levar a sério.

CONHECIMENTO DO FUTURO

868. O futuro pode ser revelado ao homem?

Em princípio, o futuro lhe é oculto e apenas em casos raros e excepcionais Deus permite que ele seja revelado.

869. Com que objetivo o futuro é ocultado do homem?

Se o homem conhecesse o futuro, descuidaria do presente e não agiria com a mesma liberdade, porque seria dominado pelo pensamento de que, se uma coisa tem que acontecer, não adianta ocupar-se com ela, ou então tentaria impedir que acontecesse.

Deus não quis que o homem conhecesse o futuro, a fim de que cada um pudesse contribuir para a realização das coisas, até mesmo daquelas a que desejaria se opor. Assim, o homem mesmo prepara, sem desconfiar disso, os acontecimentos pelos quais passará no curso de sua existência.

870. Mas, se é útil para homem que o futuro permaneça oculto, por que Deus permite que, algumas vezes, ele seja revelado?

Deus permite o conhecimento prévio do futuro quando ele vem facilitar a execução de alguma coisa em vez de dificultá-la, induzindo o homem a agir de modo diferente do que faria caso não tivesse esse conhecimento.

Além disso, muitas vezes o conhecimento do futuro também é uma prova para o homem. A perspectiva de um acontecimento pode despertar pensamentos mais ou menos bons. Se um homem fica sabendo, por exemplo, que receberá uma herança com a qual não contava, esse fato pode despertar nele o sentimento da cobiça, pela perspectiva de aumentar seus prazeres terrenos, pelo desejo de possuir mais cedo a herança e até mesmo desejar a morte daquele que vai lhe deixar a fortuna. Ou, então, essa perspectiva despertará nele bons sentimentos e pensamentos generosos.

Caso a previsão não se cumpra, ele enfrentará outra prova: a maneira pela qual suportará a decepção. Mas nem por isso ele deixará de ter o mérito ou o demérito pelos pensamentos bons ou maus que a expectativa de receber a herança lhe despertou interiormente.

871. Visto que Deus sabe tudo, deve saber também se um homem fracassará ou não numa determinada prova. Nesse caso, qual a necessidade dessa prova, uma vez que nada acrescentará ao que Deus já sabe a respeito desse homem?

Isso é o mesmo que perguntar por que Deus não criou o homem perfeito e acabado (ver pergunta nº 119) ou por que é preciso passar pela infância para chegar à idade adulta (ver pergunta nº 379).

A prova não tem por objetivo esclarecer a Deus sobre o mérito desse homem, porque Ele sabe perfeitamente o que ele vale. A prova tem por finalidade dar ao homem toda responsabilidade de sua ação, já que ele é livre para fazer ou não determinada coisa.

Podendo o homem escolher entre o bem e o mal, a prova tem por finalidade colocá-lo frente a frente com a tentação do mal, deixando-lhe todo o mérito da resistência. Ainda que Deus saiba, antecipadamente, se o homem vencerá ou não, Ele não pode, em Sua justiça, nem puni-lo, nem recompensá-lo por um ato que ainda não foi praticado (ver pergunta nº 258).

Comentário de Kardec: É assim também entre os homens. Por mais capaz que seja um estudante, por maior que seja a certeza do seu triunfo, ninguém lhe confere grau algum sem que antes ele faça a prova. Da mesma forma, o juiz só condena o acusado após ter a prova de um ato consumado e não pela previsão de que ele possa ou não ter praticado esse ato.

Quanto mais se reflete sobre as consequências que teriam para o homem o conhecimento do futuro, mais se compreende como foi sábia a Providência em ocultar esse futuro. A certeza de um acontecimento feliz faria com que o homem entrasse na inércia; a certeza de um acontecimento infeliz faria com que ele caísse em desânimo. Em ambos os casos, suas forças ficariam paralisadas.

É por isso que o futuro só é mostrado ao homem como uma meta que lhe cumpre atingir por seus esforços; mas desconhece as dificuldades pelas quais deverá passar para atingi-la. O conhecimento de todos os incidentes do caminho diminuiria a sua iniciativa e o uso do seu livre-arbítrio. O homem se deixaria arrastar pela fatalidade dos acontecimentos, sem exercitar as suas aptidões. Quando o sucesso de alguma coisa está assegurado, ninguém mais se preocupa com ela.

RESUMO TEÓRICO DA MOTIVAÇÃO DAS AÇÕES DO HOMEM

872. O LIVRE-ARBÍTRIO

A questão do livre-arbítrio pode ser resumida assim: o homem não é fatalmente conduzido ao mal; os atos que ele pratica não estão previamente escritos; os crimes que comete não resultam de uma sentença do destino.

Ele pode, como prova ou como expiação, escolher uma existência em que seja induzido ao crime, quer pelo meio em que vai viver, quer pelas circunstâncias que vão surgir, mas ele sempre é livre para cometer ou não esse crime.

Assim, o livre-arbítrio existe na escolha da existência e das provas que o Espírito faz quando ainda está desencarnado; quando estiver encarnado, ele tem a escolha de ceder ou resistir às más tendências a que todos nós estamos voluntariamente submetidos.

O PAPEL DA EDUCAÇÃO

Cabe à educação combater essas más tendências, e ela o fará de maneira eficiente quando estiver baseada no estudo aprofundado da natureza moral do homem. Pelo conhecimento das Leis que regem essa natureza moral, será possível modificá-la, assim como se modifica a inteligência pela instrução, e como a higiene, que preserva a saúde e previne as doenças, modifica o temperamento.

A ESCOLHA DAS EXISTÊNCIAS

O Espírito, quando está livre do corpo físico, no intervalo entre uma encarnação e outra, faz a escolha de suas futuras existências corporais de acordo com o grau de perfeição a que já tenha atingido, e é nessa escolha, conforme já dissemos, que consiste, acima de tudo, o seu livre-arbítrio.

Essa liberdade de poder escolher sua existência não é anulada pela encarnação. Se ele cede à influência dos apegos materiais, é porque fracassa nas provas que ele mesmo escolheu. Para ajudá-lo a superá-las, ele pode evocar a assistência de Deus e dos bons Espíritos (ver pergunta nº 337).

A LIBERDADE DE PENSAR

Sem o livre-arbítrio, o homem não tem nem culpa por praticar o mal, nem mérito por praticar o bem. Isso é de tal modo reconhecido em nosso mundo, que a censura ou o elogio são sempre feitos à intenção que a pessoa tem, ou seja, à sua vontade. Ora, quem diz vontade, diz liberdade. Eis porque o homem não pode justificar ou desculpar suas faltas atribuindo-as ao seu corpo físico, porque se o fizer, estará abdicando da razão e da sua condição de ser humano, igualando-se aos animais.

Se o corpo físico for responsável pelo mal, deverá ser igualmente responsável pelo bem. Entretanto, quando o homem faz o bem, tem grande cuidado em garantir o mérito para si, e não cogita atribuí-lo ao seu o corpo físico. Isso prova que, instintivamente, ele não renuncia, apesar da opinião de alguns filósofos sistemáticos, ao mais belo dos privilégios da sua espécie: "a liberdade de pensar".

A FATALIDADE

A fatalidade, como é vulgarmente entendida, supõe que os acontecimentos da vida estejam previamente decididos e que não é possível revogá-los, seja qual for a importância desses acontecimentos. Se fosse assim, o homem seria uma máquina destituída de vontade própria.

Para que lhe serviria a inteligência, uma vez que todos os seus atos seriam sempre dominados pela força do destino? Se essa doutrina fosse verdadeira, representaria a destruição de toda liberdade moral; o homem não poderia mais ser responsabilizado por nada, nem pelo mal, nem pelos crimes, nem pelas virtudes, pois tudo já estaria previamente determinado pelo destino.

Deus, que é soberanamente justo, não poderia castigar Suas criaturas por faltas que não dependessem delas cometer, nem recompensá-las por virtudes das quais não tivessem o mérito. Além disso, uma lei assim seria a negação da Lei do Progresso, porque o homem, já com seu destino traçado, não tentaria fazer nada para melhorar a sua posição, visto que não conseguiria mudá-la nem para melhor nem para pior.

OS LIMITES DA FATALIDADE

Entretanto, a fatalidade não é uma palavra sem valor. Ela existe na posição que o homem ocupa na Terra e nas funções que aí desempenha, em consequência do tipo de existência que o seu Espírito escolheu como prova, expiação ou missão.

Assim, ele sofre fatalmente todas as dificuldades dessa existência e todas as tendências, boas ou más, que são frutos da própria escolha que fez. Porém, aí termina a fatalidade, porque sempre dependerá da vontade do homem ceder ou não a essas tendências.

Os "detalhes" dos acontecimentos dependem das circunstâncias que ele mesmo cria por seus atos, e sobre os quais os Espíritos podem influenciar pelos pensamentos que lhe sugerem (ver pergunta nº 459).

Existe fatalidade, portanto, nos acontecimentos que são consequência do tipo de existência que o Espírito escolheu antes de encarnar. Mas o homem, pela sua prudência, sempre pode modificar o curso das coisas. "Nunca existe fatalidade nos atos da vida moral".

A MORTE

É apenas na morte que o homem fica submetido, de uma maneira absoluta, à inevitável Lei da Fatalidade, uma vez que ele não pode escapar da sentença que fixa o término de sua existência, nem pode saber o tipo de morte que terá.

A DOUTRINA POPULAR

Segundo a doutrina popular, o homem tiraria de si mesmo todos os instintos, e estes resultariam tanto do seu corpo físico, pelo qual não poderia ser responsabilizado, uma vez que não foi ele quem o criou, quanto da sua própria natureza, situação em que poderá desculpar-se aos seus próprios olhos, dizendo que não é culpado de ter nascido assim.

A DOUTRINA ESPÍRITA

A Doutrina Espírita é evidentemente muito mais moral: ela admite o livre-arbítrio para o homem, em toda a sua plenitude. Ao dizer-lhe que, praticando o mal, ele cede a uma sugestão má que lhe vem de fora, ela deixa com ele toda a responsabilidade pelo uso do seu livre-arbítrio, já que reconhece no homem o poder de resistir, o que evidentemente é muito mais fácil do que ter que lutar contra a sua própria natureza.

Desse modo, de acordo com a Doutrina Espírita, não há tentação irresistível, porque o homem sempre pode fechar os ouvidos à voz oculta do Espírito que deseja lhe induzir ao mal, do mesmo modo que pode não dar ouvidos quando algum encarnado lhe fala.

O homem pode proceder assim por sua própria vontade, pedindo a Deus a força necessária e rogando, para esse fim, a assistência dos bons Espíritos. É o que Jesus nos ensina na sublime oração do Pai Nosso: "Não nos deixe cair em tentação, e livra-nos do mal".

O ENSINAMENTO MAIS IMPORTANTE DADO PELOS ESPÍRITOS

De todos os ensinamentos que os Espíritos nos trouxeram, o que mais se sobressai é o que afirma serem os nossos atos a causa determinante para as coisas que nos acontecem. Esse ensinamento, além de ser sublime em moralidade, ainda eleva o homem perante si memo.

Mostra que ele é livre para não aceitar um domínio obsessor, assim como é livre para fechar a porta para aqueles que o incomodam. Desse modo, o homem não é mais uma máquina que se move por efeito de um impulso estranho a sua vontade, mas um ser dotado de razão, que ouve, julga e escolhe, livremente, entre dois conselhos.

Acrescentamos ainda que, apesar disso, o homem não está privado da sua iniciativa, nem deixa de agir por impulso próprio, já que é apenas um Espírito encarnado que conserva, sob o corpo físico, as qualidades e os defeitos que tinha como Espírito desencarnado.

A IMPERFEIÇÃO DO ESPÍRITO E A SUA RESPONSABILIDADE PERANTE AS FALTAS

Portanto, as faltas que cometemos têm sua origem primeira na imperfeição do nosso próprio Espírito, que ainda não atingiu a superioridade moral que alcançará um dia, mas que nem por isso tem o seu livre-arbítrio diminuído.

A vida no corpo físico é dada ao homem para que ele se liberte de suas imperfeições, através das provas que precisa enfrentar na Terra. São justamente essas imperfeições que o tornam mais acessível às sugestões dos Espíritos imperfeitos, que delas se aproveitam para tentar fazê-lo fracassar na luta que escolheu.

Se ele sai vitorioso dessa luta, se eleva; se fracassa, continua como está, nem pior, nem melhor: é uma prova que ele precisará recomeçar, e essa situação pode durar muito tempo.

Quanto mais o homem se depura, mais diminuem os seus pontos fracos e menos vulnerável ele se mostra aos que procuram atraí-lo para o mal; sua força moral cresce juntamente com sua elevação, e isso faz com que os maus Espíritos se afastem dele.

A POSIÇÃO DA TERRA ENTRE OS MUNDOS HABITADOS

A espécie humana é constituída pelos Espíritos bons e pelos Espíritos maus que estão encarnados neste planeta. Como a Terra é um dos mundos menos adiantados, nela se encontram mais Espíritos maus do que bons. Eis porque aqui encontramos tanta perversidade.

Façamos, pois, todos os esforços para não voltarmos a esse planeta após nossa desencarnação e para merecermos reencarnar num mundo melhor, num desses mundos privilegiados onde o bem reina sem divisão, e onde nossa passagem pela Terra seja apenas a lembrança de um exílio temporário.

CAPÍTULO 11

LEI DA JUSTIÇA, DO AMOR E DA CARIDADE

• Justiça e Direitos Naturais
• Direito de Propriedade – Roubo
• Caridade e Amor ao Próximo
• Amor Materno e Filial

JUSTIÇA E DIREITOS NATURAIS

873. O sentimento de justiça é um sentimento natural ou é o resultado de ideias adquiridas?

O sentimento de justiça é tão natural no homem que a simples ideia de uma injustiça já o deixa revoltado. Sem dúvida, o progresso moral desenvolve esse sentimento, mas não pode criá-lo.

Deus colocou o sentimento de justiça no coração do homem; eis porque, muitas vezes, encontra-se entre homens simples e incultos, noções mais exatas de justiça do que entre aqueles que possuem grande saber.

874. Se a justiça é uma Lei Natural, por que os homens dão a ela tantas interpretações? Se uma coisa é justa para uns, não deveria ser também para outros?

O homem altera o sentimento de justiça quando mistura a ele as suas paixões, assim como faz com a maior parte dos sentimentos naturais. A paixão faz com que os homens vejam as coisas sob um ponto de vista falso.

875. Como podemos definir a justiça?

A justiça consiste no respeito aos direitos de cada um.

875a. O que determina os direitos de cada um?

Os direitos de cada um são determinados por dois princípios: a Lei Humana e a Lei Natural. Os homens elaboraram Leis apropriadas aos seus costumes e ao seu caráter; essas leis estabeleceram direitos que têm variado com o progresso dos seus conhecimentos.

As Leis de hoje, embora imperfeitas, não concedem os mesmos direitos que as Leis da Idade Média. Entretanto, esses direitos antiquados, que hoje parecem monstruosos, pareciam justos e naturais naquela época.

Assim, o direito estabelecido pelos homens, nem sempre está de acordo com a verdadeira justiça. Aliás, esse direito regula apenas algumas relações sociais, enquanto que, na vida privada, existe uma infinidade de atos que diz respeito exclusivamente à consciência de cada um.

876. Fora o direito estabelecido pela Lei Humana, qual é a base da justiça, segundo a Lei Natural?

O Cristo disse: *Façam aos outros o que gostariam que os outros fizessem a vocês.* Deus colocou no coração do homem a regra da verdadeira justiça, pelo desejo que cada um tem de ver seus direitos respeitados.

Na incerteza de como deve proceder em relação ao seu semelhante, numa determinada circunstância, o homem deve perguntar a si mesmo como gostaria que os outros procedessem com ele na mesma circunstância. Deus não poderia dar-lhe um guia mais seguro do que a própria consciência.

Comentário de Kardec: *Realmente, o critério da verdadeira justiça está em cada um querer para os outros aquilo que desejaria para si mesmo, e não em querer para si o que desejaria para os outros, o que absolutamente não é a mesma coisa.*

Como não é natural que alguém deseje o mal para si mesmo, se tomarmos o desejo pessoal como norma ou como ponto de partida, podemos estar certos de que somente desejaremos o bem para o próximo.

Em todos os tempos e em todas as crenças, o homem sempre se esforçou para que prevalecesse o seu direito pessoal. "A sublimidade da religião cristã foi tomar o direito pessoal como sendo a base para o direito do próximo".

877. A necessidade que o homem tem de viver em sociedade acarreta para ele obrigações especiais?

Sim, e a primeira delas é a de respeitar os direitos alheios. Aquele que respeitar esses direitos, sempre agirá com justiça. Na Terra, onde muitos homens não praticam a Lei da Justiça, cada um usa o revide, e essa é a causa da perturbação e da confusão na sociedade humana. A vida social dá direitos e impõe deveres recíprocos.

878. O homem pode enganar-se quanto à extensão do seu direito. O que ele deve fazer para conhecer o limite desse direito?

O limite do direito do homem será sempre o de conceder aos seus semelhantes o mesmo que concederia a si em idênticas circunstâncias. Esse limite deve ser praticado entre os homens de forma recíproca.

878a. Mas se cada um conceder a si mesmo os direitos que concede ao seu semelhante, como ficará a obediência em relação aos superiores? Isso não será a anarquia de todos os poderes?

Os direitos naturais são os mesmos para todos os homens, desde aqueles que têm posição mais humilde até os que têm posição mais elevada. Deus não fez uns mais puros do que os outros, pois todos são iguais perante Ele.

Esses direitos são eternos. Entretanto, os direitos que o homem estabeleceu desaparecem com as suas instituições. Além disso, cada um tem consciência da sua força ou da sua fraqueza, e saberá sempre ter certa consideração com aqueles que mereçam, por suas virtudes e sabedoria.

É importante destacar isto para que aqueles que se julgam superiores conheçam seus deveres, a fim de merecer essa consideração. A obediência aos superiores não fica comprometida quando a autoridade é exercida com sabedoria.

879. Qual seria o caráter do homem que praticasse a justiça em toda a sua pureza?

A exemplo de Jesus, seria o caráter do verdadeiro justo, porque praticaria também o amor ao próximo e a caridade, sem os quais não existe a verdadeira justiça.

DIREITO DE PROPRIEDADE – ROUBO

880. Qual é o primeiro de todos os direitos naturais do homem?

É o de viver. Por isso, ninguém tem o direito de atentar contra a vida de seu semelhante, nem de fazer algo que possa comprometer a existência física de alguém.

881. O direito de viver dá ao homem o direito de acumular bens que lhe permitam repousar quando não puder mais trabalhar?

Sim, mas ele deve fazê-lo em família, como faz a abelha, por meio de um trabalho honesto, e não acumular como um egoísta. Até mesmo alguns animais nos dão o exemplo da previdência.

882. O homem tem o direito de defender os bens que acumulou pelo seu trabalho?

Deus não disse: "Não roubarás"?; e Jesus não disse: "Dai a Cesar o que é de Cesar"?

Comentário de Kardec: Aquilo que o homem acumula por meio de um trabalho honesto é sua propriedade legítima, e ele tem o direito de defendê-la, porque a propriedade, que é fruto do trabalho, é um direito natural, tão sagrado quanto o direito de trabalhar e de viver.

883. O desejo de possuir é natural?

Sim, mas quando o homem deseja possuir apenas para si e para a sua satisfação pessoal, é puro egoísmo.

883a. Entretanto, o desejo de possuir não é legítimo, visto que a pessoa que tem do que viver não se torna um peso para ninguém?

Existem homens insaciáveis, que acumulam bens sem proveito para ninguém ou apenas para satisfazer as suas paixões. Será que Deus aprova isso? Aquele que, ao contrário, acumula pelo seu trabalho, tendo em vista auxiliar seus semelhantes, pratica a Lei do Amor e da Caridade, e o seu trabalho é abençoado por Deus.

884. O que é uma propriedade legítima?

Só é propriedade legítima aquela que é adquirida sem prejuízo de ninguém (ver pergunta nº 808).

Comentário de Kardec: A Lei do Amor e da Justiça proíbe que se faça aos outros o que não desejamos para nós. Condena, por isso mesmo, todo meio de adquirir que seja contrário a essa Lei.

885. Existe definição para o direito de propriedade?

Sem dúvida, tudo aquilo que é adquirido de forma legítima é uma propriedade. Mas, conforme já dissemos, a legislação humana é imperfeita e consagra muitos direitos convencionais que a justiça natural reprova.

À medida que o progresso se realiza, os homens compreendem melhor a justiça, e é por isso que eles reformam as suas Leis. A mesma Lei que parece perfeita num século, parece cruel no século seguinte (ver pergunta nº 795).

CARIDADE E AMOR AO PRÓXIMO _____

886. Qual é o verdadeiro sentido da palavra "caridade", tal como Jesus a entendia?

Benevolência para com todos; indulgência para com as imperfeições alheias; perdão das ofensas.

Comentário de Kardec: O amor e a caridade são o complemento da Lei da Justiça, porque amar ao próximo é fazer-lhe todo bem que nos seja possível e que desejaríamos que nos fosse feito. Este é o sentido destas palavras de Jesus: "Amem-se uns aos outros como irmãos".

De acordo com Jesus, a caridade não se limita à esmola. Ela abrange todas as relações com os nossos semelhantes, sejam eles nossos inferiores, nossos iguais ou nossos superiores. A caridade nos pede que sejamos indulgentes, porque nós também precisamos de indulgência; ela nos proíbe humilhar os desafortunados, ao contrário do que normalmente fazemos.

Quando um rico se apresenta, concedemos a ele todas as atenções e amabilidades; se for um pobre, parece que não existe necessidade de se incomodar com ele. Entretanto, quanto mais lastimável for a sua posição, maior deve ser o nosso cuidado em não lhe aumentar o infortúnio pela humilhação.

O homem que é verdadeiramente bom procura elevar, aos seus próprios olhos, aquele que lhe é inferior, diminuindo assim a distância que existe entre ambos.

887. Jesus também disse: "Amem os seus inimigos". Ora, o amor pelos nossos inimigos não é contrário às nossas tendências naturais? A inimizade não provém da falta de simpatia entre os Espíritos?

Sem dúvida, não se pode ter pelos inimigos um amor terno e apaixonado. Não foi isso o que Jesus quis dizer. Amar os inimigos é perdoar o mal que eles nos fazem; é pagar o mal com o bem. Agindo assim, nos tornamos superiores a eles; pela vingança, nos colocamos abaixo deles.

888. O que pensar da esmola?

O homem que precisa pedir esmola se degrada moral e fisicamente: ele se embrutece. Uma sociedade que se baseia na Lei de Deus e na Justiça deve prover ao fraco uma vida sem humilhações. Ela deve assegurar a subsistência daqueles que não podem trabalhar, sem deixar que suas vidas fiquem ao sabor do acaso e da boa vontade de alguns.

888a. Isso significa que você reprova a esmola?

Não; o que merece reprovação não é a esmola, mas a maneira pela qual ela é habitualmente dada. O homem de bem, que compreende a caridade assim como Jesus a compreendia, vai ao encontro do infeliz, sem esperar que ele lhe estenda a mão.

A verdadeira caridade é sempre bondosa e benevolente; ela está tanto no ato quanto na maneira pela qual este ato é praticado. Um serviço prestado com delicadeza tem o seu valor aumentado. Porém, se ele é feito com ostentação, a necessidade pode obrigar quem o recebe a aceitá-lo, mas seu coração pouco se comoverá.

Lembrem-se também que, aos olhos de Deus, a ostentação tira o mérito do benefício. Jesus disse: "Que a sua mão esquerda não saiba o que faz a sua mão direita". Assim, Ele nos ensina a não manchar a caridade com o orgulho.

É preciso distinguir a esmola, propriamente dita, da beneficência. Nem sempre aquele que pede é o mais necessitado. O temor de uma humilhação detém o verdadeiro pobre que, muitas vezes, sofre sem se queixar. É a esse que o homem verdadeiramente humano deve assistir, sem ostentação.

Amem-se uns aos outros: eis toda a Lei, a Lei Divina, mediante a qual Deus governa os Mundos. O "Amor" é a "Lei de Atração" para os seres vivos e organizados. A atração é a Lei de Amor para a matéria inorgânica.

Nunca esqueçam que o Espírito, qualquer que seja o grau de seu adiantamento, independentemente de estar reencarnado ou não, está sempre colocado entre um superior, que o guia e o aperfeiçoa, e um inferior, perante o qual tem os mesmos deveres a cumprir, ou seja, guiá-lo e aperfeiçoá-lo.

Sejam, pois, caridosos, praticando não apenas a caridade que tira do bolso a esmola que dão friamente a quem ousa pedir, mas vão ao encontro das misérias ocultas. Sejam indulgentes para com os defeitos de seus semelhantes.

Instruam e moralizem os ignorantes e os viciosos, ao invés de desprezá-los. Sejam brandos e caridosos com todos aqueles que lhes são inferiores. Sejam também brandos e caridosos com os seres menos evoluídos da Criação e terão obedecido à Lei de Deus.

São Vicente de Paulo

889. Não existem homens que são mendigos por sua própria culpa?

Certamente que existem; mas se uma "boa educação moral" lhes tivesse ensinado a praticar a Lei de Deus, não teriam caído nos excessos que causaram a sua perdição. É disso, sobretudo, que depende a melhoria da Terra em que vivem (ver pergunta nº 707).

AMOR MATERNO E FILIAL

890. O amor materno é uma virtude ou um sentimento instintivo, comum aos homens e aos animais?

O amor materno é as duas coisas. A Natureza deu à mãe o amor pelos filhos visando à conservação deles. Mas, no animal, esse amor está limitado às necessidades materiais e termina quando os cuidados tornam-se desnecessários.

No homem, esse amor persiste pela vida inteira e comporta um devotamento e uma abnegação que são virtudes. O amor materno sobrevive até mesmo à morte e prossegue no Mundo Espiritual. Observem que existe nesse amor algo a mais que nos animais (ver perguntas nº 205 e 385).

891. Se o amor materno é uma Lei da Natureza, por que há mães que odeiam seus filhos, e isto, muitas vezes, desde o nascimento?

Às vezes é uma prova que o Espírito do filho escolhe antes de reencarnar, ou é uma expiação pela qual esse Espírito precisa passar por não ter sido um bom pai, uma boa mãe ou, ainda, um bom filho, numa existência anterior (ver pergunta nº 392).

Em todos os casos, a mãe má está sempre sob o domínio de um Espírito obsessor, que procura criar dificuldades ao filho, a fim de que ele fracasse nas provas que escolheu. Mas essa violação das Leis da Natureza não ficará impune, e o Espírito do filho será recompensado pelos obstáculos que tiver superado.

892. Os pais que têm filhos que lhes causam desgosto não dão, a esses filhos, a mesma ternura que dariam se eles lhes causassem alegria. Esses pais devem ser desculpados por isso?

Não, porque é um encargo que lhes é confiado e a sua missão consiste em fazer todos os esforços para encaminhar os filhos para o bem (ver perguntas nº 582 e 583). No mais das vezes, esses desgostos resultam dos maus hábitos que os pais deixaram que seus filhos desenvolvessem desde pequenos. Ao agirem assim, colhem o que semearam.

CAPÍTULO 12

A PERFEIÇÃO MORAL

- As Virtudes e os Vícios
- Paixões
- Egoísmo
- Características do Homem de Bem
- Conhecimento de Si Mesmo

AS VIRTUDES E OS VÍCIOS

893. Qual a mais meritória de todas as virtudes?

Todas as virtudes têm o seu mérito, porque todas são sinais de progresso no caminho do bem. Existe virtude sempre que há resistência voluntária à prática das más tendências. Mas a sublimidade da virtude consiste no sacrifício do interesse pessoal pelo bem do próximo, sem segundas intenções. A mais meritória das virtudes é aquela que tem por base a mais desinteressada caridade.

894. Existem pessoas que fazem o bem de maneira espontânea, sem que precisem vencer nenhum sentimento contrário. Elas têm tanto mérito quanto aquelas que precisam lutar contra a sua própria natureza e vencê-la?

As pessoas que não precisam lutar são aquelas em que o progresso já está realizado. Elas lutaram em existências anteriores e venceram. Para essas pessoas, os bons sentimentos não lhes custam nenhum esforço e suas ações lhes parecem todas naturais; para elas, fazer o bem tornou-se um hábito. Como velhos guerreiros, elas devem ser honradas pela posição elevada que conquistaram.

Como os homens ainda estão longe da perfeição, esses exemplos espantam pelo contraste, e eles os admiram tanto mais quanto mais raros eles são.

Mas saibam que, nos mundos mais avançados, o que na Terra é exceção, lá é regra. Nesses mundos, o sentimento do bem está por toda parte e é espontâneo, porque eles são habitados somente por Espíritos bons. Em um mundo assim, uma única intenção maligna seria para eles uma exceção monstruosa.

É por isso que nesses mundos os homens são felizes. Assim também será na Terra quando a Humanidade se transformar e compreender que é preciso praticar a caridade no seu verdadeiro sentido.

895. Com exceção dos defeitos e dos vícios, sobre os quais ninguém tem dúvida, qual é o sinal que mais caracteriza a imperfeição?

O sinal que mais caracteriza a imperfeição é o "interesse pessoal". Muitas vezes as qualidades morais são tão superficiais que se assemelham ao banho de ouro sobre um objeto de cobre, que não resiste à **pedra de toque**.

Um homem pode possuir qualidades reais que levem o mundo a considerá-lo como um homem de bem. Mas essas qualidades, ainda que representem um progresso, nem sempre resistem a certas provas; basta que se toque no interesse pessoal para que a pessoa revele a sua verdadeira identidade. O verdadeiro desinteresse é coisa tão rara na Terra, que é admirado como um fenômeno quando acontece.

O apego às coisas materiais é um sinal notório de inferioridade, porque quanto mais o homem dá valor aos bens da Terra, menos compreende o seu verdadeiro destino. Ao contrário, pelo desinteresse das coisas materiais, ele demonstra que vê o futuro de um ponto de vista mais elevado.

Observação

Pedra de toque: É um cristal duro que os ourives utilizam para verificar a pureza de um metal.

896. Existem pessoas desinteressadas e sem discernimento que esbanjam seus bens sem proveito real para ninguém, por falta de um uso criterioso. Essas pessoas possuem algum mérito?

Essas pessoas têm o mérito do desinteresse, mas não o do bem que poderiam fazer. Se o desinteresse é uma virtude, o esbanjamento irrefletido é sempre uma falta de juízo. A riqueza não é dada a uns para ser jogada ao vento, nem a outros para ser colocada num cofre.

A riqueza é um deposito sobre o qual o homem terá que prestar contas, porque ele responderá por todo bem que poderia ter feito e não fez, e por todas as lágrimas que poderia ter enxugado com o dinheiro que foi dado aos que dele não precisavam.

897. Merece ser reprovado aquele que faz o bem sem visar qualquer recompensa na Terra, apenas na esperança de que esse bem lhe seja levado em conta na outra vida, onde espera que lá sua posição seja melhor? Esse pensamento não prejudica o seu progresso?

O bem deve ser feito apenas por caridade, ou seja, com desinteresse.

897a. Entretanto, todos têm o desejo muito natural de progredir para sair do estado aflitivo em que se encontram nesta vida. Os próprios Espíritos nos ensinam a praticar o bem com esse objetivo. Será errado pensar que, ao praticar o bem, podemos esperar uma situação melhor do que aquela que possuímos na Terra?

Certamente que não; aquele que faz o bem sem segundas intenções e pelo único prazer de ser agradável a Deus e ao seu próximo que sofre, já se encontra num certo grau de progresso, que lhe permitirá alcançar a felicidade muito mais depressa do que o seu irmão que faz o bem calculando o benefício que terá e não por um impulso natural do seu coração (ver pergunta nº 894).

897b. Não há aqui uma distinção a ser feita entre o bem que se pode fazer ao próximo e o esforço que se faz para corrigir os seus próprios defeitos? Compreendemos que seja pouco meritório fazer o bem pensando em receber benefícios na outra vida, mas o fato do homem se melhorar, vencendo as suas paixões e corrigindo o seu caráter, com o propósito de se aproximar dos bons Espíritos e de se elevar, constitui igualmente sinal de inferioridade?

Não, claro que não. Quando dizemos fazer o bem, queremos dizer ser caridoso. Aquele que calcula o que cada uma de suas boas ações pode lhe render na vida futura, assim como na vida terrena, age como um egoísta. Mas não existe nenhum egoísmo em o homem querer se melhorar para se aproximar de Deus, porque esse é o objetivo que todos devem perseguir.

898. Uma vez que a vida no corpo físico é apenas uma passagem temporária neste mundo, e que o nosso futuro deve ser a nossa principal preocupação, pergunto: é útil o nosso esforço para adquirir conhecimentos científicos que se referem apenas às coisas e às necessidades materiais aqui na Terra?

Sem dúvida. Primeiro, porque os conhecimentos científicos colocam o homem em condições de auxiliar os seus irmãos; depois, porque o desenvolvimento intelectual ajuda o Espírito a evoluir.

No Mundo Espiritual, entre uma encarnação e outra, o homem aprende em uma hora o que levaria anos para aprender na Terra. Nenhum conhecimento é inútil; todos contribuem, mais ou menos, para o progresso, porque o Espírito perfeito deve saber tudo. Como o progresso deve se realizar em todos os sentidos, todas as ideias adquiridas contribuem para o desenvolvimento do Espírito.

899. Dois homens ricos empregam a sua riqueza exclusivamente na sua satisfação pessoal. Qual será o mais culpado: aquele que nasceu na riqueza e nunca conheceu a necessidade ou aquele que adquiriu a fortuna através do seu trabalho?

O mais culpado é aquele que conheceu o sofrimento, porque este sabe o que é sofrer. Conhece a dor, mas não se importa em aliviá-la nos semelhantes, porque, muito frequentemente, ele nem se lembra mais dela.

900. Aquele que acumula sem cessar e sem fazer o bem a ninguém pode usar como desculpa a ideia de que acumula para deixar mais aos seus herdeiros?

Aquele que faz isso assume um compromisso com a má consciência.

901. Existem dois avarentos: o primeiro priva-se do necessário e morre de miséria sobre o seu tesouro; o segundo só é avarento para com os outros e generoso para consigo mesmo; enquanto recua diante do mais breve sacrifício para prestar um serviço ou fazer alguma coisa útil, nenhum custo é demasiado para satisfazer os seus gostos e as suas paixões. Está sempre de má vontade para prestar um favor, mas sempre disposto a realizar uma fantasia e não se importa com o custo. Qual deles é o mais culpado e qual ficará em situação mais difícil no Mundo Espiritual?

O mais culpado é o segundo, pois desfruta das coisas em benefício próprio; ele é mais egoísta do que avarento. O primeiro, ao privar-se do necessário, já recebeu uma parte da sua punição.

902. É errado desejar a riqueza para fazer o bem ao próximo?

Não resta dúvida que se tal sentimento for puro, ele é louvável. Mas, esse desejo será sempre desinteressado e não esconderá nenhuma segunda intenção pessoal disfarçada? Na maioria das vezes, a primeira pessoa a quem se deseja fazer o bem não será a nós mesmos?

903. Alguém pode ser culpado por estudar os defeitos alheios?

Se for para criticá-los e divulgá-los, aquele que o faz é culpado, porque isso é faltar com a caridade. Porém, se ele fizer esse estudo para daí tirar algum proveito, para evitar cometer os mesmos erros, tal estudo poderá ter alguma utilidade.

É preciso não esquecer que a indulgência para com os defeitos alheios é uma das virtudes que fazem parte da caridade. Antes de alguém censurar as imperfeições alheias, precisa analisar se o mesmo não lhe pode ser atribuído. Portanto, tratem de possuir as qualidades opostas aos defeitos que costumam criticar nos outros, porque essa é a maneira de tornarem-se superiores.

Aquele que censura o homem que é mesquinho deve ser generoso; quem censura o orgulhoso deve ser humilde e modesto; quem censura aquele que é rude deve ser brando, e aquele que censura o que age com pequenez deve ser grande em todas as suas ações.

Resumindo, o homem deve proceder de modo que estas palavras de Jesus não possam ser aplicadas a ele: "Conseguem ver um cisco que está no olho do seu irmão e não conseguem ver a trave que está em seu próprio olho".

904. Podemos considerar culpado o escritor que procura os males da sociedade e os divulga publicamente?

Isso depende do sentimento com que ele faz essa divulgação. Se o objetivo do escritor é apenas produzir escândalo, trata-se de um prazer pessoal que ele proporciona a si mesmo, apresentando situações que constituem, com frequência, antes um mau do que um bom exemplo.

O Espírito do escritor aprecia esse tipo de divulgação, mas ele pode ser punido por essa espécie de prazer que sente em revelar o mal alheio.

904a. Nesse caso, como julgar a pureza das intenções e a sinceridade do escritor?

Isso nem sempre é útil. Se ele escrever coisas boas, aproveitem-nas. Se ele escrever coisas más, ignorem-nas, porque isso é uma questão de consciência que apenas a ele interessa. Aliás, se o escritor deseja provar a sua sinceridade, deve apoiar o que escreve no seu próprio exemplo.

905. Alguns autores publicaram obras belíssimas e de elevado cunho moral, que auxiliam o progresso da Humanidade, mas das quais eles mesmos não tiraram nenhum proveito. Como Espíritos desencarnados, eles terão algum proveito pelo bem que essas obras produziram?

A moral sem ser vivenciada através de atos é o mesmo que a semente sem o trabalho. De que serve a semente ao homem se ele não a faz dar frutos que o alimentem? Esses homens são mais culpados, porque tinham a inteligência para compreender que eles deveriam ser os primeiros a seguir aquilo que escreviam.

Assim, por não praticarem os ensinamentos que ofereciam aos outros, renunciaram colher os próprios frutos que plantaram.

906. Podemos censurar um homem que pratica o bem, apenas por ele ter a consciência de que é um homem bondoso?

Se o homem pode ter a consciência do mal que pratica, deve ter também a do bem, a fim de saber se está agindo corretamente. Submetendo todas as suas ações perante a Lei de Deus e, principalmente, perante a Lei da Justiça, do Amor e da Caridade, é que o homem poderá dizer se essas ações são boas ou más, aprová-las ou não.

Portanto, não pode ser censurado aquele que reconhece ter vencido suas más tendências; ele tem o legítimo direito de sentir-se satisfeito, desde que não se envaideça com isso, porque então cairá em outra falta (ver pergunta nº 919).

PAIXÕES

907. Mesmo fazendo parte da Natureza, o princípio que deu origem às paixões pode ser considerado um mau princípio?

Não; a paixão torna-se má quando é excessiva e se alia a uma vontade desenfreada. O princípio que dá origem à paixão foi colocado no homem para o bem, e pode levá-lo a realizar grandes obras. O abuso que o homem faz das paixões é que causa o mal.

908. Como definir o limite onde as paixões deixam de ser boas para se tornarem más?

As paixões são como um cavalo, que é útil quando é controlado, e que se torna perigoso quando passa a controlar. Uma paixão se torna prejudicial a partir do momento em que o homem não consegue mais dominá-la, resultando em prejuízo para ele e para os outros.

Comentário de Kardec: As paixões são alavancas que multiplicam por dez as forças do homem e o auxiliam na execução dos objetivos da Providência. Mas, se ao invés do homem dirigir as paixões, ele se deixar dirigir por elas, cai nos excessos e a própria força, que em suas mãos poderia fazer o bem, recai sobre ele e o esmaga.

Todas as paixões têm seu princípio num sentimento ou numa necessidade da Natureza. Assim, o princípio das paixões não é um mal, visto que Deus colocou-o em nossa existência. A paixão propriamente dita, conforme habitualmente se entende, consiste no exagero de uma necessidade ou de um sentimento. A paixão está no excesso e não no fato em si, e este excesso se torna prejudicial quando causa um mal qualquer.

Toda paixão que aproxima o homem da natureza animal afasta-o de sua natureza espiritual.

Todo sentimento que eleva o homem acima da natureza animal indica o predomínio do Espírito sobre a matéria, e o aproxima da perfeição.

909. O homem sempre poderia vencer suas más tendências utilizando seus próprios esforços?

Sim, e às vezes com pequenos esforços. O que lhe falta é a vontade. Ah! Com são poucos os que se esforçam entre os homens!

910. O homem pode encontrar nos Espíritos uma assistência eficaz para superar suas paixões?

Se pedir a Deus e ao seu protetor, com sinceridade, os bons Espíritos certamente virão em seu auxílio, porque esta é a missão deles (ver pergunta nº 459).

911. É correto afirmar que existem paixões tão vivas e irresistíveis que a vontade é impotente para superá-las?

Existem muitas pessoas que dizem "eu quero", mas a vontade está apenas nos lábios. Elas querem, mas ficam muito satisfeitas se não acontecer o que querem. Quando o homem acredita que não pode vencer suas paixões, é porque o seu Espírito se satisfaz nelas, em consequência da sua inferioridade. Aquele que procura reprimi-las compreende a sua natureza espiritual. Vencê-las, para ele, é um triunfo do Espírito sobre a matéria.

912. Qual o meio mais eficiente de combater o predomínio do corpo físico sobre as coisas espirituais?

Praticar a abnegação, ou seja, o desprendimento.

EGOÍSMO

913. Qual é o pior de todos os vícios?

Já dissemos inúmeras vezes que é o egoísmo, porque é dele que emana todo o mal. Estudem todos os vícios e verão que no fundo de todos eles o egoísmo está presente. O homem combaterá inutilmente seus vícios e não conseguirá extirpá-los enquanto não atacar o mal pela raiz, enquanto não destruir a causa.

Todos os esforços devem ser direcionados para combater o egoísmo, porque é nele que está a verdadeira chaga da sociedade. Aquele que quiser se aproximar da perfeição moral, já nesta vida, deve retirar do seu coração todo sentimento de egoísmo, pois ele é incompatível com a justiça, com o amor e com a caridade. O egoísmo neutraliza todas as outras qualidades.

914. Se a base do egoísmo é o interesse pessoal, não fica difícil extirpá-lo completamente do coração do homem? Um dia isso acontecerá?

À medida que os homens se esclarecem sobre as coisas espirituais, eles passam a dar menos valor às coisas materiais. Além disso, é preciso reformar as instituições humanas que estimulam e mantêm o egoísmo. Isso depende da educação.

915. Se o egoísmo é inseparável da espécie humana, ele não será sempre um obstáculo para que o bem se instale de forma absoluta na Terra?

É certo que o egoísmo é o maior mal dos homens, e ele se deve à inferioridade dos Espíritos que estão encarnados na Terra, e não à Humanidade como um todo. Ora, depurando-se através das sucessivas encarnações, os Espíritos perdem o egoísmo, assim como as demais impurezas.

A Terra já não possui alguns homens livres do egoísmo e praticando a caridade? Existem muito mais homens assim do que se pode imaginar; entretanto, eles são pouco conhecidos, porque a verdadeira virtude procura não se colocar em evidência. Se existe um homem, por que não existirão dez? Se existem dez, por que não existirão mil? E assim por diante.

916. O egoísmo, ao invés de diminuir, cresce com a civilização que parece alimentá-lo e mantê-lo. Como a causa poderá destruir a consequência?

Quanto maior é o mal, mais horrível ele se torna. É preciso que o egoísmo cause muito mal para que as pessoas compreendam a necessidade de extingui-lo. Quando os homens tiverem se libertado do egoísmo que os domina, viverão como irmãos, sem se fazerem mal algum e ajudando-se reciprocamente pelo sentimento mútuo da solidariedade.

Quando isso ocorrer, o forte apoiará o fraco e não será mais o seu opressor; também não veremos mais homens desprovidos do necessário, porque todos praticarão a Lei da Justiça. Esse é o Reino do bem que os Espíritos estão encarregados de preparar (ver pergunta nº 784).

917. Qual é o meio de destruir o egoísmo?

De todas as imperfeições humanas, a mais difícil de ser eliminada é o egoísmo, porque ele resulta da influência da matéria, e o homem, por estar ainda muito próximo da sua origem, não consegue se libertar dessa influência.

Tudo concorre para manter a influência da matéria sobre o homem: suas Leis, sua organização social, sua educação. O egoísmo se enfraquecerá pela predominância da vida moral sobre a vida material. Ele se enfraquecerá também com a compreensão que o Espiritismo fornece aos homens sobre a realidade de sua vida futura, e não sobre a visão de uma vida futura desvirtuada por informações incorretas.

O Espiritismo, quando for bem compreendido, quando estiver identificado com os costumes e as crenças, transformará os hábitos, os usos e as relações sociais. O egoísmo está baseado na importância que o homem dá à sua personalidade. Repito mais uma vez: o Espiritismo, bem compreendido, mostra as coisas de tão alto que o sentimento da personalidade desaparece perante a imensidade. Ao destruir a importância da personalidade ou, pelo menos, reduzindo-a às suas reais proporções, o Espiritismo necessariamente combate o egoísmo.

O choque que o homem experimenta com o egoísmo das outras pessoas é que faz com que ele também se torne egoísta, porque ele sente a necessidade de se colocar na defensiva. Ao ver que os outros pensam apenas em si mesmos, o homem é levado a ocupar-se mais consigo do que com os outros.

Se o princípio da caridade e da fraternidade for a base das instituições sociais, das relações legais de povo para povo e de homem para homem, cada um pensará menos na sua pessoa, vendo que outros pensam nela. Assim, sofrerá a influência moralizadora do exemplo e do convívio.

Em razão da atual intensidade do egoísmo humano, é preciso ter muita virtude para renunciar à sua própria personalidade em favor dos outros, que, quase sempre, não o reconhecem e nem o agradecem. É principalmente para aqueles que possuem essa virtude que o Reino dos Céus está aberto; é especialmente para eles que está reservada a felicidade dos eleitos, porque em verdade eu digo: "No dia da justiça, todo aquele que tiver pensado apenas em si mesmo será posto de lado e sofrerá pelo abandono a que será deixado" (ver pergunta nº 785).

Comentário de Kardec: *Louváveis esforços são empregados para fazer a Humanidade progredir. Os bons sentimentos são encorajados, estimulados e honrados mais do que em qualquer outra época. Apesar disso, o verme roedor do egoísmo continua a ser a chaga social.*

É um mal real que se espalha pelo mundo inteiro, e do qual cada homem é vítima em maior ou menor grau. Assim, é preciso combater o egoísmo como se combate uma doença epidêmica. Para isso, deve-se proceder como procedem os médicos, ou seja, procurar a causa do mal. Devemos procurar em todas as partes da organização social, da família aos povos, da favela ao palácio, todas as causas, todas as influências, evidentes ou ocultas, que excitam, alimentam e desenvolvem o sentimento do egoísmo.

Uma vez conhecidas as causas, o remédio se apresentará por si mesmo. Só restará, então, combatê-las, se não todas ao mesmo tempo, pelo menos parcialmente, e o veneno pouco a pouco será eliminado. A cura poderá ser demorada, porque as causas são numerosas, mas não é impossível.

Isso apenas acontecerá se o mal for cortado pela raiz, ou seja, pela educação; não pela educação que tende a fazer homens instruídos, mas pela educação que tende a fazer homens de bem.

A educação, se é bem entendida, constitui a chave do progresso moral. Quando se conhecer a arte de manejar o conjunto das qualidades do homem como se conhece a arte de manejar as inteligências, o homem poderá ser endireitado, assim como se endireita as plantas novas. Mas a arte de manejar o caráter do homem exige muito tato, muita experiência e uma profunda observação. É um grave erro acreditar que basta o conhecimento da Ciência para exercê-la com proveito.

Quem acompanha o filho do rico, assim como o filho do pobre, desde o nascimento, observa todas as influências más que atuam sobre eles em consequência da fraqueza, do desleixo e da ignorância daqueles que os dirigem; como quase sempre falham os meios empregados para moralizá-los, não se pode ficar espantado de encontrar no mundo tantas imperfeições.

Se for feito com a moral, tanto quanto se faz com a inteligência, veremos que, se existem aqueles que não querem evoluir, existe um número muito maior daqueles que querem apenas boa cultura para produzir bons frutos (ver pergunta nº 872).

O homem quer ser feliz e esse sentimento é muito natural. Por isso ele trabalha sem descanso para melhorar a sua posição na Terra e procura a causa de seus males, a fim de corrigi-los.

O egoísmo é uma das causas que geram o orgulho, a ambição, a cobiça, a inveja, o ódio, o ciúme, que magoam o homem a cada instante e que provocam a perturbação em todas as relações sociais. Ele provoca as desavenças, destrói a confiança, obrigando a todos a manter-se constantemente na defensiva contra o seu vizinho; enfim, o egoísmo é a causa que faz do amigo um inimigo. Quando o homem compreender bem tudo isso, então compreenderá que o egoísmo é incompatível com a sua própria felicidade e também com a sua própria segurança.

Quanto mais ele sofrer por causa desse vício, mais ele sentirá a necessidade de combatê-lo, do mesmo modo que combate a peste, os animais nocivos e todos os outros flagelos. Ele será levado a agir assim pelo seu próprio interesse (ver pergunta nº 784).

O egoísmo é a fonte de todos os vícios, assim como a caridade é a fonte de todas as virtudes. Destruir o egoísmo e desenvolver a caridade deve ser o objetivo principal de todo homem que quiser assegurar a sua felicidade aqui na Terra e no futuro.

CARACTERÍSTICAS DO HOMEM DE BEM

918. Por que sinais se pode reconhecer num homem o progresso real que deve elevar o seu Espírito na hierarquia espírita?

O Espírito encarnado comprova a sua evolução quando todos os atos de sua vida estão em conformidade com a Lei de Deus e quando compreende, por antecipação, a vida espiritual.

Comentário de Kardec: *O verdadeiro homem de bem é aquele que pratica a Lei da Justiça, do Amor e da Caridade em toda a sua pureza. Interroga a sua própria consciência sobre os atos que praticou, pergunta a si mesmo se não violou essa Lei; se não fez o mal; se fez todo o bem que podia; se ninguém tem motivos para queixar-se dele; enfim, se fez aos outros tudo o que gostaria que os outros lhe fizessem.*

O homem de bem, imbuído do sentimento de caridade e de amor ao próximo, faz o bem pelo bem, sem esperar recompensas, e sacrifica seus interesses em nome da justiça; é bondoso, humanitário e benevolente para com todos, reconhecendo um irmão em cada semelhante, sem distinção de raças, nem de crenças.

Se Deus lhe deu o poder e a riqueza, recebe essas coisas como um depósito que deve usar para fazer o bem ao próximo. Não se envaidece delas, porque sabe que Deus, assim como lhe deu, também pode retirá-las.

Se a sociedade colocou outros homens sob a sua dependência, trata-os com bondade e benevolência, porque são seus iguais perante Deus. Usa da sua autoridade para elevar-lhes o moral, e não para esmagá-los com o seu orgulho.

O homem de bem é indulgente para com as fraquezas alheias, porque sabe que ele mesmo precisa da indulgência dos outros e se recorda das palavras do Cristo: "Aquele que estiver sem pecados, atire a primeira pedra".

Não é vingativo: a exemplo de Jesus, perdoa as ofensas para lembrar-se apenas dos benefícios, porque sabe que será perdoado com a mesma intensidade que tiver perdoado.

Enfim, respeita, em seus semelhantes, todos os direitos que as Leis da Natureza lhes concedem, assim como gostaria que os seus direitos também fossem respeitados.

CONHECIMENTO DE SI MESMO _____

919. Qual é o meio prático mais eficaz que tem o homem para se melhorar nesta vida e resistir às más tentações?

Um sábio da Antiguidade já disse: é preciso conhecer-se a si mesmo!

919a. Compreendemos toda a sabedoria desse ensinamento, mas a dificuldade está justamente em cada um conhecer-se a si mesmo. Qual é o meio de se conseguir isso?

Façam o que eu fazia quando estava encarnado na Terra: ao fim do dia, interrogava a minha consciência, passava em revista o que havia feito e me perguntava se não havia faltado com o cumprimento de algum dever, se ninguém tinha motivo para se queixar de mim. Foi assim que eu consegui me conhecer e ver o que precisava ser reformulado.

Aquele que, a cada noite, recordar todas as coisas que fez durante o dia; que perguntar a si mesmo o que fez de bom ou de mau; que pedir a Deus e ao seu anjo da guarda para que o esclareça, adquire uma grande força para se aperfeiçoar; porque, acredite em mim, Deus o assistirá.

O homem deve questionar o que fez e com que objetivo agiu em determinada circunstância. Deve perguntar se fez algo que censuraria nos outros; se fez alguma coisa que não teria coragem de confessar.

Deve se perguntar também: "Se Deus me chamasse neste momento, teria que temer o olhar de alguém ao entrar no Mundo Espiritual, onde nada pode ser ocultado?"

Deve examinar se fez alguma coisa contra Deus, contra o próximo e, por fim, contra ele mesmo. As respostas serão um alívio para a sua consciência ou indicarão um mal que precisa ser curado.

Portanto, o conhecimento de si mesmo é a chave para o progresso individual. Mas, me perguntarão: como alguém pode julgar-se a si mesmo? Será que esta pergunta não traz a ilusão do amor-próprio, que atenua as faltas e as torna desculpáveis?

O avarento se considera simplesmente econômico e previdente; o orgulhoso acredita ter apenas dignidade. Tudo isso é verdadeiro, mas o homem tem um meio de controle que não permite enganos. Quando ele estiver indeciso sobre fazer ou não alguma coisa, deve perguntar a si mesmo: O que eu pensaria se essa ação fosse executada por outra pessoa? Se ele a censurar nos outros, não pode querer que ela seja legítima para si, porque Deus não utiliza duas medidas para aplicar a Sua justiça.

O homem também deve procurar saber o que pensam os outros, e não deve desprezar a opinião de seus inimigos, pois eles não têm nenhum interesse em disfarçar a verdade. Muitas vezes, Deus coloca esses inimigos em seu caminho como um espelho, para que eles possam adverti-lo com mais franqueza do que faria um amigo.

Assim, aquele que tem a vontade séria de se melhorar deve examinar a sua consciência e arrancar de si mesmo as más tendências, como arranca as ervas daninhas do seu jardim. Deve fazer o balanço moral de seu dia, como o comerciante faz de suas perdas e lucros, e eu garanto que os lucros serão maiores que os prejuízos. Se puder dizer que o seu dia foi bom, poderá dormir em paz e aguardar sem receio o despertar no Mundo Espiritual.

Portanto, o homem pode fazer, a si mesmo, perguntas claras e precisas, e não necessita ter medo em multiplicá-las: pode muito bem reservar alguns minutos do seu dia para conquistar a felicidade eterna. Não trabalha ele todos os dias visando juntar bens que lhe garantam o repouso na velhice? Esse repouso não é o objeto de todos os seus desejos? Para consegui-lo, não suporta ele fadigas e privações passageiras?

Pois bem! O que é esse repouso de alguns dias, perturbado pelas enfermidades do corpo, quando comparado com aquele que espera o homem de bem? Não valerá a pena fazer alguns esforços? Eu sei que muitos dizem: o que importa é o presente, porque o futuro é incerto. Ora, é exatamente essa ideia que estamos encarregados de eliminar da mente dos homens, porque desejamos fazer com que eles compreendam esse futuro de modo a não restar mais nenhuma dúvida em suas almas.

Num primeiro instante, chamamos a atenção de todos através de fenômenos capazes de impressionar os sentidos; agora, trazemos instruções e pedimos para que cada um se encarregue de divulgá-las. Foi com esse objetivo que ditamos O Livro dos Espíritos.

Santo Agostinho

Comentário de Kardec: Muitas faltas que cometemos nos passam despercebidas. Se, de fato, seguíssemos o conselho de Santo Agostinho e interrogássemos com mais frequência a nossa consciência, veríamos quantas vezes falimos sem disso nos darmos conta, simplesmente por não examinarmos com atenção a natureza e o porquê de nossos atos.

Fazer esse questionamento é melhor do que o ensinamento do "conhecer-se a si mesmo", que muitas vezes não aplicamos a nós mesmos. O questionamento exige respostas categóricas, através de um sim ou de um não, ele não deixa margem para alternativas. As respostas são argumentos pessoais e através delas podemos saber o quanto de bom ou de mal existe em nós.

Quarta Parte
Esperanças e Consolações

CAPÍTULO 1

PUNIÇÕES E PRAZERES TERRENOS

- • Felicidade e Infelicidade Relativas
- • Perda de Pessoas Amadas
- • Decepções, Ingratidão, Afeições Destruídas
- • Uniões Antipáticas
- • O Medo da Morte
- • Desgosto da Vida – suicídio

FELICIDADE E INFELICIDADE RELATIVAS _____

920. O homem pode desfrutar na Terra de uma felicidade completa?

Não, porque a vida lhe foi dada como prova ou como expiação; mas depende dele suavizar seus males e ser tão feliz quanto lhe seja possível sobre a Terra.

921. Compreende-se que o homem será feliz na Terra quando a Humanidade estiver transformada. Mas, enquanto isso não acontece, ele não pode desfrutar de uma felicidade relativa?

O homem é quase sempre o responsável por sua própria infelicidade. Praticando a Lei de Deus, ele pode evitar muitos males e desfrutar de uma felicidade tão grande quanto permita a sua existência inferior.

Comentário de Kardec: O homem que compreende bem o seu destino futuro, compara a sua existência presente a uma rápida passagem por uma hospedaria precária. Assim, ele se consola facilmente com alguns aborrecimentos passageiros de uma viagem que deve conduzi-lo a uma posição tanto melhor quanto melhor tenha se preparado para realizá-la.

Somos punidos, já nesta existência, pelos excessos que cometemos contra o nosso próprio corpo físico. Se voltarmos à origem daquilo que chamamos de nossas infelicidades terrenas, veremos que, na maioria dos casos, elas são a consequência de um primeiro desvio do caminho reto. Em virtude desse desvio inicial, entramos no mau caminho e, por continuarmos nele, caímos em desgraça.

922. A felicidade na Terra é relativa à posição que cada um ocupa. Aquilo que faz a felicidade de um pode fazer a infelicidade de outro. Existe uma parcela de felicidade que possa ser comum a todos os homens?

A felicidade para a vida material é a posse do necessário; para a vida moral, é possuir a consciência tranquila e a fé no futuro.

923. O que é supérfluo para uns é necessário para outros, e o que é necessário para uns é dispensável para outros, e isso conforme a posição que cada um ocupa na sociedade. Por que isso acontece?

Isso acontece devido às ideias materialistas que homens possuem; seus preconceitos, suas ambições e todos os caprichos ridículos para os quais, um dia, o futuro fará justiça quando compreenderem a verdade.

De fato, aquele que possui uma renda de cinquenta mil libras e a vê reduzida para dez mil, acredita ser muito infeliz, porque não pode mais conservar o que chama de sua posição social, ou melhor, ter cavalos, empregados, satisfazer todas as suas paixões, etc.

Assim, essa pessoa acredita que lhe falta o necessário. Será que ela tem o direito de se lamentar, quando ao seu lado existem outros que estão morrendo de fome e frio, e não possuem sequer um abrigo para repousar a cabeça? O homem sensato, para ser feliz, deve olhar para baixo e nunca para cima, a não ser que seja para elevar sua alma ao infinito (ver pergunta nº 715).

924. Existem males que independem da maneira de agir e que atingem até mesmo o homem mais justo. Existe algum meio de ele se preservar desses males?

Aquele que é atingido por esses males deve suportá-lo sem se lamentar, se quiser progredir. Entretanto, ele sempre encontra consolação na própria consciência, que lhe dá a esperança de um futuro melhor, desde que faça o que é necessário para obter essa consolação.

925. Por que Deus concede a fortuna a certos homens que parecem não merecê-la?

É um favor que se apresenta aos olhos daqueles que apenas enxergam o presente. Vocês deveriam saber que a riqueza é, quase sempre, uma prova mais perigosa do que a miséria (ver pergunta nº 814 e seguintes).

926. Ao criar novas necessidades, a Civilização não cria, também, novas aflições?

Os males deste mundo ocorrem em razão das necessidades artificiais que os próprios homens criam para si mesmos. Aquele que sabe limitar seus desejos e vê, sem inveja, o que está acima de si poupa-se de muitos aborrecimentos nesta vida. O mais rico dos homens é aquele que possui menos necessidades.

Muitos invejam os prazeres daqueles que parecem ser os felizes do mundo. Por acaso sabem o que lhes está reservado? Se eles desfrutam desses prazeres apenas para si, são egoístas e sofrerão as consequências. Esses ricos deveriam ser dignos de pena, ao invés de serem invejados!

Algumas vezes, Deus permite que o homem mau prospere, mas sua felicidade não deve ser invejada, porque ele a pagará com lágrimas amargas. Se o justo é infeliz, trata-se de uma prova que lhe será levada em conta, se a suportar com coragem. Lembrem-se das palavras de Jesus: "Felizes os que sofrem, porque serão consolados".

927. É possível ser feliz sem o supérfluo, mas não pode ser feliz sem o necessário. Não será verdadeira a infelicidade daqueles que não têm o necessário?

O homem só é verdadeiramente infeliz quando sofre com a falta do que é necessário à vida e à saúde do corpo. Pode acontecer que essa privação seja culpa sua; então, deve queixar-se apenas de si mesmo. Se a culpa pela sua infelicidade for ocasionada por outros, a responsabilidade recairá sobre aqueles que a tiverem causado.

928. Pelas nossas aptidões naturais, Deus indica a nossa vocação na Terra. Muitos males não surgem por que não seguimos essa vocação?

Sim, isso é verdade! E muitas vezes são os próprios pais que, por orgulho ou mesquinhez, desviam seus filhos do caminho traçado pela Natureza, comprometendo-lhes, assim, a felicidade. Esses pais serão responsabilizados por isso.

928a. Então é justo que o filho de um homem da alta sociedade fabrique tamancos, por exemplo, se ele tiver aptidão para isso?

Não se deve cair no absurdo nem no exagero, uma vez que a Civilização tem as suas necessidades. Por que o filho de um homem da alta sociedade fabricaria tamancos, se pode fazer outra coisa? Ele poderá sempre tornar-se útil, de acordo com as suas aptidões, desde que não as aplique em sentido contrário. Desse modo, em vez dele ser um mau advogado, talvez pudesse ser um bom mecânico, e assim por diante.

Comentário de Kardec: *O afastamento dos homens de sua esfera intelectual é, seguramente, uma das causas mais frequentes de decepções. A falta de aptidão para seguir a carreira que escolheu é uma fonte inesgotável de fracassos.*

O amor-próprio, além de impedir que homem fracassado procure uma profissão mais humilde, ainda lhe mostra o suicídio como sendo uma solução para escapar do que ele considera ser uma humilhação.

Se uma educação moral o tivesse colocado acima dos tolos preconceitos do orgulho, ele jamais seria pego desprevenido.

929. Existem pessoas que, estando desprovidas de todos os recursos, mesmo que a abundância esteja ao seu redor, só têm a morte como perspectiva. Nesse caso, que rumo elas devem seguir? Devem deixar-se morrer de fome?

Jamais ninguém deve ter a ideia de se deixar morrer de fome. O homem sempre encontraria um meio de se alimentar se o orgulho não se colocasse entre a necessidade e o trabalho. É comum ouvi-lo dizer que não existem profissões humilhantes e que nenhum trabalho desonra; mas ele diz isso para os outros, e não para si.

930. É evidente que se não fossem os preconceitos sociais, pelos quais o homem se deixa dominar, ele sempre encontraria um trabalho qualquer que pudesse ajudá-lo a viver, mesmo deslocado de sua posição. Mas, entre os que não têm preconceitos ou aqueles que os colocam de lado, existem os que estão impossibilitados de trabalhar por motivo de doenças ou causas que independem da sua vontade.

Numa sociedade organizada, segundo a Lei do Cristo, ninguém deve morrer de fome.

Comentário de Kardec: *Com uma organização social criteriosa e previdente, o homem não pode ficar sem o necessário, a não ser que seja por sua própria culpa. Entretanto, muitas vezes, suas próprias faltas resultam do meio onde ele vive.*

Quando o homem praticar a Lei de Deus, terá uma ordem social fundada na justiça e na solidariedade, e ele próprio também será melhor (ver pergunta nº 793).

931. Por que, na sociedade, as classes sofredoras são mais numerosas do que as felizes?

Nenhuma classe é perfeitamente feliz, pois aquilo que o homem acredita ser a felicidade, frequentemente, esconde grandes aflições. O sofrimento está em toda parte. Entretanto, para responder a sua pergunta, direi: as classes sofredoras são mais numerosas porque a Terra é um lugar de expiação. Quando o homem a tiver transformado em morada do bem e dos bons Espíritos, ele deixará de ser infeliz, e a Terra será, para ele, um paraíso.

932. Por que, na Terra, a influência dos maus é maior que a influência dos bons?

Isso ocorre porque os bons são fracos e tímidos, enquanto que os maus são intrigantes e audaciosos. Quando os bons quiserem, eles assumirão o controle.

933. Com frequência, o homem é o causador de seus sofrimentos materiais; será que ele é também o causador de seus sofrimentos morais?

Às vezes, os sofrimentos materiais independem da vontade do homem, enquanto que o os sofrimentos morais, como o orgulho ferido, a ambição frustrada, a ansiedade da mesquinhez, a inveja, o ciúme e todas as demais paixões são as verdadeiras torturas da alma.

A inveja e o ciúme! Felizes são aqueles que não conhecem esses dois vermes roedores! Para aquele que sofre com a inveja e com o ciúme, não existe calma nem repouso possível: os objetos da sua cobiça, do seu ódio e do seu despeito se levantam diante dele como fantasmas que não lhe dão trégua e o perseguem até durante o sono.

O invejoso e o ciumento vivem num estado de febre contínua. Será essa uma situação desejável? Será que o homem não compreende que, com suas paixões, ele cria para si mesmo sofrimentos voluntários e que a Terra torna-se, para ele, um verdadeiro inferno?

Comentário de Kardec: Algumas expressões refletem rigorosamente os efeitos de certas paixões. É muito comum dizer: encher-se de orgulho, morrer de inveja, secar de ciúme ou de despeito, perder o apetite por paixão, etc. Esse quadro reflete bem a dimensão da realidade.

Algumas vezes, o próprio ciúme não tem um motivo determinado. Existem pessoas ciumentas por natureza; sentem ciúmes de tudo o que se destaca, e de tudo que consegue sair da vulgaridade; mesmo que não tenham nenhum interesse direto, mas unicamente por não conseguirem atingir o mesmo plano.

Elas se perturbam com tudo aquilo que lhes parece estar acima do seu horizonte, e, se elas fossem maioria na sociedade, fariam o possível para rebaixar todas as coisas ao nível em que se encontram. Assim, temos o ciúme aliado à mediocridade.

Muitas vezes, o homem só é infeliz pela importância que atribui às coisas da Terra. A vaidade, a ambição e a cobiça, quando frustradas, é que o fazem infeliz. Se ele se colocar acima do círculo estreito da vida material, se elevar seus pensamentos ao infinito, que é o seu destino, as dificuldades da Humanidade lhe parecerão mesquinhas e fúteis, como a tristeza daquela criança que se aflige com a perda de um brinquedo que fazia a sua felicidade suprema.

Aquele que apenas encontra felicidade na satisfação do orgulho e dos apetites grosseiros torna-se infeliz quando não pode satisfazê-los. Aquele que não se preocupa com o supérfluo sente-se feliz com aquilo que tem, e que para os outros constitui um infortúnio.

Estamos falando do homem civilizado, uma vez que o selvagem, por possuir menos necessidades, não tem os mesmos motivos de cobiça e de angústias; sua maneira de ver as coisas é bem diferente. Como civilizado, o homem raciocina sobre a sua felicidade e faz uma análise sobre ela; por isso ele é mais afetado por essa felicidade. Mas ele também pode raciocinar e analisar os meios de obter uma consolação.

Essa consolação, o homem encontra no sentimento cristão, que lhe dá a esperança de um futuro melhor, e no Espiritismo, que lhe dá a certeza desse futuro.

PERDA DE PESSOAS AMADAS

934. A perda de pessoas queridas nos causa uma dor muito grande. Essa dor é legítima, uma vez que ela é irreparável e independe da nossa vontade?

Essa causa de sofrimento atinge tanto o rico quanto o pobre, e representa uma prova ou uma expiação. Trata-se de uma Lei que é comum a todos os encarnados. Entretanto, já é um consolo para o homem saber que ele pode se comunicar com seus amigos pelos meios que estão ao seu alcance, enquanto não dispõe de outros mais diretos e mais acessíveis aos seus sentidos.

935. O que pensar das pessoas que consideram a comunicação com os Espíritos uma profanação?

Não pode haver profanação quando a evocação é feita com respeito e dignidade. A prova disso é que os Espíritos que possuem afeição por aquele que está solicitando a comunicação se manifestam com prazer. Ficam felizes com a lembrança e por conseguirem se comunicar. Haveria profanação se as evocações fossem feitas com leviandade.

Comentário de Kardec: *A possibilidade de entrar em comunicação com os Espíritos é uma grande consolação, porque nos proporciona o meio de conversarmos com os nossos parentes e amigos que deixaram a Terra antes de nós. Pela evocação, eles se aproximam de nós, permanecem ao nosso lado, nos ouvem e nos respondem. Assim, já não existe mais a separação entre eles e nós.*

Eles nos ajudam com seus conselhos, demonstrando sua afeição e o contentamento que experimentam com a nossa lembrança. Para nós é uma satisfação saber que eles estão felizes e tomar conhecimento, através deles mesmos, dos detalhes da sua nova existência, adquirindo a certeza de reencontrá-los quando retornarmos ao Mundo Espiritual.

936. De que maneira as dores inconsoláveis dos que ficam na Terra afetam os Espíritos que desencarnam?

O Espírito é sensível à lembrança e aos lamentos daqueles a quem amou na Terra. Entretanto, uma dor incessante e fora de propósito o afeta profundamente, porque ele vê, nessa dor excessiva, uma falta de fé no futuro e uma falta de confiança em Deus. Vê também um obstáculo ao progresso dos que choram e talvez uma dificuldade de reencontrar, mais adiante, com aqueles que ficaram.

Comentário de Kardec: *Se o Espírito é mais feliz no Mundo Espiritual do que na Terra, lamentar que ele tenha deixado esta vida é lamentar que ele seja feliz. Vamos imaginar que dois amigos estão presos na mesma cela; um dia, ambos alcançarão a liberdade, mas um a obtém primeiro. Seria caridoso se aquele que continua preso ficasse triste porque o seu amigo foi libertado antes?*

Não haveria de sua parte mais egoísmo do que afeição em querer que o amigo partilhasse por mais tempo do seu cativeiro e dos seus sofrimentos? O mesmo acontece com dois seres que se amam na Terra; aquele que parte antes é o primeiro a se libertar, e nós devemos felicitá-lo por isso, aguardando com paciência o momento da nossa libertação.

Sobre esse assunto, façamos ainda outra comparação: você tem um amigo numa situação muito lastimável. Sua saúde ou seus interesses exigem que ele vá para outro país, onde estará melhor sob todos os aspectos. Durante algum tempo, ele não estará mais ao seu lado, mas você estará sempre se correspondendo com ele: a separação será apenas material. Seria justo ficar aborrecido pelo fato do amigo estar longe, mesmo que seja para o bem dele?

A Doutrina Espírita, pelas provas evidentes que apresenta quanto à vida futura, pela presença ao nosso redor dos seres aos quais amamos, pela continuidade da afeição e da dedicação que devotam a nós, e pelas relações que ela (a Doutrina Espírita) nos permite estabelecer com eles, oferece-nos a suprema consolação para uma das causas mais legítimas de dor, ou seja, a perda de uma pessoa amada.

Com o Espiritismo não existe mais solidão nem abandono. O homem, por mais isolado que esteja, terá sempre amigos ao seu redor, com os quais pode se comunicar.

Não temos paciência para suportar as aflições da vida; elas nos parecem tão intoleráveis que julgamos não poder aguentá-las. Entretanto, se as suportarmos com coragem, sem lamentações, nós ficaremos felizes quando desencarnarmos, assim como o doente que sofre e fica feliz com a sua cura, por ter se submetido com resignação a um tratamento doloroso.

DECEPÇÕES, INGRATIDÃO, AFEIÇÕES DESTRUÍDAS

937. Para o homem de bem, as decepções causadas pela ingratidão e pela fragilidade dos laços de amizade não se constituem numa fonte de amarguras?

O homem de bem deve lastimar os ingratos e os amigos infiéis, porque estes serão mais infelizes do que ele. A ingratidão é filha do egoísmo, e o egoísta encontrará, mais tarde, corações insensíveis como o dele próprio.

Lembrem-se daqueles que fizeram mais bem do que você, que valem mais do que você e que foram pagos com ingratidão. É preciso lembrar também que o próprio Jesus foi injuriado e desprezado na Terra; que foi tratado como traiçoeiro e impostor. Portanto, ninguém tem o direito de se admirar por ser tratado do mesmo modo.

O Espírito encarnado deve se preocupar com o bem que faz aos outros, e que esse bem seja a sua recompensa na Terra. Assim, não deve se importar com os comentários daqueles que receberam o benefício. A ingratidão é uma prova de perseverança para aqueles que fazem o bem, e essa perseverança sempre será levada em conta. A punição dos ingratos será tanto maior quanto maior tiver sido a sua ingratidão.

938. As decepções provenientes da ingratidão não contribuem para endurecer o coração do benfeitor e torná-lo insensível?

Seria um erro pensar assim, porque o coração do homem de bem sempre fica feliz com o bem que realiza. Ele sabe que se não for reconhecido nesta vida pelo bem que praticou, certamente o será em outra, e que ao ingrato restará tão somente a vergonha e o remorso pela ingratidão que praticou.

938a. Mas o fato do homem de bem saber que será reconhecido em outra vida não impede que o seu coração fique magoado. Sendo assim, não pode surgir-lhe a ideia de que seria mais feliz se não fosse tão sensível?

Se ele sentir-se mais feliz em não ser tão sensível, estará preferindo a felicidade do egoísta. Triste felicidade, essa! Ele deve saber que os amigos ingratos que o abandonam não são dignos da sua amizade, e que ele se enganou a respeito deles. Portanto, não deve se lamentar pelo fato de tê-los perdido.

Mais tarde encontrará outros amigos que o compreenderão melhor. O homem de bem deve lastimar aqueles que têm com ele um comportamento ingrato e que ele não merece, porque estes terão uma amarga recompensa e um triste retorno ao Mundo Espiritual. Mas ele também não deve se afligir com essa ingratidão; fazer o bem é o meio de se colocar acima dos ingratos.

Comentário de Kardec: A natureza deu ao homem a necessidade de amar e de ser amado. Um dos maiores prazeres que lhe são concedidos na Terra é o de encontrar corações que simpatizem com o seu. Assim, a Terra dá ao homem as primícias da felicidade que lhe está reservada no Mundo dos Espíritos perfeitos, onde tudo é amor e benevolência. Esse é um prazer que é negado ao egoísta.

UNIÕES ANTIPÁTICAS

939. Se os Espíritos simpáticos se unem por afinidade, como explicar que, entre os encarnados, a afeição frequentemente exista apenas de um lado? Como explicar que o amor mais sincero seja acolhido com indiferença e até mesmo com repulsa? Como explicar, também, que uma afeição muito grande entre dois seres possa se transformar em antipatia e até mesmo em ódio?

Será que o homem não compreende que essa indiferença trata-se de uma punição, embora passageira? Aliás, existem muitos que acreditam amar perdidamente, porque julgam apenas pelas aparências, mas quando são obrigados a viver com a pessoa amada, reconhecem que foi apenas uma atração física!

Não basta estar apaixonado por uma pessoa que lhe seja agradável e que se supõe possuir belas qualidades; é preciso conviver com essa pessoa para poder realmente apreciá-la.

Por outro lado, existem varias uniões que a princípio parecem incompatíveis e que, depois do casal se conhecer e se analisar melhor, acabam se transformando em amor terno e duradouro, porque a relação está baseada em uma estima recíproca! É preciso não esquecer que é o Espírito quem ama e não o corpo, e quando a ilusão material se dissipa, o Espírito vê a realidade.

Existem duas espécies de afeição: a do corpo e a da alma, e essas afeições às vezes se confundem. A afeição da alma, quando é pura e possui afinidade, é durável; a do corpo é passageira. Eis porque, com muita frequência, aqueles que acreditam amar-se eternamente acabam por se odiar quando a ilusão se desfaz.

940. A falta de simpatia entre os seres destinados a viver juntos não constitui uma fonte de sofrimentos e amarguras que acabam por envenenar toda a existência?

Sem dúvida, é uma fonte muito amarga! Porém, trata-se de uma infelicidade da qual o homem é, na maioria das vezes, o principal culpado. Em primeiro lugar, são as Leis Humanas que estão erradas; por acaso acreditam que Deus obrigue alguém a permanecer junto daquele que o desagrada?

Depois, nessas uniões, procura-se mais a satisfação do orgulho e da ambição do que uma felicidade baseada na afeição mútua. Assim, aquele que procede dessa forma sofre as consequências do seu próprio preconceito.

940a. Mas, nesse caso, não existe quase sempre uma vítima inocente?

Sim, e aquele que é vítima sofre uma dura expiação. Mas a responsabilidade de sua infelicidade recairá sobre quem a causou. Porém, se a luz da verdade já penetrou na alma da vítima, ela buscará o consolo na fé que possui no futuro. Além disso, à medida que os preconceitos vão se enfraquecendo, as causas dessas infelicidades íntimas também tendem a desaparecer.

O MEDO DA MORTE

941. Para muitas pessoas, o medo da morte é uma causa de perturbação. De onde vem esse medo se elas têm o futuro pela frente?

Não existe fundamento para semelhante medo. Mas o que o homem quer?! Desde a infância, as pessoas são convencidas de que existe um inferno e um paraíso, e que é mais provável elas irem para o inferno do que entrarem no paraíso, visto que também lhes é dito que aquilo que está na Natureza é um pecado mortal para alma!

Assim, quando esses homens e mulheres se tornam adultos, se têm um mínimo de discernimento, não aceitam tamanho absurdo e se tornam ateus ou materialistas. É desse modo que são levados a acreditar que além da vida presente, nada mais existe. Quanto aos que persistem em suas crenças de infância, esses temem o fogo eterno que deverá queimá-los sem os consumir.

Para o justo, a morte não traz nenhum temor, porque, com a fé que possui, ele tem a certeza do futuro; a esperança, da qual é portador, lhe faz esperar uma vida melhor, e a caridade que praticou lhe dá a certeza de que não encontrará, no Mundo dos Espíritos, nenhum ser do qual precise temer o olhar (ver pergunta nº 730).

Comentário de Kardec: O "homem materialista", mais ligado à vida do corpo do que à vida do Espírito, tem na Terra todas as suas penas e todos os seus prazeres materiais. Sua felicidade consiste na satisfação momentânea de todos os seus desejos.

Sua alma, constantemente preocupada e angustiada pelas dificuldades da vida, encontra-se num estado de ansiedade e de tortura sem fim. A morte o assusta, porque ele duvida do futuro e acredita que deixará na Terra todas as suas afeições e esperanças.

O "homem moral", que se elevou acima das necessidades artificiais criadas pelas paixões, experimenta, já aqui na Terra, prazeres que o homem materialista desconhece. A moderação dos desejos dá ao seu Espírito a calma e a serenidade.

Feliz pelo bem que faz, para ele não existem decepções, e as contrariedades passam por sua alma sem deixar nenhuma impressão dolorosa.

942. Será que algumas pessoas não acharão esses conselhos para serem felizes na Terra um tanto banais? Será que não verão neles verdades repetidas? Não dirão que o segredo para ser feliz consiste em cada um saber suportar a sua própria infelicidade?

Existem muitas que dirão exatamente isso, e não serão poucas. Mas estas são como certos doentes para os quais o médico prescreve a seguinte dieta: "gostariam de ser curados sem remédios e continuar predispostos a novas indigestões".

DESGOSTO DA VIDA – SUICÍDIO

943. De onde vem o desgosto pela vida que se apodera de certos indivíduos sem que exista um motivo aparente?

É uma consequência da ociosidade, da falta de fé e, por vezes, da satisfação de todas as vontades, ou seja, estão saciados. Para aquele que exerce suas atividades com um objetivo útil e de acordo com suas aptidões naturais, o trabalho nada tem de improdutivo, e a existência passa mais rapidamente.

Aquele que vive com o objetivo de encontrar uma felicidade mais sólida e mais duradoura, suporta as dificuldades da vida com mais paciência e resignação.

944. O homem tem o direito de dispor da sua própria vida?

Não; apenas Deus tem esse direito. O suicídio voluntário é uma transgressão à Lei de Deus.

944a. O suicídio não é sempre voluntário?

Nem sempre; o louco que se mata não sabe o que faz.

945. O que pensar do suicídio que tem como causa o desgosto pela vida?

São homens insensatos! Por que não trabalham? A existência não lhes teria sido tão pesada!

946. O que pensar dos que cometem suicídio com o objetivo de escapar das misérias e das decepções desse mundo?

Pobres Espíritos, que não têm a coragem de suportar as misérias da existência! Deus ajuda aqueles que sofrem, e não aqueles que não têm força nem coragem. As dificuldades da vida são provas ou expiações. Felizes os que as suportam sem se queixar, porque eles serão recompensados! Infelizes, ao contrário, aqueles que, por não acreditarem em nada, esperam que a salvação venha por meio da sorte ou do acaso!

A sorte ou o acaso, para utilizar a mesma linguagem deles, podem, de fato, favorecê-los por um instante, mas será para fazê-los sentir, mais tarde e de forma mais cruel, o vazio dessas palavras.

946a. Aqueles que conduziram um infeliz a cometer o suicídio sofrerão as devidas consequências?

Pobres infelizes! Responderão por homicídio.

947. Pode ser considerado um suicida aquele que, passando por penúria extrema, se deixa morrer de desespero?

Sim, é um suicida; mas aqueles que contribuíram para o suicídio ou aqueles que poderiam ter impedido e não o fizeram são mais culpados do que ele, e a justiça irá cobrá-los mais adiante.

Entretanto, não se pode pensar que o suicida seja totalmente absolvido se lhe faltaram firmeza e perseverança, e se não usou de toda a sua inteligência para superar as dificuldades. Infeliz dele, principalmente se o seu desespero teve origem no orgulho.

Refiro-me a esses homens em que o orgulho anula os recursos da inteligência, que se envergonham de ter que dever a existência ao trabalho de suas mãos e que preferem morrer de fome a renunciar ao que chamam de sua posição social!

Não existe cem vezes mais grandeza e dignidade em lutar contra a adversidade, em enfrentar a crítica de um mundo fútil e egoísta, que só tem boa vontade para aqueles a quem nada falta e que vira as costas para aqueles que precisam dele? Sacrificar a vida em consideração a esse mundo é uma estupidez, pois o mundo em que vivemos não leva em conta nada disso.

948. O suicídio que tem por finalidade escapar à vergonha de uma má ação praticada é tão condenável quanto o que tem por causa o desespero?

O suicídio não apaga a falta; nesse caso, em vez de uma, haverá duas faltas: uma pela própria falta cometida, e outra pelo suicídio praticado! Quando se tem a coragem de praticar o mal, é preciso tê-la também para sofrer as suas consequências. Deus é quem julga e, algumas vezes, conforme o motivo, pode abrandar os rigores da Sua justiça.

949. Aquele que comete o suicídio para impedir que a vergonha recaia sobre os filhos ou família será desculpado?

Aquele que age assim não procede bem, mas como acredita estar preservando a família, Deus leva em conta a sua intenção, pois se trata de uma expiação que o próprio suicida se impõe. A intenção lhe atenua a falta, mas nem por isso ele deixa de cometê-la. Aliás, se o homem abolir da sociedade os abusos e os preconceitos, não haverá mais suicídios.

Comentário de Kardec: Aquele que tira a própria vida para fugir à vergonha de uma má ação prova que tem mais estima pelos homens do que por Deus. Assim, retorna ao Mundo Espiritual com todos os seus defeitos, privando-se da oportunidade de repará-los durante a vida na Terra.

Deus é mais benevolente que os homens em Sua justiça; por isso perdoa o arrependimento sincero e leva em conta o nosso esforço para reparar a falta. O suicídio nada repara.

950. O que pensar daquele que comete o suicídio na esperança de alcançar mais cedo uma vida melhor?

Outra loucura! Aquele que faz o bem alcança mais cedo uma vida melhor. O suicídio retarda a sua entrada num mundo melhor e ele mesmo pedirá para vir completar essa vida que interrompeu por acreditar numa ideia falsa. Uma falta cometida, seja ela qual for, jamais proporciona a ninguém o acesso aos Mundos Superiores da Espiritualidade.

951. Algumas vezes não existe mérito em sacrificar a própria vida para salvar a dos outros ou para ser útil aos seus semelhantes?

Isso é sublime, conforme a intenção! Nesse caso, o sacrifício da própria vida não é considerado um suicídio. Deus, entretanto, se opõe a todo sacrifício inútil, principalmente se estiver manchado pelo orgulho. O sacrifício da própria vida apenas é meritório quando é praticado com desinteresse. Algumas vezes, aquele que pratica o sacrifício esconde uma segunda intenção, o que, evidentemente, lhe diminui o valor aos olhos de Deus.

Comentário de Kardec: Todo sacrifício feito à custa da própria felicidade é um ato soberanamente meritório aos olhos de Deus, porque é a prática da Lei da Caridade. Ora, sendo a vida o bem terreno ao qual o homem atribui o maior valor, aquele que renuncia a ela em favor dos seus semelhantes não comete nenhum atentado: apenas realiza um sacrifício. Mas, antes de realizar esse sacrifício, deve refletir se a sua vida não será mais útil do que a sua morte.

952. Existem paixões que apressam o desencarne. Mas, mesmo sabendo disso, o homem não consegue resistir a elas, porque o hábito as transforma em verdadeiras necessidades físicas. Aquele que morre vitimado por essas paixões comete um suicídio?

Comete um suicídio moral. Nesse caso, o homem é duplamente culpado: primeiro, pela falta de coragem e segundo pela insensatez, mas, acima de tudo, pelo esquecimento de Deus.

952a. Quem morre assim é mais culpado ou menos culpado do que aquele que tira a própria vida num momento de desespero?

É mais culpado porque teve tempo para refletir sobre o seu suicídio. Aquele que comete o suicídio de forma repentina sofre uma espécie de desvario que beira a loucura. O que teve tempo para pensar será punido com mais rigor, porque as penas são sempre proporcionais à consciência que se tem das faltas cometidas.

953. Quando uma pessoa tem diante de si um fim inevitável e terrível, pode ser culpada se abreviar por alguns instantes os seus sofrimentos, apressando voluntariamente a morte?

Sempre se é culpado por não aguardar o momento final fixado por Deus. Apesar das aparências, quem poderá estar certo de que o fim realmente chegou e que não se pode receber um socorro inesperado no último momento?

953a. Compreendemos que, em circunstâncias habituais, o suicídio é sempre condenável. Mas, se a morte é inevitável, a vida não pode ser abreviada por alguns instantes?

Antecipar o término da vida é não se submeter à vontade de Deus; será sempre uma desobediência ao Criador.

953b. Nesse caso, quais são as consequências de tal ato?

Como sempre, uma expiação proporcional à gravidade da falta e de acordo com as circunstâncias.

954. É condenável uma imprudência que compromete a vida sem necessidade?

Não existe culpa quando não há uma intenção ou uma perfeita consciência da prática do mal.

955. Em alguns países, as mulheres se queimam voluntariamente sobre os corpos dos seus maridos. Elas podem ser consideradas suicidas e sofrerem as mesmas consequências de um suicídio?

Elas obedecem a um preconceito e, muitas vezes, agem mais pela força do que por vontade própria. Julgam cumprir um dever, e não é esse o caráter do suicídio. O que torna o ato desculpável é a ignorância e o pouco desenvolvimento moral em que se encontram a maioria delas. Esses costumes bárbaros e estúpidos desaparecem com a Civilização.

Observação

Sati ou Suttee: Era um antigo costume entre algumas comunidades Hindus, que obrigava, no sentido honroso, moral e prestigioso, a esposa viúva e devota a se sacrificar viva na fogueira da pira funerária de seu marido morto. Hoje em dia, essa prática é estritamente proibida pelas Leis do estado Indiano.

956. Aqueles que, não podendo suportar a perda dos entes queridos, se suicidam na esperança de reencontrá-los, atingem o seu objetivo?

O resultado que colhem é completamente diferente do esperado, porque em vez de se unirem às pessoas de sua afeição, afastam-se delas por um tempo mais longo; Deus não pode recompensar um ato de covardia, nem o insulto que Lhe fazem ao duvidarem da Sua sabedoria suprema em conduzir as coisas.

Os que assim procedem, pagarão esse instante de loucura com aflições ainda maiores do que as que pensavam abreviar, e também não terão, para compensá-los, a satisfação que esperavam (ver pergunta nº 934 e seguintes).

957. De um modo geral, quais são as consequências do suicídio para o Espírito?

As consciências do suicídio são muito diversas. Não existem castigos fixados e, em todos os casos, essas consequências estarão sempre vinculadas às causas que o provocaram. Entretanto, existe uma consequência da qual o suicida não pode escapar: é o "desapontamento".

Além disso, a sorte não é a mesma para todos, e dependerá das circunstâncias. Alguns expiam sua falta imediatamente, outros, numa nova existência, que será pior do que aquela cujo curso interromperam.

Comentário de Kardec: *De fato, a observação nos mostra, com segurança, que as consequências do suicídio não são sempre as mesmas para todos. Entretanto, nos casos de "morte violenta" e que resultam na interrupção brusca da vida, as consequências são comuns a todos.*

Isto se deve principalmente à persistência mais prolongada e mais tenaz das ligações fluídicas que unem o Espírito ao corpo físico, uma vez que essas ligações se encontram na plenitude de suas forças e com todo o seu vigor no momento em que são rompidas pela morte violenta. Já na morte natural, essas ligações se enfraquecem gradualmente, e muitas vezes se desfazem antes mesmo que a vida tenha se extinguido completamente.

As consequências dessa dificuldade no rompimento das ligações fluídicas são o prolongamento da perturbação espiritual, seguida da ilusão, que dura um tempo mais ou menos longo, e que faz o Espírito acreditar que ainda esteja entre os vivos (ver perguntas nº 155 e 165).

Após o suicídio, o estado em que se encontra o corpo físico repercute de algum modo sobre o Espírito. Isso se deve à afinidade que continua existindo entre o Espírito e o seu antigo corpo. Assim, o Espírito experimenta, contra a sua vontade, os efeitos da decomposição do corpo físico, fazendo-o passar por uma sensação cheia de angústias e de horror. Esse quadro pode persistir pelo tempo que deveria durar a vida que foi interrompida.

Embora isso não ocorra com todos os que cometem suicídio, em nenhum caso o suicida está livre das consequências de sua falta de coragem e, cedo ou tarde, expia a sua falta, de um modo ou de outro. É assim que certos Espíritos que estavam sendo muito infelizes na Terra nos disseram haver se suicidado na existência anterior, e voluntariamente solicitaram novas provas, procurando suportá-las com mais resignação.

Em alguns suicidas existe uma espécie de apego à matéria, da qual inutilmente procuram se desembaraçar para atingirem mundos melhores, mas cujo acesso lhes é negado. Na maior parte deles existe o arrependimento por ter feito uma coisa inútil, que só lhes trouxe decepções.

A religião, a moral e todas as filosofias condenam o suicídio como algo que é contrário às Leis da Natureza. Todas nos dizem, em princípio, que ninguém tem o direito de abreviar voluntariamente a sua vida.

Mas por que não se tem esse direito? Por que o homem não é livre para por um fim ao seu sofrimento? Estava reservado ao Espiritismo demonstrar, pelo relato daqueles que praticaram o suicídio, que ele não infringe apenas uma Lei moral, coisa sem valor para alguns indivíduos, mas que ele é um ato estúpido, pois que nada ganha quem o pratica, ao contrário do que alguns pensam. "Não é pela teoria que o Espiritismo nos ensina isso, mas pelos fatos que ele nos coloca a disposição".

CAPÍTULO 2

PUNIÇÕES E PRAZERES FUTUROS

- O nada – A Vida Futura
- Intuição das Punições e Recompensas Futuras
- Intervenção de Deus nas Punições e Recompensas
- Natureza das Punições e Prazeres Futuros
- Punições Temporais
- Expiação e Arrependimento
- Duração das Punições Futuras
- Ressurreição da Carne
- Paraíso – Inferno – Purgatório – Paraíso Perdido – Pecado original

O NADA – A VIDA FUTURA

958. Por que o homem tem, instintivamente, horror ao nada?

Porque o nada não existe.

959. De onde vem, para o homem, o sentimento instintivo de que existe uma vida futura?

Já o dissemos: antes de encarnar, o Espírito já conhecia todas essas coisas, e a alma guarda uma vaga lembrança do que sabe e do que viu quando ainda estava no Mundo Espiritual (ver pergunta nº 393).

Comentário de Kardec: Em todos os tempos o homem se preocupou com o futuro após a morte, o que não deixa de ser muito natural. Seja qual for a importância que ele dê à vida presente, não pode deixar de considerar como esta vida é curta e, acima de tudo, insegura, já que ela pode ser interrompida a qualquer instante e ele nunca tem a certeza sobre o dia de amanhã.

O que será do homem após a morte? A pergunta é grave, pois não se trata de alguns anos apenas, mas da eternidade. Aquele que deve passar longos anos num país estrangeiro se preocupa com a situação em que se encontrará nesse país. Portanto, como não nos preocuparmos com a vida que encontraremos ao deixar a Terra, uma vez que é para sempre?

A ideia do nada é algo que contraria a razão. Por mais despreocupado que seja o homem nessa vida, quando chega à hora da morte, ele pergunta a si mesmo: o que será de mim? E mesmo sem querer fica na expectativa.

Acreditar em Deus sem admitir a vida futura seria um contrassenso. O sentimento de uma vida melhor está no íntimo de todos os homens e não é possível que Deus o tenha colocado ali em vão.

A vida futura implica na conservação de nossa individualidade após a morte. De fato, de que adiantaria sobreviver ao corpo se a nossa essência moral tivesse que se perder no oceano do infinito? A consequência disso para o homem seria o mesmo que entrar no nada.

INTUIÇÃO DAS PUNIÇÕES E RECOMPENSAS FUTURAS

960. De onde vem a crença que se encontra entre todos os povos, de que existem punições e recompensas futuras?

É sempre a mesma coisa: pressentimento da realidade trazido ao homem pelo Espírito nele encarnado. Não é em vão que uma voz interior lhe fala, e o seu erro consiste em não escutá-la com bastante atenção. Se ele pensasse nisso com mais frequência, certamente se tornaria bem melhor.

961. Qual o sentimento que domina a maioria dos homens no momento da morte: a dúvida, o medo ou a esperança?

A dúvida para aqueles que não acreditam em nada e são insensíveis; *o medo* para os que são culpados; *a esperança* para os homens de bem.

962. Por que existem aqueles que não acreditam em nada, uma vez que a alma traz ao homem o sentimento das coisas espirituais?

O número daqueles que não acreditam em nada é bem menor do que se imagina. Por orgulho, muitos se passam por Espíritos fortes, mas no momento da morte deixam de alardear a valentia que não possuem.

Comentário de Kardec: *Os nossos atos são os responsáveis pelo tipo de vida futura que teremos. A razão e a justiça nos dizem que, na distribuição da felicidade a que todos os homens aspiram, os bons e os maus não podem ser confundidos. Não é possível que Deus queira que uns desfrutem, sem trabalho, dos bens que outros só alcançam com muito esforço e perseverança.*

A ideia que Deus nos dá de Sua justiça e de Sua bondade, pela sabedoria de Suas Leis, não nos permite acreditar que o justo e o mau estejam no mesmo plano perante Seus olhos. Também não nos permite duvidar que um dia o justo receba a recompensa pelo bem que praticou, e o mau, a punição pelo mal que fez. É por isso que o sentimento de justiça, que trazemos ao nascer, nos dá a intuição de que existem penas e recompensas futuras.

INTERVENÇÃO DE DEUS NAS PUNIÇÕES E RECOMPENSAS

963. Deus se ocupa pessoalmente com cada homem? Ele não é muito grande e nós muito pequenos para que cada indivíduo em particular tenha alguma importância a Seus olhos?

Deus se ocupa de todos os seres que criou, por menores que sejam. Nada é demasiado pequeno para a Sua bondade.

964. Deus tem a necessidade de se ocupar com cada um de nossos atos para nos recompensar ou punir? A maioria desses atos não são insignificantes para Ele?

Através de Suas Leis, Deus regula todas as ações do homem. Se ele as viola, a culpa é dele. Quando alguém comete um excesso qualquer, Deus não pronuncia contra essa pessoa um julgamento dizendo-lhe, por exemplo: "Você foi gulosa, vou puni-la".

Entretanto, Ele traçou um limite: as doenças e, muitas vezes, a própria morte são as consequências dos excessos cometidos. Aí está a punição, que nada mais é do que o resultado da infração que o homem comete contra as Leis de Deus. O mesmo acontece com todas as coisas.

Comentário de Kardec: *Todas as nossas ações são submetidas às Leis de Deus. Não existe nenhuma ação, por mais insignificante que nos pareça, que não possa ser uma violação dessas Leis.*

Quando o homem sofre as consequências dessa violação, é somente a ele mesmo que deve se queixar. Sendo assim, podemos concluir que ele é o responsável direto por sua felicidade ou por sua infelicidade futura.

Essa verdade torna-se clara com o seguinte exemplo: um pai dá a seu filho educação e instrução, ou seja, os meios para que ele saiba se conduzir. Dá também um campo para que ele cultive e lhe diz: aqui estão as regras a serem seguidas, e esses são os instrumentos necessários para que o campo se torne fértil e assegure a sua existência. Dei-lhe a instrução para que você possa compreender a regra. Se as instruções forem seguidas, o campo produzirá muito e vai lhe proporcionar o repouso na velhice; caso contrário, o campo não produzirá nada e morrerás de fome. Dito isso, o Pai sai e deixa o filho agir livremente.

Não é verdade que o campo produzirá segundo os cuidados que forem dispensados ao seu cultivo e que todo descuido virá em prejuízo da colheita? Portanto, o filho, em sua velhice, será feliz ou infeliz conforme tenha seguido ou não as instruções que recebeu de seu pai.

Deus é ainda mais previdente, porque nos adverte, a cada instante, se estamos agindo bem ou mal. Envia os Espíritos para nos inspirarem, mas não os escutamos. Existe ainda outra diferença: ao conceder ao homem novas existências, Deus sempre lhe oferece a oportunidade para reparar os erros cometidos em existências anteriores; já o filho, citado no exemplo, ficará sem recursos se empregar mal o seu tempo.

NATUREZA DAS PUNIÇÕES E PRAZERES FUTUROS

965. Após a morte, as punições e os prazeres do Espírito têm alguma coisa de material?

O bom senso diz que as punições e os prazeres do Espírito não podem ser materiais, porque o Espírito não é matéria. Assim, essas punições e esses prazeres nada têm de carnal. Entretanto, são mil vezes mais vivos e intensos se comparados ao que o homem experimenta na Terra, porque o Espírito, quando está livre, ou melhor, desencarnado, percebe as sensações por todo o seu corpo espiritual (perispírito). O corpo físico já não lhe amortece mais as sensações.

966. Por que o homem faz, em geral, uma ideia tão grosseira e absurda das punições e dos prazeres da vida futura?

É porque a sua inteligência ainda não se desenvolveu o suficiente. A criança compreende as coisas da mesma forma que o adulto? Aliás, o entendimento também depende daquilo que lhe foi ensinado, e é por isso que existe a necessidade de uma reforma.

A linguagem humana é muito incompleta para explicar o que está além do horizonte material. Por isso foi necessário fazer comparações, e o homem tomou essas imagens e figuras da linguagem como sendo a própria realidade. Mas, à medida que ele se esclarece, seu pensamento compreende melhor as coisas que a sua linguagem não pode exprimir.

967. Em que consiste a felicidade dos bons Espíritos?

Consiste no conhecimento de todas as coisas; em não sentirem ódio, nem ciúme, nem inveja, nem ambição e nem qualquer das paixões que fazem a infelicidade dos homens. O amor que une os bons Espíritos é, para eles, uma fonte de suprema felicidade.

Eles não experimentam as necessidades, nem os sofrimentos, nem as angústias da vida material. São felizes com o bem que fazem. Entretanto, a felicidade dos Espíritos é sempre proporcional à elevação de cada um.

Na verdade, apenas os Espíritos puros desfrutam da felicidade suprema, mas nem por isso os demais são infelizes. Entre os Espíritos menos evoluídos e os perfeitos, existe uma infinidade de graus em que a felicidade é relativa ao estado moral em que cada um se encontra.

Os que já estão bastante adiantados compreendem a felicidade dos que chegaram primeiro, e desejam igualmente alcançá-la, o que para eles é um motivo de estímulo, e não de ciúme. Sabem que depende deles consegui-la, e trabalham com esse objetivo, porém com a calma da consciência tranquila. Consideram-se felizes por não sofrerem como os Espíritos imperfeitos.

968. Podemos entender, então, que as necessidades materiais são dispensáveis para a felicidade dos bons Espíritos. Mas a satisfação dessas necessidades materiais não representa, para o homem, uma fonte de prazeres?

Sim, é uma fonte de prazeres animais. E quando ele não pode satisfazer essas necessidades materiais, isso se transforma numa verdadeira tortura.

969. O que devemos entender quando se diz que os Espíritos puros estão reunidos no seio de Deus e ocupados em lhe cantar louvores?

Trata-se de uma maneira de falar, uma simbologia, para dar uma ideia da compreensão que os Espíritos puros têm das perfeições de Deus, porque eles O veem e O compreendem. Entretanto, essa ideia não deve ser tomada ao pé da letra, como tantas outras. Tudo na Natureza, desde o grão de areia, canta, ou melhor, proclama o poder, a sabedoria e a bondade de Deus.

Porém, não acreditem que os Espíritos bem-aventurados vivam em contemplação por toda a eternidade; isso seria uma felicidade estúpida e monótona; seria a felicidade do egoísta, visto que a sua existência seria uma inutilidade sem fim. Só o fato de não possuírem mais as aflições da existência física, para eles, já é uma alegria.

Depois, conforme já dissemos, eles conhecem e sabem todas as coisas; utilizam com proveito a inteligência que adquiriram, auxiliando no progresso dos outros Espíritos. Essa é a sua ocupação e desempenham-na com prazer.

970. Em que consistem os sofrimentos dos Espíritos inferiores?

Os sofrimentos dos Espíritos inferiores são tão variados quanto as causas que os produzem, e são proporcionais ao seu grau de inferioridade, assim como as alegrias são proporcionais ao grau de superioridade.

Os sofrimentos podem ser resumidos assim: invejar tudo o que lhes falta para serem felizes e não conseguir; ver a felicidade e não poderem alcançá-la; sentir desgosto, ciúme, raiva, desespero por tudo aquilo que os impede de serem felizes; sentimentos de remorso e de ansiedade moral indefinível. Desejar todos os prazeres e não poder satisfazê-los. É isso o que tortura os Espíritos inferiores.

971. A influência que os Espíritos exercem uns sobre os outros é sempre boa?

A influência é sempre boa, da parte dos bons Espíritos. Mas os Espíritos perversos procuram desviar do caminho do bem e do arrependimento aqueles que são mais fáceis de serem influenciados. Assim, os influenciáveis são aqueles que os Espíritos perversos arrastaram para o mal durante a vida terrena.

971a. Então, a morte não nos livra da tentação?

Não; mas a influência que os maus Espíritos exercem sobre os Espíritos desencarnados é muito menor do que a influência que eles exercem sobre os homens; para influenciar os Espíritos desencarnados, eles não contam com o auxílio das paixões materiais (ver pergunta nº 996).

972. Como os maus Espíritos fazem para tentar os outros Espíritos, já que eles não têm o auxílio das paixões materiais?

Embora as paixões não existam materialmente, elas ainda continuam existindo no pensamento dos Espíritos atrasados. Os maus Espíritos alimentam esses pensamentos, conduzindo suas vítimas a lugares onde existam essas paixões materiais e fazem de tudo para estimulá-las.

972a. Mas por que os maus Espíritos estimulam essas paixões, se elas não têm mais um objetivo real?

É justamente nisso que consiste o sofrimento: o avarento vê o ouro que não pode possuir; o devasso, as orgias das quais não pode participar; o orgulhoso, as honras que lhe causam inveja e das quais não pode desfrutar.

973. Quais são os maiores sofrimentos a que podem submeter-se os maus Espíritos?

Não existe descrição possível para as torturas morais que constituem a punição para certos crimes. Os próprios Espíritos que as sofrem têm dificuldades para dar uma ideia desses suplícios. Mas, com toda certeza, o sofrimento mais terrível é o fato deles pensarem que estão condenados para sempre.

Comentários de Kardec: A ideia que os homens fazem das punições e dos prazeres da alma após a morte será mais ou menos precisa, de acordo com a sua inteligência. Quanto mais inteligente ele for, mais essa ideia se depura e se liberta da matéria. Compreende as coisas sob um ponto de vista mais racional, deixando de tomar ao pé da letra as imagens de uma linguagem figurada.

A razão mais esclarecida nos ensina que a alma é um ser inteiramente espiritual e que, por isso mesmo, não pode ser afetada pelas coisas que atuam apenas sobre a matéria. Entretanto, isso não significa que a alma esteja livre de sofrimentos e nem que não receba o castigo por suas faltas (ver pergunta nº237).

As comunicações dos Espíritos têm por objetivo nos mostrar o estado da alma na vida espiritual; não mais como uma teoria, mas como uma realidade. Essas comunicações colocam sob nossos olhos todas as ocorrências da vida espiritual. Mas, ao mesmo tempo, nos mostram essas ocorrências como sendo consequências perfeitamente lógicas da vida que a alma viveu na Terra.

Mesmo o Espírito estando desencarnado e livre das ideias fantásticas criadas pela imaginação dos homens, essas consequências não são menos angustiantes para aqueles que fizeram mau uso de suas faculdades.

A diversidade dessas consequências é infinita; mas pode-se dizer que, de modo geral, cada um é punido naquilo em que errou. É assim que uns são punidos pela incessante visão do mal que fizeram; outros, pelo desgosto, pelo medo, pela vergonha, pela dúvida, pelo isolamento, pelas trevas, pela separação dos seres que lhes são queridos, etc.

974. De onde vem o ensinamento do fogo eterno?

É uma imagem que, como tantas outras, foi aceita como realidade.

974a. Mas o medo desse fogo eterno não poderia produzir bons resultados?

Observem que o fogo eterno não serve de freio nem para aqueles que o ensinam. Se alguém ensina algo que a razão rejeitará mais tarde, esse ensinamento não é durável e muito menos saudável.

Comentário de Kardec: O homem, incapaz de expressar a natureza desses sofrimentos com a sua linguagem, encontrou no fogo a comparação mais enérgica para eles.

O fogo é, sem dúvida, o suplício mais cruel. Esse é o motivo pelo qual a crença no fogo eterno remonta a mais alta Antiguidade; os povos modernos herdaram essa crença dos povos mais antigos. É por isso que, ainda hoje, na linguagem figurada, dizemos: o fogo das paixões; queimar de amor; queimar de ciúmes, etc.

975. Os Espíritos inferiores compreendem a felicidade do justo?

Sim, e é isso que lhes causa o sofrimento, porque eles sabem que estão privados dessa felicidade por sua própria culpa. Eis porque o Espírito que está desencarnado aspira por uma nova existência em corpo físico; ele tem consciência de que cada existência, se bem aproveitada, pode abreviar a duração dessa infelicidade.

Assim, ele escolhe as provas por meio das quais poderá resgatar suas faltas. É preciso saber que o Espírito sofre por todo mal que praticou ou ajudou a praticar; por todo o bem que poderia ter feito e não fez, e por todo o mal que resulte do bem que deixou de fazer.

No Mundo Espiritual, o Espírito desencarnado não possui mais o corpo físico que lhe encobre a visão; é como se ele tivesse saído de um nevoeiro e visse o quanto ainda lhe falta para alcançar a felicidade. Então sofre ainda mais, porque compreende o quanto foi culpado. Para ele não existe mais ilusão, pois enxerga as coisas como elas realmente são.

__Comentário de Kardec:__ No Mundo Espiritual, o Espírito vê, de um lado, todas as suas existências passadas e, de outro, o futuro que lhe está programado e o que ainda lhe falta para atingi-lo. É como um viajante que chega ao topo de uma montanha e vê o caminho percorrido; vê também o que ainda lhe falta percorrer para atingir o seu objetivo.

976. A visão dos Espíritos que sofrem não constitui, para os bons Espíritos, uma causa de aflição? Nesse caso, a felicidade deles não fica perturbada?

O sofrimento dos Espíritos inferiores não constitui para os bons um motivo de aflição, porque eles sabem que esse sofrimento terá um fim. Eles auxiliam os maus a se melhorarem, estendendo-lhes as mãos. Para os bons Espíritos, esse auxílio é motivo de alegria, sobretudo quando são bem sucedidos.

976a. Isto se aceita com facilidade quando se trata de Espíritos estranhos ou indiferentes aos bons Espíritos. Entretanto, a visão das tristezas e dos sofrimentos daqueles a quem amaram na Terra não lhes perturba a felicidade?

Conforme já dissemos: os bons Espíritos veem apenas o que querem; Se eles não vissem esses sofrimentos, seriam estranhos e indiferentes àqueles a quem amaram na Terra. Entretanto, os bons Espíritos consideram essas aflições sob um outro ponto de vista, porque eles sabem que esses sofrimentos são úteis ao progresso daqueles que os suportam sem lamentações.

Eles se afligem muito mais com a falta de ânimo que retarda a caminhada, do que com os sofrimentos propriamente ditos, pois sabem que estes são passageiros.

977. Já que os Espíritos não podem esconder o pensamento uns dos outros e que todos os atos da vida são conhecidos, podemos concluir que o culpado está sempre na presença de sua vítima?

O bom senso diz que não pode ser de outro modo!

977a. A divulgação de todos os nossos atos reprováveis e a presença constante daqueles que foram vítimas desses atos não constituem um castigo para o culpado?

Constituem um castigo maior do que se pensa. Entretanto, a duração desse castigo é limitada e permanece até que o culpado tenha reparado suas faltas, quer como Espírito, quer como homem, em novas existências em corpo físico.

Comentário de Kardec: Quando estivermos no Mundo Espiritual, todo o nosso passado ficará descoberto, e o bem e o mal que tivermos feito serão igualmente conhecidos. Aquele que praticou o mal não vai conseguir escapar ao olhar de suas vítimas.

A presença inevitável delas lhe será um castigo e um remorso incessante, até que tenha reparado seus erros. O homem de bem, ao contrário, encontrará em toda parte apenas olhares amigos e benevolentes.

Para o mau, não existe tormento maior na Terra do que a presença de suas vítimas; é por isso que ele sempre as evita. Que será dele quando a ilusão das paixões se dissipar e ele compreender o mal que praticou? Que será dele quando seus atos mais secretos forem revelados, quando sua hipocrisia for desmascarada e ele não puder mais fugir à visão do mal que praticou?

Enquanto a alma do homem perverso é atormentada pela vergonha, pelo desgosto e pelo remorso, a do justo desfruta de uma serenidade perfeita.

978. A lembrança das faltas que o Espírito cometeu, quando ainda era imperfeito, não lhe perturba a felicidade, mesmo depois de se haver purificado?

Não, porque ele resgatou suas faltas e saiu vitorioso das provas a que se submeteu com esse objetivo.

979. As provas que ainda restam para que o Espírito conclua a sua purificação não constituem, para ele, uma dolorosa apreensão que perturba a sua felicidade?

Para o Espírito que ainda está impuro, sim. É por isso que ele não pode desfrutar de uma felicidade perfeita enquanto não estiver completamente purificado. Entretanto, para o Espírito que já se elevou, o pensamento nas provas que ainda precisa suportar nada tem de doloroso.

Comentário de Kardec: O Espírito que atingiu certo grau de pureza já desfruta da felicidade. Um sentimento de suave satisfação o envolve. Ele é feliz por tudo o que vê e por tudo que o cerca. Levanta-se para ele o véu que encobria os mistérios e as maravilhas da Criação; as perfeições divinas se apresentam em todo o seu esplendor.

980. A afinidade que une os Espíritos do mesmo grau evolutivo constitui, para eles, uma fonte de felicidade?

A união dos Espíritos comprometidos com o bem é para eles uma das maiores felicidades, porque não temem ver essa união perturbada pelo egoísmo. Nos mundos totalmente espiritualizados, eles formam famílias unidas pelo mesmo sentimento e é nisso que consiste a felicidade espiritual.

Na Terra, os homens também se agrupam por categoria e sentem-se felizes quando estão reunidos. A afeição pura e sincera que experimentam é uma fonte inesgotável de felicidade, porque não existem hipócritas nem falsos amigos.

Comentário de Kardec: Na Terra, o homem desfruta dos primeiros sentimentos dessa felicidade quando encontra pessoas com as quais pode se juntar numa união pura e sincera.

Numa vida mais purificada, essa felicidade, além de ser ilimitada, não pode ser descrita por palavras. Lá, ele apenas encontrará almas simpáticas e que já se livraram do egoísmo. Tudo é amor na Natureza: o egoísmo é que destrói esse amor.

981. Em relação à vida futura do Espírito, existirá diferença entre aquele que em vida temia a morte e aquele que a enfrentava com indiferença e até mesmo com alegria?

A diferença pode ser muito grande. Entretanto, ela desaparece com frequência diante das causas que produzem esse medo ou esse desejo de morrer. Tanto aquele que teme a morte quanto aquele que a deseja podem ser movidos por sentimentos muito diferentes e são esses sentimentos que vão influir no estado em que o Espírito se encontrará no futuro.

É evidente que aquele que deseja a morte, porque vê nela o fim de suas aflições, possui uma espécie de revolta contra Deus e contra as provas que deve suportar.

982. É necessário crer no Espiritismo e nas manifestações dos Espíritos para assegurar um bom lugar na vida futura?

Se fosse assim, todos aqueles que não acreditam no Espiritismo ou não tiveram a oportunidade de se esclarecer seriam deserdados, o que seria um absurdo. É apenas a prática do bem que assegura uma vida melhor para o Espírito, após o seu desencarne. Ora, o bem é sempre o bem, não importa o caminho que o homem siga para chegar até ele (ver perguntas nº 165 e 799).

Comentário de Kardec: A crença no Espiritismo ajuda o homem a se melhorar, porque lhe traz ensinamentos sobre determinados aspectos da vida futura. O Espiritismo também apressa o adiantamento dos indivíduos e dos povos, porque nos permite conhecer o que seremos um dia. É um ponto de apoio, uma luz a nos guiar.

Ele ainda ensina o homem a suportar as provas com paciência e resignação; afasta-o dos atos que podem retardar a sua felicidade futura; é assim que o Espiritismo contribui para a felicidade, mas nunca diz que é só através dele que é possível conseguir essa felicidade.

PUNIÇÕES TEMPORAIS

983. O Espírito que expia suas faltas em uma nova existência não experimenta sofrimentos materiais? Será então correto dizer que, depois da morte, o Espírito experimenta apenas sofrimentos morais?

Quando o Espírito está reencarnado, as aflições da vida são para ele um sofrimento, mas é apenas o corpo físico que sofre materialmente.

Com frequência, se diz que aquele que morreu, descansou, deixou de sofrer. Mas nem sempre isso é verdade. Como Espírito, ele não sofre mais as dores físicas; mas, de acordo com as faltas que cometeu, pode sofrer dores morais mais intensas e, numa nova existência, pode vir a ser ainda mais infeliz.

Aquele que foi rico e utilizou mal o dinheiro pedirá esmola e estará sujeito a todas as privações da miséria; o orgulhoso estará sujeito a todas as humilhações; aquele que abusa de sua autoridade e trata com desprezo e crueldade os seus subordinados se verá forçado a obedecer a um patrão mais duro do que ele mesmo foi.

Todos os sofrimentos e as aflições da vida são a expiação das faltas cometidas numa existência anterior, quando não são as consequências das faltas cometidas na existência atual. Assim que deixarem esse mundo, compreenderão melhor o que estamos falando (ver perguntas nº 273, 393, 399).

Aquele que se considera feliz na Terra, porque pode satisfazer às suas paixões, é o que faz menos esforço para se melhorar. Se muitas vezes a expiação dessa felicidade efêmera começa já nesta vida, com certeza o seu término se dará numa outra existência, tão material quanto a que ele está vivendo agora.

984. As dificuldades da vida terrena são sempre a punição das faltas cometidas na existência atual?

Não; conforme já dissemos, as dificuldades da vida são provas impostas por Deus ou provas que o próprio homem escolheu, como Espírito, antes de reencarnar, visando reparar as faltas cometidas em existências anteriores; porque, qualquer infração às Leis de Deus e, sobretudo, à Lei da Justiça, jamais fica impune.

Se a punição não vier nesta vida, certamente virá em outra. Assim se explica o porquê de uma pessoa boa e justa aos olhos de todos sofrer dificuldades; certamente ela está reparando erros cometidos em existências anteriores (ver pergunta nº 393).

985. É uma recompensa para o Espírito reencarnar num mundo mais evoluído?

É a consequência de sua purificação, visto que, à medida que os Espíritos vão se purificando, eles passam a encarnar em mundos cada vez mais perfeitos, até que tenham se libertado de toda a influência da matéria e se livrado de todas as impurezas, para desfrutarem eternamente da felicidade dos Espíritos puros na presença de Deus.

Comentário de Kardec: Nos mundos onde a existência é menos material do que na Terra, as necessidades são menos grosseiras e os sofrimentos físicos menos intensos. Os homens não conhecem mais as más paixões que, nos mundos inferiores, os fazem inimigos uns dos outros.

Não tendo nenhum motivo para sentir ódio nem ciúme, vivem em paz, porque praticam a Lei da Justiça, do Amor e da Caridade. Eles não conhecem os aborrecimentos e as angústias que nascem da inveja, do orgulho e do egoísmo, que fazem da nossa existência terrena um verdadeiro tormento (ver perguntas nº 172 e 182).

986. O Espírito que progrediu em sua última existência terrena pode reencarnar novamente na Terra?

Sim; caso não tenha concluído sua missão, ele mesmo pode pedir para completá-la numa nova existência. Nesse caso, a reencarnação não será mais para ele uma expiação (ver pergunta nº 173).

987. O que acontece com o homem que, embora não fazendo o mal, também nada faz para se afastar da influência das coisas materiais?

Aquele que não deu nenhum passo para se melhorar deve recomeçar uma existência igual à que deixou. Quem não evolui permanece estacionário e pode prolongar os sofrimentos da expiação.

988. Existem pessoas para as quais a vida transcorre em perfeita harmonia e por não precisarem fazer nada por si mesmas, estão livres de preocupações. Essa existência feliz indica que elas não possuem nada para expiar de uma existência anterior?

É um engano pensar que existam pessoas assim. Muitas vezes, essa calma é apenas aparente. Elas até podem ter escolhido essa existência, mas, quando desencarnam, percebem que esse tipo de vida não as ajudou a progredir. Então, tal como o preguiçoso, elas lamentam o tempo perdido. Lembrem-se de que o Espírito só pode adquirir conhecimentos e se elevar quando exerce a sua atividade.

Aquele que se entrega à preguiça não avança. Esse Espírito assemelha-se ao homem que, tendo necessidade de trabalhar, vai passear ou deitar-se com a intenção de não fazer nada. Cada um terá que prestar contas da inutilidade voluntária a que se entregou em sua existência; essa inutilidade sempre repercutirá na felicidade futura.

A felicidade futura sempre dependerá da soma de coisas boas que o homem fez durante a sua existência; do mesmo modo que a infelicidade futura estará vinculada ao mal que praticou e às pessoas a que tenha prejudicado.

989. Existem pessoas que, mesmo não sendo totalmente más, tornam infelizes todos aqueles que convivem com elas, devido ao seu temperamento. Qual é a consequência desse proceder para essas pessoas?

Essas pessoas certamente não são boas. Após desencarnarem, repararão suas faltas sempre enxergando a imagem daqueles a quem elas fizeram infelizes. A presença constante dessas criaturas será para elas uma severa advertência. Depois, em outra existência, elas sofrerão aquilo que fizeram sofrer.

EXPIAÇÃO E ARREPENDIMENTO _____

Observação

Expiar: Sofrer as consequências de um erro cometido; cumprir pena ou penitência que reabilita; reparar faltas cometidas contra terceiros; obter perdão; purificar-se de crimes ou pecados por meio de ações nobres.

990. O arrependimento se dá na vida física ou na vida espiritual?

Dá-se na vida espiritual, mas também pode ocorrer na vida física, quando se consegue compreender a diferença entre o bem e o mal.

991. Qual a consequência do arrependimento na vida espiritual?

O desejo de uma nova encarnação para se melhorar. O Espírito compreende as imperfeições que o impedem de ser feliz e por isso deseja uma nova existência para reparar as suas faltas (ver perguntas nº 332 e 975).

992. Qual a consequência do arrependimento na vida física?

Progredir, já na vida presente, se ainda tiver tempo para reparar suas faltas. Quando a consciência o condena e lhe mostra uma imperfeição, o homem sempre pode melhorar-se.

993. Não existem homens que só têm o instinto do mal e que são inacessíveis ao arrependimento?

Já dissemos que o Espírito deve progredir continuamente. Aquele que, nesta vida, tem apenas o instinto do mal, numa outra existência terá o do bem. É por isso que o Espírito precisa renascer muitas vezes, porque a cada reencarnação ele vai se melhorando; é necessário que todos progridam e atinjam o objetivo.

Uns atingem o objetivo num tempo mais curto, outros demoram um pouco mais, de acordo com a sua vontade. Aquele que tem apenas o instinto do bem já está purificado, porque talvez tenha tido o do mal numa existência anterior (ver perguntas nº 894 e 804).

994. O homem perverso, que não reconheceu suas faltas durante a vida, sempre as reconhece depois da morte?

Sim, sempre as reconhece, e então sofre ainda mais, porque sente em si todo o mal que praticou ou que ajudou a praticar. Entretanto, o arrependimento nem sempre é imediato. Existem Espíritos que se obstinam no mau caminho, apesar dos sofrimentos que enfrentam.

Porém, cedo ou tarde, reconhecerão ter tomado o caminho errado e o arrependimento virá. É para esclarecer essas criaturas que trabalham os bons Espíritos, e os homens também podem ajudá-los.

995. Existem Espíritos que, mesmo não sendo maus, são indiferentes à sua própria sorte?

Esses Espíritos não se ocupam com nada de útil, estão sempre na expectativa. Essa também é uma situação de sofrimento, porque o progresso deve estar em tudo. Nesses Espíritos, o progresso se manifesta pela dor.

995a. Esses Espíritos não têm o desejo de abreviar os seus próprios sofrimentos?

Certamente que têm, mas não têm energia suficiente para querer o que pode aliviá-los. Quantas pessoas preferem morrer na miséria em vez de trabalhar?

996. Uma vez que os Espíritos veem o mal causado por suas próprias imperfeições, como explicar que alguns possam agravar suas situações e prolongar o seu estado de inferioridade, fazendo o mal como Espíritos e desviando os homens do bom caminho?

Os Espíritos que procedem assim são aqueles cujo arrependimento é tardio. Mesmo o Espírito que já se arrependeu pode se deixar arrastar novamente para o caminho do mal, guiado por outros Espíritos ainda mais atrasados (ver perguntas nº 971).

997. Existem Espíritos de notória inferioridade que são acessíveis aos bons sentimentos e sensíveis às preces que fazemos em seu favor. Como explicar que Espíritos mais esclarecidos revelem um endurecimento e um cinismo que nada pode vencê-los?

A prece só tem efeito em favor do Espírito que se arrepende. Para o Espírito orgulhoso, que se revolta contra Deus e persiste em seus desatinos, exagerando-os a cada dia, como fazem os Espíritos infelizes, a prece nada pode fazer, até que chegue o dia em que um clarão de arrependimento se manifeste sobre eles para esclarecê-los (ver pergunta nº 664).

Comentário de Kardec: Não se deve esquecer que o Espírito, após a morte do corpo físico, não se transforma subitamente. Se a sua vida foi condenável, é porque ele era imperfeito. Portanto, a morte não o torna imediatamente perfeito.

Ele pode persistir em seus erros, em suas falsas opiniões e em seus preconceitos, até que seja esclarecido pelo estudo, pela reflexão e pelo sofrimento.

998. Para o Espírito, a expiação das faltas se realiza quando ele está encarnado ou quando ele está desencarnado?

A expiação ocorre durante o período em que o Espírito está encarnado, pelas provas a que ele se submete e, na vida espiritual, pelos sofrimentos morais correspondentes ao estado de inferioridade do Espírito.

999. O arrependimento sincero durante a vida basta para apagar as faltas e fazer com que o Espírito mereça a graça diante de Deus?

O arrependimento contribui para a melhoria do Espírito, mas o passado deve ser reparado.

999a. De acordo com essa resposta, um criminoso pode dizer: meu arrependimento não é necessário, uma vez que deverei expiar o passado, de uma forma ou de outra. Se ele assim o fizesse, quais seriam para ele as consequências?

Se ele teima em continuar praticando o mal, sua expiação será mais longa e mais dolorosa.

1000. Podemos ir resgatando nossas faltas, já desde esta vida?

Sim, pela reparação dos erros, mas o homem não deve pensar que irá resgatá-las por meio de privações simples ou por meio de doações após a morte, quando ele não terá mais necessidade de nada. Deus não leva em conta um arrependimento inútil, de fácil execução e que custa apenas o esforço de se bater com a mão no peito.

A perda de um dedo, no trabalho, por exemplo, apaga mais faltas que o sacrifício do corpo suportado durante anos, sem outro objetivo além de fazer o bem para si mesmo (ver pergunta nº 726).

O mal apenas pode ser reparado pelo bem, e a reparação não tem nenhum mérito se não atingir o homem no seu orgulho e nos seus interesses materiais.

De que lhe adianta restituir, após a morte, os bens que adquiriu de maneira irregular e dos quais tirou proveito durante a vida, e que agora para nada mais lhe servem?

De que lhe adianta privar-se de alguns prazeres fúteis e de coisas supérfluas, se o dano que causou aos outros permanece o mesmo?

Finalmente, de que lhe serve humilhar-se perante Deus, se conserva seu orgulho diante dos homens? (ver perguntas nº 720 e 721).

1001. Então não haverá nenhum mérito em assegurarmos, após a morte, um emprego útil aos bens que possuímos?

Nenhum mérito não é o termo ideal, pois dar alguma coisa é sempre melhor do que não dar nada. O problema é que aquele que faz doações depois de morto é, geralmente, mais egoísta do que generoso. Quer ter as honras do bem, sem o trabalho de praticá-lo.

Aquele que se priva em vida de alguma coisa em favor dos outros, tem duplo proveito: o mérito do sacrifício e o prazer de ver felizes aqueles a quem beneficiou. Mas o egoísmo está sempre presente quando diz: "O que você dá, está tirando dos seus próprios prazeres". E, como o egoísmo fala mais alto do que o desinteresse e a caridade, o homem acaba guardando os bens para si, sob o pretexto de suprir as suas necessidades pessoais e as exigências de sua posição.

Aquele que desconhece o prazer de dar é digno de ser lastimado, porque se acha privado de uma das alegrias mais puras e mais sublimes. Deus, ao submeter o homem à prova da riqueza, tão escorregadia e perigosa para o seu futuro, quis lhe dar como compensação a felicidade de ser generoso, da qual pode desfrutar já aqui na Terra (ver pergunta nº 814).

1002. O que deve fazer aquele que, na hora da morte, reconhece suas faltas quando já não tem mais tempo para repará-las? Nesse caso, basta arrepender-se?

O arrependimento apressa a sua reabilitação, mas não o absolve. Não tem o Espírito o futuro pela frente, que nunca lhe fecha a porta?

DURAÇÃO DAS PUNIÇÕES FUTURAS

1003. Na vida futura, a duração dos sofrimentos de um Espírito culpado está subordinada a alguma Lei ou simplesmente não existem regras para isso?

Deus nunca age de maneira caprichosa e tudo no Universo é regido por Leis que revelam a Sua sabedoria e a Sua bondade.

1004. O que determina a duração dos sofrimentos de um Espírito culpado?

O sofrimento de um Espírito culpado está vinculado ao tempo necessário para que ele se melhore. O estado de sofrimento ou de felicidade é sempre proporcional ao grau de purificação que o Espírito já atingiu. Assim, à medida que o Espírito progride e seus sentimentos se depuram, seus sofrimentos diminuem e mudam de natureza.

São Luís

1005. Para o Espírito sofredor, o tempo parece mais longo ou menos longo do que quando ele estava encarnado?

O tempo, para o Espírito sofredor, parece passar ainda mais devagar: para ele, o sono não existe. Apenas para os Espíritos que já atingiram um certo grau de evolução é que o tempo se apaga diante do infinito, ou seja, o tempo para eles parece não existir (ver pergunta nº 240).

São Luís

1006. Os sofrimentos do Espírito podem durar eternamente?

Sem dúvida, se o Espírito fosse eternamente mau, ou seja, se nunca se arrependesse nem se melhorasse, sofreria eternamente. Entretanto, Deus não criou seres para permanecerem eternamente no caminho do mal; apenas os criou simples e ignorantes, e todos devem progredir num tempo mais ou menos longo, de acordo com a vontade de cada um.

A vontade de querer progredir pode demorar um pouco mais ou um pouco menos, assim como existem crianças mais ou menos precoces. Porém, cedo ou tarde, o Espírito sente uma "irresistível necessidade de sair de sua inferioridade e de ser feliz".

Assim, a Lei que rege a duração dos sofrimentos é eminentemente sábia e benevolente, uma vez que subordina a duração do sofrimento ao esforço que o Espírito faz para se melhorar. Essa Lei nunca interfere no livre-arbítrio do Espírito, que apenas sofre as consequências por tê-lo usado de forma equivocada.

São Luís

1007. Existem Espíritos que nunca se arrependem?

Existem Espíritos cujo arrependimento é muito tardio; mas imaginar que eles nunca se melhorarão seria negar a Lei do Progresso. Seria o mesmo que afirmar que a criança não pode se tornar adulta.

São Luís

1008. A duração dos sofrimentos depende sempre da vontade do Espírito ou existem sofrimentos que lhe são impostos por um tempo determinado?

Sim, existem sofrimentos que podem ser impostos ao Espírito por um tempo determinado; mas Deus, que só quer o bem de Suas criaturas, sempre aceita o arrependimento. Assim, o desejo de se melhorar nunca é inútil.

São Luís

1009. Sendo assim, os sofrimentos impostos nunca seriam por toda a eternidade?

Aquele que usar o bom senso e a razão não pode aceitar uma condenação perpétua para alguém que, num certo momento de sua vida, cometeu algumas faltas; isso seria o mesmo que negar a bondade de Deus. Perante a eternidade, o que representa uma vida, mesmo que ela durasse cem anos? Eternidade! Será que o homem compreende bem esta palavra?

Sofrimentos, torturas sem-fim, sem esperanças, por causa de algumas faltas! Será que o juízo de uma pessoa normal não repele semelhante ideia? É compreensível que os Antigos tenham considerado o Senhor do Universo um Deus terrível, ciumento e vingativo. Na ignorância em que se encontravam, eles atribuíam à Divindade as mesmas paixões humanas.

Entretanto, esse não é o Deus que o Cristo nos revelou, que coloca entre as principais virtudes o amor, a caridade, a misericórdia e o esquecimento das ofensas. Poderiam faltar em Deus as qualidades que Ele mesmo estabeleceu como um dever às suas criaturas? Não existe contradição em atribuir ao Criador a bondade infinita e a vingança também infinita?

Todos dizem que Deus é justo e que o homem não compreende a Sua justiça. Mas a justiça não exclui a bondade, e Ele não seria bom se condenasse a maioria das Suas criaturas a sofrimentos horríveis e eternos.

Poderia Deus fazer da justiça uma obrigação para os Seus filhos se não lhes tivesse dado os meios de compreendê-la? Aliás, a sublimidade da justiça e da bondade não está justamente em fazer com que a duração dos sofrimentos dependa dos esforços que o culpado faz para se melhorar? É aí que se encontra a verdade deste ensinamento: "A cada um será dado segundo as suas obras".

Santo Agostinho

O homem deve utilizar todos os meios disponíveis para destruir a ideia dos castigos eternos, pois essa ideia ofende a justiça e a bondade de Deus. Esse pensamento é a fonte mais fértil da incredulidade, do materialismo e da indiferença que invadiu os corações humanos, desde que suas inteligências começaram a se desenvolver.

Mesmo o Espírito prestes a se esclarecer, ou apenas saído da ignorância, logo compreende essa monstruosa injustiça. Sua razão repele a ideia dos castigos eternos e, então, frequentemente, ele confunde Deus com o sofrimento que lhe causa a revolta, por entender que foi Deus quem lhe impôs o castigo.

A consequência disso para os homens são os inúmeros males que sobre eles recaem e para os quais viemos trazer o remédio. A tarefa que apontamos será fácil, porque até mesmo as autoridades que defendem a crença absurda dos castigos eternos evitam pronunciar-se formalmente a esse respeito. Nem os **concílios**, nem os **Pais da Igreja** resolveram essa importante questão.

Segundo os Evangelistas e tomando ao pé da letra as palavras simbólicas do Cristo, Ele próprio ameaçou os culpados com um fogo que não se apaga, com um fogo eterno. Entretanto, não existe absolutamente nada em Suas palavras capaz de provar que Ele tenha condenado os culpados a um sofrimento eterno.

Pobres ovelhas desgarradas, aprendam a ver quando o Bom Pastor se aproxima. Ele não quer afastar ninguém da Sua presença, ao contrário, vem pessoalmente reconduzi-los ao abrigo. Filhos pródigos, deixem o seu exílio voluntário; voltem para a morada paterna. O Pai estende os braços e está sempre pronto para festejar o retorno de um de seus filhos ao seio da família.

Lamennais˙

Guerras de palavras! Guerras de palavras! Os homens já não derramaram sangue suficiente? Será ainda preciso reacender as fogueiras? Discutem sobre os temas: eternidade dos sofrimentos, eternidade das punições. É preciso saber que aquilo que ele entende hoje por "eternidade" não é a mesma coisa que os Antigos entendiam.

O Teólogo que consultar as fontes descobrirá que o texto hebreu não atribuía às palavras "penas sem fim" e "imperdoáveis" o mesmo significado dado pelos Gregos, pelos Latinos e pelos modernos, em suas traduções: eternidade dos castigos corresponde à eternidade do mal.

Assim, enquanto o mal existir entre os homens, os castigos também existirão. Os textos sagrados devem ser interpretados no sentido relativo. Desse modo, a eternidade dos sofrimentos é apenas relativa e não absoluta. Chegará o dia em que todos, através do arrependimento, estarão isentos de culpa. Nesse dia, não haverá mais gemidos e nem ranger de dentes.

É bem verdade que a razão humana é limitada, mas, mesmo assim, é uma dádiva de Deus. Portanto, com o auxílio dessa razão, não existirá um só homem de boa-fé que não seja capaz de compreender a natureza relativa dos castigos eternos. Eternidade dos castigos? Impossível! Seria, então, preciso aceitar que o mal também fosse eterno.

Somente Deus é eterno e não poderia ter criado o mal eterno; caso contrário, seria preciso tirar-Lhe o mais magnífico de Seus atributos: o soberano poder, porque não é soberanamente poderoso aquele que cria um elemento destruidor de suas próprias obras.

Humanidade! Humanidade! Não procura mais nas profundezas da Terra a origem dos castigos! Chorem, esperem, arrependam-se, reparem os erros e refugiem-se na ideia de um Deus infinitamente bom, absolutamente poderoso e essencialmente justo.

Platão

O objetivo da Humanidade é caminhar em direção à unificação com Deus. Para atingi-lo, três coisas são necessárias: a Justiça, o Amor e a Ciência. Três coisas se opõem a esse objetivo: a ignorância, o ódio e a injustiça. Na verdade, ao repudiar os três princípios fundamentais, o da Justiça, o do Amor e o da Ciência, o homem compromete a ideia que faz de Deus, atribuindo-Lhe uma severidade que Ele não possui. Compromete ainda mais essa ideia quando deixa que penetre no espírito da criatura a suposição de que há nela mais clemência, mais bondade, amor e verdadeira justiça, do que no próprio Criador.

O homem conseguiu destruir até mesmo a ideia do inferno, tornando-o ridículo e inadmissível às suas crenças, assim como é inaceitável aos corações humanos o horrendo espetáculo das execuções, das fogueiras e das torturas da Idade Média! Pois bem! Justo agora que a época das represálias cegas foi banida para sempre das legislações humanas é que vocês querem mantê-las vivas?

Acreditem em mim, Irmãos em Deus e em Jesus Cristo, acreditem em mim ou aceitem deixar morrer em suas mãos todos esses "dogmas", em vez de modificá-los. Deixem que os bons Espíritos derramem sobre eles os seus bons fluidos.

A ideia do inferno, com as suas fornalhas ardentes, com as suas caldeiras fervilhantes, até pode ser tolerada e aceita num século obscuro e de feroz repreensão; mas, no século dezenove, não passa de um fantasma imaginário, capaz apenas de amedrontar criancinhas, e no qual elas mesmas não acreditam mais quando crescem.

Insistir nessa imagem assustadora é incentivar a incredulidade, origem de toda a desorganização social. Eis porque eu tremo ao ver toda uma ordem social abalada a desmoronar sobre as próprias bases, por falta de uma sansão penal condizente. Homens de muita fé, vanguardeiros do dia da luz, mãos à obra! Não para manter fábulas ultrapassadas e desacreditadas, mas para reavivar e restaurar o verdadeiro sentido da sanção penal, em conformidade com os costumes, com os sentimentos e com o conhecimento da época em que vivem.

Quem é, de fato, o culpado? É aquele que, por um desvio, por um erro cometido, se afasta do objetivo da Criação, que consiste no culto harmonioso do belo e do bem, idealizados pelo próprio Jesus Cristo.

O que é o castigo? É a consequência natural, derivada desse erro cometido; um conjunto de dores necessárias para fazê-lo desgostar, detestar a sua deformidade, pela prova do sofrimento. O castigo é o que estimula a alma, pela amargura, a voltar-se sobre si mesma e retornar ao caminho da salvação. O objetivo do castigo é apenas a reabilitação, a redenção. Querer que o castigo seja eterno, por uma falta que não é eterna, é negar ao castigo a sua razão de ser.

Eu digo em verdade: Não comparem mais o Bem eterno, essência do Criador, com o Mal eterno, essência da criatura; agir assim é criar uma punição injustificável. Afirmem, ao contrário, o abrandamento gradual dos castigos e das penas pelas reencarnações sucessivas e consagrem, com a razão unida ao sentimento, a unidade divina.

Paulo Apóstolo

Observação

Concílio: Reunião de autoridades eclesiásticas da Igreja Romana, com o objetivo de deliberar sobre questões doutrinárias de fé e de costumes morais.

Pais da Igreja: São os Padres da Igreja Romana que possuíam grande cultura. Entre eles, destacam-se Santo Agostinho e São Tomás de Aquino.

Comentário de Kardec: *Procura-se estimular o homem a praticar o bem e desviá-lo do mal pelo incentivo das recompensas e pelo temor dos castigos. Entretanto, se esses castigos lhe são apresentados de maneira que a sua razão se recusa a aceitá-los, eles não terão nenhuma influência sobre ele. Longe de intimidá-lo, os castigos serão rejeitados por dois motivos: pela forma com que são apresentados e, principalmente, pelo seu conteúdo. Porém, ao contrário, se o futuro lhe for apresentado de uma maneira lógica, o homem não mais o rejeitará. O Espiritismo lhe dá essa explicação.*

A doutrina da eternidade dos castigos, no seu sentido absoluto, faz do Ser Supremo um Deus implacável. Seria lógico dizer que um soberano é muito bom, muito indulgente, que apenas quer a felicidade daqueles que o cercam, se ele for, ao mesmo tempo, invejoso, vingativo, inflexível em seu rigor e que pune com o sofrimento máximo, a maioria dos seus súditos, por uma ofensa ou por uma infração as suas Leis? Seria lógico punir aqueles que erram por não conhecerem essas Leis? Isso não seria uma contradição? Ora, Deus pode ser menos bom do que seria um homem?

Aqui, uma outra contradição se apresenta. Uma vez que Deus sabe tudo, já sabia de antemão que ao criar uma alma ela falharia; assim, ela estava, desde a sua criação, destinada à infelicidade eterna. Seria isso possível? Seria racional? Com a doutrina das penas relativas, tudo se justifica.

Deus sabia, sem dúvida, que ela falharia, mas lhe dá os meios de se esclarecer utilizando sua própria experiência e suas próprias faltas. É necessário que ela repare seus erros para melhor se firmar no bem, mas a porta da esperança nunca lhe é fechada para sempre e Deus vincula o momento da sua liberdade aos esforços que ela faça para atingir o seu objetivo.

Isso todo mundo pode compreender e a lógica mais cautelosa pode aceitar. Se as penas futuras tivessem sido apresentadas sob o ponto de vista de que não são eternas, haveria muito menos descrentes.

Na linguagem vulgar, a palavra "eterno" é, muitas vezes, empregada em sentido figurado, para designar uma coisa de longa duração, cujo fim não se prevê, embora se saiba muito bem que ele existe.

Dizemos, por exemplo, "os gelos eternos das altas montanhas, dos polos", embora saibamos que o mundo físico pode ter fim e que o estado dessas regiões pode modificar-se pelo deslocamento normal do eixo da Terra ou por um cataclismo. Nesse caso, a palavra "eterno" não quer dizer duração infinita.

Quando sofremos uma doença de longa duração, dizemos que o nosso mal é eterno. Portanto, o que existe de surpreendente quando os Espíritos que sofrem muitos anos, séculos e mesmo milênios, também se exprimam da mesma forma? Não podemos esquecer, sobretudo, que a inferioridade de alguns Espíritos não lhes permite ver o fim do sofrimento; assim, acreditam que vão sofrer para sempre, e isso é para eles uma punição terrível.

*Aliás, a doutrina do fogo, das fornalhas e das torturas, tiradas do **Tártaro do paganismo**, está, hoje, completamente abandonada pela alta Teologia. É apenas nas escolas que esses apavorantes quadros alegóricos ainda são apresentados como verdades, por alguns homens mais zelosos do que esclarecidos, que assim cometem um grave erro, porque a imaginação desses jovens, ao se libertarem do terror, aumentarão ainda mais o número de incrédulos.*

A Teologia reconhece, hoje, que a palavra fogo é empregada na Bíblia, em sentido figurado, e que deve ser entendida como um estado da mente, como um fogo moral (ver pergunta nº 974).

Aqueles que, como nós, acompanham as ocorrências da vida e os sofrimentos após a morte, através das comunicações espíritas, puderam se convencer de que, esses sofrimentos, mesmo não tendo nada de material, não são menos dolorosos.

Com respeito à duração dos sofrimentos, alguns teólogos começam a aceitar o sentido restrito da palavra "eterno", conforme já referimos anteriormente. Pensam, de fato, que essa palavra pode ser entendida como os castigos em si mesmos, como consequência de uma Lei imutável, e não como algo que pode ser aplicado a cada indivíduo.

No dia em que a religião admitir essa interpretação, assim como algumas outras que são igualmente a consequência do progresso das inteligências, reconduzirá ao seu seio muitas ovelhas desgarradas.

Observação

Tártaro: Na mitologia Grega, tártaro era a prisão infernal dos deuses vencidos e dos heróis que haviam ofendido a Zeus. Durante a época clássica Grega, o tártaro era o lugar de expiação dos incrédulos, depois da morte. Entre os Romanos, o tártaro representava o inferno (Fonte: Enciclopédia Larousse).

Paganismo: Ver definição após a pergunta nº 798.

RESSURREIÇÃO DA CARNE

1010. A ressurreição da carne é a consagração da Doutrina da Reencarnação ensinada pelos Espíritos?

E poderia ser de outro modo? As palavras ressurreição e reencarnação, assim como tantas outras, apenas parecem sem propósito aos olhos daqueles que as tomam ao pé da letra. Assim, essas palavras são levadas à incredulidade.

Entretanto, ao dar a elas uma interpretação lógica, os livres-pensadores as admitem sem nenhuma dificuldade, simplesmente porque raciocinam. Que os homens não se enganem: os livres-pensadores nada mais desejam do que acreditar. Como os outros, ou talvez mais do que os outros, eles desejam saber sobre o futuro, mas não podem admitir o que a Ciência desmente.

A doutrina da **pluralidade das existências** está em conformidade com a **Justiça de Deus**, pois apenas ela pode explicar o que, sem ela, é inexplicável. Como querer que o seu princípio, ou melhor, "a reencarnação", não estivesse contida na própria religião?

Observação

Pluralidade das existências: São as várias encarnações que o Espírito precisa vivenciar, seja na Terra, seja em outros mundos. A cada encarnação, o Espírito vai adquirindo novos conhecimentos e se melhorando. Por isso é que somente a reencarnação pode explicar as "injustiças" que "aparentemente" o homem sofre na Terra.

Essas injustiças nada mais são do que os erros cometidos pelo próprio Espírito, em existências anteriores e que agora ele precisa reparar. Essa reparação pode vir através do sofrimento, quando o Espírito não aceita que errou, ou pelo trabalho na caridade, quando ele compreende o seu erro e quer repará-lo o quanto antes. Eis de onde vem o ensinamento: "O Espírito evolui pelo amor ou pela dor".

Até hoje, nenhuma filosofia conseguiu explicar em que se baseia a "Justiça Divina"; de que forma ela se faz cumprir. Somente a Doutrina da Reencarnação, ditada pelos Espíritos, foi capaz de elucidar a Humanidade sobre um assunto tão importante.

Assim, quem olhar "somente para essa encarnação" não entenderá porque uns nascem pobres, enquanto outros nascem ricos. A explicação para esse fato apenas pode ser conseguida se voltarmos os olhos para o passado; não existe outra possibilidade, a menos que Deus seja injusto! O que, evidentemente, é impossível.

Desse modo, restam-nos apenas e tão somente as existências anteriores, onde os erros de ontem repercutem na vida de hoje (ler O Evangelho Segundo o Espiritismo, cap. 5 – item 3 – Justiça das aflições; item 4 – Causas atuais das aflições; item 6 – Causas anteriores das aflições).

1011. Então, podemos dizer que, pela ressurreição da carne, a própria Igreja ensina a Doutrina da Reencarnação?

Sim, é exatamente isso. Aliás, a Doutrina da Reencarnação é a consequência de muitas coisas que passaram despercebidas e cujo sentido não tardará a ser compreendido. Dentro de pouco tempo, se reconhecerá que o Espiritismo sai, a cada passo, do próprio texto das Escrituras Sagradas. Portanto, os Espíritos não vêm subverter a religião, como pretendem alguns. Ao contrário, vêm confirmá-la e sancioná-la por meio de provas irrecusáveis.

E como é chegado o tempo de substituir a linguagem figurada, os Espíritos falam sem alegorias e dão às coisas um sentido claro e preciso que não possa estar sujeito a nenhuma interpretação falsa. A consequência disso é que, dentro de algum tempo, existirão mais pessoas sinceramente religiosas e crentes do que se têm hoje.

São Luís

Comentário de Kardec: De fato, a Ciência demonstra a impossibilidade da ressurreição da carne de acordo com a ideia vulgar que se faz dela. Se os despojos do corpo humano permanecessem homogêneos, embora dispersos e reduzidos a pó, ainda se conceberia que pudessem ser reunidos em um dado momento; mas as coisas não acontecem assim.

O corpo físico é formado por diversos elementos: oxigênio, hidrogênio, nitrogênio, carbono, etc. Pela decomposição, esses elementos se dispersam e vão formar novos corpos, de tal forma que a mesma molécula de carbono, por exemplo, terá entrado na composição de milhares de corpos diferentes (estamos falando, aqui, apenas dos corpos humanos, sem contar os corpos dos animais).

Assim, um indivíduo pode ter em seu corpo físico moléculas que pertenceram aos homens primitivos. As mesmas moléculas orgânicas que o homem absorve hoje em seus alimentos podem ter vindo do corpo de um indivíduo que ele conheceu e assim por diante.

Partindo do princípio que a matéria existe em quantidade definida e que suas transformações ocorrem em quantidades indefinidas, como cada um desses corpos poderia se reconstituir com os mesmos elementos? Existe aí uma impossibilidade material.

Portanto, não se pode admitir racionalmente a "ressurreição da carne", senão como uma figura simbólica do "fenômeno da reencarnação". Não existe, nessa constatação, nada que choque a razão e nada que esteja em contradição com os princípios da própria Ciência.

Segundo o ensinamento, a ressurreição da carne apenas deve acontecer no fim dos tempos, ao passo que, segundo a Doutrina Espírita, ela acontece todos os dias. O quadro do juízo final esconde, sob uma forma alegórica, a ressurreição da carne, como uma dessas verdades imutáveis. Será que, quando o verdadeiro significado do juízo final for restabelecido, ele não fará mais incrédulos?

Ao meditarmos bem a respeito da teoria espírita sobre o futuro das almas e sobre o destino que as espera, em consequência das diferentes provas que devem suportar, veremos que o julgamento em que essas almas são condenadas ou absolvidas não é uma ficção, assim como pensam os incrédulos.

Devemos destacar, ainda, que a teoria espírita é a consequência natural da pluralidade dos mundos habitados, hoje perfeitamente admitida; enquanto que, segundo a doutrina do juízo final, a Terra é considerada como o único mundo habitado.

PARAÍSO – INFERNO – PURGATÓRIO
PARAÍSO PERDIDO – PECADO ORIGINAL

1012. Existe um lugar determinado no Universo destinado às punições e as recompensas dos Espíritos, segundo os seus méritos?

Já respondemos a essa pergunta. Os castigos e os prazeres estão intimamente ligados ao grau de perfeição dos Espíritos. Cada um traz em si mesmo o princípio da sua própria felicidade ou infelicidade. Como os Espíritos estão por toda parte, não existe nenhum lugar limitado ou fechado destinado a uns ou a outros.

Quanto aos Espíritos encarnados, esses são mais ou menos felizes, ou infelizes, conforme seja mais ou menos avançado o mundo em que habitam.

1012a. De acordo com a resposta anterior, o inferno e o paraíso não existem, tais como o homem os imagina?

São simples figuras: existem Espíritos felizes e infelizes por toda parte. Entretanto, conforme também já dissemos, os Espíritos de mesmo grau evolutivo se reúnem por afinidade. Mas, quando os Espíritos são perfeitos, eles podem se reunir onde quiserem.

Comentário de Kardec: A localização exata dos lugares onde os Espíritos cumprem seus castigos ou onde desfrutam de suas recompensas existe apenas na imaginação do homem. O desejo de definir esses lugares provém da tendência que ele possui de materializar e circunscrever as coisas, cuja essência infinita ele é incapaz de compreender.

1013. O que é o purgatório?

O purgatório são as dores físicas e morais: é o tempo de expiação. É quase sempre na Terra que o Espírito faz o seu purgatório e que Deus lhe dá a oportunidade de expiar as suas faltas.

Comentário de Kardec: O que o homem chama de purgatório é também uma figura, que deve ser entendida, não como um local determinado, mas como o estado dos Espíritos imperfeitos que estão em expiação até alcançarem a purificação completa, que os elevará à categoria dos Espíritos bem-aventurados.

Essa purificação se realiza por meio das diversas encarnações; assim, o purgatório consiste nas provas da vida em corpo físico.

Observação

O Purgatório: Ao contrário do que muitos pensam, o purgatório é aqui mesmo, na Terra, e não é um lugar para onde irão os Espíritos após o seu desencarne.

1014. Como se explica que Espíritos Superiores tenham respondido a pessoas reconhecidamente sérias, a respeito do Inferno e do Purgatório, utilizando a mesma ideia que as pessoas vulgares fazem desses lugares?

Os Espíritos Superiores falam uma linguagem que possa ser compreendida por aqueles que os interrogam. Quando essas pessoas estão muito convencidas de certas ideias, eles evitam chocá-las muito bruscamente para não ferir suas convicções.

Se um Espírito dissesse a um muçulmano, sem tomar o devido cuidado com as palavras, de que Maomé não foi um profeta, seria muito mal compreendido.

1014a. Compreendemos que seja assim, por parte dos Espíritos que querem nos instruir. Mas com explicar que alguns Espíritos, quando perguntados a respeito de sua situação, tenham respondido que sofriam as torturas do inferno ou do purgatório?

Quando os Espíritos são inferiores e ainda não estão completamente desmaterializados, eles conservam parte de suas ideias terrenas. Assim, transmitem suas impressões utilizando termos que lhes são familiares.

O meio em que se encontram lhes permite sondar o futuro apenas imperfeitamente. Essa é a razão porque os Espíritos recém-desencarnados falam como falariam se estivessem encarnados.

O inferno pode ser compreendido como sendo uma vida de provações extremamente dolorosa, com a incerteza de haver outra melhor. O purgatório também pode ser compreendido como sendo uma vida de provações, mas com a consciência de um futuro melhor. O homem, quando sente uma dor muito grande, não costuma dizer que sofre como um condenado? Tudo isso são palavras, e sempre ditas em sentido figurado.

1015. O que é uma alma penada?

É um Espírito desencarnado e sofredor, incerto de seu próprio futuro. Os encarnados podem proporcionar a esse Espírito um alívio que, muitas vezes, ele solicita ao se comunicar com os homens (ver pergunta nº 664).

1016. Em que sentido se deve entender a palavra "Céu"?

Será que o homem acredita que o Céu seja um lugar, como os **Campos Elíseos** dos Antigos, onde todos os bons Espíritos estão indistintamente reunidos e sem outra preocupação que não seja a de usufruir, por toda a eternidade, de uma felicidade sem um objetivo concreto?

Não; o Céu é o espaço universal; são os planetas; as estrelas e todos os mundos superiores onde os Espíritos desfrutam de todas as suas faculdades sem os tormentos da vida material, nem as angústias próprias da inferioridade.

Observação

Campos Elíseos: Na mitologia Grega representava a morada dos heróis e dos justos após a morte. Lugar onde a felicidade era eterna.

1017. Alguns Espíritos disseram estar habitando o quarto, o quinto Céu, etc. O que eles queriam dizer com isso?

Se os homens perguntam aos Espíritos qual o Céu que eles habitam, é porque fazem a ideia de vários Céus sobrepostos, como os andares de uma casa. Então, eles respondem conforme a linguagem de quem pergunta.

Para os Espíritos, as palavras, quarto e quinto Céu correspondem a diferentes graus de purificação e, por consequência, diferentes graus de felicidade. É a mesma coisa que perguntar a um Espírito se ele está no inferno; se for infeliz, dirá que sim, porque o inferno, para ele, é sinônimo de sofrimento, embora saiba perfeitamente que não se trata de uma fornalha. Se for um **pagão**, dirá que está no **Tártaro**.

Observação

Tártaro: Ver explicação após o comentário de Kardec, depois da pergunta nº 1009.

Pagão: É todo aquele que segue uma religião politeísta, ou melhor, religião onde se adoram vários deuses.

Comentário de Kardec: Com a expressão, quarto e quinto Céu, dá-se a mesma coisa que com outras expressões semelhantes, tais como: cidade das flores, cidade dos eleitos, primeira, segunda ou terceira esfera, etc., que são expressões usadas por alguns Espíritos, quer utilizando-as como figuras, quer por ignorância da realidade das coisas e até mesmo por desconhecimento das mais simples noções científicas.

Antigamente, a ideia dos lugares de sofrimentos e recompensas era muito restrita. Naquela época, a Terra era o centro do Universo; o Céu formava uma abóboda na qual havia uma região com estrelas; colocava-se o Céu em cima e o Inferno em baixo. Daí as expressões: subir ao Céu, estar no mais alto dos Céus, cair no inferno.

A Ciência demonstra, hoje, que a Terra é um dos menores planetas, entre tantos milhões de outros e sem nenhuma importância especial. A Ciência também traçou a história da formação da Terra e descreveu de que forma ela é constituída, provando que o espaço é infinito e que não existe nem alto, nem baixo no Universo.

Assim, torna-se necessário renunciar a ideia de colocar o Céu acima das nuvens e o Inferno nos lugares mais baixos. Quanto ao purgatório, nenhum lugar lhe foi designado. Estava reservado ao Espiritismo dar, sobre todas essas coisas, a explicação mais racional, mais grandiosa e, ao mesmo tempo, a mais consoladora para a Humanidade.

Assim, podemos dizer que cada um carrega o seu próprio inferno e o seu próprio paraíso. Podemos afirmar, ainda, que encontramos o nosso purgatório quando estamos encarnados, vivendo em corpo físico.

1018. Em que sentido estas as palavras do Cristo devem ser entendidas: "O meu reino não é deste mundo"?

O Cristo respondeu em sentido figurado. Ele quis dizer que apenas reina sobre os corações puros e desinteressados. Ele está em todos os lugares onde domina o amor ao bem; mas os homens, ávidos pelas coisas desse mundo e apegados aos bens da Terra, não estão com Ele.

1019. O reino do bem poderá, um dia, ser implantado na Terra?

O bem reinará na Terra quando, entre os Espíritos que vêm habitá-la, os bons predominarem sobre os maus. Então, eles farão reinar na Terra o *amor* e a *justiça*, que são a fonte de todo o *bem* e de toda a *felicidade*. Pelo progresso moral e praticando as Leis de Deus é que o homem atrairá para a

Terra os bons Espíritos e afastará os maus. Entretanto, os maus somente serão afastados quando o homem tiver expulsado de si o orgulho e o egoísmo.

A transformação da Humanidade foi anunciada e se aproxima o momento em que ela ocorrerá. A chegada dessa transformação está sendo acelerada por todos aqueles que auxiliam o progresso. Ela se realizará pela encarnação de Espíritos melhores que farão parte de uma nova geração.

Então, os Espíritos maus, que a morte vai retirando a cada dia, e todos aqueles que tentam obstruir o caminho do progresso, serão excluídos da Terra, porque estariam deslocados entre os homens de bem, cuja felicidade perturbariam.

Eles irão para mundos novos, menos adiantados, desempenhar missões penosas, nas quais trabalharão pelo seu próprio adiantamento e, ao mesmo tempo, pelo progresso de seus irmãos ainda mais atrasados.

Será que não percebem, nessa exclusão de Espíritos da Terra transformada, a sublime figura do *paraíso perdido*? Será que não percebem, também, nos homens que vieram habitar a Terra em semelhantes condições, trazendo consigo o gérmen de suas paixões e os vestígios da sua inferioridade primitiva, a figura não menos sublime do *pecado original*?

Considerando por esse ponto de vista, o "pecado original" se refere à natureza ainda imperfeita do homem. Assim, ele é o único responsável por suas faltas e não pelas faltas de seus pais.

Homens de fé e de boa vontade, trabalhem com zelo e coragem na grande obra da regeneração, porque colherão cem vezes mais o grão que tiverem semeado. Infelizes daqueles que fecham os olhos à luz, pois preparam para si mesmos longos séculos de trevas e decepções! Infelizes os que colocam todas as suas alegrias nos bens deste mundo, pois sofrerão muito mais privações do que os prazeres de que desfrutaram! Infelizes, principalmente, os egoístas! Porque não encontrarão ninguém para ajudá-los a carregar o fardo de suas misérias.

São Luís

CONCLUSÃO

1

A DIFICULDADE DE ACREDITAR NO ESPIRITISMO

Aquele que do magnetismo terrestre conhecesse apenas o brinquedo dos patinhos imantados, que nadam numa bacia com água sob a ação de um imã, dificilmente poderia compreender que essa brincadeira encerra o segredo do mecanismo do Universo e do movimento dos planetas.

O mesmo acontece com aquele que conhece do Espiritismo apenas o movimento das **mesas girantes**. Nelas, vê apenas uma diversão, um passatempo da sociedade, sem compreender que esse fenômeno tão simples e comum, conhecido na Antiguidade e até mesmo pelos povos semisselvagens, possa ter alguma ligação com as questões da maior importância para a ordem social.

Realmente, para um observador superficial, que relação pode ter uma mesa que gira com a moral e o futuro da Humanidade? Mas, aquele que pensa, se lembra que da simples panela que ferve a água e levanta a tampa com a pressão do vapor, fato também conhecido na Antiguidade, saiu o potente motor a vapor, que transporta os homens e encurta as distâncias.

Aqueles que não acreditam em nada fora do Mundo Material devem saber que, da mesa que se move e causa sorrisos de desprezo, saiu toda uma Ciência e a solução de vários problemas que nenhuma filosofia até então tinha conseguido resolver. Convido a todos os adversários de boa-fé que me digam se ao menos se deram ao trabalho de estudar aquilo que criticam.

A lógica ensina que a crítica apenas tem valor quando o crítico conhece o assunto que critica. Zombar de uma coisa que não se conhece, que não se pesquisou com o critério do observador consciencioso, não é criticar, é dar prova de leviandade e de falta de critério para exercer o julgamento.

Certamente, se tivéssemos apresentado essa filosofia como obra de um cérebro humano, ela teria encontrado menos desprezo e teria tido a honra de ser examinada por aqueles que pretendem dirigir a opinião pública. Mas a obra vem dos Espíritos! Que absurdo! Mal lhe dispensam um simples olhar.

Julgam a obra apenas pelo título, como o macaco da fábula julgava a noz pela casca. Se quiserem, ignorem a origem da obra; imaginem que este livro tenha sido escrito por um homem e digam de sã consciência, se após a leitura séria de "O livro dos Espíritos", encontraram nele algum motivo para zombaria.

Observação

Mesas Girantes: No capítulo 3, da introdução, Allan Kardec trata das mesas girantes que, entre outras coisas, colaboraram decisivamente para que este livro fosse escrito.

2

O MATERIALISMO

O Espiritismo é o antagonista mais temível do materialismo! Sendo assim, não é de admirar que tenha por adversários os próprios materialistas. Mas, como o materialismo é uma doutrina que poucos se atrevem a dizer que seguem abertamente, seus adeptos não se consideram bastantes seguros de suas convicções e são dominados por essa insegurança; assim, eles usam o manto da razão e da Ciência para se acobertarem.

O estranho é que os mais descrentes falam até mesmo em nome da religião, que não conhecem e não compreendem melhor do que o Espiritismo. Seu alvo principal contra a Doutrina é o "maravilhoso" e o "sobrenatural", que não admitem. Na opinião deles, o Espiritismo se baseia no maravilhoso e, por isso, não passa de uma suposição ridícula. Não refletem que, ao condenar, sem restrição, o maravilhoso e o sobrenatural, condenam também a religião.

Com efeito, a religião está baseada na "revelação" e nos "milagres". Ora, o que é a revelação, senão comunicações extra-humanas? Todos os autores sagrados, desde Moisés, têm falado dessa espécie de comunicações. O que são os milagres, senão fatos maravilhosos e sobrenaturais por excelência; será que eles não constituem, no sentido **litúrgico**, uma anulação das Leis da Natureza? Portanto, ao rejeitar o maravilhoso e o sobrenatural, os materialistas rejeitam também as próprias bases da religião. Mas não é sob esse ponto de vista que devemos encarar a questão.

Não cabe ao Espiritismo examinar se existem ou não milagres, ou melhor, se em certos casos, Deus acreditou por bem anular as Leis eternas que regem o Universo. Em relação aos milagres, o Espiritismo deixa que cada um acredite no que quiser, ou seja, permite inteira liberdade de crença. A Nova Doutrina diz e prova que os fenômenos sobre os quais os milagres se apoiam só têm de sobrenatural a aparência.

Esses fenômenos só não parecem naturais aos olhos de algumas pessoas, porque são fenômenos excepcionais e estão fora dos fatos conhecidos. Entretanto, não são mais sobrenaturais do que todos os fenômenos, dos quais a Ciência nos dá hoje a explicação e que pareciam maravilhosos antes, em outra época.

Todos os fenômenos espíritas, sem exceção, resultam de Leis Gerais. Eles nos revelam uma das **forças da Natureza**, força desconhecida, ou melhor, incompreendida até agora, mas que a observação demonstra estar na ordem das coisas.

Desse modo, o Espiritismo se baseia menos no maravilhoso e no sobrenatural do que a própria Religião. Aqueles que o atacam sob esse aspecto é porque não o conhecem e, ainda que fossem mais sábios, nós lhes diríamos: se a Ciência que ensinou aos homens tantas coisas não ensinou que o domínio da Natureza é infinito, seu ensinamento ficou pela metade! E aqueles que a seguem também são sábios pela metade.

Observação

Litúrgico/liturgia: Ciência que trata das cerimônias e ritos das Igrejas; culto público e oficial instituído por uma Igreja.

Forças da Natureza: Aqui, Kardec está se referindo aos Espíritos, que são uma das forças da Natureza.

3

Comparação entre a Doutrina Materialista e a Doutrina Espírita

O homem diz que deseja curar o século dessa mania de credulidade que ameaça invadir o mundo. Será que ele preferia que o mundo fosse invadido pela incredulidade que se procura propagar? Não é à ausência de toda crença que se deve atribuir o relaxamento dos laços de família e a maior parte das desordens que afligem a sociedade?

Ao demonstrar a existência e a imortalidade da alma, o Espiritismo reaviva a fé no futuro, levanta os ânimos abatidos e ajuda a suportar com resignação as dificuldades da vida. Será que isso é um mal?

Duas doutrinas se defrontam: a Doutrina Materialista, que nega o futuro e a Doutrina Espírita, que além de defendê-lo, ainda o comprova. A Materialista, que nada explica, e a Espírita, que explica tudo através do raciocínio lógico, e que por isso mesmo se dirige à razão. A Materialista é a confirmação do egoísmo; a Espírita oferece uma base à justiça, à caridade e ao amor de seus semelhantes. A Materialista mostra apenas o presente e aniquila toda esperança futura; a Espírita consola e fornece evidências sobre o vasto campo do futuro. Qual é a mais perniciosa?

Certas pessoas descrentes se fazem apóstolos da fraternidade e do progresso. Mas a fraternidade pressupõe desinteresse, renúncia da personalidade. Portanto, para a verdadeira caridade, o sentimento de orgulho é um absurdo. Como impor um sacrifício a alguém quando dizemos que com a morte tudo se acabará para ele? Que amanhã, talvez, ele não passe de uma velha máquina estragada e jogada fora? Que razões terá ele para impor a si mesmo alguma privação? Não será mais natural que ele viva o melhor possível o tempo que ainda lhe resta?

Daí vem o desejo de possuir muito para melhor desfrutar. Desse desejo nasce a inveja dos que possuem mais e, passar dessa inveja para a vontade de se apossar do que é dos outros, basta apenas um passo. O que é que o detém? A Lei? Mas a Lei não abrange todos os casos.

Dizem que o que lhe deterá é a consciência, o sentimento do dever. Mas em que se baseia o sentimento do dever? Será que o sentimento do dever faz algum sentido se tudo se acaba com a morte? Com essa crença, apenas um pensamento é racional: "cada um por si". As ideias de fraternidade, de consciência, de dever, de humanidade e mesmo de progresso são apenas palavras vazias.

Os que propagam a Doutrina do Materialismo não têm noção de todo o mal que fazem à sociedade, nem por quantos crimes assumem a responsabilidade! Por que falamos de responsabilidade? Para quem duvida de tudo, a responsabilidade não existe, pois ele só rende homenagem à matéria!

4

A Lei da Justiça, do Amor e da Caridade

O progresso da Humanidade tem o seu princípio na aplicação das Leis da Justiça, do Amor e da Caridade. Essas Leis têm o seu fundamento na certeza de que existe uma vida futura e, se essa certeza for retirada, essas Leis ficam sem apoio. Dessas três Leis derivam todas as outras, porque elas contêm tudo o que é necessário para a felicidade do ser humano. Apenas elas podem curar as chagas da sociedade e, se o homem comparar as épocas e os povos, verá que a sua condição melhora à medida que essas Leis vão sendo melhor compreendidas e praticadas.

Se uma aplicação parcial dessas Leis já produz um bem significativo, imaginem quando elas forem a base de todas as instituições sociais! Isso é possível? Sim, porque se o homem já deu dez passos, pode dar vinte e assim por diante. Desse modo, pode-se julgar o futuro com base no passado.

Já é possível notar que as antipatias entre os povos vão se extinguindo pouco a pouco; as barreiras que os separam diminuem com a civilização; eles se dão as mãos de um extremo a outro do mundo. Existe uma justiça maior presidindo a elaboração das Leis internacionais; as guerras se tornam cada vez mais raras e não excluem os sentimentos humanitários; a uniformidade se estabelece nas relações sociais; as discriminações de raças e de castas desaparecem e os homens que possuem crenças diferentes deixam de lado os preconceitos de seitas, para se confundirem na adoração de um único Deus. É evidente que estamos falando dos povos que se encontram à frente da Civilização (ver perguntas nº 789 e 793).

Apesar de todos esses aspectos, ainda estamos longe da perfeição e inúmeros são os resíduos antigos que ainda precisam ser destruídos, até que não restem mais vestígios da barbárie. Mas esses resíduos poderão se opor contra a força irresistível do progresso? Poderão se opor contra essa força viva que é a própria Lei da Natureza?

Se a geração atual é mais avançada que a anterior, por que a geração que vai nos suceder não seria mais avançada do que a nossa? Ela o será pela força das circunstâncias. Primeiro, porque todos os dias morrem homens que cometem abusos, o que permite que a sociedade vá se melhorando através da chegada de elementos novos, livres dos velhos preconceitos. Em segundo lugar, porque o homem, desejando o progresso, estuda os obstáculos e se empenha em removê-los.

Se o movimento progressivo é incontestável, não existe razão para duvidar do progresso futuro. O homem quer ser feliz e esse desejo é muito natural. Assim, ele apenas busca o progresso para aumentar a sua felicidade, caso contrário, o progresso não teria nenhum sentido para ele. De que lhe adiantaria progredir se isso não melhorasse a sua posição?

Mas, quando o homem possuir todos os prazeres que o progresso intelectual pode lhe proporcionar, perceberá que a sua felicidade ainda não está completa; reconhecerá que essa felicidade é impossível sem a segurança das relações sociais, e essa segurança ele apenas encontrará no progresso moral. Então, pela força das circunstâncias, ele próprio conduzirá o progresso na direção do aperfeiçoamento moral, e o Espiritismo lhe oferecerá a mais poderosa ajuda para atingir esse objetivo.

5

O ESPIRITISMO E AQUELES QUE O DIFAMAM

Os que dizem que as crenças espíritas ameaçam invadir o mundo reconhecem, por isso mesmo, a sua força, porque uma ideia sem fundamento e destituída de lógica jamais poderia tornar-se universal. Portanto, se os seguidores do Espiritismo aumentam por toda a parte, principalmente junto às classes mais esclarecidas, como é possível constatar, é porque ele possui um fundo de verdade.

Contra essa tendência serão inúteis todos os esforços daqueles que o difamam e o próprio termo ridículo, usado para defini-lo, longe de lhe deter a trajetória, parece dar-lhe ainda mais força. Esse resultado justifica plenamente o que os Espíritos já nos disseram inúmeras vezes: A oposição não deve inquietá-lo e tudo o que fizerem contra virá em seu benefício; mesmo sem querer, os maiores adversários servirão à causa. A má vontade dos homens não poderá prevalecer contra a vontade de Deus.

Com o Espiritismo, a Humanidade deve entrar numa nova fase: a do progresso moral, que é a consequência inevitável dos ensinamentos que ele contém. Portanto, deixem de se admirar da rapidez com que as ideias espíritas se propagam; a causa disso está na satisfação que elas proporcionam a todos aqueles que se aprofundam em seu estudo e que veem nelas algo mais que um simples passatempo. Ora, se o homem quer a sua felicidade acima de tudo, não é de se admirar que ele se interesse por uma ideia que o faça feliz.

O desenvolvimento dessas ideias apresenta três fases distintas:

Primeira: é a fase da curiosidade, provocada pela estranheza que os fenômenos produzem.

Segunda: é a fase do raciocínio e da filosofia.

Terceira: é a fase da aplicação e das consequências.

A fase da curiosidade já passou, pois ela dura pouco tempo e, uma vez satisfeita, muda o seu foco. O mesmo não acontece com aquele que se dedica ao pensamento sério e ao raciocínio. A segunda fase, que é a do raciocínio e da filosofia, já começou, e a terceira seguirá a segunda inevitavelmente.

O Espiritismo progrediu principalmente depois que foi melhor compreendido na sua essência e depois que lhe perceberam o alcance, porque ele toca no ponto mais sensível do homem: a sua felicidade, mesmo neste mundo. Aí reside a causa da sua propagação, o segredo da força que o fará triunfar. Enquanto aguarda que a sua influência se estenda sobre as coletividades humanas, ele já torna felizes aqueles que o compreendem.

Mesmo aqueles que não presenciaram nenhum fenômeno material de manifestação dizem: além dos fenômenos, existe uma filosofia; essa filosofia me explica o que NENHUMA outra havia me explicado até então; nela encontro, tão somente pelo raciocínio, uma demonstração racional dos problemas que interessam muitíssimo ao meu futuro; o Espiritismo me proporciona calma, segurança, confiança e me livra do tormento da incerteza. Ao lado de tudo isso, a questão dos fatos materiais torna-se secundária.

Todos vocês que atacam o Espiritismo, querem um meio mais eficaz de combatê-lo com sucesso? Pois aqui está. Substituam-no por alguma coisa melhor; indiquem uma solução MAIS FILOSÓFICA para todas as questões que ele resolve; deem ao homem OUTRA CERTEZA que o faça mais feliz, mas compreendam bem o alcance da palavra CERTEZA, porque o homem só aceita como certo aquilo que lhe parece lógico.

Não devem se contentar em dizer: isso não existe, isso não é bem assim, pois é muito fácil negar. Provem, não através de uma negação, mas com fatos, que o Espiritismo não é real, que nunca o foi e que NÃO PODE ser. Se ele não for real, digam o que pode ser em seu lugar. Provem, finalmente, que o Espiritismo não tem por missão tornar os homens melhores e mais felizes pela prática da mais pura moral evangélica, moral que muitos louvam, mas que poucos praticam. Após fazerem isso, terão o direito de atacá-lo.

O Espiritismo é forte porque se apoia sobre as próprias bases da religião, que são: Deus, a alma, os sofrimentos e as recompensas futuras. Ele é convincente, principalmente porque mostra esses sofrimentos e essas recompensas futuras como consequências naturais da vida terrestre e também porque, no quadro que apresenta do futuro, não existe nada que possa ser recusado, até mesmo pela razão mais exigente.

Vocês que possuem como doutrina a negação do futuro, que compensação oferecem aos sofrimentos da Terra? Enquanto a doutrina da negação se apoia na incredulidade, o Espiritismo se apoia na confiança em Deus. Enquanto o Espiritismo convida os homens à felicidade, à esperança, à verdadeira fraternidade, a doutrina da negação oferece o NADA como perspectiva futura e o EGOÍSMO como consolação. O Espiritismo explica tudo e prova através de fatos. A doutrina da negação não prova, nem explica nada. Como querem que os homens tenham dúvidas entre as duas doutrinas?

6

A UNIVERSALIDADE DO ESPIRITISMO

Seria formar uma ideia muito falsa do Espiritismo acreditar que sua força esteja na prática das manifestações materiais e que, impedindo essas manifestações, pode-se desestruturá-lo em suas bases. Sua força está na sua filosofia e no apelo que faz à razão e ao bom senso.

Na Antiguidade, o conhecimento das coisas espirituais era objeto de estudos misteriosos, cuidadosamente escondidos do povo. Hoje, o Espiritismo não constitui segredo para ninguém; ele se utiliza de uma linguagem clara, sem ambiguidades. No Espiritismo, não existe nada de místico, nada de alegorias que possam gerar falsas interpretações. Ele quer ser compreendido por todos, porque chegou o tempo dos homens conhecerem a verdade.

Longe de se opor à divulgação do conhecimento, ele o revela para todos. Não exige uma crença cega, mas quer que se saiba por que se acredita. Apoiando-se na razão, o Espiritismo será sempre mais forte do que as doutrinas que se apoiam no nada.

Os obstáculos que tentassem atrapalhar a liberdade das manifestações poderiam impedi-las de ocorrer? Não, porque produziriam o mesmo efeito de todas as perseguições, ou seja, o de estimular a curiosidade e o desejo de conhecer aquilo que foi proibido.

Por outro lado, se as manifestações espíritas fossem privilégio de um único homem, ninguém duvida que, pondo esse homem de lado, as manifestações acabariam. Infelizmente, para os adversários do Espiritismo, as manifestações estão ao alcance de todos, desde o mais simples até o mais sábio, desde o palácio até o mais humilde casebre, qualquer um pode a elas recorrer.

Pode-se proibir que as manifestações sejam feitas em público, mas sabe-se perfeitamente que não é em público que elas se produzem melhor, e sim reservadamente. Ora, como qualquer pessoa pode ser médium, quem pode impedir que, uma família, no seu lar, um indivíduo, no silêncio do seu gabinete, o prisioneiro em sua cela, entrem em comunicação com os Espíritos, apesar da proibição dos seus opositores e mesmo na presença deles?

Se as comunicações fossem proibidas em um país, poderiam ser proibidas nos países vizinhos, no mundo inteiro, uma vez que em todos os continentes existem médiuns. Para prender todos os médiuns, seria preciso prender a metade da população humana. Mesmo que conseguissem queimar todos os livros espíritas, o que não seria fácil, no dia seguinte, eles já estariam reproduzidos, porque o autor dos livros são os próprios Espíritos, e estes não podem ser queimados, nem colocados na prisão.

O Espiritismo não é obra de um homem. Ninguém pode dizer que é o seu criador, pois ele é tão antigo quanto a Criação. Ele é encontrado por toda a parte, em todas as religiões e, principalmente, na religião católica, porque no catolicismo se encontram os mesmos princípios que existem no Espiritismo: os Espíritos de todos os graus de evolução, suas relações ocultas e ostensivas com os homens, os anjos da guarda, a reencarnação, a emancipação da alma durante a vida, a dupla vista, as visões, as manifestações de todos os gêneros, as aparições e até mesmo as aparições tangíveis, ou seja, as materializações.

Com relação aos demônios, eles não passam de Espíritos maus. Não existe diferença entre eles e os demais Espíritos, porque os demônios não foram criados para fazer eternamente o mal, conforme erroneamente se acredita; o caminho do progresso não está proibido para eles. Sendo assim, a diferença entre os demônios e os outros Espíritos está apenas no nome.

O que faz a moderna Ciência Espírita? Reúne num ensinamento único o que estava disperso. Explica com termos apropriados o que só se conhecia em linguagem figurada; suprime tudo aquilo que a superstição e a ignorância haviam criado, para deixar somente o que é real e positivo; eis o papel da Ciência Espírita; mas não lhe cabe o papel de fundadora.

Ela revela o que existe, coordena, mas não cria nada, porque as suas bases estão em todos os tempos e em todos os lugares. Portanto, quem ousaria se acreditar forte o suficiente para abafá-la com deboches e até mesmo com perseguições? Se a proíbem num lugar, renasce em outros, no próprio terreno de onde a expulsaram, porque a Doutrina Espírita está na Natureza e não é permitido ao homem destruir uma força da Natureza, nem ir contra os decretos de Deus.

Aliás, que interesse haveria em se impedir a propagação das ideias espíritas? Essas ideias, é bem verdade, se opõem aos abusos que nascem do orgulho e do egoísmo. Porém, esses abusos, de que alguns se aproveitam, prejudicam a coletividade humana. Portanto, o Espiritismo terá as coletividades a seu favor e por adversários sérios apenas aqueles que têm interesse na manutenção desses abusos.

As ideias espíritas, pela influência que exercem, são uma garantia da ordem e da tranquilidade, pois tornam os homens melhores uns para com os outros; fazem com que eles se interessem menos pelas coisas materiais e sejam mais resignados aos decretos de Deus.

7

Os espíritas e os adversários do Espiritismo

O Espiritismo se apresenta sob três aspectos diferentes, a saber:
1 As manifestações;
2 Os princípios de filosofia e de moral que decorrem das manifestações;
3 A aplicação desses princípios.
Daí surgem as três categorias de adeptos ao Espiritismo:
1ª Aqueles que acreditam nas manifestações e se limitam a constatá-las. Para eles, o Espiritismo é uma Ciência experimental.

2ª Aqueles que compreendem as suas consequências morais.

3ª Aqueles que praticam ou se esforçam para praticar essa moral.

Seja qual for o ponto de vista, científico ou moral, sob o qual se considerem esses fenômenos estranhos, todos compreendem que eles constituem uma nova ordem de ideias que surge, cujas consequências resultarão numa profunda modificação na maneira de viver da Humanidade. Essa modificação pode ocorrer somente para o bem, o que também é fácil de compreender.

Quanto aos adversários, também podemos classificá-los em três categorias:

1ª Aqueles que negam, sistematicamente, tudo o que é novo e tudo o que não procede de suas próprias mentes; falam sobre o assunto sem conhecimento de causa. A essa classe também pertencem todos aqueles que não aceitam nada que não possa ser comprovado pelos sentidos. Nada viram, nada querem ver e menos ainda se aprofundar. Ficariam até mesmo aborrecidos se vissem as coisas muito claramente, com medo de serem forçados a admitir que não possuem razão. Para eles, o Espiritismo é uma fantasia, uma loucura, uma utopia, ou melhor, simplesmente não existe, e isso resume tudo.

Estes são os incrédulos de ideias fixas. Ao lado deles, estão também aqueles que não se dignaram a dar aos fatos a mínima atenção, nem que fosse por descargo de consciência, para que pudessem dizer: quis ver e nada vi. Eles não compreendem que seja necessário muito mais do que meia hora para alguém se dar conta de toda uma Ciência.

2ª. Aqueles que, mesmo conhecendo a realidade dos fatos, os combatem por motivos de interesse pessoal. Para eles, o Espiritismo existe, mas temem as suas consequências e atacam-no como a um inimigo.

3ª. Aqueles que encontram na Moral Espírita uma censura muito severa, seja para os seus atos, seja para as suas tendências. O Espiritismo levado a sério os incomodaria; eles não o rejeitam, nem o aprovam, simplesmente preferem fechar os olhos.

Os primeiros são movidos pelo orgulho e pela presunção; os segundos, pela ambição e os terceiros, pelo egoísmo. Essas causas de oposição, por não terem solidez, tendem a desaparecer com o tempo.

Seria perder tempo procurar uma quarta classe de antagonistas, porque esta teria que apresentar provas contrárias e consistentes para derrubar o Espiritismo. Essas provas teriam que vir de um estudo consciencioso e laborioso da questão. Como todos os adversários, apenas lhe opõem a negação, nenhum deles apresenta uma prova séria e irrefutável em contrário.

Seria exigir demais da natureza humana acreditar que ela pudesse se transformar subitamente, apenas por causa das "ideias espíritas". A ação que essas ideias exercem não é certamente a mesma, nem do mesmo grau, em todos aqueles que a seguem.

Por menor que seja o resultado que a ação da ideia espírita provoque, ela sempre causará uma melhora, mesmo que seja apenas para provar a existência de um Mundo Espiritual, ou melhor, a existência de um mundo fora do corpo físico, o que por si só implica na negação das Doutrinas Materialistas. Essa negação decorre da simples observação dos fatos. Entretanto, para aqueles que compreendem a filosofia do Espiritismo e nele veem outra coisa além de fenômenos mais ou menos curiosos, os efeitos são outros.

O PRIMEIRO EFEITO, e o mais geral, para aquele que entra em contato com a Doutrina Espírita, consiste em desenvolver o sentimento religioso naquele que, mesmo não sendo materialista, é indiferente às questões espirituais. A consequência, para ele, é a serenidade perante a morte.

Isso não implica em dizer que o Espírita tenha o desejo de morrer, longe disso, ele defenderá a sua vida como outro qualquer. O Espírita apenas tem a tendência de aceitar a morte com mais tranquilidade, como uma coisa mais feliz do que temível, porque ele tem a certeza de que a sua vida continua.

O SEGUNDO EFEITO, quase tão geral quanto o primeiro, é a resignação perante as dificuldades da vida. O Espiritismo faz com que o homem veja as coisas de um ponto tão mais elevado, que os problemas da vida terrena perdem muito de sua importância e deixam de afligi-lo tanto. Assim, ele possui mais coragem nas aflições, mais moderação nos desejos e afasta a ideia de abreviar os dias da sua existência, porque a Ciência Espírita ensina que, pelo suicídio, sempre se perde aquilo que se queria ganhar.

A certeza de um futuro cuja felicidade depende apenas de nós mesmos, a possibilidade de estabelecer relações com os seres que nos são queridos, oferece ao Espírita uma consolação muito grande. Seu horizonte se amplia até o infinito pela visão contínua que ele tem da vida depois da morte do corpo físico, cujos mistérios profundos lhe é possível sondar.

O TERCEIRO EFEITO é o de estimular no homem o perdão e a tolerância para com os defeitos alheios. Mas é preciso ficar claro que o egoísmo e tudo aquilo que o envolve são o que existe de mais persistente no homem e, por consequência, o mais difícil de eliminar.

Muitos fazem sacrifícios voluntários, desde que não lhes custe nada e que não precisem se privar de coisa alguma. O dinheiro ainda exerce sobre a maioria dos homens uma atração irresistível e bem poucos dispensam o superfluo para uso próprio. Desse modo, o esquecimento de si mesmo é o sinal de um progresso considerável.

8

A UTILIDADE DO ENSINAMENTO MORAL DO ESPIRITISMO

Algumas pessoas perguntam se os Espíritos nos ensinam uma nova moral, alguma coisa superior ao que o Cristo nos ensinou? Se a moral dos Espíritos é a mesma moral do Evangelho, para que serve o Espiritismo? Esse raciocínio se parece muito com aquele do Califa Omar, referindo-se à Biblioteca de Alexandria: "Se ela não contém mais do que aquilo que está escrito no Alcorão, ela é inútil e, portanto, deve ser queimada; se ela contém coisa diversa, é nociva, logo, também deve ser queimada".

Não, o Espiritismo não contém uma moral diferente daquela que Jesus veio nos ensinar. Mas, perguntamos, por nossa vez: Antes do Cristo, os homens não tinham a Lei de Deus trazida por Moisés? A doutrina do Cristo não se acha contida nos dez mandamentos? Por isso, se dirá que a moral de Jesus era inútil?

Perguntaremos, ainda, para aqueles que negam a utilidade da Moral Espírita: Por que a moral do Cristo é tão pouco praticada? Por que, justamente aqueles que proclamam a sua sublimidade são os primeiros a violar a primeira de suas Leis: a caridade universal? Os Espíritos vêm hoje, não apenas confirmar a moral cristã, mas também mostrar a sua utilidade prática.

Eles tornam inteligíveis e claras as verdades que tinham sido ensinadas apenas de forma alegórica. E, ao lado da moral, vem nos trazer a definição dos problemas mais abstratos da psicologia.

Jesus veio mostrar aos homens o caminho do verdadeiro bem. Por que Deus, que enviou Jesus para fazer com que a Humanidade se lembrasse da Sua Lei que estava esquecida, não enviaria, hoje, os Espíritos para lembrá-la novamente e com maior precisão, justo agora que os homens a esquecem para dedicar tudo ao orgulho e à ambição? Quem ousaria impor limites ao poder de Deus e lhe determinar caminhos?

Quem nos diz que os tempos preditos não são chegados, como afirmam os Espíritos, e que não alcançamos os tempos em que as verdades mal compreendidas ou erroneamente interpretadas devam ser abertamente reveladas à Humanidade para que esta apresse o seu adiantamento? Será que não existe algo de providencial nessas manifestações que se produzem simultaneamente por todas as partes da Terra?

Não é apenas um homem, um profeta que nos vem advertir. O conhecimento chega de todas as partes. É todo um mundo novo que se abre aos nossos olhos. Assim como a invenção do microscópio nos revelou o mundo dos infinitamente pequenos, de que nós sequer suspeitávamos; assim como o telescópio nos revelou milhares de mundos cuja existência nós também não suspeitávamos antes, as comunicações espíritas revelam a existência de um mundo invisível que nos rodeia e cujos habitantes participam incessantemente, sem o nosso consentimento, de tudo o que fazemos.

Mais algum tempo ainda e a existência desse mundo invisível, que nos espera após o nosso desencarne, será tão real quanto o mundo microscópico e os mundos que giram no espaço. Será, então, que de nada valerá os Espíritos terem nos revelado a existência de um mundo invisível e nos terem iniciado nos mistérios da vida além da morte?

É verdade que essas descobertas, se assim podemos chamar, contrariam, de algum modo, certas ideias pré-estabelecidas. Mas não é igualmente verdade que todas as grandes descobertas da Ciência também modificaram e até mesmo derrubaram as ideias que até então predominavam? E o nosso amor-próprio não teve que se curvar diante da evidência? O mesmo acontecerá com o Espiritismo, que dentro de pouco tempo fará parte dos conhecimentos humanos.

As comunicações com os Espíritos que já desencarnaram tiveram por resultado fazer com que o homem compreendesse a vida futura como sendo uma realidade; fizeram com que ele se preparasse para os sofrimentos e prazeres que o esperam segundo os seus méritos. A comunicação com os Espíritos também encaminhou para o espiritualismo aqueles que viam no homem apenas uma matéria, uma maquina organizada.

Assim, estávamos com a razão quando afirmamos que o Espiritismo derrotou o Materialismo por meio de fatos. Se ele tivesse produzido apenas esse resultado, a sociedade já lhe deveria muita gratidão. Entretanto, o Espiritismo faz mais: mostra os inevitáveis efeitos do mal e, consequentemente, a necessidade do bem. O número de pessoas que ele conduziu a sentimentos melhores, neutralizando as más tendências e desviando-as do mal, é muito maior do que se pensa e cresce todos os dias.

Para essas pessoas, o futuro deixou de ser uma coisa vaga. Já não é mais uma simples esperança, mas uma realidade que se compreende e se explica, quando vemos e ouvimos, através das comunicações espíritas, aqueles que já desencarnaram lamentarem-se ou mostrar a sua felicidade pelo que fizeram na Terra. Todo aquele que tem a oportunidade de testemunhar as comunicações espíritas é levado a refletir e sente a necessidade de se conhecer, de se julgar e de se modificar.

9

A OPINIÃO DOS ESPÍRITOS SOBRE A DOUTRINA ESPÍRITA

Os adversários do Espiritismo não perderam a oportunidade de se aproveitar de algumas divergências de opinião sobre certos pontos da Doutrina. Não é de admirar que, no começo de uma Ciência, quando as observações ainda são incompletas e cada um as examina do seu ponto de vista, apareçam opiniões contraditórias.

Contudo, quase todas as opiniões contrárias já caíram diante de um estudo mais aprofundado, a começar por aquela que atribuía todas as comunicações ao Espírito do Mal, como se fosse impossível a Deus enviar aos homens os bons Espíritos. Alguns dizem: Doutrina absurda, porque é desmentida pelos fatos; Doutrina incrédula, porque é a negação do poder e da bondade do Criador.

Os Espíritos sempre nos disseram para que não nos inquietássemos com essas divergências, pois a unidade da Doutrina acabaria por acontecer. Ora, a união já aconteceu sobre a maioria das questões e a cada dia as divergências tendem a desaparecer. Perguntamos aos Espíritos: "Enquanto se aguarda essa unidade, em que o homem imparcial e desinteressado, pode basear-se para formular um juízo?" Eis a resposta que os Espíritos nos deram: A luz verdadeiramente pura jamais pode ser obscurecida por nuvem alguma. O diamante sem mancha é aquele que possui o maior valor. Julguem os Espíritos pela pureza de seus ensinamentos. Não esqueçam que entre os Espíritos existem aqueles que ainda não se libertaram totalmente das ideias da vida terrena.

É preciso saber distingui-los pela linguagem que utilizam e julgá-los pelo conjunto do que dizem; vejam se existe encadeamento lógico em suas ideias; se elas não revelam algum tipo de ignorância, orgulho ou malevolência; resumindo, se suas palavras trazem sempre o cunho da sabedoria que revela a verdadeira superioridade.

Se a Terra fosse inacessível ao erro, seria perfeita, mas ela ainda está muito longe disso. Os homens ainda estão aprendendo a distinguir o erro da verdade. Falta a eles a experiência para julgarem melhor e poder se adiantar. A unidade acontecerá do lado em que o bem jamais esteve misturado com o mal; é desse lado que os homens se unirão pela própria força das circunstâncias, porque reconhecerão que aí está a verdade.

Aliás, que importam algumas divergências, que são mais superficiais do que verdadeiras! Notem que os princípios fundamentais são os mesmos por toda parte e haverão de unir a todos num pensamento comum: o amor de Deus e a prática do bem. Seja qual for o modo de progresso, ou as condições normais da vida futura, o objetivo final é apenas um: fazer o bem! E, como todos sabem, não existe duas maneiras de fazê-lo.

Se entre os adeptos do Espiritismo existem aqueles que divergem de opinião sobre alguns pontos da teoria, todos, por sua vez, estão de acordo sobre os pontos fundamentais. Portanto, existe unidade, com exceção daqueles que, em número muito reduzido, ainda não aceitam a intervenção dos Espíritos nas manifestações, atribuindo-as a causas puramente físicas; contrariando o ensinamento de que: "para todo efeito inteligente deve haver uma causa inteligente".

Existem, também, aqueles que atribuem as manifestações, não aos Espíritos, mas a um reflexo do nosso próprio pensamento, o que é desmentido pelos fatos. Os demais pontos são apenas secundários e não comprometem em nada as bases fundamentais. É saudável que existam escolas que procuram se esclarecer sobre os pontos ainda controvertidos da Ciência, mas não deve haver rivalidade entre elas. Só poderia haver contradição entre aqueles que querem o bem e aqueles que desejam o mal.

Não existe um espírita sincero que, concordando com os grandes ensinamentos morais trazidos pelos Espíritos, possa querer o mal ou desejar o mal ao seu próximo, apenas porque ele possui opinião diferente da sua. Se uma dessas escolas estiver errada, mas procurar de boa fé e sem prevenção, cedo ou tarde, o esclarecimento virá em seu auxílio.

Enquanto esperam esse esclarecimento, todas as escolas possuem um laço comum que deve uni-las num mesmo pensamento; todas possuem um mesmo objetivo, pouco importa o caminho que sigam, desde que o atinjam. Nenhuma escola deve se impor pelo constrangimento material ou moral e apenas estaria no caminho errado aquela que condenasse ou reprovasse a outra, porque, evidentemente, estaria agindo sobre a influência de Espíritos inferiores.

Sempre a razão deve ser o melhor argumento e a moderação garantirá melhor a vitória da verdade do que as críticas envenenadas pela inveja e pelo ciúme. Os bons Espíritos ensinam apenas a união e o amor ao próximo. Jamais um pensamento mau ou contrário à caridade pode sair de uma fonte pura. Para terminar, vamos acompanhar sobre esse assunto os conselhos do Espírito Santo Agostinho:

Por muito tempo, os homens têm se retalhado e se amaldiçoado mutuamente em nome de um Deus de paz e de misericórdia, ofendendo-O com semelhante postura. O Espiritismo é o laço que os unirá um dia, porque lhes mostrará onde está a verdade e onde está o erro.

Mas por muito tempo ainda haverá **escribas e fariseus** que negarão o Espiritismo, como negaram o Cristo. Querem saber sob a influência de que Espíritos estão às diversas seitas que entre si dividiram o mundo? Julguem-nas por suas obras e por seus princípios. Jamais os bons Espíritos estimularam o mal; jamais aconselharam ou legitimaram o assassinato e a violência; nunca estimularam o ódio dos partidos nem a sede de riquezas e honrarias, nem a cobiça dos bens terrenos.

Apenas aqueles que são bons, humanitários e benevolentes para com todos, são os preferidos dos Bons Espíritos, assim como são os preferidos de Jesus, porque seguem o caminho indicado pelo Mestre para chegar até Ele.

Santo Agostinho

Observação

Escribas e Fariseus: Classes sociais que pertenciam à sociedade judaica no tempo de Jesus. No texto, refere-se à gente falsa, fingida, traiçoeira (O Evangelho Segundo o Espiritismo: Introdução – Notas Históricas).

OBRAS CONSULTADAS

KARDEC, Allan. *Le Livre des Esprits.* Paris: Éditions Dervy, 2010.

KARDEC, Allan; Tradução de Evandro Noleto Bezerra. *O Livro dos Espíritos* – 150 anos, edição comemorativa. Brasília: Federação Espírita Brasileira, 2006.

KARDEC, Allan; Tradução de Guillon Ribeiro. *O Livro dos Espíritos.* Brasília: Federação Espírita Brasileira, 2009.

KARDEC, Allan; Tradução de Torrieri Guimarães. *Allan Kardec Obras Completas.* São Paulo: Opus, 1985.

SANTOS, Djalma; SPRANGER, Ana Maria. *Estudando o Livro dos Espíritos.* Rio de Janeiro: Léon Denis, 2010.

KARDEC, Allan; Tradução de Renata Barboza da Silva. *O livro dos Espíritos.* São Paulo: Petit, 1999.

KARDEC, Allan; Traduzido e adaptado por Alberto Adriano Maçorano Cardoso. *O Livro dos Espíritos.* São Paulo: Giz Editorial, 2008.

KARDEC, Allan. *Le Livre Des Esprits.* Brasília: Federação Espírita Brasileira, 1995.

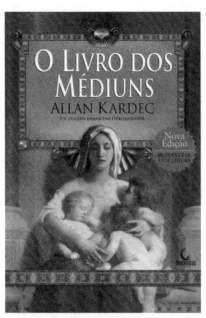

O Livro dos Médiuns de Allan Kardec

Organizado por: Claudio Damasceno

424 pgs / 16cm X 23cm / 978-85-99275-98-6

Publicado pela primeira vez em 1861, O Livro dos Médiuns é uma das obras básicas do espiritismo e reúne o ensino dos espíritos sobre a teoria de todos os gêneros de manifestações, os meios de comunicação com o mundo espiritual e o desenvolvimento da mediunidade. Fruto do empenho de Allan Kardec em fazer um estudo analítico das diversas modalidades de comunicação estabelecidas entre os homens e os espíritos, é uma obra indispensável para o entendimento da natureza das manifestações mediúnicas. Com o mesmo respeito e dedicação com que trabalhou O Livro dos Espíritos e O Evangelho Segundo o Espiritismo – edições já consagradas pela linguagem atualizada e fidelidade à obra original –, Claudio Damasceno nos presenteia mais esta obra, prezando sempre as intenções de cada linha e comprometido com a nobre intenção de levar a um número maior de pessoas os ensinamentos de Allan Kardec.

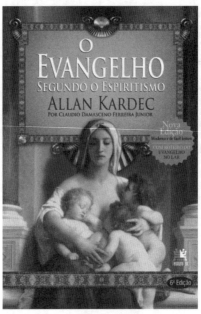

O Evangelho Segundo o Espiritismo de Allan Kardec
Versão POCKET
Organizado por: Claudio Damasceno
472 pgs / 11cm X 16cm / 978-85-99275-46-7

Publicado pela primeira vez em 1864, na França, O Evangelho Segundo o Espiritismo de Allan Kardec é considerada a obra do sentimento entre todas que compõem a codificação espírita. É o pensamento de Jesus Cristo explicado à luz do Espiritismo ultrapassando a escrita e resgatando a essência dos seus ensinamentos. Essa edição, dirigida por Claudio Damasceno, objetiva um entendimento maior e melhor dessa magnífica obra e assim contribuir para que mais pessoas encontrem nela um instrumento para a sua reforma íntima. Respeitando sempre as intenções de cada linha e tendo o máximo cuidado para não descaracterizar ou mudar seus fundamentos, esta edição além de proporcionar uma melhor compreensão das palavras de Jesus, sem dúvida alguma prima pelo prazer da leitura.
*Com roteiro do Evangelho no lar.